W9-BNS-417

INNAN FROSTEN

Böcker av Henning Mankell

Bergsprängaren 1973, 1998
Sandmålaren 1974
Vettvillingen 1977
Fångvårdskolonin som försvann 1979, 1997
Dödsbrickan 1980
En seglares död 1981
Daisy Sisters 1982, 1993
Apelsinträdet 1983
Älskade syster 1983
Sagan om Isidor 1984, 1997
Hunden som sprang mot en stjärna 1990
Leopardens öga 1990
Mördare utan ansikte 1991
Skuggorna växer i skymningen 1991
Hundarna i Riga 1992
Katten som älskade regn 1992
Den vita lejoninnan 1993
Mannen som log 1994
Comédia infantil 1995
Eldens hemlighet 1995
Villospår 1995
Den femte kvinnan 1996
Pojken som sov med snö i sin säng 1996
Steget efter 1997
Brandvägg 1998
Resan till världens ände 1998
I sand och i lera 1999
Pyramiden 1999
Danslärarens återkomst 2000
Labyrinten 2000
Vindens son 2000
Eldens gåta 2001
Tea-Bag 2001

Henning Mankell

Innan frosten

ROMAN

LEOPARD FÖRLAG

STOCKHOLM 2002

Henning Mankell: Innan frosten
Leopard förlag, S:t Paulsgatan 11, 118 46 Stockholm
www.leopardforlag.se

Satt med Minion 10,5/16
Omslagsfoto: Claes Nyberg
Omslag/collage: Lena Olofsson
Tryck: WS Bookwell, Borgå 2002
ISBN 91-7343-003-X

Prolog

Jonestown, november 1978

Tankarna i hans hjärna var som ett gnistregn av glödande nålar. Smärtan var nästan outhärdlig. För att bevara sitt lugn försökte han desperat att tänka klart. Vad var det som plågade honom mest? Han behövde inte leta efter svaret. Han visste. Det var rädslan. För att Jim skulle släppa sina hundar och driva dem ut på jakt efter honom, som om han varit ett förskrämt villebråd på flykt, vilket han egentligen också var. Det som skrämde honom mest var Jims hundar. Hela den där långa natten mellan den 18 och 19 november, när han inte orkade springa längre utan gömde sig bland de murknade resterna av ett kullblåst träd, tyckte han sig höra hur hundarna närmade sig.

Jim låter aldrig någon komma undan, tänkte han. Den man jag en gång bestämde mig för att följa, eftersom han tycktes uppfylld av en gränslös och gudomlig kärlek, visar sig nu vara en helt annan. Han har omärkligt bytt skepnad med sin egen skugga eller den djävul han alltid predikat mot och varnat oss för. Den själviska demon som hindrar oss från att tjäna Gud i underkastelse och lydnad. Det jag trott vara kärlek har nu förvandlats till hat. Jag borde ha förstått det tidigare. Jim har ju klargjort det här själv, gång på gång. Han har gett oss sanningen, men inte hela på en gång, utan som en smygande uppenbarelse. Men varken jag eller någon annan har velat höra det vi hört, vad som har legat gömt mellan orden. Det är mitt eget fel eftersom jag inte velat förstå. När han samlat oss till sina predikningar eller skickat ut sina meddelanden har han inte bara talat om den andliga förberedelse som var och en måste genomgå innan domedagen är inne. Han har också sagt att vi i varje ögonblick måste vara beredda att dö.

Han avbröt tanken och lyssnade ut i mörkret. Hörde han inte de avlägsna skallen från hundarna? Men de fanns fortfarande bara inom honom, instängda i hans egen rädsla. Han återvände igen i sin förvirrade, skrämda hjärna till det som hänt i Jonestown. Han måste förstå. Jim hade varit deras ledare, deras herde, deras pastor. De hade följt honom under uttåget från Kalifornien när de inte längre uthärdade den förföljelse som myndigheter och massmedia utsatte dem för. I Guyana skulle de förverkliga sin dröm om ett liv i frihet i Gud och i gemenskap med varandra och naturen. I början hade allt också blivit som Jim hade sagt. De hade talat om att de hade hittat sitt paradis. Men någonting hade hänt. Kanske de inte skulle kunna förverkliga sin stora dröm här i Guyana? Kanske var de lika hotade här som i Kalifornien? Kanske de skulle vara tvungna att inte bara lämna ett land utan också lämna livet för att i gemenskapen med Gud kunna skapa den tillvaro de lovat varandra. "Jag har sett igenom mina egna tankar", sa Jim. "Jag har sett längre än jag sett tidigare. Domedagen är nära. Om vi inte ska dras ned i den fruktansvärda malströmmen måste vi kanske dö. Bara genom att dö kommer vi att överleva."

De skulle begå självmord. Första gången Jim hade stått där på böneplatsen och talat om det fanns det inte något skrämmande i hans ord. Först skulle föräldrarna ge sina barn av den utspädda cyanid som Jim förvarade i stora plastkärl i ett låst rum på baksidan av sitt hus. Sedan skulle de själva ta giftet, och de som tvekade, i det sista avgörande ögonblicket sviktade i sin tro, skulle få hjälp på vägen av Jim och hans närmaste medarbetare. Om giftet tog slut fanns det vapen. Jim skulle själv se till att alla dog innan han riktade vapnet mot sitt eget huvud.

Han låg under trädet och flämtade i den tropiska värmen. Hela tiden lyssnade han efter Jims hundar. De stora, rödögda monster som alla var rädda för. Jim hade sagt att de som valt att leva i hans församling och som varit med om den stora utvandringen från Kalifornien, hit till ödemarken i Guyana, inte hade någon annan väg att gå än den väg Gud bestämde. Den väg Jim Warren Jones hade bestämt var den rätta.

Det hade låtit så betryggande, tänkte han. Ingen kunde som Jim förvandla ord som *död*, *självmord*, *cyanid* och *skjutvapen* från något hotfullt och skrämmande till något vackert och eftertraktansvärt.

Han rös. Jim har gått runt och sett alla de döda, tänkte han. Han ser att jag är borta och han kommer att släppa hundarna efter mig. Tanken högg tag i honom. *Alla de döda.* Tårarna började rinna. Det var först nu som han på allvar förstod vad som hade hänt. Maria och flickan, alla var döda, också de. Men han ville inte tro det. Maria och han hade viskat om det på nätterna. Jim höll på att bli galen. Det var inte samme man som en gång lockat dem till sig, lovat dem frälsning och en mening med livet om de hängav sig åt Folkets Tempel som var Jims skapelse. Det som en gång hade drabbat dem som en nåd, Jims ord om att den enda lyckan fanns i förtröstan på Gud, på Kristus, tron på allt det som väntade bortom det jordeliv som snart skulle vara över. Det var Maria som sagt det tydligast, att ”Jims ögon har börjat flacka. Jim ser aldrig på oss längre. Han ser förbi och hans ögon är kalla, som om han inte längre vill oss gott.”

De kanske skulle ge sig av, viskade de om nätterna. Men varje morgon hade de sagt varandra att de inte kunde överge det liv de valt. Jim skulle snart vara som vanligt igen. Han gick igenom en kris, hans svaghet skulle snart vara över. Jim var den starkaste av dem alla. Utan honom skulle de inte ha levt i det som ändå var som en bild av paradiset.

Han petade bort en insekt som trevade sig fram över hans svettiga ansikte. Djungeln var varm, ångande. Insekterna kom kravlande och krypande från alla håll. En gren tryckte till mot hans ena ben. Han for upp och trodde att det var en orm. I Guyana fanns många som var giftiga. Bara under de senaste tre månaderna hade två av kolonins medlemmar blivit ormbitna, deras ben hade svullnat upp svårt, fått en blåsvart färg och sedan spruckit sönder i illaluktande varbölder. Den ena, en kvinna från Arkansas, hade avlidit. De hade begravt henne på kolonins lilla kyrkogård och Jim hade hållit en av sina stora predikningar, precis som förr i tiden när han kommit till San Francisco med sin kyrka, Folkets Tempel, och snart blivit känd som en märklig väckelsepredikant.

Det fanns en minnesbild som var tydligare än nästan allt annat i hans liv. Hur han varit så utslagen av sprit och knark och dåligt samvete för den lilla flicka han övergivit att han tänkt att han nu inte ville mer. Nu skulle han dö, bara kasta sig framför en lastbil eller ett tåg och sedan skulle allt vara över och ingen skulle sakna honom, minst av allt han själv. Det var under en av de sista vandringarna genom staden, som om han gått runt för att ta farväl av människor som ändå inte brydde sig om ifall han levde eller dog, som han råkade passera det hus där Folkets Tempel höll till. "Det var Guds försyn", sa Jim till honom senare, "det var Gud som såg dig och bestämde sig för att du var en av de utvalda, en av dem som skulle få uppleva nåden att leva genom honom." Vad det var som drivit honom att gå in i det där huset som inte liknade en kyrka, visste han fortfarande inte. Inte ens nu när allt var över och han låg under ett träd och väntade på att Jims hundar skulle komma och slita honom i bitar.

Han tänkte att han borde ge sig av, fortsätta flykten. Men han kunde inte lämna sitt gömställe. Dessutom kunde han inte överge Maria och flickan. Han hade redan en gång i sitt liv övergett ett barn. Han kunde inte låta det hända igen.

Vad var det egentligen som hade hänt? På morgonen hade alla som vanligt stigit upp tidigt. De hade samlats på böneplatsen utanför Jims hus och väntat. Men dörren hade förblivit stängd som så ofta under den senaste tiden. De hade bett sina böner ensamma, alla de 912 vuxna och 320 barn som fanns i kolonin. Sedan hade de gått till sina olika arbetsuppgifter. Han skulle aldrig ha överlevt om han inte den dagen tillsammans med två andra lämnat kolonin för att leta reda på två försvunna kor. När han skilts från Maria och dottern hade han inte haft någon föraning om att fara hotade. Det var först när de kommit upp på andra sidan ravinen, som var kolonins yttre gräns mot den omgivande regnskogen, som han hade förstått att någonting höll på att hända.

De hade tvärstannat när de hörde skott från kolonin, kanske hade de också lyckats urskilja skrik från människor ur det massiva tjattrandet av fåglar som omgav dem. De hade sett på varandra och sedan börjat springa tillbaka ner i ravinen. Han hade kommit ifrån de andra två, han var inte ens säker på att de inte istället plötsligt bestämt sig för att fly. När han kom ut ur skuggan av träden och klättrade över staketet till den del av Folkets Tempel som utgjordes av den stora fruktodlingen var det tyst. Alldeles för tyst. Inga människor höll på att plocka frukter. Det fanns inga människor överhuvudtaget. Han sprang in mot husen och han förstod att något fruktansvärt hade hänt. Jim hade kommit ut igen. Han hade slagit upp den stängda dörren, men han hade inte kommit med kärlek utan med det hat som allt oftare hade skymtat i hans ögon.

Han märkte att han höll på att få kramp och vred försiktigt på kroppen. Hela tiden lyssnade han efter hundarna. Men allt han hörde var gräshoppornas gnisslande och vinandet av nattfåglar som strök förbi hans huvud. *Vad var det han hade kommit fram till?* När han sprungit genom den övergivna fruktodlingen hade han försökt göra som Jim alltid sagt var en människas enda möjlighet att finna den stora nåden. Att lägga sitt liv i Guds hand. Nu hade han lagt sitt liv och sin bön i Guds hand, *låt Maria och flickan vara oskadda, vad som än har hänt.* Men Gud hade inte hört honom. Han mindes att han i förtvivlan tänkt att det kanske varit Jim och Gud som avlossat skotten mot varandra, de skott de hört ovanför ravinen.

Det var som om han rusade rakt in på den dammiga gatan i Jonestown där Gud och pastor Jim Warren Jones stod mitt emot varandra för att skjuta de sista skotten. Men Gud hade han inte sett. Jim Jones hade varit där, hundarna hade skällt som vansinniga i sina burar, och överallt på marken hade människor legat och han hade genast sett att de var döda. Det var som om de slagits till marken av en ursinnig knytnäve från himlen. Jim Jones och hans närmaste medarbetare, de sex bröderna som alltid följde honom, som var hans tjänare och livvakter, hade gått runt och skjutit mot barn som försökte kravla bort från sina döda föräldrar. Han hade sprungit runt bland alla dessa döda kroppar och han hade letat efter Maria och flickan utan att kunna hitta dem.

Det var när han skrikit Marias namn som Jim Jones hade ropat på honom. Han hade vänt sig om och sett hur hans pastor lyft en pistol mot honom. De stod på tjugo meters avstånd från varandra, mellan dem på den brunsvedda marken låg de döda, hans vänner, sammankrupna och låsta som i kramp i sina sista andetag. Jim hade lyft pistolen, siktat med båda händerna runt kolven och sedan tryckt av. Skottet hade missat. Innan Jim hann skjuta igen hade han börjat springa. Flera skott hade avlossats efter honom och han hade också hört hur Jim vrålat av raseri. Men han hade inte blivit träffad, han hade snubblat bort över alla de döda och hade inte stannat förrän det redan blivit mörkt. Då hade han krupit in och gömt sig under trädet. Fortfarande visste han inte om han var den ende som hade överlevt. Var fanns Maria och flickan? Varför överlevde bara han? Kunde en ensam människa överleva domedagen? Han förstod inte. Men han visste att det inte var någon dröm.

Gryningen kom. Värmen steg som ånga från träden. Då insåg han att Jim inte skulle släppa sina hundar. Han drog sig försiktigt fram från trädet, skakade på sina domnade ben och reste sig upp. Sedan började han gå mot kolonin. Han var mycket trött, han vacklade och plågades svårt av törst. Fortfarande var allting tyst. Hundarna är döda, tänkte han. Jim sa att ingen skulle undkomma. Inte ens hundarna. Han klättrade över staketet och började springa. De första döda låg framför honom på marken. De som hade försökt komma undan. Han såg att de blivit skjutna i ryggen.

Sedan stannade han. En man låg framför honom på marken, framstupa. Försiktigt böjde han sig ner på skakande ben och vände kroppen. Jim såg rakt in i hans ögon. Hans blick har slutat flacka, tänkte han. Jim ser mig rakt in i ögonen igen. Han blinkar inte ens. En meningslös tanke for genom hans huvud. De som är döda blinkar inte. Han fick en impuls att slå honom, sparka Jim rakt i ansiktet. Men han gjorde det inte, han reste sig upp, han som var den ende levande bland alla de döda, och han fortsatte att leta tills han hittade Maria och flickan.

Maria hade försökt komma undan. Hon hade fallit framstupa när hon blivit träffad i ryggen och hon hade hållit flickan i sina armar. Han böjde sig ner och grät. Nu finns ingenting kvar, tänkte han. Jim förvandlade vårt paradis till ett helvete.

Han stannade hos Maria och flickan tills en helikopter började cirkla över platsen. Då reste han sig och gick därifrån. Han påminde sig något som Jim hade sagt, under den goda tiden, just efter det att de kommit till Guyana. "Sanningen om en människa kan lika gärna uppfattas med näsan som med ögonen eller hörseln. Djävulen gömmer sig i människan och Djävulen luktar svavel. Känner du svaveldoften så ska du lyfta korset."

Vad som väntade honom visste han inte. Han fruktade det som skulle komma. Han undrade hur han skulle kunna fylla det stora tomrummet efter Gud och Jim Jones.

Del 1

Ålamörker

1

Strax efter nio på kvällen den 21 augusti 2001 började det blåsa. Vågor krusade sig på Marebosjön som låg i en dalsänka på sydsidan av Rommeleåsen. Mannen som väntade i skuggorna intill stranden kände med en hand i luften varifrån vinden kom. Den var nästan rakt sydlig, tänkte han belåtet. Alltså hade han valt det rätta stället för att lägga ut sin föda och locka till sig de djur han snart skulle börja offra.

Han satte sig på stenen där han brett ut en tröja för att inte bli kall. Månen var i nedan. Molntäcket som täckte himlen släppte inte igenom något ljus. Ålamörker, tänkte han. Så kallade min svenska lekkamrat det när jag växte upp. I augustimörkret börjar ålen vandra. Det är då de stöter emot fångstarmarna och vandrar mot hommans inre. Fällan slår igen.

Han lyssnade ut i mörkret. Hans känsliga öron uppfattade en bil som passerade på avstånd. Annars var allting tyst. Han tog upp sin ficklampa och lät ljuset spela över stranden och vattnet. De började komma nu, kunde han se. Han skymtade två vita fläckar mot det mörka vattnet, vita fläckar som snart skulle bli fler och växa sig större.

Han släckte ficklampan och letade i sin hjärna, som han trimmat och tämjt till en trogen och undergiven medarbetare, efter besked om vad klockan var. Tre minuter över nio, tänkte han. Sen lyfte han armen. Visarna lyste i mörkret. Tre minuter över nio. Han hade haft rätt. Naturligtvis hade han haft rätt. Inom en halvtimme skulle allt vara klart och han skulle inte behöva vänta längre. Han hade lärt sig att det inte bara var människor som drevs av ett behov av att vara punktliga. Det var något som också djur kunde läras upp till. Det hade tagit honom tre månader att förbereda det som skulle ske just denna kväll. Långsamt och metodiskt hade han vant dem han skulle offra vid sin närvaro. Han hade gjort sig till deras vän.

Det var hans största tillgång i livet. Han kunde göra sig till vän med alla. Inte bara med människor utan också med djur. Han gjorde sig till vän och ingen visste vad han egentligen tyckte och tänkte. Han tände ficklampan igen. De vita fläckarna var fler och de hade växt. De närmade sig stranden. Snart skulle han inte behöva vänta längre. Han lyste med ficklampan mot stranden. Där fanns de två sprejflaskorna fyllda med bensin och brödbitarna som han strött ut på stranden. Han släckte lampan och väntade.

När tiden var inne agerade han precis så lugnt och metodiskt han planerat. Svanarna hade kommit upp på stranden. De nappade åt sig hans brödbitar och tycktes inte märka att det fanns en människa i närheten. Eller så brydde de sig inte om det eftersom de vant sig vid att han inte utgjorde någon fara. Han använde inte ficklampan längre utan hade satt på sig glasögonen med nattsikte. Det var sex svanar som fanns på stranden, tre par. Två hade lagt sig ner medan de övriga höll på att rensa sina fjädrar eller fortfarande sökte med näbbarna efter brödbitar.

Ögonblicket var inne. Han reste sig, grep de två sprejflaskorna i var sin hand, sprutade en sky av bensin på var och en av fåglarna, och innan de hann flaxa iväg hade han släppt en av flaskorna och antänt den andra. Den brinnande bensinen satte genast eld på svanarnas vingar. Som flaxande eldklot försökte de undkomma sin plåga genom att lyfta ut över sjön. Han försökte fånga in bilden och ljudet av det han såg inom sig, de brinnande, skrikande fåglarna som flaxade bort över sjön innan de störtade mot vattnet och dog med fräsande och rykande vingar. Som brustna trumpeter, tänkte han. Så ska jag minnas deras sista skrik.

Det hela hade gått mycket fort. På mindre än en minut hade han tänt eld på svanarna, sett dem flaxa bort och sedan hade de störtat mot vattnet och allt var mörkt igen. Han var nöjd. Allt hade gått bra. Den här kvällen hade blivit som det var tänkt, en trevande början.

Han kastade ut de två sprejflaskorna i sjön. Han stoppade ner tröjan han suttit på i sin ryggsäck och lyste sedan omkring sig för att kontrollera att han inte hade glömt nånting. När han var förvissad om att han inte lämnat några spår tog han fram en mobiltelefon ur jackfickan. Han hade köpt den några dagar tidigare i Köpenhamn. Den skulle inte kunna spåras till honom. Han slog numret och väntade.

När han fick svar bad han att få bli kopplad till polisen. Samtalet var kort. Sedan kastade han ut mobilen i sjön, hängde på sig ryggsäcken och försvann i mörkret.

Vinden hade då börjat vrida mot väster och blivit alltmer byig.

2

Linda Caroline Wallander undrade denna dag, i slutet av augusti, om det fanns likheter mellan henne och hennes far som hon ännu inte hade upptäckt trots att hon nu snart var trettio år gammal och borde veta vem hon var. Hon hade frågat honom, ibland till och med försökt pressa honom på ett svar, men han ställde sig oförstående och svarade undvikande att hon nog mest liknade hans egen far. "Likhetssamtalen" som hon brukade kalla dem mynnade ibland ut i trätor som övergick i frenetiska gräl. De blossade häftigt upp men la sig hastigt igen. De flesta av dessa gräl glömde hon också bort, och hon antog att inte heller hennes far gick och ältade de samtal som ibland spårat ur.

Men av alla de gräl de haft under denna sommar var det ett hon inte kunde glömma. Det hade handlat om en bagatell. Ändå var det som om hon bortom själva minnesbilden höll på att återupptäcka delar av sin barndom och uppväxt hon alldeles hade förträngt. Samma dag hon kommit ner till Ystad från Stockholm, i början av juli, hade de börjat gräla om just minnesbilder. De hade en gång när hon var liten gjort en resa till Bornholm tillsammans. Det hade varit fadern, hennes mor Mona och hon själv, sex eller kanske sju år gammal. Skälet till det idiotiska grälet var om det hade blåst eller inte. De hade ätit middag och satt i den ljumma vinden på den trånga balkongen när resan till Bornholm plötsligt dök upp i samtalet. Hennes far påstod att Linda hade varit sjösjuk och kräkts ner hans jacka. Linda däremot tyckte sig alldeles klart se ett blått hav som låg spegelblankt framför henne. De hade bara gjort denna enda resa till Bornholm, de kunde inte ha blandat samman olika resor. Hennes mor hade inte tyckt om att vara på sjön och fadern påminde sig att han blivit förvånad när hon gått med på att följa med till Bornholm.

Den kvällen, efter att det egendomliga grälet som upplösts som i ett intet, hade Linda haft svårt att somna. Om två månader skulle hon börja arbeta som polisaspirant på Ystads polishus. Hon hade genomgått utbildningen i Stockholm och hade helst velat börja tidigare. Nu gick hon sysslolös under sommaren och fadern kunde inte hålla henne sällskap eftersom han hade tagit ut stora delar av sin semester redan i maj. Han trodde att han hade köpt ett hus och skulle behöva ägna semestern åt att flytta då. Han *hade* köpt ett hus, det låg i Svarte, söder om landsvägen, alldeles intill havet. Men i sista stund när handpenningen redan var erlagd hade säljaren, en äldre ensam pensionerad lärarinna, plötsligt blivit alldeles utom sig vid tanken på att överlämna sina rosenbuskar och rhododendron till en man som inte alls tycktes intresserad, en man som bara talade om var han skulle bygga den hundkoja där den hund han kanske skulle köpa en dag skulle bo. Hon drog sig ur affären, mäklaren föreslog att fadern borde insistera på att affären slutfördes eller åtminstone begära ett skadestånd, men han hade redan i tankarna gjort sig av med huset han aldrig flyttat in i.

Under resten av den semestermånaden som var kall och blåsig försökte han hitta ett annat hus. Men antingen var de för dyra eller så var det inte det han drömt om i alla år inne på Mariagatan i Ystad. Därför behöll han lägenheten och började på allvar fråga sig om han någonsin skulle komma bort därifrån. Linda gick sista delen av sin sluttermin på Polishögskolan och han reste upp över en helg och packade sin bil full med en del av de saker hon ville ta hem. I september skulle hon få en lägenhet, till dess skulle hon bo i sitt gamla rum.

De började genast gå varandra på nerverna. Linda var otålig och menade att hennes far borde kunna rycka i några trådar för att hon skulle kunna gå i tjänst tidigare. Han talade också vid ett tillfälle med sin chef Lisa Holgersson, men det fanns inget hon kunde göra. De nya polisaspiranterna behövdes förvisso eftersom de var svårt underbemannade men det fanns inga pengar till löner. Linda kunde inte gå i tjänst förrän den tionde september, hur mycket de än behövde henne.

Under sommaren återuppväckte Linda två gamla vänskaper som legat vilande sedan tonåren. Av en tillfällighet träffade hon en dag på torget Zeba, eller "Zebran" som alla kallade henne. Linda kände först inte igen henne. Hon hade färgat sitt svarta hår rött, förutom att hon klippt det kort. Zeba kom från Iran och de hade gått i samma klass fram till nian då deras vägar skilts åt. Den här dagen i juli när de sprang på varandra drog Zebran en barnvagn och de gick till ett konditori och drack kaffe.

Zebran hade utbildat sig till bartender men sen blivit med barn med Marcus som Linda också kände, Marcus som älskade exotiska frukter och som redan vid nitton års ålder hade etablerat sin egen plantskola vid Ystads östra infart. Deras förhållande hade tagit slut, men pojken fanns där. De pratade länge, tills pojken började skrika så gällt och intensivt att de flydde ut på gatan. Men de höll kontakten efter det slumpartade mötet, och Linda märkte att hennes otålighet minskade när hon lyckades bygga broar tillbaka till den tid då hon inte vetat annat om världen än det hon upplevde från Ystads horisont.

På vägen hem till Mariagatan, efter mötet med Zebran, började det plötsligt regna. Hon tog skydd inne i en klädaffär på gågatan och medan hon väntade på att regnet skulle upphöra, letade hon i en telefonkatalog reda på Anna Westins telefonnummer. Det klack till i henne när hon hittade det. Anna och hon hade inte haft kontakt på nästan tio år. Den intensiva vänskapen de haft under sin uppväxt hade plötsligt och brutalt upphört när de i sjuttonårsåldern förälskat sig i samma pojke. Efteråt, när förälskelserna var över och glömda, hade de försökt återupprätta sin gamla vänskap. Men nånting hade kommit emellan och till slut hade de givit upp. De senaste åren hade Linda ytterst sällan tänkt på Anna. Men Zebran hade väckt minnena till liv och hon blev glad när hon insåg att Anna faktiskt bodde kvar i Ystad, på en av gatorna bortom Mariagatan, alldeles vid utfarten mot Österlen.

Samma kväll ringde Linda och några dagar senare träffades de. De möttes sen flera gånger i veckan, ibland alla tre, men oftast bara Anna och Linda. Anna bodde ensam och hon levde på studiebidrag som med möda finansierade hennes studier till läkare.

Linda tyckte att det verkade som om Anna hade blivit om möjligt än mer skygg sedan den gång de växte upp tillsammans. Hennes far hade lämnat henne och hennes mor när hon var fem eller sex år gammal. Efter det hade han aldrig hört av sig igen. Annas mor fanns ute på landet, vid Löderup, inte långt från den plats där Lindas farfar hade bott i många år och målat sina evigt oföränderliga tavlor. Anna verkade glad över att Linda tagit kontakt och att hon nu skulle komma tillbaka till Ystad. Men Linda märkte att hon måste vara ytterst varsam med sin väninna. Det fanns något bräckligt hos henne, något hon skyggade för. Linda fick inte komma henne för nära. Men i denna gemenskap, med Zebran, hennes son och Anna, uthärdade Linda ändå den tröga sommaren, i väntan på att hon skulle gå upp till polishuset, tala med den tjocka fru Lundberg som hade hand om förrådet och kvittera ut sin uniform och de andra persedlarna.

Under sommaren arbetade hennes far nästan oavbrutet men resultatlöst med att försöka reda ut en serie grova rån som riktats mot banker och postkontor i Ystad och trakten däromkring. Då och då hörde Linda också talas om några stora dynamitstölder som skett i vad som verkade vara en välplanerad operation. När han somnat på kvällarna brukade Linda gå igenom hans anteckningsblock och den utredningspärm han ofta hade med sig hem. Men när hon försökte fråga honom om vad han höll på med svarade han undvikande. Fortfarande var hon inte polis. Hon fick vänta med sina frågor till september.

Sommaren gick. En augustidag kom fadern hem tidigt på eftermiddagen och sa att en fastighetsmäklare hade ringt och berättat att han nu hade ett hus som han var övertygad om skulle passa. Det låg i närheten av Mossby strand, på en sluttning ner mot havet. Han frågade om Linda hade lust att följa med och se på huset. Hon ringde Zebran som hon hade avtalat att träffa och sköt upp det till dagen efter.

Sen satte de sig i faderns Peugeot och for västerut. Havet var grått den dagen och förebådade hösten som snart skulle komma.

3

Huset var tomt och igenbommat. Takpannor hade blåst bort, en av stuprännorna var till hälften avsliten. Huset låg på en kulle med vidsträckt havsutsikt. Men det fanns något obarmhärtigt och ödsligt över det, tänkte Linda. Det här är inget hus där min far kan finna ro. Här kommer han bara att jagas av sina demoner. Men vilka är dom egentligen? Hon började genast tänka efter vad som plågade honom mest. I tankarna försökte hon rangordna hans mörka sidor; först kom ensamheten, sen den tilltagande övervikten och stelheten i lederna. Men därefter? Hon övergav sin lista och såg i smyg på sin far som gick runt på gårdsplanen och inspekterade huset. Vinden drog långsamt, nästan eftertänksamt genom några höga bokträd. Långt nedanför dem låg havet. Linda kisade med ögonen och såg ett fartyg borta vid synranden. Kurt Wallander betraktade sin dotter.

– Du är lik mig när du kisar med ögonen.

– Bara då?

De fortsatte att gå. På baksidan av huset låg de nerruttnade resterna av en lädersoffa. En åkersork spratt till bland fjädrarna och försvann. Fadern såg sig omkring och skakade på huvudet.

– Varför vill jag egentligen flytta ut på landet?

– Vill du att jag ska fråga dig? Då gör jag det. Varför vill du flytta ut på landet?

– Jag har alltid drömt om att kunna stiga upp ur sängen på morgonen och kliva rakt ut på marken och pissa.

Hon såg roat på honom.

– Bara därför?

– Vad skulle vara ett bättre motiv? Ska vi åka?

– Vi går ett varv till.

Den här gången betraktade hon huset med större uppmärksamhet, som om hon själv hade varit en köplysten spekulant och fadern mäklaren. Hon sniffade runt som om hon var ett vädrande djur.

– Vad kostar det här huset?

– 400 000.

Hon skakade undrande på huvudet.

– Det är sant, sa han.

– Har du så mycket pengar?

– Nej. Men banken har lovat öppna sina portar. Jag är betrodd. En polisman som alltid har skött sina affärer genom livet. Egentligen blir jag nog lite sorgsen över att jag inte tycker om det här stället. Ett tomt hus är lika nedslående som en övergiven människa.

De for därifrån. Linda betraktade en vägskylt de passerade, "Mossby strand". Han kastade en blick på henne.

– Vill du åka dit?

– Ja. Om du hinner.

En ensam husvagn stod på strandparkeringen. Kiosken var stängd. En man och en kvinna som talade tyska med varandra satt på ett par trasiga plaststolar utanför husvagnen. Mellan dem stod ett bord. De spelade kort under djup koncentration. Linda och Kurt Wallander gick ner till stranden.

Just på den platsen hade hon några år tidigare berättat för honom om sitt beslut. Hon skulle inte bli möbeltapetserare, inte heller hade hon tillräcklig tilltro till den vaga drömmen om att kanske kunna bli skådespelerska. Hon hade slutat ge sig iväg på oroliga resor runt om i världen. Det var länge sen hon hade haft sällskap med en pojke från Kenya som utbildat sig till läkare i Lund och som varit hennes största kärlek, även om minnet hade bleknat de senaste åren. Nu hade han rest hem och hon hade inte följt med. Linda hade försökt hitta några ledtrådar för sitt eget liv genom att betrakta sin mor Mona. Men hon hade bara sett en kvinna som alltid lämnade saker gjorda till hälften. Mona hade velat ha två barn men bara fått ett, och hon hade trott att Kurt Wallander skulle vara den enda och stora kärleken i hennes liv. Men hon skilde sig och levde nu omgift med en golfspelande sjukpensionerad kamrer i Malmö.

Då hade hon med nytänd nyfikenhet börjat betrakta sin far, kriminalpolisen, han som alltid glömde att hämta henne på flygplatsen när hon kom på besök. Hon hade till och med gett honom ett eget namn, Mannen-som-alltid-glömmer-att-jag-finns. Han som aldrig hade tid. Hon insåg att han, nu när hennes farfar var död, var den som trots allt stod henne närmast i livet. Det var som om hon vände på kikaren, flyttade honom till en plats där han fortsatte att vara nära men inte *för* nära. En morgon när hon just vaknat och ännu inte stigit upp ur sängen, hade hon insett att det hon egentligen ville göra med sitt liv var att bli som han, bli polis. Under ett år hade hon hållit tankarna för sig själv, bara talat med sin dåvarande pojkvän, men när hon väl övertygat sig själv hade hon först gjort slut med pojkvännen och sen rest ner till Skåne, tagit med sig fadern till den här stranden och sagt som det var. Hon kunde fortfarande minnas hans förvåning. Han hade bett om en minut att överväga vad han egentligen tyckte om hennes beslut. Då hade hon plötsligt blivit osäker. Innan hade hon hela tiden tänkt att han skulle glädjas åt hennes beslut. Under den där korta minuten när han vände sin breda ryggtavla mot henne och hans glesnande hår blåste upp från huvudet som en strut, hade hon förberett sig på att de skulle börja gräla. Men när han vände sig om och log visste hon.

De gick ner till strandkanten. Linda petade med foten i spåret efter en hästhov. Kurt Wallander betraktade en mås som stod orörlig i luften ovanför hans huvud.

– Vad tänker du nu? frågade hon.

– Om vad? Om huset?

– Om att jag snart kommer att uppträda för dig i uniform.

– Jag har svårt att helt se det framför mig. Svårt att inse att jag nog kommer att bli upprörd.

– Varför upprörd?

– Kanske för att jag vet hur du själv kommer att känna det. Att kliva i en uniform är inte svårt. Men att sen visa sig offentligt i den är svårare. Du märker att alla ser dig. Du är polisen som mitt i gatan står och som ska vara beredd på att börja slita ursinniga människor ifrån varandra. Jag vet vad du har framför dig.

– Jag är inte rädd.

– Jag talar inte om rädslan. Jag talar om att den dag du satt på dig uniformen kommer den alltid att finnas där.

Hon anade att han hade rätt.

– Hur tror du det går?

– Det gick bra på skolan. Det går bra här. Du bestämmer själv om det går bra eller inte.

De strövade längs stranden. Hon berättade att hon skulle resa upp till Stockholm några dagar senare. Hennes årskull skulle ha en avslutande bal innan de definitivt spriddes till olika polisdistrikt i landet.

– Vi hade ingen bal, sa han. Jag fick nästan ingen utbildning alls den gången jag började. Jag undrar fortfarande hur man lämplighetstestade dom som skulle in vid polisen eller länsmanskontoren när jag var ung. Den råa styrkan, tror jag. Och att man inte var alltför dum i huvudet. Men jag minns att jag drack en pilsner när jag fått min uniform. Inte på gatan förstås. Men hos en kamrat på Södra Förstadsgatan i Malmö.

Han skakade på huvudet. Linda kunde inte avgöra om minnet roade eller plågade honom.

– Jag bodde hemma fortfarande. Jag trodde att farsan skulle bli galen när jag kom i uniform.

– Varför tyckte han så illa om att du blev polis?

– Jag förstod det först när han var död. Att han hade lurat mig.

Linda tvärstannade.

– Lurat dig?

Han såg på henne med ett leende.

– Egentligen tyckte nog farsan om att jag blev polis. Men i stället för att erkänna det roade det honom att hålla mig osäker. Och det lyckades han med, som du vet.

– Det där kan inte vara sant?

– Ingen kände min far bättre än jag. Jag vet att jag har rätt. Farsan var en skurk. En underbart skurkaktig far. Den enda jag haft.

De gick tillbaka till bilen. Molntäcket hade spruckit upp. När solen kom fram blev det genast varmare. De två kortspelande tyskarna tittade inte upp när de gick förbi. Framme vid bilen såg han på klockan.

– Har du bråttom hem? frågade han.

– Jag väntar otåligt på att börja arbeta. Det är allt. Varför frågar du om jag har bråttom? Jag är otålig.

– Jag har ett ärende att uträtta. Jag berättar i bilen.

De svängde ut på Trelleborgsvägen och vek av vid infarten till Charlottenlunds slott.

– Egentligen är det inget ärende, sa han. Men eftersom jag är i närheten kan jag åka förbi.

– Åka förbi vad?

– Marebo slott. Eller rättare sagt Marebosjön.

Vägen var smal och krokig. Han berättade lika långsamt och ryckigt som han körde. Linda undrade om han skrev lika dåliga rapporter som den muntliga föredragning han just nu gjorde för henne.

Det hela var ändå mycket enkelt. I förrgår kväll hade Ystadspolisen mottagit ett telefonsamtal. En man som inte ville uppge sitt namn eller varifrån han ringde och som talade med oklar dialekt hade sagt att brinnande svanar hade varit synliga över Marebosjön. Någon mer detaljerad information hade han inte kunnat eller velat ge. När vakthavande börjat ställa frågor hade han avslutat samtalet. Han hade inte ringt tillbaka. Samtalet blev bokfört men lämnat utan åtgärd eftersom just den kvällen varit ovanligt besvärlig med en grov misshandel i Svarte och två inbrott i affärer i centrala Ystad. Man gjorde bedömningen att det var en synvilla eller en ren okynnesringning. Det var bara han själv som, när han hörde om det hela av Martinsson, genast tänkte att det var tillräckligt osannolikt för att verkligen ha inträffat.

– Brinnande svanar? Vem gör något sådant?

– En sadist. En djurplågare.

– Tror du på det här?

Han hade stannat vid huvudvägen. Först när han hade korsat den och svängt av mot Marebo svarade han.

– Lärde du dig inte det på skolan? Att poliser inte *tror* så mycket. Dom vill veta. Men dom är samtidigt beredda på att precis vad som helst kan hända. Inklusive att någon ringer in en uppgift om brinnande svanar. Och att det visar sig vara sant.

Linda ställde inga fler frågor. De svängde in på en parkeringsplats och följde backen ner mot sjön. Linda gick strax bakom sin far och tänkte att hon redan hade en uniform på sig, även om den fortfarande var osynlig.

De gick runt sjön utan att hitta några spår av döda svanar. Ingen av dem märkte att någon följde deras promenad genom linsen på en kikare.

4

Ett par dagar senare, en stilla och klar morgon, flög Linda till Stockholm. Zebran hade hjälpt henne att sy en balklänning. Den var ljusblå och djupt urringad både över bröstet och ryggen. Klassen hade hyrt en gammal festlokal på Hornsgatan. Alla hade kommit, till och med årskullens förlorade son. Av de sextioåtta elever som gått tillsammans med Linda hade en tvingats lämna skolan under pågående utbildning sedan det visat sig att han hade stora spritproblem som han inte lyckades dölja eller göra något åt. Vem som egentligen hade skvallrat för skolledningen var det ingen som visste. Som i en tyst och aldrig uttalad överenskommelse hade de bestämt att alla var lika ansvariga. Linda tänkte på honom som deras spöke. Han skulle alltid finnas därute i höstmörkret med en malande längtan efter att tas till nåder och släppas in i gemenskapen igen.

Den kvällen när de samlades för sista gången tillsammans med sina lärare drack Linda alldeles för mycket vin. Hon var inte ovan vid att bli berusad men tyckte alltid att hon visste när hon fått nog. Den här kvällen drack hon dock för mycket. Kanske för att otåligheten kändes mer plågsam när hon träffade så många av sina kurskamrater som redan börjat arbeta. Hennes bästa vän under skolåren, Mattias Olsson, hade valt att inte återvända hem till Sundsvall och arbetade nu inom ordningsroteln i Norrköping. Han hade redan hunnit utmärka sig genom att lyckas bryta ner en styrketränande galning som löpt amok med anabola steroider i kroppen. Linda tillhörde den minoritet som ännu väntade.

De dansade, Zebrans balklänning fick mycket beröm, någon höll tal, några andra sjöng en måttligt elak nidvisa om lärarkåren, och allt hade blivit en lyckad kväll om inte kockarna hade haft en teve i köket.

Den sena nyhetssändningen toppades av en skrämmande nyhet: en polis hade skjutits ner på en väg nånstans i närheten av Enköping. Ryktet spred sig snart bland de dansande och berusade polisaspiranterna och deras lärare. Musiken stängdes av, teven lyftes in från köket och Linda tänkte efteråt att det var som om de alla hade fått en spark i magen. Plötsligt sprack festen, ljuset blev glåmigt, de satt där i sina balklänningar och kostymer och såg bilderna på den polisman som mejats ner, dödats som i en kallhamrad avrättning, när han tillsammans med en kollega försökt stoppa en stulen bil. Två män hade hoppat ur och använt automatvapen. Avsikten hade varit att döda, inga varningsskott hade avlossats. Festen var över, verkligheten stampade hårt i farstun.

Sent på natten, när de skildes och Linda var på väg hem till sin faster Kristina där hon skulle sova på natten, stannade hon vid Mariatorget och ringde sin pappa. Klockan var tre och hon hörde hans yrvakna stämma. Ändå gjorde det henne arg. Han borde inte sova när en kollega hade mördats några timmar tidigare. Det sa hon också.

– Ingenting blir bättre av att jag inte sover. Var är du?

– På väg hem till Kristina.

– Har ni hållit på och festat till nu? Vad är klockan egentligen?

– Tre. Det tog slut när vi fick veta vad som hade hänt.

Hon hörde att han andades tungt, som om han fortfarande inte hade bestämt sig för att vakna.

– Vad är det jag hör i bakgrunden?

– Nattrafik. Jag letar efter en taxi.

– Vem har du i sällskap?

– Ingen.

– Du kan inte springa omkring mitt i natten i Stockholm utan sällskap!

– Jag klarar mig. Jag är inget barn. Ursäkta att jag väckte dig.

Hon stängde ilsket av mobilen. Det händer för ofta, tänkte hon. Jag blir rasande. Han märker inte att han retar mig.

Hon vinkade till sig en taxi och for till huset på Gärdet där Kristina bodde tillsammans med sin man och den artonåriga son som fortfarande fanns kvar hemma. Kristina hade bäddat i soffan i vardagsrummet åt henne. Ljuset från gatan lyste in i rummet. På en bokhylla stod ett foto av pappan, mamman och henne själv. Det var många år sedan bilden var tagen. Hon var fjorton år den gången och hon mindes tillfället väl. Det var någon gång på våren, kanske en söndag. De hade åkt ut till Löderup. Hennes far hade vunnit kameran i någon tävling på polishuset, och när de skulle ta bilden hade plötsligt hennes farfar vägrat vara med och stängt in sig bland sina tavlor i uthuset. Fadern hade blivit arg, Mona hade surat och dragit sig undan. Linda hade gått in och försökt övertala sin farfar att komma ut och vara med på bilden.

– Jag är inte med på bilder där människor som snart ska gå ifrån varandra står och flinar, hade han svarat.

Hon kunde fortfarande minnas hur ont det hade gjort. Även om hon borde ha vetat hur okänslig hennes farfar kunde vara, hade hans ord träffat henne som en örfil. Sen hade hon lyckats samla ihop sig och frågat honom om det var sant, om han visste något som var okänt för henne.

– Ingenting blir bättre av att du gör dig blind, sa han. Gå ut nu. Du ska vara med på den där bilden. Kanske har jag fel.

Hon satt på den bäddade soffan och tänkte att hennes farfar nästan aldrig hade rätt. Men den gången hade han vetat vad han talat om. Han hade vägrat vara med på det fotografi som tagits med självutlösare. Under det år som följde, det sista hennes föräldrar levt tillsammans, ökade spänningarna.

Det var också då hon två gånger försökt begå självmord. Den första, när hon hade hon skurit sig i armarna, var det fadern som hittat henne. Hon kunde fortfarande framkalla bilden av hans rädsla. Men läkarna måste ha talat om för honom att det aldrig hade varit någon fara. Förebråelserna mot henne hade varit få, och de hade inte nått henne som ord utan som blickar och tystnad. Däremot hade de utlöst den sista våldsamma eruptionen av gräl som ledde till att Mona en dag packade sin väska och flyttade.

Linda hade efteråt tänkt att det var märkligt att hon inte tagit på sig ansvaret för föräldrarnas skilsmässa. Men hon tänkte trotsigt att hon egentligen hade gjort dem en tjänst; hon hade varit med om att bräcka upp ett äktenskap som sedan länge var avslutat och över. Hon hade många gånger påmint sig att hon som var så lättsövd aldrig hade ryckts upp till ytan i den lyhörda lägenheten av oväntade ljud från sovrummet som tydde på att där pågick en kärleksakt. Hon hade slagit in en kil i sina föräldrars äktenskap som slutgiltigt hade befriat dem från varandra.

Den andra gången kände han inte ens till. Det var den största hemligheten som hon hade inför honom. Ibland trodde hon att han trots allt hade fått reda på vad som hänt. Men lika ofta var hon övertygad om att han ingenting anade om det andra tillfälle då hon försökt begå självmord. Den gång det var allvar. Hon kunde se det som hänt alldeles klart för sig.

Hon var sexton år och hade rest in till sin mamma i Malmö. Det var en tid av stora nederlag, så stora som nederlagen bara kan vara när man är tonåring. Hon tyckte inte om sig själv, ryggade inför sin spegelbild samtidigt som hon älskade den, tyckte att allt med hennes kropp var fel. Depressionen kom smygande, som en sjukdom där symptomen först var vaga och oklara och kanske inte ens värda att notera. Men plötsligt var det för sent och hon drabbades av en fullständigt övermäktig förtvivlan när hennes mor visade sig oförstående inför alla hennes plågor. Det som skakade henne mest var att Mona sagt nej när hon vädjade om att få flytta till Malmö. Hon kunde inte beklaga sig över att bo med fadern, det var den lilla staden hon ville bort från. Men Mona var kallsinnig.

I vredesmod hade hon lämnat lägenheten. Det hade varit tidigt på våren, fortfarande snö i rabatterna och på vägrenarna, en bitande vind från Sundet, och hon hade börjat gå längs gatorna, längs den långa Regementsgatan mot utfarten till Ystad. Nånstans hade hon gått fel. Hon hade samma vana som sin far, att stirra mot marken när hon var ute och gick. På samma sätt som han hade hon vid flera tillfällen gått rakt mot lyktstolpar eller parkerade bilar. Hon hade kommit fram till en viadukt över en motorväg. Utan att hon egentligen visste varför hade hon klättrat upp på broräcket där hon började svaja i vinden. Hon såg ner mot de framrusande bilarna, de skarpa ljusen som skar genom mörkret. Hur länge hon stod där visste hon inte. Det var som en sista stor förberedelse, hon hade inte ens känt någon rädsla, eller tyckt synd om sig själv. Det var bara en väntan på att den tunga tröttheten och kylan skulle få henne att stiga rakt ut i ett tomrum.

Plötsligt hade det stått någon bakom henne, eller kanske vid sidan, någon som talat försiktigt med henne. Det var en kvinna, en ung kvinna med ett barnsligt utseende, kanske inte många år äldre än hon själv. Men hon hade haft uniform, hon hade varit polis. Längre bort på bron hade det stått två polisbilar med blåljusen spelande. Men det var bara den där kvinnliga polisen med sitt barnsliga ansikte som hade kommit nära henne. I bakgrunden hade Linda anat skuggor av andra människor som väntade, som hade lagt ansvaret att få ner den där dåren från räcket på en flicka som nästan var i hennes egen ålder. Hon hade talat med henne, sagt att hon hette Annika och att hon bara ville att Linda skulle komma ner, att hoppa ut i ett tomrum var inte någon lösning på vad som än var problemet. Linda hade sagt emot, hon hade känt att hon måste försvara det hon höll på att göra. Hur kunde Annika veta vad hon ville göra sig fri ifrån? Men Annika hade inte gett sig, hon hade verkat alldeles lugn, som om hon var utrustad med ett oändligt tålamod. När Linda till sist hade gått ner från räcket och börjat gråta, av en besvikelse som naturligtvis egentligen var en lättnad, hade Annika också börjat gråta. De hade stått och hållit om varandra. Linda hade sagt att hon inte ville att hennes far som också var polis skulle få veta vad som hänt. Inte hennes mamma heller, men framförallt inte hennes far. Annika hade lovat henne och det löftet hade hon hållit. Många gånger hade Linda tänkt att hon skulle kontakta henne. Hon hade haft handen på telefonen för att ringa polishuset i Malmö. Men hon hade alltid avstått.

Hon ställde tillbaka fotografiet på bokhyllan, tänkte på polismannen som blivit mördad och gick sen och la sig. Från gatan hördes några skränande personer som bråkade med varandra. Hon tänkte att hon snart skulle stå mitt ibland dem och bryta och bända. Men var det egentligen det hon ville? Särskilt nu när verkligheten slagit sig in genom alla dörrar och lagt en polisman död på en väg nånstans söder om Enköping.

Hon sov nästan inte alls den natten. På morgonen väcktes hon av Kristina som hade bråttom till sitt arbete och var sin brors motsats i alla avseenden. Hon var lång och smal, hade ett spetsigt ansikte, och talade med en forcerat gäll stämma som fadern ofta hade gjort sig lustig över inför Linda. Men Linda tyckte om sin faster. Det fanns något enkelt hos henne, ingenting behövde vara komplicerat. Också där var hon sin brors motsats, han som såg problem överallt, olösliga problem när det gällde privatlivet, problem att kasta sig över som en rasande björn när det gällde arbetet.

Strax före nio på morgonen åkte Linda ut till Arlanda för att försöka komma med något plan till Malmö. Löpsedlarna skrek ut polismordet. Hon fick plats på ett plan klockan tolv och ringde sin far från

Sturup. Han hämtade henne.

– Var det trevligt? frågade han när han mötte henne.

– Vad tror du?

– Jag vet inte. Jag var inte där.

– Det talade vi om i natt, om du minns.

– Naturligtvis minns jag. Du var ohövlig.

– Jag var trött och förbannad. En polis har blivit mördad. Festen blev naturligtvis avslagen. Det gick inte att vara glad efter det.

Fadern nickade men sa ingenting. Han släppte av henne på Mariagatan.

– Hur går det med sadisten?

Han förstod först inte vad hon menade.

– Djurplågaren? Dom brinnande svanarna?

– Det var nog bara nån som ville göra sig märkvärdig. Det bor ganska mycket folk i närheten av sjön. Nån borde ha sett något. Om det verkligen hänt.

Kurt Wallander återvände till polishuset. När Linda kom upp i lägenheten såg hon en lapp han hade skrivit och lagt vid telefonen. Det var från Anna, kvällen innan. *Ring mig. Viktigt.* Sen hade fadern krafsat en kommentar som hon inte lyckades tyda. Hon ringde hans direktnummer och fick svar.

– Varför sa du inte att Anna hade ringt?

– Jag glömde det.

– Vad är det som står? Det du har skrivit?

– Jag tyckte hon verkade orolig.

– Vad menar du med det?

– Det jag säger. Hon verkade orolig. Det är bäst du ringer henne.

Linda slog Annas nummer. Först var det upptaget, sen fick hon inget svar. Hon försökte senare igen utan att lyckas. Vid sjutiden på kvällen, när hon och fadern ätit middag, satte hon på sig sin jacka och gick hem till Anna och ringde på dörren. Så fort Anna öppnade förstod Linda vad fadern hade menat. Annas ansikte var förändrat. Ögonen flackade av oro. Hon drog in Linda och slog igen dörren.

Det var som om hon hade bråttom att stänga omvärlden ute.

5

Plötsligt mindes Linda Annas mor, Henrietta.

En mager kvinna, med ryckiga och nervösa rörelser. Linda hade alltid varit rädd för henne, det hade drabbat henne som en fix idé att Annas mamma var som en bräcklig vas som kunde brista om någon talade för högt, gjorde en hastig rörelse eller bröt den stillhet som tycktes vara det viktigaste i hennes liv.

Linda mindes första gången hon hade besökt Annas hem. Hon var åtta eller nio år gammal, Anna gick i en parallellklass, och varför de dragits till varandra hade de aldrig kunnat svara på. Vi drogs, tänkte Linda. Ingenting annat. Någon står och kastar osynliga rep kring människor och knyter ihop dem. Så var det med Anna och mig. Vi var oskiljaktiga tills den där finniga pojken ställde sig emellan oss och gjorde oss båda kära.

Den försvunna fadern hade aldrig varit annat än några bleka fotografier. Men inga bilder stod framme. Henrietta hade undanröjt alla spår, som om hon ville tala om för sin dotter att det var uteslutet att hennes far skulle återvända. Han hade gett sig av för att aldrig komma tillbaka. Fotografierna hade Anna haft i en byrålåda, väl undangömda bakom sina underkläder. Linda kunde minnas en man med långt hår, glasögon, en blick mot kameran som om bilden var tagen mot hans vilja. Det hade varit i yttersta förtroende som Anna visat henne fotografierna. När de blev vänner hade hennes far varit försvunnen i två år. Anna förde en tyst motståndskamp mot mammans sätt att tömma lägenheten och deras liv på alla spår efter honom. Vid ett tillfälle när hon stoppat hans sista kläder i en papperssäck och ställt ner den i källaren bland soporna hade Anna på natten gått dit och plockat reda på ett par skor och en skjorta. Hon hade gömt dem under sin säng. För Linda hade den försvunna fadern varit ett äventyr. Hon önskade ofta att det varit tvärtom, att hennes grälande föräldrar varit de som plötsligt en dag hade försvunnit som grå rökstrimmor mot en blå himmel.

De satte sig i soffan. Anna lutade sig bakåt så att hennes ansikte hamnade i halvskugga.

– Hur var balen?

– Vi fick en död polis till dansen. Där tog det slut. Men klänningen var fin.

Jag känner igen det här, tänkte Linda. Anna går aldrig rakt på sak. Har hon något viktigt att säga måste det ta tid.

– Hur mår din mamma?

– Bra.

Anna ryckte till av sina egna ord.

– Bra. Varför säger jag "bra"? Hon mår sämre än nånsin. I två år har hon skrivit på ett rekviem över sitt eget liv, "Den namnlösa mässan" kallar hon det. Två gånger har hon kastat notpappren på brasan, två gånger har hon i sista stund rakat ut dom från elden. Hennes självförtroende är lika kört i botten som hos en människa med bara en tand kvar i munnen.

– Hur låter hennes musik?

– Jag vet knappt. Nån gång har hon försökt förklara genom att gnola för mig. I sällsynta ögonblick när hon har trott att det hon hållit på med har haft något värde. Men jag uppfattar aldrig några melodier.

Finns det musik som inte är melodier? Musiken låter som skrik, som nån som sticker eller slår dig. Jag kan för mitt liv inte begripa att någon kommer att vilja lyssna på det där. Samtidigt beundrar jag henne för att hon inte ger upp. Två gånger har jag försökt föreslå henne att byta väg i livet, göra nåt annat. Hon är ändå inte femti ännu. Båda gångerna flög hon på mig, rev och klöste och spottade. Då var jag övertygad om att hon är på väg att bli galen.

Anna avbröt sig, som om hon plötsligt fruktade att hon sagt för mycket. Linda väntade på fortsättningen. Hon blev påmind om att de suttit på samma sätt en gång tidigare, när de upptäckt att de var förälskade i samma pojke. Ingen hade velat säga nånting. De hade delat denna tysta och andlösa förfäran över att deras vänskap skulle sättas på spel. Den gången hade deras tystnad varat en hel kväll och långt in på natten. De hade varit på Mariagatan, Lindas mor hade redan försvunnit med sina väskor och fadern var ute i skogarna vid Kadesjö och letade efter en psykotisk man som misshandlat en taxichaufför. Linda kunde till och med påminna sig att Anna hade doftat svagt av vanilj den kvällen och natten. Fanns det parfym med vaniljdoft? Eller tvål? Hon hade inte frågat då och hon tänkte inte fråga nu.

Anna rätade på sig, lämnade halvskuggan.

– Har du nånsin haft en känsla av att du varit på väg att mista förståndet?

– Varje dag.

Anna knyckte irriterat på huvudet.

– Jag skämtar inte. Jag menar allvar.

Linda ångrade sig genast.

– Det har hänt. Du vet när.

– Du skar dig i armarna. Och stod på ett broräcke. Men det är förtvivlan. Det är inte samma sak. Alla människor måste vara förtvivlade nån gång. Det är som en initiationsrit för vuxenlivet. Om man inte står och skriker mot havet eller månen eller mot sina föräldrar har man ingen möjlighet att bli vuxen. Prinsen och prinsessan Sorgfri är fördömda varelser. I dom har man kört bedövningssprutor in i själen. Vi som är levande måste veta vad sorg är.

Linda avundades Annas sätt att formulera sig. Språk och tanke, tänkte hon. Jag skulle vara tvungen att sätta mig och skriva ner det först om jag ville försöka tala så vackert som hon.

– Då har jag aldrig varit rädd för att jag hållit på att bli galen, svarade hon.

Anna reste sig, gick fram till fönstret och återvände efter en stund till soffan. Man liknar sina föräldrar, tänkte Linda. Så såg jag hennes mamma göra, ständigt samma rörelse för att hantera sin oro. Resa sig, fram till fönstret och sen tillbaka igen. Min far knyter armarna hårt över bröstet och Mona gnuggade näsan. Vad gjorde min farmor? Hon dog när jag var så liten att jag inte minns henne. Och farfar? Han knöt inga nävar eller ställde sig vid fönster. Han gav fan i alltihop och fortsatte att måla sina förfärliga tavlor.

– Jag tyckte att jag såg min far igår på gatan i Malmö, sa Anna plötsligt.

Linda rynkade pannan, väntade på en fortsättning som inte kom.

– Du tyckte att du såg din far igår på gatan i Malmö?

– Ja.

Linda tänkte efter.

– Men du har ju aldrig sett honom? Nej, det är fel. Du har sett honom. Men du var så liten när han gav sig iväg att du inte minns honom.

– Jag har fotografierna.

Linda räknade efter i huvudet.

– Det är tjugofem år sen han försvann.

– Tjugofyra.

– Tjugofyra. Hur ser en människa ut efter tjugofyra år? Det vet man inte. Man vet bara att man ser annorlunda ut.

– Ändå var det han. Mamma har berättat om hans blick. Jag är säker på att det var han. Det måste ha varit han.

– Jag visste inte ens att du var i Malmö igår. Jag trodde du for till Lund när du åker bort. För att tentera, eller vad du nu gör.

Anna betraktade henne tankfullt.

– Du tror mig inte.

– Du tror inte dig själv.

– Det var min far jag såg på gatan.

Hon tog sats.

– Du har rätt. Jag hade varit i Lund. När jag kom till Malmö och skulle byta hade det blivit ett växelfel nånstans utanför Skurup. Ett tåg hade blivit inställt. Plötsligt hade jag två timmar över. Det irriterade mig eftersom jag avskyr att vänta. Jag har aldrig lärt mig att ha tålamod. Aldrig begripit att tid inte är något man förlorar eller har till godo. Väntar man kan man göra nånting annat. Men jag blir bara irriterad. Jag gick in till stan, helt planlöst. Bara för att få den där otäcka överblivna tiden att försvinna. Nånstans gick jag in och köpte ett par strumpor som jag inte alls behövde. Utanför Hotell S:t Jörgen hade en kvinna fallit omkull på gatan. Jag gick inte nära, jag blir alltid illa berörd när någon plötsligt insjuknar eller ramlar omkull. Hennes kjol hade hasat upp och jag blev upprörd över att ingen drog ner den. Jag var säker på att hon var död. Människorna runt om, dom stod och såg på henne som om hon var ett dött djur som spolats upp på en strand. Jag gick därifrån, fortsatte upp mot Triangeln och gick in på hotellet där för att ta glashissen upp till taket. Jag brukar göra det när jag är i Malmö, lyfta mig som i en glasballong upp mot himlen. Men nu gick det inte. Man är tvungen att låsa upp hissarna med sin rumsnyckel. Jag blev så snopen. Det kändes som om någon hade tagit en leksak ifrån mig. Jag satte mig i en av fåtöljerna vid fönstret och tänkte stanna där tills det var dags att gå tillbaka till stationen.

Det var då jag upptäckte honom. Han stod ute på gatan, det kom plötsliga vindbyar som gjorde att det skakade till i fönstret. Jag såg upp och han stod på trottoaren och såg på mig. Våra blickar möttes, vi stirrade på varandra i kanske fem sekunder. Sen slog han ner blicken och gick därifrån. Jag blev så chockad att jag inte kom mig för att följa efter honom. I det ögonblicket trodde jag inte heller att det var honom jag sett. Det måste ha varit en hägring, en synvilla, det som händer ibland, att man tror sig känna igen en människa ur det förflutna i en vilt främmande person man råkar passera på gatan. När jag till slut sprang ut på gatan var han naturligtvis borta. Jag gick tillbaka till stationen, smög som ett rovdjur längs gatorna, jag försökte vittra mig fram till var han fanns. Men han var borta. Jag var så upphetsad, eller upprörd, att jag lät tåget gå utan att jag steg på och letade igenom gatorna i centrum en gång till. Men han fanns ingenstans. Ändå var jag säker. Det var min far som hade stått där på gatan. Han var äldre än på fotografiet. Men det var som om jag lyckades leta fram ytterligare en låda med gamla bilder ur minnet, bilder jag aldrig tidigare sett. Där fanns han och jag var helt övertygad. Mamma beskrev en gång hans blick som att han alltid gjorde en svepande rörelse med ögonen upp mot himlen innan han sa nånting. Det var precis vad han gjorde där på andra sidan fönstret. Han hade inte så långt hår som när han försvann och andra glasögon, inte dom med breda svarta bågar utan ett par utan några bågar. Det var han. Jag är säker. Jag ringde till dig eftersom jag behövde tala med nån för att inte bli galen. Det *var* min far. Det var inte bara jag som kände igen honom, det var han som först hade sett mig och stannat upp eftersom han känt igen mig.

Linda insåg att Anna verkligen var övertygad om att det var sin far hon hade sett där utanför hotellfönstret vid Triangeln. Linda försökte påminna sig den undervisning hon fått om minnet, om vittnens hågkomster, efterkonstruktioner och rena inbillningar. Hon tänkte på det hon visste om signalement och de datoriserade övningar de gått igenom på Polishögskolan. Var och en hade fått framställa en bild av sig själv som tjugo år äldre. Linda hade sett hur hon som gammal blivit alltmer lik sin far, kanske till och med sin farfar. Vi vandrar föräldrarnas och förfädernas väg, hade hon tänkt. Någonstans i våra ansikten skymtar under vår levnad alla våra förfäder. Liknar man sin mor som liten slutar man med sin fars ansikte som gammal. När man inte känner igen sitt ansikte är det de sen länge glömda förfäderna som skymtar förbi. Hon hade svårt att tro att det verkligen varit Annas far. Han kunde knappast ha känt igen en vuxen kvinna som bara varit ett litet barn när han sett henne sista gången. Om han nu inte i hemlighet hade följt hennes utveckling, funnits vid sidan av henne utan att hon vetat om det.

Linda tänkte hastigt igenom vad hon visste om den mystiske Erik Westin. Annas föräldrar hade varit unga när hon föddes. De hade båda kommit från storstadsmiljöer men dragits med av den gröna oskuldens våg som ledde till kollektiv ute på landet i avfolkade småländska byar. Linda hade ett vagt minne av att Erik Westin hade varit en duktig hantverkare som tillverkat originella och ytterst fotriktiga sandaler. Men hon hade också hört Annas mor beskriva honom som en ansvarslös slarver, en haschrökande man som upphöjt passiviteten till livsstil och inte visste vad det innebar att ta ansvar för ett barn. Men varför hade han egentligen gett sig av? Det fanns inga efterlämnade brev, inte heller några antydningar eller förberedelser för en flykt. Polisen hade efterspanat honom men det hade aldrig funnits några tecken på att brott skulle ha begåtts.

Erik Westin hade genomfört en flykt som måste varit noga planerad. Han hade tagit med sig sitt pass och de pengar han haft. Det kunde inte ha varit mycket; deras inkomster var små. Det mesta måste han fått efter att ha sålt familjens bil som egentligen tillhörde Annas mor, eftersom det var hon som via nattvak på sjukhus sparat ihop pengarna. Erik Westin hade en dag bara varit borta. Det hade hänt tidigare att han försvunnit utan att ge besked. Därför hade Annas mor väntat i två veckor innan hon blev orolig och gick till polisen och anmälde honom försvunnen.

Linda mindes att hennes far på något sätt varit inblandad i utredningen. Men eftersom det inte förelåg några misstankar om att ett brott kunde ligga bakom försvinnandet hade Erik Westin blivit ett bevakningsärende bland andra. Han hade ingenting som belastade honom, inga åtal, inga domar. Men inte heller några drag som tydde på att han skulle ha blivit sinnesförvirrad. Några månader innan han försvann hade han gått igenom en hälsoundersökning och varit fullt frisk, frånsett lite blodbrist.

Linda visste från statistiken att de flesta som efterlystes kom tillbaka. Av dem som inte kom tillbaka var en stor del självmord, och de flesta andra höll sig frivilligt undan. Bara ett fåtal hade försvunnit efter att ha utsatts för brott. Det var de som låg nergrävda på okända platser eller hade sänkts i havet eller insjöar med tyngder fastkedjade kring kroppen.

– Har du talat med din mamma?

– Inte än.

– Varför inte?

– Jag vet inte. Jag är fortfarande chockad.

– Innerst inne är du inte övertygad om att det var han som stod där utanför fönstret.

Anna såg vädjande på henne.

– Jag vet att det var han. Om det inte var han måste min hjärna ha blivit kortsluten. Därför frågade jag dig om du nånsin fruktat att bli galen.

– Varför skulle han komma tillbaka nu? Efter tjugofyra år? Varför står han och ser på dig genom ett fönster? Hur visste han att du var där?

– Jag vet inte.

Anna reste sig på nytt, gick fram till fönstret och sen tillbaka igen.

– Jag har ibland tänkt att han egentligen aldrig försvann. Att han bara valde att göra sig osynlig.

– Men varför?

– Jag tror att det var nånting han inte orkade. Det handlade inte om vare sig mig eller mamma. Jag tror det var en känsla av att han ville nånting mer. Livet måste vara nåt mer. Till slut drev det honom bort från oss. Kanske försökte han komma undan från sig själv. Det finns människor som drömmer om att vara som ormar, ett djur som kan ömsa skinn. Men kanske han hela tiden har funnits här alldeles intill mig utan att jag har vetat om det.

– Du bad mig komma för att jag skulle lyssna och sen säga vad jag tror. Även om du är säker på att det var han som stod utanför fönstret kan jag inte tro att du har rätt. Det är vad du önskar, att han ska komma tillbaka, göra sig synlig igen. Tjugofyra år är en lång tid.

– Jag vet att det var han. Det var min far som stod där. Efter alla dom här åren visar han sig för mig igen. Jag tog inte fel.

De hade nått slutet på samtalet. Linda anade att Anna nu ville vara ensam, på samma sätt som hon tidigare hade behövt hennes sällskap.

– Tala med din mamma, sa Linda. Antingen har du sett honom, eller så har du sett det du ville se.

– Du tror mig inte?

– Det handlar inte om vad jag tror eller inte. Bara du vet vad du såg utanför det där hotellfönstret. Du måste förstå att jag har svårt att acceptera att det är sant. Jag säger naturligtvis inte att du ljuger. Varför skulle du göra det? Jag säger bara att det är ytterst sällan som människor som varit borta i tjugofyra år kommer tillbaka. Tänk på det, sov på saken så kan vi tala om det i morron igen. Jag kan komma klockan fem, passar det dig?

– Jag vet att jag såg honom.

Linda rynkade pannan. Det var något i Annas tonfall som ekade spänt och ihåligt. Hon ljuger kanske ändå, tänkte Linda. Nånting i allt det här är inte sant. Men varför ljuger hon för mig? Hon måste inse att jag genomskådar henne.

Linda gick hem genom den kvällstomma staden. Utanför biografen på Stora Östergatan stod några ungdomar, alldeles tysta, försjunkna i en bioaffisch. Hon undrade om de la märke till den osynliga uniform hon bar.

6

Dagen efter försvann Anna Westin spårlöst från sitt hem. Linda insåg genast att något hade hänt när hon klockan fem ringde på hennes dörr och Anna inte öppnade. Hon ringde på nytt och ropade genom brevinkastet. Men Anna var inte där. Hon väntade i en halvtimme, tvekade men tog sedan fram sina dyrkar ur jackfickan. En av hennes kurskamrater på Polishögskolan hade köpt ett antal i USA och gett bort dem som presenter, bland annat till Linda. I hemlighet övade de sig sedan på att öppna alla dörrar de kom åt. Få var de standardlås som Linda inte klarade att forcera.

Hon dyrkade hastigt upp dörren och stängde den bakom sig. Sedan gick hon igenom de tomma rummen. Allt var välstädat, precis som dagen innan. Diskhon tömd, handdukarna nystrukna. Anna var punktlig. De hade avtalat att träffas på en bestämd tid. Hon var inte där. Då måste något ha hänt. Frågan var bara vad? Linda satte sig i soffan där hon suttit kvällen innan. Anna tror sig ha sett sin försvunna far på gatan, tänkte hon. Och nu försvinner hon själv. Naturligtvis hänger det här ihop. Frågan är bara hur? En återkomst som förmodligen bara är inbillning. Är hennes försvinnande också inbillning? Linda blev sittande länge och försökte förstå vad som kunde ha hänt. Men egentligen satt hon bara och väntade på Anna, i hopp om att hon blivit försenad eller glömt alltihop.

Annas egendomliga frånvaro kom som kulmen på en dag som börjat tidigt för Linda. Klockan halv åtta hade hon gått upp till polishuset för att träffa Martinsson, en av Kurt Wallanders äldsta kollegor som blivit utsedd att vara Lindas handledare. De skulle inte arbeta ihop, eftersom Linda som alla andra polisaspiranter började inom ordningsroteln och åkte bil med olika kollegor. Men Martinsson var den polisman hon skulle kunna vända sig till. Linda mindes honom från det hon var liten. Då hade Martinsson själv varit som ett stort barn, den yngste som arbetade ihop med hennes far. Av honom fick hon veta att Martinsson var en man som ofta tappade modet och bestämde sig för att sluta som polis. Fadern hade personligen vid minst tre olika tillfällen under de senaste tio åren lyckats omvända Martinsson från impulsiva beslut att begära omedelbart avsked.

Linda hade frågat sin far om han på något sätt hade varit inblandad när polisledningen med Lisa Holgersson i spetsen hade beslutat utse Martinsson till hennes handledare. Men han nekade bestämt. I alla ärenden som angick henne höll han sig så långt undan han kunde. Linda hade misstroget lyssnat till hans försäkran. Om det var någonting hon oroade sig för var det att han skulle lägga sig i hennes arbete. Det hade också varit skälet till att hon i det längsta tvekat om hon skulle söka sig hem till Ystad eller om hon borde börja arbeta på en annan plats i landet. På sina ansökningshandlingar för framtida placeringsort hade hon som alternativ efter Ystad skrivit upp Kiruna och Luleå, så långt bort från Skåne som möjligt. Men det var till Ystad hon kom, allt annat hade till sist förefallit som en omöjlig tanke. Senare kunde hon kanske tänka sig att flytta någon annanstans i Sverige. Om hon nu verkligen förblev inom poliskåren hela sitt liv. Vilket inte var någon självklarhet. Kanske hade det varit så för tidigare generationer. Men under tiden på Polishögskolan hade hon och hennes kamrater ofta talat om att man inte behövde vara polis i hela sitt liv. Att ha erfarenhet som polis innebar att man var i besittning av en kvalifikation som kunde leda till att man blev allt från livvakt till säkerhetsansvarig på något företag.

Martinsson kom och hämtade henne i receptionen. De satte sig i hans rum. På skrivbordet fanns fotografier av hans två barn och den vänligt leende hustrun. Linda undrade hastigt vem hon skulle ha på bild på sitt skrivbord. De gick igenom en del av de rutiner som väntade henne. Till en början skulle hon åka i lag med två poliser som varit länge vid ordningsroteln i Ystad.

– Båda är bra, sa Martinsson. Ekman kan verka lite trött och loj ibland. Men när det verkligen gäller finns ingen som har bättre överblick och initiativkraft. Sundin är raka motsatsen. Han kan öda energi på sånt som inte är viktigt. Han kan fortfarande ta folk som korsar gator mot rött ljus. Men han vet också vad det innebär att vara polis. Du får alltså åka med två bra farbröder som varit med länge.

– Vad säger dom om att jag är kvinna?

– Om du gör det du ska bryr dom sig inte om det. För tio år sen hade det varit annorlunda.

– Och min far?

– Vad är det med honom?

– Jag är hans dotter.

Martinsson tänkte efter innan han svarade.

– Det finns säkert en och annan som hoppas att du ska göra bort dig. Men det visste du säkert redan när du sökte dig hit.

Sen talade de i nästan en timme om läget i Ystads polisdistrikt. "Läget" var någonting Linda alltid hade hört om, så länge hon kunde minnas, ända sen barndomen när hon suttit och lekt under bordet i vardagsrummet och hört sin pappa klirra med glas och tala med någon kollega om det alltid lika besvärliga läget. Hon hade aldrig hört talas om ett läge där det inte existerade några bekymmer. Det kunde också handla om vad som helst. Nya uniformer som inte var bra, byten av polisbilar eller radiosystem, nyrekryteringar av personal, olika direktiv från Rikspolisstyrelsen, förändringar i olika brottskurvor; allt handlade om detta läge som ständigt vållade oro och irritation. Att vara polis, tänkte Linda, innebär att man varje dag tillsammans med sina kollegor, i kampen mot brottslighet och oordning, tvingas göra en bedömning av hur läget förändrat sig sen dagen innan, och vad som kan väntas inför morgondagen. Om det fick vi inte lära oss någonting under vår utbildning. Att bända och bryta på gator och torg vet jag ganska mycket om, åtminstone i teorin, men om hur man själv lär sig att bedöma läget vet jag nästan ingenting.

De gick till lunchrummet och drack kaffe. Martinssons syn på "läget" sammanfattade han helt kort: allt färre poliser arbetade på fältet med utredande arbete.

– Jag har läst lite historia dom senaste åren. Det förefaller mig som om brott aldrig varit så lönsamma i Sverige som idag. Ska man hitta en motsvarighet måste man tillbaka mycket långt i tiden, innan Gustav Vasa samlade oss till ett rike. Då, i småkungarnas tid, innan Sverige blev Sverige, rådde en förödande oordning och laglöshet. Vi skyddar knappast lagligheten längre. Det vi gör är att hålla laglösheten inom någorlunda uthärdliga gränser.

Martinsson följde henne ut i receptionen.

– Jag menar inte att göra dig nedslagen, sa han. Det finns inget värre än modfällda poliser. Att vara en duglig kraft inom den här kåren innebär bland annat att man aldrig får tappa modet. Samt att man håller sig på gott humör.

– Som min far?

Martinsson såg nyfiket på henne.

– Kurt Wallander är en bra polis, sa han. Det vet du redan. Men man kan knappast beskylla honom för att vara den största muntergöken i det här huset. Vilket du naturligtvis också redan vet.

De blev stående i receptionen. En ilsken man höll på att beklaga sig inför en av receptionisterna om ett indraget körkort.

– Den döda polisen, sa Martinsson. Hur reagerar du?

Linda berättade om balen, om kockarnas teve och hur allting tagit slut.

– Det drabbar hårt, sa Martinsson. Alla mår illa. Det går en rysning genom hela kåren. Alla vet att det kan finnas osynliga vapen riktade mot var och en av oss. När kollegor dödas är det många som överväger att lämna kåren. Men väldigt få gör det. Dom stannar. Jag är en av dom.

Linda lämnade polishuset och gick genom blåsten upp till hyreshuset på Öster där Zebran bodde. På vägen tänkte hon igenom det Martinsson sagt. Och det han inte hade sagt. Det var pappan som hade lärt henne det, att alltid lyssna efter det som inte blev utsagt. Ofta kunde det vara det viktigaste meddelandet. Men hon hittade ingenting sånt när hon gick igenom samtalet med Martinsson. Han är den enkla och den hederliga typen, tänkte hon. Han vet ingenting om människors osynliga budskap.

Hon stannade bara en stund hemma hos Zebran eftersom pojken var magsjuk och skrek oavbrutet. De kom överens om att träffas kommande helg. Då skulle Linda i lugn och ro berätta om balen och om klänningen som beundrats av alla.

Men den dagen, den 27 augusti, var inte Martinssons dag i Linda Wallanders liv. Det var den dag Anna Westin försvann spårlöst. När Linda hade tagit sig in med sin dyrk och satt i Annas vardagsrum försökte hon se henne framför sig, höra hennes röst när hon berättade om mannen som stått på gatan utanför ett fönster och liknat hennes far. Det finns dubbelgångare, tänkte Linda. Det är inte bara en legend att varje människa har sin motsvarighet någonstans på jorden, en människa som är född och som dör samtidigt som du själv. Det finns dubbelgångare i verkligheten. Själv har jag sett min mor en gång på tunnelbanan i Stockholm. Det var mycket nära att jag gått fram till henne. Hon upphörde att vara min mor när hon vecklade upp en finsk tidning och började läsa.

Vad var det egentligen Anna hade berättat? Om en återuppstånden far eller hans dubbelgångare? Hon hade insisterat på att det verkligen var hennes far. Anna brukar insistera, tänkte Linda. Hon kan påstå saker som inte är sanna, som är inbillade eller påhittade. Men hon skulle aldrig komma för sent eller glömma att hon ska få besök.

Linda gick runt i lägenheten igen. Hon stannade vid bokhyllan i Annas studievrå i matrummet. Hon läste på ryggarna. Mest romaner, en och annan reseskildring. Men ingen facklitteratur. Linda rynkade pannan. Ingen medicinsk litteratur. Hon gick till de andra bokhyllorna i lägenheten. Det enda hon hittade var en uppslagsbok över de vanligaste folksjukdomarna. Här finns en glipa, tänkte hon. Borde hon inte ha mängder med medicinska böcker som ingår i utbildningen till läkare?

Hon öppnade kylskåpet. Där fanns det vanliga, inget oväntat, inget saknat. Framtiden var närvarande i form av en oöppnad mjölkförpackning som hade hållbarhet till 2 september. Linda satte sig i vardagsrummet igen och försökte hålla glipan öppen. Hur kunde en människa som studerade till läkare vara utan facklitteratur? Hade hon den någon annanstans? Det kunde inte stämma, det var i Ystad hon bodde och här hon påstod att hon genomförde de viktigaste delarna av sina studier.

Hon väntade. Klockan blev sju. Hon ringde hem. Pappan svarade med munnen full av mat.

– Jag trodde vi skulle äta tillsammans idag?

Linda tvekade innan hon svarade. Hon både ville och inte ville säga något om Anna.

– Jag är upptagen.

– Med vad då?

– Med mitt eget liv.

Fadern morrade något ohörbart.

– Jag träffade Martinsson idag.

– Jag vet.

– Vad vet du?

– Han sa det. Att ni hade träffats. Inget mer. Du behöver inte oroa dig för allting.

Samtalet tog slut. Linda fortsatte att vänta. När klockan blivit åtta ringde hon Zebran och frågade om hon visste var Anna kunde vara. Zebran hade inte hört ifrån Anna på flera dagar. Till sist, när klockan blivit nio och Linda ätit av det hon hittade i Annas skafferi och kylskåp, slog hon upp telefonnumret till Henrietta. Många signaler gick fram innan hon svarade. Linda gick varsamt fram. Hon ville inte riskera att den bräckliga kvinnan blev rädd. Hade Anna rest till Lund? Var hon i Köpenhamn eller Malmö? Linda ställde de mest ofarliga frågor hon kunde tänka ut.

– Jag har inte talat med henne sen i torsdags.

Fyra dagar, tänkte Linda. Då har Anna heller inte sagt något om den man som stod utanför hotellfönstret i Malmö. Hon har inte delat denna viktiga upplysning med sin mor, trots att de står varandra så nära.

– Varför undrar du var Anna är?

– Jag ringde henne och fick inget svar.

En vag oro strömmade genom luren.

– Men du ringer väl inte mig varje gång Anna inte svarar?

Linda hade förberett sig för den frågan. En liten lögn, en vänlig lögn.

– Jag hade sån lust att laga middag till henne. Ingenting annat.

Linda vred över samtalet till att handla om henne själv.

– Vet du om att jag ska börja arbeta här i Ystad?

– Anna har berättat det. Men ingen av oss förstår varför du blir polis.

– Hade jag blivit möbeltapetserare hade jag stått med nubb i munnen varje dag. Polis verkar mer omväxlande.

Någonstans i bakgrunden ringde en klocka. Linda skyndade sig att avsluta samtalet. Anna har inte berättat för sin mor om den hon trodde sig ha sett, tänkte hon. Hon avtalar att möta mig idag och hon är inte här. Och hon lämnar inget meddelande.

Linda försökte på nytt tänka sig att allt var inbillning. Vad kunde egentligen ha hänt? Anna utsatte sig inte för risker i sitt liv. I motsats till Zebran och Linda själv var Anna den som var svårast att övertyga om att sätta sig i bergochdalbanor. Hon misstrodde främmande människor, steg aldrig in i en taxibil utan att först ha sett chauffören i ögonen. Linda utgick från det enklaste: Anna var upprörd. Hade hon rest tillbaka till Malmö för att leta efter den man som kanske var hennes far? Anna har aldrig missat ett möte, tänkte Linda. Men hon har heller aldrig trott sig se sin far på gatan.

Hon stannade kvar i lägenheten till midnatt.

Då var hon övertygad. Det fanns ingen naturlig förklaring till att Anna inte var hemma. Något hade hänt. Men hon visste inte vad.

7

När Linda kom hem strax efter midnatt hade hennes pappa somnat. Han vaknade av att ytterdörren smällde igen. Linda betraktade olustigt hans överviktiga kropp.

– Du sväller, sa hon. Du kommer att spricka en dag, inte som ett troll i solsken, utan som en ballong som är för uppblåst.

Han drog demonstrativt åt skärpet på morgonrocken.

– Jag gör så gott jag kan.

– Det gör du inte.

Han satte sig tungt i soffan.

– Jag drömde vackert, sa han. Just nu orkar jag inte tänka på min vikt. Den dörr du öppnade fanns egentligen inne i min dröm. Minns du Baiba?

– Hon från Lettland? Har ni kontakt fortfarande?

– En gång om året, knappast mer. Hon har funnit en man, en tysk ingenjör som arbetar med att förbättra det kommunala vattensystemet i Riga. Hon låter mycket förälskad när hon talar om honom, den gode Hermann från Lybeck. Jag förvånas över att jag inte blir svartsjuk.

– Drömde du om henne?

Han log.

– Vi hade ett barn, sa han. En liten pojke som lekte alldeles tyst för sig själv på en stor sandplan. På avstånd kunde man höra en blåsorkester. Baiba och jag, vi stod där och såg på honom och jag tänkte i drömmen att det inte var en dröm utan något som var alldeles sant. Och att jag kände en stor glädje.

– Du som brukar klaga över alla dina mardrömmar.

Han lyssnade inte, lät sig inte avbrytas.

– Dörren slogs upp. Din dörr var en bildörr. Det var sommar, solen var ohyggligt varm. Hela tillvaron var överexponerad, Baibas och pojkens och mitt ansikte var alldeles vita, skugglösa. Det var en vacker dröm. Vi skulle just köra iväg när jag vaknade.

– Jag ber om ursäkt.

Han ryckte på axlarna.

– Vad betyder en dröm?

Linda ville tala om Anna. Men hennes far lufsade ut i köket och drack vatten med munnen under kranen. Linda följde efter. Han slätade till håret i nacken och såg på henne.

– Varför är du så sen? Jag har inget med det att göra. Men jag har en bestämd känsla av att du just nu *vill* att jag ska fråga.

Linda berättade. Han stod lutad mot kylskåpet med händerna över bröstet. Så står han alltid när han lyssnar, tänkte hon. Så minns jag honom som barn. En jätte med korslagda armar som stod framför mig och såg ner på mig. Jag tänkte att jag hade en pappa som var ett berg, Pappa Berg.

Han skakade på huvudet när hon tystnat.

– Nej, sa han. Det går inte till så.

– Vad?

– En människas försvinnande.

– Det är inte likt henne. Jag har känt henne sen jag var sju år. Hon har aldrig kommit för sent, aldrig glömt när vi har bestämt att träffas.

– Det är oftast idiotiskt att säga att nån gång ska vara den första. Men så är det. Anta att hon varit upprörd över att hon trott sig ha sett sin far. Kanske är det som du själv säger, att hon gett sig ut att leta.

Linda nickade. Han hade naturligtvis rätt, det insåg hon. Det var inte rimligt att något skulle ha hänt.

Fadern satte sig i träsoffan framför fönstret.

– Man lär sig att det nästan alltid finns en stor sannolikhet i det som inträffar. Människor slår ihjäl varandra, ljuger, begår inbrott och rån, eller försvinner. Om man firar sig tillräckligt djupt ner i varje brunn, och jag ser varje utredning som en brunn, hittar man nästan alltid en förklaring. Det var sannolikt att just den människan försvann, det var lika sannolikt att en annan människa var den som rånade en bank. Jag säger inte att inte det oväntade sker. Men sällan är det rätt när nån säger ”aldrig kunde jag tro det om honom eller henne”. Tänker man efter, skrapar man bort ytfärgen, så hittar man andra färger och andra svar.

Han gäspade och lät händerna falla tungt mot bordet.

– Nu sover vi.

– Sitt några minuter till.

Han såg nyfiket på henne.

– Du är inte övertygad? Du tror fortfarande att Anna har råkat ut för nånting.

– Nej. Du har säkert rätt.

De satt tysta. En vindby virvlade upp några kvistar som slog mot fönstret.

– Jag drömmer mycket just nu, sa han. Kanske är det för att jag ofta vaknar när du kommer hem. Jag drömmer alltså inte mer än vanligt. Men jag minns drömmarna. Igår natt hade jag en märklig upplevelse. Jag gick omkring på en kyrkogård i drömmen. Plötsligt stod jag framför några stenar där jag kände igen alla namn. Stefan Fredmans namn fanns där.

Linda rös till.

– Honom minns jag. Var det verkligen så att han en gång hade tagit sig in här i lägenheten?

– Jag tror det. Men vi lyckades aldrig reda ut det helt och hållet. Han svarade aldrig annat än undvikande när vi frågade honom.

– Du var på hans begravning. Vad hände egentligen?

– Han hölls inlåst på ett sjukhus. En dag krigsmålade han sig som han brukat göra, klättrade upp på ett tak och kastade sig ut.

– Hur gammal blev han?

– Arton eller nitton.

Vinden ryckte och slog mot fönstret.

– Vilka var dom andra?

– Framförallt en kvinna som hette Yvonne Ander. Jag tror till och med att hennes dödsdatum var rätt. Trots att det är en del år sen det hände.

– Vad gjorde hon?

– Minns du den där gången när Ann-Britt Höglund blev skottskadad?

– Hur skulle jag kunna glömma det? Du gömde dig i Danmark och höll på att supa ihjäl dig.

– Riktigt så illa var det inte.

– Det var värre. Nej, jag kommer inte ihåg Yvonne Ander.

– Hon hämnades på män som hade misshandlat och plågat kvinnor.

– Kanske jag minns nu. Vagt.

– Vi tog henne till sist. Alla trodde att hon var galen. Eller ett monster. Själv menar jag nog att hon var en av dom klokaste människor jag har mött.

– Det kanske är som med läkare och deras patienter.

– Hur menar du?

– Att polismän kan bli förälskade i dom kvinnliga brottslingar dom lyckas gripa.

Han morrade en vänlig protest.

– Det är dumheter. Jag talade med henne, förhörde henne. Hon hade skrivit ett brev till mig innan hon begick självmord. Vad hon berättade för mig var att rättvisan är som ett nät med alltför vida maskor. Vi kommer inte åt, eller väljer att inte komma åt många av dom gärningsmän vi borde intressera oss för.

– Vem är det som väljer?

Han skakade på huvudet.

– Jag vet inte. Vi alla. Lagarna vi lever efter antas ju vara något som kommer ur ett folkdjup där alla har sin talan. Men Yvonne Ander visade något annat för mig. Därför glömmer jag henne inte.

– Hur länge sen är det?

– Fem sex år sen.

Telefonen ringde.

Han ryckte till. De såg på varandra. Klockan var fyra minuter i ett. Han sträckte sig efter telefonen som hängde på väggen. Linda undrade oroligt om det var någon av hennes vänner som inte visste att hon bodde hemma hos sin far, att hon ännu inte hade fått en egen lägenhet. Fadern sa sitt namn och lyssnade. Linda försökte tolka hans enstaviga frågor. Det var en polis som ringde, det förstod hon. Men inte vem, kanske var det Martinsson, kanske till och med Ann-Britt Höglund. Någonting hade hänt i närheten av Rydsgård. Wallander vinkade åt henne att ge honom en penna och anteckningsblocket som låg på fönsterbrädan. Han skrev med luren tryckt mot halsen. Hon läste över hans axel. *Rydsgård, korsningen mot Charlottenlund, Viks gård.* Där for vi, tänkte hon, när vi skulle se på huset uppe på kullen som han inte ville köpa. Han skrev igen, hon läste: *kalvbrand. Åkerblom.* Sen ett telefonnummer. Han avslutade samtalet och hängde upp telefonluren. Linda satte sig igen, mitt emot honom.

– ”Kalvbrand”. Vad är det?

– Det undrar jag också.

Han reste sig.

– Jag måste ut.

– Vad är det som har hänt?

Han stannade tvekande i dörren. Efter ett kort ögonblick fattade han sitt beslut.

– Följ med.

– Du var med från början, sa han när de satt i bilen. Då kan du vara med på det som tydligen är en fortsättning.

– Början på vad?

– Påståendet om brinnande svanar.

– Har det hänt igen?

– Både ja och nej. Inga fåglar den här gången. Men tydligen är det nån galning som släppt ut en tjurkalv ur en lagård, sprutat bensin på honom och tänt eld. Det var lantbrukaren som ringde till polishuset. En ordningspatrull har åkt dit. Men jag hade bett att få veta om det hände igen. En sadist, djurplågare. Jag tycker inte om det.

Linda visste när hennes far dolde en tanke.

– Du säger inte vad du tänker.

– Nej.

Han högg av samtalet. Linda undrade varför han egentligen tagit henne med sig.

De svängde av från huvudvägen, körde genom det nattomma Rydsgård och sen söderut i riktning mot havet. Vid en avfartsväg stod en polisbil och väntade. De la sig tätt bakom. Snart körde de in på den stensatta innergården till den fastighet som hette Vik.

– Vem är jag? frågade Linda.

– Min dotter, sa han. Ingen bryr sig om att du är med. Om du inte låtsas vara nåt mer än min dotter. Polis till exempel.

De steg ur. Vinden ryckte och slog mellan husväggarna. De två ordningspoliserna hälsade. En hette Wahlberg, den andra Ekman. Wahlberg var svårt förkyld och Linda som var rädd för smitta drog hastigt till sig handen. Ekmans ögon blinkade närsynt. Han lutade sig fram mot henne och log.

– Jag trodde inte att du skulle börja förrän om ett par veckor.

– Hon håller mig sällskap, sa Kurt Wallander. Vad är det som har hänt här?

De gick ut genom porten och svängde in på en kärrväg som ledde till baksidan av huset där en lagård nyligen blivit uppförd. Lantbrukaren som stod på knä vid det döda djuret, strax intill den stora gödseldammen, var en ung man, jämnårig med Linda. Bönder ska vara gamla, tänkte hon. I min föreställningsvärld finns inga lantbrukare i min egen ålder.

Kurt Wallander sträckte fram handen och hälsade.

– Tomas Åkerblom.

– Det här är min dotter. Hon råkar bara vara med.

När Tomas Åkerblom vände sig mot henne föll ljuset från lagården över hans ansikte. Linda såg att hans ögon var glansiga.

– Vem gör något sådant, sa han med darrande röst. Vem gör nåt sånt?

Han steg åt sidan som för att dra undan en osynlig ridå framför en makaber installation. Linda hade redan känt lukten av bränt kött. Nu såg hon den svartbrända tjuren som låg på sidan framför henne. Det öga som var uppvänt hade bränts bort. Det rök fortfarande från den svartbrända huden. Bensinlukten gjorde henne illamående. Hon tog ett steg bakåt. Kurt Wallander betraktade henne uppmärksamt. Hon skakade på huvudet, hon höll inte på att svimma. Han nickade och såg sig sedan runt omkring.

– Vad har hänt? frågade han.

Tomas Åkerblom berättade. Hans röst var hela tiden på väg att brista.

– Jag hade just lagt mig och somnat. Jag vaknade av ett tjut. Först trodde jag att det var jag själv som skrek, det händer att jag gör det ibland när jag drömmer. Jag for upp ur sängen. Sen insåg jag att det kom från lagården. Djuren bölade och ett av dom var i nöd. Jag slet upp gardinen för fönstret och såg hur det brann. Äpplet brann, fast jag såg ju inte att det var han just då, bara att det var ett av ungdjuren. Det sprang rakt in i lagårdsväggen, hela kroppen och huvudet var omvärvda av eld. Jag begrep inte vad det var jag såg. Jag sprang ner, drog på mig ett par stövlar. Då hade han redan ramlat. Det ryckte i kroppen. Jag rev till mig en presenning och försökte släcka elden. Men då var han redan död. Det var fruktansvärt. Jag minns att jag tänkte: "Det här händer inte, det händer inte, ingen tänder eld på ett djur."

Tomas Åkerblom tystnade.

– Såg du nåt? frågade Kurt Wallander.

– Jag har berättat vad jag såg.

– Du sa att "ingen tänder eld på ett djur". Varför sa du det? Det kunde ju ha varit en olycka?

– Hur skulle en tjurkalv kunna hälla bensin över sig själv och tända på? Varför skulle det hända? Jag har aldrig hört om djur som begår självmord.

– Nån måste alltså ha gjort det. Det är det jag frågar om. Såg du nån människa när du slet upp gardinen?

Tomas Åkerblom tänkte efter innan han svarade. Linda försökte följa sin far i spåren, föreställa sig hans nästa fråga.

– Jag såg bara det brinnande djuret.

– Kan du föreställa dig vem som kan ha gjort det?

– En galen människa. Bara en galning kan göra nåt sånt.

Kurt Wallander nickade.

– Vi kommer inte längre nu, sa han. Låt djuret ligga. Vi kommer tillbaka senare idag när det har ljusnat och tittar oss omkring.

De återvände till bilarna.

– Bara en galning kan göra det här, sa Tomas Åkerblom igen.

Kurt Wallander svarade inte. Linda såg att han var trött, pannan rynkad, han verkade plötsligt gammal. Farsan är orolig, tänkte hon.

Först kanske svanar som brinner, sen en tjurkalv som heter Äpplet och verkligen brinner upp.

Det var som om han läst hennes tanke. Han vände sig mot Tomas Åkerblom med handen på dörrhandtaget.

– Äpplet, sa han. Ett märkligt namn på en tjur.

– Jag spelade bordtennis när jag var yngre. En del av ungdjuren har fått namn efter stora svenska bordtennisspelare. Jag har till exempel en oxe som heter Waldner.

Kurt Wallander nickade. Linda kunde se att han log. Hon visste att hon hade en far som uppskattade originella människor.

De for tillbaka mot Ystad.

– Vad tror du det är? frågade Linda.

– I bästa fall har vi bara fått en sadistisk djurplågande galning på halsen.

– I bästa fall?

Han dröjde med svaret.

– I sämsta fall är det nån som inte kommer att nöja sig med djur, sa han till sist.

Linda förstod vad han menade. Men hon insåg också att hon just nu gjorde bäst i att inte ställa några ytterligare frågor.

8

När Linda vaknade var hon ensam i lägenheten. Klockan hade blivit halv åtta. Hon sträckte på sig och tänkte att hon vaknat av att fadern slagit igen ytterdörren. Han gör det onödigt hårt. Han försöker vara sträng och vill inte att jag ligger och drar mig i sängen i onödan.

Hon steg upp och öppnade fönstret. Dagen var klar, värmen höll i sig. Nattens händelser drog förbi, det rykande djurkadavret och hennes pappa som plötsligt sett så gammal och sliten ut. Oron färgar honom, tänkte hon. Han kan dölja nästan allt för mig. Men inte sin oro.

Hon åt frukost, satte på sig samma kläder som dagen innan, men ångrade sig och bytte om två gånger innan hon blev nöjd. Sen ringde hon till Anna. Efter fem signaler slog telefonsvararen på. Hon hojtade och bad Anna svara. Men det fanns ingen där. Hon ställde sig framför spegeln i tamburen och frågade sig om hon fortfarande var orolig för att den bestämda Anna hade gett sig av utan att säga ifrån. Nej, sa hon till sig själv, jag är inte orolig. Anna har en förklaring. Hon letar bara efter den där mannen som stod på gatan och hade fräckheten att likna hennes far.

Linda gick ner till småbåtshamnen och strövade längs piren. Havet var spegelblankt. En kvinna låg halvnaken i fören på en båt och snarkade. Tretton dagar till, tänkte Linda. Vem har jag min rastlöshet efter? Knappast min far, men inte heller min mor.

Hon gick tillbaka längs piren. Det låg en kvarlämnad tidning på en pollare. Hon bläddrade till annonssidorna, tittade efter begagnade bilar. En Saab för 19 000. Hennes far hade lovat att bidra med 10 000. En bil ville hon ha. Men en Saab för 19 000? Hur länge skulle den vara användbar?

Hon stoppade ner tidningen i jackfickan och gick hem till Anna. Ingen svarade på hennes ringsignaler. När hon steg in i tamburen efter att återigen ha dyrkat upp dörren fick hon plötsligt en känsla av att någon hade varit där sen hon lämnat lägenheten vid midnatt. Hon stod alldeles orörlig och lät blicken glida över tamburens väggar, kläderna som hängde där, skorna som stod i rad. Hade något förändrats? Hon såg inget som övertygade henne om att känslan varit riktig.

Hon fortsatte in i lägenheten och satte sig i soffan. Ett tomt rum, tänkte hon. Vore jag min egen far skulle jag försöka hitta avtrycken av det som hänt här, försöka se människor, dramatiska händelser. Men jag ser ingenting, bara det faktum att Anna inte är här.

Hon reste sig och gick långsamt igenom lägenheten två gånger. Nu var hon övertygad om att Anna inte varit där under natten. Inte heller någon annan. Det enda hon hittade var de osynliga spåren av henne själv.

Linda gick in i Annas sovrum och satte sig vid skrivbordet. Hon tvekade. Men nyfikenheten tog överhanden. Hon visste att Anna förde dagbok. Det hade hon alltid gjort. Det fanns minnesbilder hos Linda från sista åren på högstadiet, Anna som dragit sig undan i något hörn och skrev i sin dagbok. En pojke som en gång slitit till sig den hade överfallits med sån vrede, bland annat hade hon bitit honom i axeln, att ingen nånsin mer försökte komma åt hennes anteckningar.

Hon drog ut en av lådorna i skrivbordet. Den var full av gamla dagböcker, tummade, fullskrivna. Linda öppnade de övriga lådorna. Samma sak, dagböcker. Årtal stod skrivna på pärmarna. Fram till det Anna blev sexton år var pärmarna röda. Då hade hon plötsligt gjort ett färguppror och bytt. Efter det hade hon bara skrivit i häften med svarta pärmar.

Linda stängde lådorna och lyfte på några papper som fanns på skrivbordet. Där låg den dagbok som hon just nu skrev i. Jag ska bara titta på den sista sidan, tänkte Linda. Hon ursäktade sig själv med att hon trots allt var orolig. Hon slog upp den sista halvskrivna sidan. Datumet var dagen innan, samma dag Linda skulle ha träffat henne. Linda lutade sig över texten. Anna skrev med en liten stil, som om hon försökte gömma bokstäverna. Linda läste igenom texten två gånger, första gången utan att förstå, andra gången med växande förundran. Det Anna skrev var obegripligheter; *Minorna, farorna, minorna, farorna.* Var det någon kod, ett hemligt skriftspråk för invigda?

Linda bröt sitt löfte att bara läsa den senaste dagboksanteckningen.

Hon vände bladet bakåt. Där var texten helt annorlunda. Anna hade noterat att *Saxhusens lärobok i de kliniska grunderna inte är annat än ett pedagogiskt haveri; omöjlig att läsa och förstå. Hur kan läroböcker se ut på sådant sätt? Blivande läkare kommer att avskräckas och välja forskning istället, där dom dessutom kan tjäna mer pengar.* Sedan hade hon noterat att hon *på morgonen haft lätt feber, det blåser* – Linda tänkte att det var alldeles sant – och att hon undrar över var hon *förlagt reservnycklarna till bilen.* Linda återvände till de sista anteckningarna och läste texten sakta ännu en gång. Hon försökte föreställa sig att hon var Anna i det ögonblick hon skrev orden. Det fanns inga överstrykningar, inga ändringar eller tveksamheter. Stilen fladdrade inte till, den var hela tiden bestämd. *Minorna, farorna, minorna, farorna. Jag ser att jag i år har haft nitton tvättdagar. Om jag har någon dröm är det att bli en anonym distriktsläkare i någon förort. Kanske norrut. Men finns det förorter i norrländska städer?*

Där slutade texten. Inte ett ord om den man hon sett på gatan utanför hotellfönstret, tänkte Linda. Inte ett ord, inte en antydan, ingenting. Är det inte sånt man skriver i dagböcker?

Hon bläddrade bakåt i boken för att få en bekräftelse. Då och då hade Anna skrivit om henne själv. *Linda är en vän* hade hon noterat den 20 juli, mitt bland anteckningar om att hennes mamma varit på besök, att de *grälat om ingenting,* och att hon samma kväll skulle *åka in till Malmö för att se en rysk film.*

Linda satt i nära en timme med växande dåligt samvete och letade efter anteckningar om sig själv. *Linda kan vara krävande* stod det den 4 augusti. Vad gjorde vi då? tänkte hon, utan att kunna påminna sig. Den 4 augusti var en dag bland alla andra denna otålighetens sommar. Linda hade inte ens en almanacka, hon organiserade sin tid med lösa lappar och skrev ofta upp telefonnummer på handlederna.

Hon slog igen dagboken. Det fanns ingenting. Bara denna egendomliga anteckning som avslutade dagboken. Här är hon sig inte lik, tänkte Linda. Allt annat hon skriver är anteckningar från en människa som lever i balans med sig själv, inte har större problem än de flesta andra. Men sista dagen, när hon tycker sig ha sett sin försvunna far återuppstå efter tjugofyra år, skriver hon upprepade gånger om minor och faror. Det är galenskap. Varför skriver hon inte om sin far? Varför skriver hon nånting som är obegripligt?

Linda kände att oron återvände. Kunde Anna haft fog för sin rädsla att hon höll på att bli galen? Linda ställde sig vid fönstret där Anna brukade stå under deras samtal. Solen var skarp, reflexer från ett fönster på andra sidan gatan gjorde att hon kisade med ögonen. Kan hon ha drabbats av sinnesförvirring? tänkte hon. Anna tror sig se sin far. Det skakar om henne så våldsamt, chockar henne så att hon tappar kontrollen över sig själv och sen gör något som hon ångrar. Men vad?

Hon ryckte till. Bilen. Annas bil, den lilla röda Golfen. Om hon gett sig av borde bilen vara borta. Linda skyndade sig ner på gatan och in på gården där parkeringsplatserna fanns. Bilen stod kvar. Hon kände på dörrarna som var låsta. Bilen verkade nytvättad. Det förvånade henne. Annas bil brukar vara smutsig, tänkte hon. Varje gång vi har varit ute tillsammans har hon hämtat mig i en otvättad bil. Nu skiner den. Till och med hjulens fälgar blänker.

Hon gick upp i lägenheten igen, satte sig i köket och försökte hitta en rimlig förklaring. Förklaring på vad? Det enda som var ett tveklöst faktum var att Anna inte hållit sig hemma när Linda kom på besök som de avtalat. Det kunde inte bero på något missförstånd. Anna kunde heller inte ha glömt det. Alltså *valde* hon att inte vara hemma. Nånting annat var viktigare. Men det krävde inte hennes bil. Hon slog på telefonsvararen. Där fanns bara hennes egen hojtande stämma. Blicken vandrade vidare till ytterdörren. Nån står där utanför och ringer på. Det är inte jag, inte heller Zebran eller Annas mamma. Vilka andra vänner har Anna? Just nu, sen i april, påstår hon att hon lever utan pojkvän. Då sparkade hon ut någon jag aldrig träffade, en herr Måns Persson som studerade elektromagnetism i Lund men som visade sig vara mindre pålitlig än vad Anna först hade trott. Det var en smärta som sved, det talade hon om, och hon upprepade vid flera tillfällen att hon skulle vänta innan hon gav sig in i något nytt förhållande igen.

Linda tappade för ett ögonblick greppet om Anna och tänkte på sig själv. Hon hade också haft en Måns Persson som hon sparkat ut ur sitt liv i mitten av mars. Han hade hetat Ludwig och på något sätt varit född att bära det namnet, han hade varit en blandning av högrest kejsare och fumlig operettprins. Linda hade träffat honom på en pub när hon varit ute med några kurskamrater, de hade suttit hoptryckta bredvid varandra, två sällskap som råkat hamna vid angränsande bord. Ludwig var renhållningsarbetare, han körde sopbil som om det var en sportbil och upplevde det som den naturligaste sak i världen att vara stolt över sitt arbete. Linda hade lockats av hans jättelika skratt, hans glada ögon och det faktum att han inte avbröt henne när hon talade, utan verkligen ansträngde sig för att lyssna trots att oväsendet runt dem var öronbedövande.

De hade inlett ett förhållande och Linda hade nästan vågat tro att hon hittat en verklig man bland alla karlar som världen var full av. Men så hade hon av en tillfällighet, av någon som kände någon som sett någon, fått veta att Ludwig ägnade den tid han inte arbetade eller var tillsammans med Linda åt en ung dam som hade cateringfirma i Vallentuna. Det blev en brutal uppgörelse, Ludwig bad henne stanna, men Linda skickade ut honom i kylan och grät en vecka efteråt. Nu slog hon bort tankarna på Ludwig, de smärtade fortfarande. Kanske var det för henne som för Anna, utan att hon formulerat det för sig själv, att hon ännu inte var mogen att börja se sig om efter någon ny. Hon visste att hennes skiftande pojksällskap ständigt oroade hennes far, även om han aldrig frågade henne.

Linda gick igenom lägenheten ännu en gång. Plötsligt framstod hela situationen som komisk, nästan pinsam. Vad skulle kunna ha hänt Anna? Ingenting. Hon var i stånd att hantera sitt eget liv bättre än de flesta. Att hon inte varit hemma som avtalat behövde inte betyda nånting. Linda stannade vid en bänk i köket där reservnycklarna till bilen låg. Hon hade fått låna Annas bil ett par gånger. Jag kan låna den igen, tänkte Linda, och åka ut till hennes mor och hälsa på. Innan hon gick la hon en lapp i köket om att hon lånat bilen och räknade med att vara tillbaka efter några timmar. Men hon skrev ingenting om att hon var orolig.

Linda for hem till Mariagatan, bytte till tunnare kläder eftersom det hade blivit mycket varmt. Sen åkte hon ut från staden, tog av vid avtagsvägen mot Kåseberga och stannade till nere i hamnen. Vattnet var spegelblankt, inne i hamnen simmade en hund omkring. En äldre man satt på en bänk vid affären som sålde rökt fisk och han nickade åt henne. Linda nickade tillbaka men visste inte vem han var. Kanske en pensionerad kollega till hennes far?

I närheten av den plats där Annas mor komponerade sin egenartade musik svängde hon in på vägen som ledde till det hus där hennes farfar hade bott till sin död. Hon parkerade och gick fram till huset. Det hade haft två olika ägare efter det att Gertrud, hennes farfars änka, flyttade hem till sin syster. Förste ägaren var en ung man som hade en datafirma i Simrishamn. När företaget gick i konkurs sålde han huset till ett keramikerpar från Huskvarna som ville flytta till Skåne. En skylt med ordet ”Krukmakeri” vajade intill grinden. Dörren till det uthus där hennes farfar suttit och målat sina tavlor stod öppen. Hon tvekade men öppnade sen grinden och gick över gårdsplanen. Barnkläder hängde på en torkställning och smattrade i vinden.

Linda knackade på dörren till uthuset. En kvinnoröst svarade. Linda steg in. Det tog några ögonblick för hennes ögon att vänja sig vid hur ljuset inne kontrasterade mot den skarpa solen. En kvinna i fyrtioårsåldern satt vid en drejskiva och skar med en kniv i ett ansikte av lera. Hon höll på att forma ett öra. Linda berättade vem hon var och bad om ursäkt för att hon störde. Kvinnan la ifrån sig kniven och torkade händerna. De gick ut i solen. Hennes ansikte var blekt, verkade utvakat, men hennes ögon var vänliga.

– Jag hörde om honom. Mannen som satt här och målade sina tavlor som alla var lika.

– Inte helt. Han hade två motiv. Ett var ett landskap med en tjäder, det andra saknade fågeln, var bara landskap, en sjö, en solnedgång, ett antal träd. Han använde mallar för allt utom solen. Den målade han på fri hand.

– Ibland känns det som om han finns kvar därinne. Brukade han vara arg?

Linda såg förvånat på henne.

– Det låter som om det sitter nån och morrar därinne då och då.

– Det är säkert han.

Kvinnan presenterade sig som Barbro och frågade om Linda ville ha kaffe.

– Tack, men jag ska vidare. Jag bara stannade av nyfikenhet.

– Vi flyttade hit från Huskvarna, sa Barbro. Bort från staden, även om den inte var stor. Lars, min man, tillhör den nya generationen mångsysslare. Han kan laga cyklar och klockor men också ställa diagnoser på sjuka kor och berätta fantastiska sagor för barn. Vi har två.

Hon avbröt sig, som om hon sagt för mycket till en främling, och tänkte efter.

– Kanske är det det dom saknar mest, fortsatte hon. Hans fantastiska sagor.

Hon följde Linda ut på vägen bort till bilen.

– Han är alltså inte kvar, sa Linda försiktigt.

– Bland allt det han kunde fanns trots allt något han inte behärskade. Kunskapen att barn är något man aldrig kommer ifrån. Han fick panik. Han tog cykeln och gav sig av. Nu bor han i Huskvarna igen. Men vi talar med varandra, han tar sig an barnen bättre nu när han inte känner ansvaret.

De skildes vid bilen.

– Om man bad min farfar snällt att inte vara arg brukade han tystna. Men det måste vara en kvinna som ber honom, annars lyssnar han inte. Det gällde medan han levde. Kanske gäller det också nu när han är död.

– Var han lycklig?

Linda tänkte efter. Ordet passade inte riktigt ihop med den bild hon hade av sin farfar.

– Hans största glädje i livet var att sitta därinne i dunklet och göra det han hade gjort dagen innan. Han fann sin stora ro i upprepningen. Om det kan kallas lycka var han lycklig.

Linda låste upp bilen.

– Jag är lik honom, sa hon och log. Jag vet alltså hur han bör tas.

Linda for därifrån. Hon skymtade Barbro i backspegeln. Aldrig jag, tänkte hon. Att bli sittande i ett gammalt hus på det blåsiga Österlen med två barn. Aldrig det.

Tanken gjorde henne upprörd. Utan att hon märkte det ökade hon farten. Först när hon skulle svänga ut på huvudvägen igen bromsade hon häftigt in.

Annas mor, Henrietta Westin, bodde i ett hus som tycktes huka och gömma sig bakom väldiga vaktposter i form av täta träddungar. Linda var tvungen att leta och vända och backa innan hon kom till rätt avtagsväg. Hon svängde in bilen vid en rostig slåttermaskin och steg ur. Värmen väckte några hastiga minnesbilder från en semesterresa till Grekland som hon gjort med Ludwig innan deras relation bröt samman. Hon skakade undan tankarna med en knyck på nacken och började leta sig fram bland de mäktiga träden. Hon stannade en stund och skuggade med handen mot solen. Ett ljud hade fångat hennes uppmärksamhet, ett knattrande som om någon ursinnigt spikade. I det täta bladverket upptäckte hon en hackspett som ettrigt slog sin rytm mot trädstammen. Han kanske är en del av hennes musik, tänkte Linda. Om jag har förstått Anna rätt är inga ljud främmande för hennes mor. Hackspetten kanske är hennes trumslagare.

Hon lämnade den trummande fågeln, gick förbi ett grönsaksland som var illa medfaret och säkert inte använt och omskött på många år. Vad vet jag om henne, tänkte Linda. Och vad gör jag här? Hon stannade och kände efter. Just i det här ögonblicket, i skuggan av de höga träden, var hon inte orolig. Det fanns säkert en rimlig förklaring till att Anna höll sig undan. Hon vände och började gå tillbaka mot bilen.

Hackspetten hade plötsligt tystnat och försvunnit. Allt försvinner, tänkte hon. Människor och hackspettar, mina drömmar och all den tid jag trodde jag hade men som rinner ut i floder jag förgäves försöker dämma upp. Hon drog åt sina osynliga tyglar och stannade. Varför gick hon tillbaka? Om hon nu hade gjort en utfärd i Annas bil kunde hon väl ändå gå in och hälsa på Henrietta. Utan oro, utan någon försåtlig undran om hon visste vart Anna hade tagit vägen. Kanske det var så enkelt som att hon befann sig i Lund. Jag har inte hennes telefonnummer där, tänkte hon. Det kan jag i alla fall be Henrietta om.

Hon följde stigen genom skogsdungarna och kom fram till huset som var av korsvirke, vitkalkat och inbäddat bland vildvuxna rosenbuskar. En katt låg på stentrappan och betraktade henne med vaksamma ögon. Linda gick fram till huset. Ett fönster var öppet. Just när hon böjde sig ner för att försiktigt klappa katten hörde hon ljud från det öppna fönstret. Henriettas musik, tänkte hon.

Sen reste hon sig hastigt och höll andan.

Det var inte musik som kom genom fönstret. Det hon hörde var en kvinna som grät.

9

En hund började skälla inne i huset. Linda kände sig ertappad och skyndade sig att ringa på ytterdörren. Det dröjde innan den öppnades. Henrietta höll i den ilskna gråhundens man.

– Han är inte farlig, sa Henrietta. Kom in.

Linda kände sig aldrig helt säker i förhållande till främmande hundar. Hon tvekade innan hon steg in i tamburen. Men så fort hon klivit över tröskeln tystnade hunden. Det var som om hon passerat en osynlig skällgräns. Henrietta släppte hunden. Linda kunde inte minnas att hon varit så liten och mager tidigare. Vad var det Anna hade sagt? Henrietta var inte femtio år. Linda tänkte att i kroppen var hon redan betydligt äldre. Men hennes ansikte var ungt. Hunden som tydligen hette Patos nosade på hennes ben och gick sedan till sin korg och sträckte ut sig.

Sen tänkte Linda på den gråt hon hade hört. Några spår av tårar fanns inte i Henriettas ansikte. Hon kastade en blick över hennes huvud. Men någon annan människa fanns inte att se. Henrietta fångade hennes blick.

– Är det Anna du tittar efter?

– Nej.

Henrietta brast i skratt.

– Det hade jag inte tänkt mig. Först ringer du och sen kommer du på besök. Vad är det som har hänt? Är Anna fortfarande försvunnen?

Linda blev överraskad av Henriettas direkta sätt. Samtidigt var det henne till hjälp.

– Ja.

Henrietta ryckte på axlarna och föste in Linda i det stora rum, resultatet av många borthuggna väggar, som tjänade som både vardagsrum och arbetsplats.

– Anna är säkert i Lund. Hon gömmer sig då och då. Det är tydligen mycket som är svårt av den teori en blivande läkare måste tillägna sig. Anna är ingen teoretiker. Vem hon liknar vet jag egentligen inte. Inte mig, inte sin far. Kanske liknar hon bara sig själv.

– Har du ett telefonnummer till henne i Lund?

– Jag vet inte om hon har telefon. Hon hyr ett rum som inneboende. Men jag har inte ens adressen.

– Är det inte lite konstigt?

Henrietta rynkade pannan.

– Varför det? Anna är en hemlighetsfull person. Lämnar man henne inte ifred kan hon bli rasande. Visste du inte det?

– Nej. Har hon ingen mobiltelefon?

– Hon tillhör en av de få som har stålsatt sig, sa Henrietta. Jag har mobiltelefon. Jag förstår inte varför man överhuvudtaget behöver en telefon som är en del av ett linjenät längre. Men inte Anna. Hon har ingen mobil.

Hon tystnade som om hon plötsligt fångats av en tanke. Linda såg sig omkring i rummet. Någon hade gråtit. Tanken att Anna kunde vara där hade inte slagit henne förrän Henrietta själv hade kommit med förslaget. Inte Anna, tänkte Linda. Varför skulle hon sitta här hos sin mamma och gråta? Anna är överhuvudtaget inte en människa som gråter. En gång när vi var små ramlade hon ner från en klätterställning och slog sig. Då minns jag att hon grät. Men det är enda gången. När vi var kära i Tomas var det jag som grät och hon som var arg. Fast inte så rasande som Henrietta påstår.

Hon betraktade Annas mor som stod mitt på det blankslipade trägolvet. En solstråle snuddade vid hennes ansikte. Hon hade en skarp profil, precis som Anna.

– Jag får sällan besök, sa Henrietta plötsligt, som om det var det hon egentligen stått och tänkt på. Människor undviker mig eftersom jag själv är en undvikare. Dessutom tror människor att jag är underlig. Man ska inte sitta ensam i den skånska leran, tillsammans med en gråhund, och komponera musik som ingen vill lyssna på. Inte heller blir saken bättre av att jag fortfarande är gift med en man som övergav mig för tjugofyra år sen.

Linda anade en underton av ödslighet och bitterhet i Henriettas röst.

– Vad arbetar du med nu? frågade hon.

– Du behöver inte anstränga dig. Varför kom du hit? För att du oroar dig för Anna?

– Jag lånade Annas bil. Farfar bodde här i närheten. Jag for dit och sen hit. En utflykt. Jag har svårt att få dagarna att gå.

– Innan du drar på dig uniformen?

– Ja.

Henrietta ställde fram kaffekoppar och en termos.

– Jag förstår inte hur en ung vacker flicka som du kan välja att ägna sitt liv åt att bli polis. Jag föreställer mig att poliser befinner sig i ständiga slagsmål. Som om delar av det här landet bestod av människor som tumlade runt i ett riktigt drängslagsmål. Och att poliserna är indragna i en sorts evighetskamp för att skilja alla dessa människor åt.

Hon serverade kaffe.

– Men du kanske ska sitta på kontor, fortsatte hon.

– Jag ska åka radiobil och jag ska säkert vara den du tror. Nån som alltid är beredd att gå emellan.

Henrietta satte sig och lutade hakan i ena handen.

– Och det vill du använda ditt liv till?

Linda kände sig plötsligt angripen, som om hon drogs in i Henriettas bitterhet. Hon började värja sig.

– Jag är ingen vacker ung flicka. Jag är snart tretti år, jag har ett högst normalt utseende. Pojkar brukar tycka att jag har vacker mun och fina bröst. Det kan jag tycka själv också. Åtminstone i dom ögonblick när jag är nöjd med mig själv. Men vad resten är, är högst normalt. Jag har aldrig drömt om att bli någon Fröken Sverige. Man kan dessutom fråga sig hur det skulle se ut om det inte fanns poliser. Min far är polis. Jag skäms inte för det han gör.

Henrietta skakade långsamt på huvudet.

– Jag menade inte att såra dig.

Linda var fortfarande arg. Hon kände ett behov av att ge igen, utan att hon riktigt kunde klargöra för vad.

– Jag tyckte jag hörde nån som grät härinne när jag kom.

Henrietta log.

– Jag har det inspelat på band. Ett utkast till ett rekviem, där jag blandar musik med inspelade ljud av människor som gråter.

– Jag vet inte vad ett rekviem är.

– En dödsmässa. Jag skriver nästan bara såna nuförtiden.

Henrietta reste sig från bordet och gick till den stora flygeln som stod framför ett fönster som vette ut mot fälten och de böljande kullarna vid havet. Bredvid flygeln, på ett stort bord fanns bandspelare och olika tangent- och mixerbord. Henrietta slog på bandspelaren. En kvinna grät, den röst Linda hört genom fönstret. Hennes nyfikenhet på Annas underliga mamma vaknade till liv på allvar.

– Har du spelat in kvinnor som gråter?

– Det här är ur en amerikansk film. Jag tar gråt från film som jag ser på video eller från radioprogram. Jag har ett register med fyrtifyra gråtande människor, allt från spädbarn till en gammal kvinna jag spelade in i smyg på en långvårdsavdelning. Om du vill får du gärna lämna ditt gråtprov till mitt arkiv.

– Nej tack.

Henrietta satte sig vid flygeln och slog några ensamma toner. Linda ställde sig bredvid henne. Henrietta lyfte händerna och slog ett ackord och trampade på en av pedalerna. Rummet fylldes av ett mäktigt ljud som långsamt klingade bort. Henrietta nickade åt Linda att sätta sig ner. Hon sköt undan en hög med notpapper från en pall. Henrietta betraktade henne med forskande ögon.

– Varför kommer du egentligen hit? Jag har aldrig haft nån känsla av att du har tyckt särskilt mycket om mig?

– När jag var mindre och jag lekte med Anna var jag nog rädd för dig.

– För mig? Ingen är rädd för mig.

Jodå, tänkte Linda hastigt. Anna var också rädd för dig. Hon drömde mardrömmar om dig på nätterna.

– Jag kom hit för att jag fick lust. Det var inte planerat. Jag undrar var Anna är. Men jag är inte lika orolig idag som igår. Du har säkert rätt att hon är i Lund.

Linda avbröt sig, tvekade. Henrietta upptäckte det genast.

– Vad är det du inte säger? Ska jag bli orolig för nånting?

– Anna tyckte att hon såg sin far på gatan i Malmö för några dar sen. Jag borde inte tala om det. Det borde hon göra själv.

– Var det allt?

– Räcker det inte?

Henrietta spelade frånvarande med händerna några centimeter ovanför tangenterna.

– Anna tycker alltid att hon ser sin pappa på gatan. Det har hon gjort sen hon var liten.

Linda blev genast uppmärksam. Till henne hade Anna aldrig nånsin tidigare sagt att hon sett sin far. Det skulle hon gjort om hon brukade göra det. Under den tid de stod nära varandra delade de alla viktiga händelser. Anna var en av de få som kände till att Linda balanserat på räcket ovanför motorvägen i Malmö. Det Henrietta nu sa kunde inte stämma.

– Anna kommer aldrig att släppa taget om det där hala repet. Repet som är hennes omöjliga förhoppning om att Erik ska komma tillbaka. Att han överhuvudtaget lever.

Linda väntade på en fortsättning som inte kom.

– Varför gav han sig egentligen iväg?

Henriettas svar var överraskande.

– Han gav sig av eftersom han var besviken.

– Över vad?

– Över livet. Han hade svindlande ambitioner när han var ung. Det var med dom väldiga drömmarna han förförde mig. Jag har aldrig nånsin mött en man som hade samma underbara lockrop som Erik. Han skulle åstadkomma en skillnad i vår värld och vår tid. Han var skapad för dom stora uppdragen, det var han övertygad om. Vi träffades när han var sexton och jag femton. Det var tidigt, men jag hade aldrig stött ihop med en sådan människa. Det fullkomligt sprutade drömmar och livskraft ur honom. Fram till han var tjugo skulle han söka sig fram, det hade han redan bestämt när vi möttes. Var det konsten, idrotten, politiken eller nånting annat som han skulle förändra? Det visste han inte. Livet och världen var som ett oupptäckt grottsystem som han letade sig fram igenom. Jag kan inte minnas att han någonsin tvivlade på sig själv innan han fyllde tjugo år. Då plötsligt började han bli orolig. Rastlös. Innan hade han haft all tid i världen. Han fortsatte att söka efter det som skulle bli den stora meningen med hans liv. När jag började ställa krav på honom att han skulle vara med och försörja familjen, särskilt efter att Anna hade fötts, kunde han bli otålig och ryta till. Det hade han aldrig gjort tidigare. Det var då han började tillverka sandaler för att tjäna lite pengar. Han var händig. Jag tror han valde att göra det han kallade "lättjans sandaler" som ett slags protest mot att han måste ta av sin värdefulla tid för att utföra arbete av det föraktliga skälet att få betalt. Det var förmodligen då han började planera sitt försvinnande. Kanske jag hellre borde kalla det flykt. Han flydde inte från mig eller Anna, han flydde från sig själv. Han trodde att han kunde rymma från sin besvikelse. Kanske kunde han det. Det är en fråga jag aldrig kommer att få svar på. Plötsligt var han borta. Det kom helt överraskande. Jag hade inte anat nånting. Det var först efteråt som jag insåg hur noga han förberett allting. Hans försvinnande var ingen enkel impuls som kom flygande. Att han sen sålde min bil kan jag förlåta honom. Vad jag inte förstår är hur han kunde välja bort Anna. Dom stod varandra nära. Han älskade henne. Jag var aldrig så viktig för honom. Kanske dom första åren när jag visade att jag stod ut med hans drömmerier. Men inte efter det att Anna hade blivit född. Jag kan fortfarande inte förstå hur han kunde överge henne. Hur kan en människas besvikelse över en omöjlig dröm bli så stor att man överger den viktigaste människan i sitt liv? Det var säkert också det som gjorde att han dog, att han aldrig kom tillbaka.

– Jag trodde ingen visste om han levde eller var död?

– Naturligtvis är han död. Han har varit borta i tjugofyra år. Var skulle han finnas nu?

– Anna trodde att hon såg honom på gatan.

– Hon ser honom bakom varje gathörn. Jag har försökt övertyga henne om att hon måste inse sanningen. Ingen av oss vet vad som hände, hur han hanterade sin besvikelse. Men naturligtvis är han död. Hans drömmar var för stora för honom att bära.

Henrietta tystnade. Hunden suckade från sin korg.

– Vad tror du hände? frågade Linda.

– Jag vet inte. Jag har försökt följa honom, se honom där han har varit. Ibland tycker jag att han går längs en strand i starkt solljus. Jag är tvungen att kisa med ögonen för att verkligen se honom. Plötsligt stannar han och vadar ut i vattnet tills bara huvudet syns. Och sen är han borta.

Hon började spela med tomma fingerrörelser igen, bara snuddade vid tangenterna.

– Jag tror han gav upp. När han insåg att drömmen inte var annat än en dröm. Och att Anna som han övergett var en verklig människa. Men då var det nog för sent. Han hade alltid dåligt samvete även om han försökte dölja det.

Henrietta slog igen pianolocket med en smäll och reste sig.

– Mer kaffe?

– Nej tack. Jag ska gå nu.

Henrietta verkade orolig. Linda betraktade henne uppmärksamt. Plötsligt tog hon tag i Lindas arm och började gnola på en melodi som Linda kände igen. Hennes röst for upp och ner mellan det gälla och obehärskade och det mjuka och tonklara.

– Har du hört den här sången? frågade hon när hon slutat.

– Jag känner igen den. Men jag vet inte vad den heter.

– Buena Sera.

– Är den spansk?

– Italiensk. Det betyder ”God Natt”. Den var populär på 1950-talet. Det händer ofta att människor idag lånar eller stjäl eller vandaliserar gammal musik. Av Bach gör man popmusik. Nu gör jag tvärtom. Jag förvandlar inte Johann Sebastian Bachs koraler till populärmusik, jag tar Buena Sera och gör om till klassisk musik.

– Går det?

– Jag bryter ner tonerna, strukturerna, ändrar rytmen, byter gitarrer mot massiva flöden av violiner. Jag gör en symfoni av en banal sång som är drygt tre minuter lång. När den är färdig ska jag spela den för dig. Då kommer folk äntligen att förstå vad det är jag har försökt åstadkomma under alla dessa år.

Henrietta följde henne ut. Hunden kom med. Katten hade försvunnit.

– Jag vill gärna att du kommer tillbaka.

Linda lovade. Hon körde därifrån. Åskmoln tornade upp över havet, i riktning mot Bornholm. Linda körde in till vägrenen och stannade. Hon steg ur bilen, hon var röksugen. Hon hade slutat röka tre år tidigare. Men lusten kom då och då tillbaka, även om det blev alltmer sällsynt.

Vissa saker vet inte mödrar om sina döttrar, tänkte hon. Till exempel hur nära Anna och jag kom varandra. Hade hon vetat det hade hon aldrig påstått att Anna ständigt talade om att hon tyckte sig se sin far på gatan. Anna skulle ha berättat det. Om jag inte är säker på något annat så är jag ändå säker på det.

Hon såg mot åskmolnen som närmade sig.

Det fanns bara en förklaring. Henrietta hade inte talat sanning om sin dotter och hennes försvunna far.

10

Strax efter fem på morgonen drog hon upp rullgardinen i sovrummet. Termometern visade plus nio grader. Himlen var klar, vimpeln på vindmätaren som stod på gårdsplanen hängde orörlig. En fulländad dag för en expedition, tänkte hon. Hon hade förberett allt kvällen innan och lämnade sin lägenhet som låg i ett flerfamiljshus mitt emot den gamla järnvägsstationen i Skurup. Inne på gården, under ett specialtillverkat överdrag, stod hennes vespa. Hon hade haft den i snart fyrtio år. Eftersom hon tagit så väl vara på den var den fortfarande i mycket gott skick. Ryktet om hennes fyrtioåriga vespa hade spritt sig ända till fabriken i Italien och hon hade vid flera tillfällen blivit tillfrågad om hon inte kunde tänka sig att låta den få sluta sina dagar på fabrikens eget museum, mot att hon varje år så länge hon levde skulle utrustas med en ny vespa gratis. Men hon hade alltid tackat nej, med åren allt stramare i tonfallet. Den vespa hon köpt när hon var tjugotvå skulle följa henne så länge hon levde. Vad som hände efteråt brydde hon sig inte om. Kanske skulle något av hennes fyra barnbarn visa intresse. Men själv tänkte hon inte skriva något testamente bara för att se till att den gamla vespan kom i rätta händer. Hon spände fast ryggsäcken på pakethållaren, satte på sig hjälmen och trampade på startpedalen. Vespan svarade genast.

Samhället var tyst och övergivet så tidigt på morgonen. Snart kommer hösten, tänkte hon när hon passerade järnvägsspåren och sedan plantskolan som låg till höger vid utfarten mot vägen mellan Ystad och Malmö. Hon såg sig noga om innan hon korsade motorleden och körde sedan norrut, mot Rommeleåsen. Hennes mål var skogsområdet mellan Ledsjön och Rannesholms slott. Det var ett av de största skyddade skogsområdena i den delen av Skåne. Dessutom var skogen gammal, den hade aldrig blivit uthuggen och var på sina ställen nästan ogenomtränglig. Ägaren till Rannesholms slott var en fondmäklare som bestämt att den gamla skogen skulle lämnas orörd.

Det tog henne en dryg halvtimme att komma fram till den lilla parkeringsplatsen intill Ledsjön. Hon rullade in vespan i ett buskage bakom en hög ek. En bil for förbi uppe på vägen, sen var det tyst igen.

Hon spände på sig ryggsäcken och var klar att ta några få steg och sedan känna tillfredsställelsen över att ha gjort sig osynlig för världen.

Fanns det ett starkare uttryck för en människas självständighet än just detta? Att våga ta steget över en vägren, våga sig in några meter i urskogen och upphöra att vara synlig och därmed inte längre finnas till.

När hon var yngre hade hon ibland tänkt att det hon höll på med var något annat än det hon föreställde sig. Det var inte en styrka utan en svaghet, ett utslag av någon sorts bitterhet som dolde sig inom henne utan att hon visste vad det var eller ens varför. Egentligen var det hennes äldre bror Håkan som lärt henne detta. Att det existerade två sorters människor, de som valde den raka, den kortaste och den snabbaste vägen, och så de andra, de som letade efter omvägen, där de oväntade händelserna, kurvorna och backarna fanns. De hade lekt i skogarna runt Älmhult där de vuxit upp. När hennes pappa linjearbetaren hade skadat sig svårt i ett högt fall från en telefonstolpe flyttade de till Skåne eftersom hennes mor fick arbete på Ystads sjukhus. Hon höll på att bli tonåring, annat än vägrenar och omvägar var viktigare, och det var först när hon en dag stod vid universitetets portar i Lund och insåg att hon inte alls visste vad hon skulle ägna sitt liv åt som hon återvände till minnesbilderna från barndomen. Hennes bror Håkan hade valt ett yrke där vägarna var av en helt annan beskaffenhet. Han hade mönstrat på olika fartyg och senare genomgått en sjöbefälsutbildning. Hans vägar var nu farlederna, och han skrev då och då hem till sin syster om skönheten i att navigera om natten över till synes oändliga hav. Hon hade känt avund men samtidigt sporrats av honom.

En dag på hösten det första besvärliga året vid universitetet, när hon i brist på bättre börjat läsa juridik, hade hon cyklat ut på vägen mot Staffanstorp och på måfå letat sig in längs en kärrväg. Där hade hon stannat till och följt en stig som ledde fram till de nerfallna resterna av en gammal kvarn. Det var då hon hade fått tanken. Den hade skurit genom hennes medvetande som en blixt. Vad är egentligen en stig?

Varför går en stig på den ena och inte den andra sidan av ett träd eller en sten? Vem gick denna stig första gången? När gick någon här första gången?

Hon stirrade på stigen framför sina fötter och visste att det var det som skulle bli hennes livsuppgift. Hon skulle bli de svenska stigarnas analytiker och höga beskyddare. Hon var den som skulle skriva den svenska stigens historia. Hon sprang tillbaka till cykeln, avbröt dagen efter sina juridiska studier och började läsa historia och kulturgeografi. Hon hade tur att mötas av en förstående professor som insåg att hon hade hittat ett studieområde som inte var intecknat. Han noterade hennes hängivenhet och gav henne sitt stöd.

Hon började gå längs stigen som mjukt slingrade längs Ledsjöns strand. Träden var höga och skuggade solen. En gång hade hon besökt Amazonas och vandrat genom den ångande regnskogen. Det hade varit som att stiga in i en oändlig katedral där bladverken silade solljuset som hade de varit färgade fönster. Lite av samma känsla hade hon nu när hon följde stigen vid Ledsjön.

Just den här stigen hade hon kartlagt för länge sen. Det var en vanlig vandringsled som kunde spåras tillbaka till 1930-talet när Rannesholm fortfarande ägdes av släkten Haverman. En av grevarna, Gustav Haverman, hade varit en entusiastisk frisksportare och röjt bort sly och buskar och anlagt stigen runt sjön. Men längre bort, tänkte hon, längre in i den här märkliga skogen där ingen ser annat än mossa och sten, ska jag vika av och följa den stig jag upptäckte för några dagar sen. Vart den leder vet jag inte. Men ingenting finns som är så lockande, så magiskt, som att följa en ny stig för första gången. Fortfarande hoppas jag att jag en gång i mitt liv ska få uppleva att gå längs en stig som till sist visar sig vara ett konstverk, en stig utan mål, en stig som bara skapats för att finnas.

Hon stannade på toppen av en backe och pustade ut. Den spegelblanka sjön skymtade mellan träden. Nu var hon sextiotre. Fem år till behövde hon. Fem år för att skriva färdigt det som skulle bli hennes storverk, den svenska stigens historia. Med den boken skulle hon uppenbara för alla att stigar var bland de allra viktigaste spåren av tidigare släkten och samhällen. Men stigarna var inte bara vandringsleder. Det fanns, och för det skulle hon lägga fram övertygande bevis och argument, även filosofiska och religiösa aspekter på hur och var stigar ringlade fram genom landskapet. Tidigare under åren hade hon publicerat mindre, oftast regionala studier och kartläggningar av stigar. Fortfarande hade hon det stora avgörande verket kvar att skriva.

Hon fortsatte att gå. Tankarna rörde sig fritt i hennes huvud. Hon gjorde alltid så när hon var på väg till en stig hon skulle studera. Hon släppte tankarna fria, som om de vore kopplade hundar. Sen, när arbetet började, var hon själv hunden som försiktigt, med alla sinnen skärpta, försökte avtäcka stigens hemligheter. Hon visste att hon betraktades som galen av många. Hennes två barn hade under sin uppväxt undrat över vad deras mor egentligen höll på med. Hennes man som avlidit året innan hade dock varit förstående. Även om hon anade att han innerst inne tänkte att han gift sig med en märklig kvinna. Nu var hon ensam, det var bara Håkan i hennes familj som förstod henne. De delade fascinationen inför människans minsta vägar, stigarna som ringlade fram över jorden.

Hon stannade. För det otränade ögat fanns inget annat än gräs och mossa vid stigens kant. Men hon hade sett det. Här började en annan, igenvuxen stig som kanske inte varit i bruk på många, många år. Innan hon försvann in bland träden hasade hon försiktigt ner till strandkanten. Hon satte sig på en sten och tog fram sin termos. Ute på sjön gled ett svanpar förbi. Hon drack kaffe och blundade mot solen. Jag är en lycklig människa, tänkte hon. Jag har aldrig gjort annat än det jag har drömt om. Någon gång när jag var barn lånade jag en av Håkans indianböcker som hette "Stigfinnaren". Det blev mitt liv. Vad jag har gjort är just detta, att upptäcka och tyda stigar, som andra försöker förstå inskriptioner på berghällar och runstenar.

Hon packade ner termosen och sköljde koppen i det bruna vattnet. Svanparet var borta nu, det hade försvunnit runt udden. Hon klättrade upp för branten igen och såg sig noga för var hon satte fötterna. Året innan hade hon brutit foten när hon snubblade omkull söder om Brösarp. Olyckan tvingade henne till en lång tids vila. Det hade varit en svår tid. Även om hon kunde koncentrera sig på sitt skrivande gjorde orörligheten henne rastlös och irriterad. Hennes man hade just avlidit när olyckan hände och hon hade varit bortskämd med att han var den som tog sig an hemmet. Nu sålde hon huset som låg i Rydsgård och flyttade till den lilla lägenheten i Skurup.

Hon vek undan några nerhängande grenar och steg in bland träden. Någon gång hade hon läst om *en glänta som bara kunde hittas av den som gått vilse.* Det var så hon tänkte sig den stora hemligheten med att vara människa. Vågade man bara gå vilse väntade det oväntade. Vågade man anförtro sig åt omvägen väntade upplevelser som de som höll sig till motorvägarna aldrig ens anade existensen av. Jag letar reda på de bortglömda stigarna, tänkte hon. Vägar som väntar på att återuppväckas ur sin djupa sömn. Hus som står obebodda far illa. På samma sätt är det med stigar. Vägar som inte används dör.

Hon var djupt inne i skogen nu. Hon stannade och lyssnade. Nånstans knäcktes en gren. Sen var det tyst igen. En fågel lyfte plötsligt och försvann. Hon gick vidare, hukande, stigfinnaren. Hon rörde sig långsamt, steg för steg. Stigen var osynlig. Men hon kunde se den, konturer som fanns under mossan, gräset, de nerfallna grenarna.

Hon började dock långsamt bli besviken. Det var ingen gammal stig hon hittat. När hon först anat sig till stigen hade hon tänkt att hon kanske äntligen hittat resterna av den gamla pilgrimsled som skulle finnas nånstans i trakten av Ledsjön. På nordsidan av Rommeleåsen gick den att följa. Kring Ledsjön var den borta, ingen hade hittat sträckningen innan den blev synlig igen nordväst om Sturup. Ibland hade hon tänkt att forntidens pilgrimer kanske grävt ut en tunnel. Det var en öppning i marken hon borde leta efter. Men pilgrimer grävde inga gångar i jorden, de hade en stig som de följde. Och hon hade inte hittat den. Förrän nu, trodde hon. Men redan efter mindre än hundra meter var hon övertygad om att stigen varit i bruk och anlagts nyligen. Tio år, kanske tjugo. Varför den övergivits skulle hon kunna svara på när hon hittat målet. Hon hade kommit trehundra meter in i skogen, där den var som tätast och nästan omöjlig att tränga igenom.

Plötsligt stannade hon. Nånting framför hennes fötter förbryllade henne. Hon satte sig på huk och petade med ett finger i mossan. Något vitt hade fångat hennes uppmärksamhet. Hon tog upp det i handen. En fjäder, såg hon. En vit fjäder. En skogsduva, tänkte hon. Men fanns det vita skogsduvor? Var de inte bruna, eller ännu hellre blå? Hon reste sig upp och fortsatte att syna fjädern. En svanfjäder. Men hur kunde den ha hamnat så långt in i skogen? Svanar rör sig på land. Men de vandrar inte längs okända stigar.

Hon fortsatte framåt. Efter bara några meter stannade hon igen. Hon hade sett något som förvånade henne. Marken var tillplattad. Någon hade gått här för bara några dagar sen. Men var hade fotspåren kommit ifrån? Hon gick bakåt några meter och började om. Efter ungefär tio minuter insåg hon att någon måste ha kommit ur skogen och först här nått fram till stigen. Hon fortsatte försiktigt framåt. Nyfikenheten var mindre nu när hon insett att den försvunna pilgrimsleden fortfarande gäckade henne. Här hade hon en stig som bara var en utlöpare, kanske en förgrening som anlagts under frisksportaren Havermans tid men som sedan kommit ur bruk. Fotspåren som nu fanns framför henne på stigen kunde tillhöra en jägare.

Hon följde fotspåren ytterligare några hundra meter. Framför henne låg en ravin, en jordspricka som var täckt av buskar och snår. Stigen försvann ner i ravinen. Hon ställde ifrån sig ryggsäcken efter att ha stoppat ficklampan i jackfickan och hasade försiktigt ner i sänkan, trevade sig fram bland buskarna. Hon lyfte undan en gren och upptäckte att den var avsågad. Hon rynkade pannan, lyfte bort en annan gren, också den med en slät snittyta. Avsågad eller huggen. Hon insåg att hon stod framför något som medvetet var övertäckt. Pojkar som leker, tänkte hon. Håkan och jag byggde också kojor. Hon fortsatte att böja undan grenarna. Nere i ravinen fanns mycket riktigt en koja. Men den var ovanligt stor för att vara gjord av ett barn. Plötsligt påminde hon sig något som Håkan visat henne för många år sen i en bildtidning, förmodligen Se. En skogskoja som tillhört en efterspanad inbrottstjuv med det märkliga och lockande smeknamnet ”Bildsköne Bengtsson”. Han hade bott i en stor koja inne i skogen, en koja som bara upptäckts tack vare att en person gått vilse.

Hon gick närmare. Kojan var gjord av plankor och hade plåttak. Det fanns ingen skorsten. Baksidan av kojan lutade mot en av ravinens branta klippkanter. Hon kände på dörren. Det fanns inget lås. Hon insåg att hon begick en idiotisk handling när hon knackade på dörren. Vem skulle vara hemma utan att ha hört när hon flyttade på grenar och hasade sig ner till kojan? Hon kände sig mer och mer förbryllad. Vem gömde sig inne i Rannesholmsskogen?

En varningsklocka började ringa i hennes huvud. Först slog hon bara undan tankarna. Hon var oftast inte rädd av sig. Vid flera tillfällen hade hon mött obehagliga män på ensligt belägna stigar. Om hon blev rädd dolde hon det väl bakom en mask av karskhet. Aldrig hade något hänt. Inget skulle hända här heller. Men hon tänkte att hon resonerade mot sitt sunda förnuft. Bara någon som hade goda skäl höll sig undan i en koja. Hon borde ge sig av. Samtidigt kunde hon inte slita sig från platsen. Stigen hade haft ett mål. Ingen som inte hade hennes tränade ögon hade kunnat hitta den. Men den som använde kojan kom in på stigen från ett annat håll. Det var det gåtfulla. Var stigen som hon hittat bara en reservutgång ur ravinen, på samma sätt som ett rävgryt? Eller hade stigen tidigare haft en annan funktion? Nyfikenheten tog överhanden.

Hon öppnade dörren till kojan. De två små fönster som fanns på kortväggarna släppte knappt in något ljus. Hon tände ficklampan. Ljuskäglan vandrade över väggarna. Det fanns en säng vid ena väggen, ett litet bord, en stol, två gasollampor och ett stormkök. Hon försökte tänka. Vem var det som använde kojan? Hur länge hade den stått tom? Hon böjde sig fram och kände på överlakanet i sängen. Det var inte fuktigt. Nyligen, tänkte hon. Kojan har inte stått tom i många dagar. Hon tänkte återigen att hon borde ge sig av. Den som hade byggt kojan ville säkert inte ha oväntade besök.

Hon skulle just gå när ljuset från ficklampan föll på en bok som låg på jordgolvet intill sängen. Hon böjde sig ner. Det var en bibel, Gamla och Nya testamentet. Hon tog upp den och öppnade den. Det fanns ett namn skrivet på insidan av pärmen. Men det var överstruket. Bibeln var grundligt läst, bladen var tummade och trasiga. Olika verser hade strukits för. Försiktigt la hon tillbaka boken där hon tagit den. Hon släckte ficklampan och insåg genast att något var annorlunda. Ljuset, det var starkare. Det kom inte bara från fönstren. Dörren som hon stängt måste ha öppnats. Hon vände sig hastigt om. Men det var för sent. Det var som om ett rovdjur slagit till rakt mot hennes ansikte. Hon föll djupt in i ett mörker som aldrig skulle ta slut.

11

Efter besöket hos Henrietta satt Linda länge och väntade på att hennes far skulle komma hem. Men när han försiktigt öppnade ytterdörren strax efter två på morgonen hade hon somnat på soffan i vardagsrummet med en filt uppdragen över huvudet. Några timmar senare vaknade hon plötsligt ur en mardröm. Vad hon drömt visste hon inte, bara att hon varit nära att kvävas. Genom den tysta lägenheten rullade snarkningar. Hon gick in i sovrummet där lampan var tänd och såg på sin far. Han låg utsträckt på rygg, insnärjd i lakanet. Hon tyckte att han såg ut som en stor valross som vilade behagligt utsträckt på en klippa. Mellan två snarkningar lutade hon sig över hans ansikte. Doften av sprit var mycket tydlig.

Hon försökte fundera ut vem som varit hans dryckesbroder. Byxorna som låg på golvet var smutsiga, som om han hade gått med lera upp över skorna. Han har varit ute på landet, tänkte hon. Hos sin gamle supkompis Sten Widén. Dom har suttit ute i stallet och delat på en flaska brännvin.

Linda lämnade sovrummet och tänkte att hon egentligen hade lust att väcka honom och ställa honom till svars. Till svars för vad då? Det visste hon inte. Sten Widén var en av hans allra äldsta vänner. Nu var han sjuk, svårt sjuk. När hennes far var riktigt allvarlig brukade han tala om sig själv i tredje person. När Sten dör blir Kurt Wallander en ensam man, hade han sagt. Nu hade Sten Widén lungcancer. Linda kände väl till den märkliga historien om den träningsrörelse för galopphästar Sten Widén bedrivit på gården intill Stjärnsunds borgruin. Några år tidigare hade han sålt gården efter att ha avvecklat rörelsen. Men just när den nye ägaren skulle tillträda hade Sten Widén ångrat sig. Lindas far hade berättat om den klausul i kontraktet som gett Sten Widén rätt att låta affären gå tillbaka. Han hade skaffat några hästar igen. Sedan hade sjukdomsbeskedet kommit. Redan hade det gått ett nådeår. Nu skulle han göra sig av med sina sista hästar och han hade skaffat sig plats på ett hospice för döende människor som låg utanför Malmö. Där skulle han avsluta sitt liv. Gården skulle säljas ännu en gång. Affären skulle inte gå tillbaka.

Hon klädde av sig och la sig i sängen. Klockan visade på några minuter i fem. Hon såg upp i taket och märkte att hon hade dåligt samvete. Unnar jag inte min far att dricka sig full tillsammans med sin bäste vän som dessutom snart ska dö? Vad vet jag vad dom talar om, vad dom betyder för varandra. Jag har alltid föreställt mig att min far är en god vän till sina vänner. Det betyder att man ska sitta en natt i ett stall tillsammans med en man som snart ska dö. Hon fick lust att stiga upp och väcka honom för att be om ursäkt. Det hade varit det enda rätta. Men han skulle bara bli arg för att jag stör honom. Han har ledigt idag och vi kanske hittar på nånting tillsammans.

Innan hon somnade tänkte hon tillbaka på mötet med Henrietta. Hon hade inte talat sanning. Det var något hon dolde. Visste hon var Anna befann sig? Eller var det något annat som hon undvek att tala om? Linda la sig på sidan, kurade ihop sig i fosterställning och tänkte sömnigt att hon mycket snart skulle börja sakna att ha en pojkvän vid sin sida, både när hon sov och när hon var vaken. Men var hittar jag honom här? Jag har vant mig av med att tro att nån som säger att han älskar mig på skånska verkligen menar allvar. Hon sköt undan tankarna, plattade till kudden och somnade.

Klockan nio ruskade någon henne vaken. Linda ryckte till, beredd på att ha försovit sig, och såg rakt in i sin fars ansikte. Han verkade minst av allt bakfull. Han var redan klädd och hade för en gångs skull kammat sig ordentligt.

– Frukost, sa han. Tiden går, livet rusar ifrån oss.

Linda duschade och klädde sig. Han la patiens vid frukostbordet när hon satte sig.

– Jag misstänker att du var hos Sten Widén igår.

– Rätt.

– Jag tror dessutom att ni drack ganska mycket.

– Fel. Vi drack åt helvete för mycket.

– Hur kom du hem?

– Taxi.

– Hur mådde han?

– Jag önskar att jag kan ha samma mod när jag får veta att min tid är på väg att rinna ut. Han säger så här: Man har ett visst antal galopplopp i sitt liv. Sen är det inte mer. Det enda man kan göra är att försöka vinna så många som möjligt av dom.

– Har han ont?

– Säkert. Men han säger ingenting. Han är som Rydberg.

– Vem?

– Evert Rydberg. Har du glömt honom? En gammal polis här med födelsemärke på kinden.

Linda hade ett vagt minne.

– Kanske jag minns.

– Han var den som gjorde polis av mig när jag var ung och ingenting begrep. Han dog också alldeles för tidigt. Men inte ett ord av klagan, ingenting. Han hade också sina galopplopp och accepterade när tiden var utmätt.

– Vem ska lära mig allt det jag inte begriper?

– Jag trodde att du hade Martinsson som handledare.

– Är han bra?

– Han är en utmärkt polisman.

– Jag har inga tydliga minnen av nån som hette Rydberg. Men Martinsson minns jag. Jag vet inte hur många gånger du kom hem och var förbannad över nåt som han hade gjort eller inte gjort.

Han resignerade över patiensen och samlade ihop korten.

– Rydberg lärde upp mig. Och jag lärde på min tid ut det Martinsson behövde ta till sig. Då är det klart att jag svor över honom ibland. Han var dessutom trög. Men när han väl lärt sig så satt det som fastspikat.

– Det betyder med andra ord att det indirekt är du som är min mentor.

Han reste sig från bordet.

– Mentor vet jag inte vad det är. Sätt på dig nu så ger vi oss iväg.

Hon såg förvånat på honom. Hade de bestämt något som hon hade glömt?

– Har vi bestämt nåt?

– Inte annat än att vi skulle gå ut. Det ska vi också. Det blir en vacker dag. Innan man vet ordet av lägger sig dimman över tillvaron. Jag hatar den skånska dimman. Det är som om den kryper in i huvudet. Jag kan inte tänka klart när allt bara är dis och gråa moln. Men du har rätt i att vi har ett mål.

Han satte sig vid bordet igen och fyllde på sin kopp med de sista kaffedropparna innan han fortsatte.

– Hansson? Minns du honom?

Linda skakade på huvudet.

– Han försvann nog när du var liten. En av mina kollegor. Förra året kom han tillbaka. Nu hörde jag att han skulle sälja sitt föräldrahem utanför Tomelilla. Mamman har varit död länge. Men pappan blev hundraett. Enligt Hansson var han lika klar i huvudet och lika elak som han alltid varit ända till sin sista minut. Men nu ska huset säljas. Jag tänkte vi skulle titta på det. Om Hansson inte har överdrivit kanske det är det ställe jag letar efter.

De gick ner till bilen och for ut från stan. Det blåste men var varmt.

De passerade en karavan med finputsade veteranbilar. Linda förvånade sin far med att känna till de flesta av bilarnas märken.

– Var har du lärt dig allt det här om bilar?

– Min senaste pojkvän. Magnus.

– Jag trodde han hette Ludwig?

– Du hänger inte med, farsan. Förresten, är inte Tomelilla alldeles fel? Jag trodde att du ville sitta på en bänk och åldras, klappa en hund och se på havet.

– Jag har inte dom pengar som behövs för havsutsikt. Jag får ta det näst bästa.

– Låna av mamma. Hennes sjukpensionerade kamrer är väldigt tät.

– Aldrig i helvete.

– Jag kan låna åt dig.

– Aldrig i helvete.

– Då blir det ingen havsutsikt heller.

Linda kastade en blick på honom. Hade han blivit arg? Hon kunde inte avgöra det. Men en tanke slog henne, att det var något hon hade gemensamt med honom. Plötsligt uppflammande irritationer, en olycklig förmåga att såras av nästan ingenting. Mellan honom och mig växlar avstånden, tänkte hon. Ibland kan vi vara mycket nära varandra, lika ofta öppnar sig dramatiska raviner mellan oss. Och då får vi bygga våra broar som ofta är rangliga men som för det mesta ändå binder oss samman igen.

Han tog fram ett hopvikt papper ur jackfickan.

– Karta, sa han. Lotsa mig. Vi är snart framme vid rondellen som står överst. Där ska vi svänga mot Kristianstad. Sen får du tala om hur jag ska köra.

– Jag ska lura in dig i Småland, sa hon och vecklade upp pappret. Tingsryd låter väl bra? Därifrån hittar vi aldrig tillbaka.

Hanssons föräldrahem låg vackert, på en liten kulle omgiven av ett skogsområde, där bortom öppna fält och våtmarker. En glada hängde orörlig på uppvindarna ovanför huset. På baksidan fanns en gammal fruktträdgård. Gräset var oklippt, rosorna som klängde längs de vitrappade men slitna väggarna var hoptrasslade och avbrutna. På avstånd hördes det stigande och sjunkande ljudet från en traktor. Linda satte sig på en gammal stensoffa mellan några vinbärsbuskar som lyste röda. Hon betraktade sin far som stod och kisade upp mot taket, ryckte prövande i stuprännor och försökte se in i huset. Han försvann till framsidan av huset.

När Linda blev ensam började hon tänka på Henrietta igen. Nu när hon hade fått mötet på avstånd hade den intuitiva känslan förbytts i visshet. Henrietta hade inte talat sanning. Hon dolde något som hade med Anna att göra. Linda tog fram sin mobil och slog Annas telefonnummer. Signalerna ekade, telefonsvararen startade. Linda lämnade inget meddelande, stängde av mobilen, reste sig och gick till framsidan av huset. Där stod fadern och drog i en gnisslande pump. Brunt vatten sprutade ner i en rostig balja. Han skakade på huvudet.

– Kunde jag tagit huset på ryggen och ställt ner det nånstans vid havet hade jag inte tvekat. Men här är för mycket skog.

– Du skulle kunna skaffa dig en husbil, sa Linda. Den kan du ställa upp vid havet. Alla kommer att erbjuda dig en bit av sin tomt.

– Varför skulle dom göra det?

– Alla vill väl ha en gratis polis vid sin sida.

Han grimaserade, tömde baljan och gick mot vägen. Linda följde efter. Han vänder sig inte om, tänkte hon. Det här huset har han redan glömt.

De blev sittande i bilen. Linda följde gladan som gled över fälten och försvann mot horisonten.

– Vad vill du göra? frågade han.

Linda tänkte på Anna. Hon insåg att hon måste tala med sin far om den oro hon kände.

– Jag behöver prata. Men inte här.

– Då vet jag vart vi kan åka.

– Vart?

– Du får se.

De for söderut, svängde vänster mot Malmö och tog av vid en skylt som pekade mot Kadesjö. Det fanns en skog där, en av de vackraste Linda kände till. Hon hade anat att det var dit de var på väg. Många gånger hade hon och hennes far tagit promenader där, särskilt när hon var tio elva år, just innan tonåren. Hon hade också ett vagt minne av att hon varit där en enda gång med sin mor. Men hon kunde inte se hela familjen samlad.

De lämnade bilen vid ett timmerupplag. De tjocka trädstammarna doftade nyhuggna. De gick längs en av stigarna som ledde genom skogen, bort mot den egenartade plåtstaty som rests till minne av ett besök som Karl XII möjligen hade gjort på Kadesjö. Linda skulle just börja prata om Anna när hennes pappa lyfte handen. De stod i en liten öppning mellan de höga träden.

– Det här är min kyrkogård, sa han. Min verkliga kyrkogård.

– Vad menar du?

– Jag håller just på att avslöja en stor hemlighet, kanske en av mina största. Sannolikt kommer jag att ångra mig i morron. Dom här träden du ser, dom tillhör var och en av mina vänner som är döda. Också min far finns här, min mor, alla gamla släktingar.

Han pekade på en ek som fortfarande var ung.

– Jag har gett det här trädet till Stefan Fredman. Den förtvivlade indianen. Också han tillhör mina döda.

– Och hon du talade om?

– Yvonne Ander? Där.

Han pekade mot en annan ek som fällde ut ett mäktigt grenverk.

– Jag kom hit några veckor efter att pappa hade dött. Det var som om jag helt hade tappat fotfästet. Du var mycket starkare än jag. Jag satt på polishuset och försökte få fram sanningen om en rå misshandel. Det var ironiskt nog en ung man som halvt slagit ihjäl sin far med en slägga. Den där pojken, han bara ljög. Plötsligt stod det mig alldeles upp i halsen. Jag avbröt förhöret och for hit. Jag lånade en radiobil och slog på sirenerna, bara för att komma bort från stan så fort som möjligt. Det blev bråk om det där efteråt. Men jag kom hit, och då kändes det som om dom här träden var gravstenar över alla mina döda. Det var hit, inte till kyrkogården, jag skulle gå för att träffa dom igen. Jag känner ett lugn här som jag inte upplever nån annanstans. Här kan jag krama om mina döda utan att dom ser mig.

– Jag ska inte avslöja din hemlighet, sa hon. Tack för att du berättade.

De stannade ytterligare en stund bland träden. Linda ville inte fråga vilket träd som var hennes farfars. Hon tänkte att det nog var den kraftiga, lite ensamväxande eken som stod en bit ifrån de andra.

Solen sken ner genom lövverket. Det hade börjat blåsa och det blev genast kyligare. Linda tog sats och berättade om Anna som var borta, Henrietta som inte talade sanning och känslan av att något hade hänt.

– Du kan göra något dumt, slutade hon. Du kan ruska på huvudet åt allt det här och säga att det bara är överspänt och inbillning. Då blir jag arg. Men om du säger att du tror jag har fel och förklarar varför, så ska jag lyssna på dig.

– Du kommer att göra en grundläggande erfarenhet som polis, svarade han. Det oförklarliga inträffar nästan aldrig. Även ett försvinnande har oftast en alldeles rimlig men kanske oväntad förklaring. Som polis lär du dig skilja på det oförklarliga och det oväntade. Det oväntade kan vara alldeles logiskt men omöjligt att lista ut innan man fått förklaringen. Inte minst gäller det vid dom flesta försvinnanden. Du vet inte vad som har hänt Anna. Du blir orolig, det är rimligt. Men min erfarenhet säger mig att du måste använda dig av den enda dygd en polisman kan berömma sig av.

– Tålamod?

– Alldeles riktigt. Tålamod.

– Hur länge?

– Ett par dar. Och då har hon säkert redan dykt upp igen. Eller hört av sig.

– Jag är ändå säker på att hennes mamma ljög.

– Jag tror inte Mona och jag alltid var sanningsenliga när vi talade om dig.

– Jag ska försöka att ha tålamod. Men nånting säger mig ändå att det är något som är galet.

De återvände till bilen. Klockan var över ett. Linda föreslog att de skulle åka nånstans och äta lunch. De for till den vägkrog som bar det egendomliga namnet Fars Hatt. Kurt Wallander hade ett vagt minne av att han någon gång ätit med sin far där och att de hamnat i ett våldsamt gräl. Men han kunde inte påminna sig om vad.

– Krogar där jag grälat, sa Linda. Man kan sätta namn på allt. Ni bråkade väl om att du blivit polis. Jag kan inte minnas att ni var osams om nåt annat.

– Du anar inte. Vi var osams om allt. Fast det egentligen var två buttra pojkar som aldrig vuxit upp och som lekte den eviga ilskna leken. Han beskyllde mig för att försumma honom om jag kom fem minuter för sent till ett avtalat möte. Han kunde till och med vara så infernalisk att han skruvade fram sin klocka för att kunna påstå att jag kom för sent.

De hade just beställt kaffe när en mobiltelefon ringde. Linda grep efter sin, men det var faderns mobil som hade samma ringsignal. Han svarade och lyssnade, ställde några fåordiga frågor, antecknade på baksidan av den nota som just kom in på bordet och avslutade sen samtalet.

– Vad var det?

– Ett försvinnande.

Han la pengar på bordet, vek ihop notan och stoppade den i fickan.

– Vad händer nu? sa Linda. Vem är det som försvunnit?

– Vi åker tillbaka till Ystad. Men vi tar en omväg till Skurup. En ensamstående änkefru, Birgitta Medberg, har försvunnit. Hennes dotter tycks vara övertygad om att nånting har hänt.

– Hur då försvunnit?

– Hon som ringde var inte säker. Men tydligen var hennes mor nån sorts fältarbetande akademiker som letade efter gamla stigar i skogarna. Märklig sysselsättning.

– Kanske hon har gått vilse?

– Just min tanke. Vi lär snart få reda på det.

De for mot Skurup. Blåsten hade tilltagit. Klockan var nio minuter över tre, onsdagen den 29 augusti.

12

Huset hade två våningar och var byggt i tegel. Ett svenskt hus, tänkte Linda. Vart man än kommer i det här landet ser husen likadana ut. Sverige är ett land där de olika delarna är utbytbara. Ett torg i Västerås kan bytas mot ett i Örebro, ett hus i Skurup mot ett i Sollentuna.

– Har du sett ett sånt här hus förr? frågade hon när de stigit ur bilen och fadern höll på att fumla med låset. Han kastade en blick upp mot fasaden.

– Det ser ut som det hus där du bodde i Sollentuna. Innan du flyttade in på Polishögskolans elevhem.

– Du har bra minne. Vad gör jag nu?

– Följer med. Se det här som en sorts polisiär övningskörning.

– Bryter du inga regler? Obehöriga som närvarar vid förhör, eller nåt sånt?

– Det här är inget förhör. Bara ett samtal. Kanske mest för att lugna ner någon som oroar sig i onödan.

– Men ändå.

– Det finns inga "men ändå". Jag har brutit mot regler så länge jag har varit polis. Martinsson räknade en gång ut att jag borde ha suttit inne i sammanlagt fyra år för det jag har ställt till med. Men det räknas inte, så länge jag gör ett bra jobb. Det är en av dom få saker som Nyberg och jag är överens om.

– Nyberg? Kriminalteknikern?

– Såvitt jag vet är det den enda Nyberg vi har i Ystad. Snart går han i pension. Ingen kommer att sakna honom. Eller så blir det tvärtom, att alla kommer att sakna hans förfärliga humör.

De korsade gatan. Blåsten hade tilltagit. Byarna rev upp skräp som virvlade runt deras fötter. Utanför porten stod en cykel som saknade bakhjul. Hela ramen var förvriden som om cykeln utsatts för ett sadistiskt övergrepp. De gick in. Fadern läste på namnskylten.

– Birgitta Medberg. Hon är den misstänkt försvunna. Dottern heter Vanja. Enligt det telefonsamtal jag fick var hon helt hysterisk och talade med en extremt gäll röst.

– Jag är inte alls hysterisk, skrek en kvinna från våningen ovanför. Hon lutade sig över trappräcket och såg ner på dem.

– Jag talar tydligen för högt i trappuppgångar, mumlade han.

De gick uppför trappan.

– Precis vad jag tänkte, sa han vänligt när han tog den misstänksamma och nervösa kvinnan i hand. Pojkarna inne på station är unga. Dom har fortfarande inte lärt sig att skilja ut vad som är hysteri och vanlig normal upprördhet.

Kvinnan som hette Vanja var i fyrtioårsåldern. Hon var kraftigt överviktig, hennes blus var solkig kring halsen och handlederna. Linda tänkte att det nog var länge sen hon tvättat håret. De gick in i lägenheten. Linda kände igen den doft som slog emot henne. Mammas parfym, tänkte hon. Den hon hade på sig när hon var missnöjd eller förbannad. Det fanns en annan också, som hon använde när hon mådde bra.

De steg in i vardagsrummet. Vanja satte sig tungt i en stol och pekade på Linda som bara hastigt sagt sitt namn när de steg in i tamburen.

– Vem är hon?

– En assistent, svarade Kurt Wallander myndigt. Kan vi nu få höra vad som har hänt?

Vanja berättade, ryckigt och nervöst. Hon hade svårt att finna ord, var med säkerhet ingen som ofta behövde uttrycka sig i längre satser. Linda förstod att hennes oro var äkta. Hon jämförde den med sin egen oro för Anna.

Vanjas historia var kort. Hennes mor Birgitta var kulturgeograf och ägnade sig åt att kartlägga gamla vägar och stigar i södra Sverige, främst Skåne och delar av Småland. Sen ett drygt år var hon änka. Hon hade fyra barnbarn, varav Vanja bidragit med två döttrar. Det var just döttrarna som hade vållat den oro som gjort att hon ringt polisen. Hon hade avtalat med sin mor att döttrarna skulle komma på besök klockan tolv. Innan dess skulle modern vara ute på någon av sina små expeditioner, stigjakter, som hon själv kallade det. Men när Vanja kom med döttrarna hade modern inte återvänt. Hon väntade i två timmar. Sen ringde hon till polisen.

Hennes mor skulle aldrig göra sina barnbarn besvikna. Något måste alltså ha hänt.

Hon tystnade. Linda försökte föreställa sig faderns första fråga: ”Vart skulle hon?”

– Vet du vart hon skulle den här morgonen? frågade han.

– Nej, svarade Vanja.

– Jag utgår från att hon kör bil.

– Hon har en röd vespa. Den är fyrti år gammal.

– En röd vespa? Fyrti år?

– Vespor på den tiden var röda. Jag var inte född då. Men mamma har berättat. Hon är med i nån veteranförening för mopeder och vespor. I Staffanstorp. Jag begriper inte varför. Men hon tycker om att umgås med dom där vespadårarna.

– Du sa att hon blev änka för ett år sen. Har hon visat tecken på att vara deprimerad?

– Nej. Om du tror att hon skulle ha begått självmord tar du fel.

– Jag tror ingenting. Men ibland kan dom som står oss närmast dölja mycket skickligt hur dom verkligen känner sig.

Linda stirrade envist på sin far. Han kastade en hastig blick på henne. Vi måste tala om det där, tänkte hon. Det är fel av mig att inte berätta om den gången jag stod på ett broräcke och vajade. Han tror att enda gången var när jag skar mig i armarna.

– Hon skulle aldrig göra sig illa. Av ett mycket enkelt skäl. Hon skulle aldrig utsätta sina barnbarn för den chocken.

– Det finns ingen hon kan ha besökt?

Vanja hade tänt en cigarett. Hon spillde aska på sina kläder och på golvet. Linda tänkte att hon inte alls passade in i sin mors lägenhet.

– Min mor är gammaldags av sig. Hon gör inga besök som inte är planerade.

– Av vad jag förstått är hon inte intagen på sjukhus. Det bör alltså inte ha hänt någon olycka. Men lider hon av någon sjukdom? Har hon ingen mobiltelefon?

– Mamma är frisk. Hon lever sunt och enkelt. Inte som jag. Men man rör sig inte så mycket om man är ägghandlare.

Vanja slog ut med armarna som för att demonstrera sin avsmak för sin egen kropp.

– Och mobilen?

– Hon har en, men den är alltid avslagen. Trots att både jag och syrran varit på henne.

Det blev tyst i rummet. Från en lägenhet intill hördes det låga ljudet av en radio eller teve.

– Du har ingen aning om vart hon tagit vägen? Finns det någon som vet vad hon höll på med just nu? Förde hon dagbok?

– Inte vad jag vet. Mamma arbetade ensam.

– Har det här hänt någon gång tidigare?

– Att hon försvunnit? Aldrig.

Lindas far letade fram ett anteckningsblock och en penna ur sin jacka och bad om Vanjas hela namn, adress och telefonnummer. Linda märkte att han hajade till när hon sa sitt efternamn, Jorner. Han stannade upp och såg på blocket innan han lyfte blicken.

– Din mor heter Medberg. Är Jorner ditt namn som gift?

– Min man heter Hans Jorner. Som flicka hette mamma Lundgren. Är det verkligen viktigt?

– Hans Jorner. Är det möjligen en son till gamle direktören för grusbolaget i Limhamn?

– Ja. Yngste sonen. Hur så?

– Bara nyfikenhet. Ingenting annat.

Kurt Wallander reste sig och Linda följde efter.

– Har du något emot om vi ser oss omkring? Har hon något arbetsrum?

Vanja pekade och drabbades sedan av skrällande rökhosta. De gick in i ett arbetsrum där väggarna var täckta av kartor. På skrivbordet fanns välordnade staplar av papper och pärmar.

– Vad var det som hände? frågade Linda lågt. Det där med namnet?

– Jag ska berätta sen. Det är en obehaglig historia. Det river upp gamla minnen.

– Vad var det hon sa? Ägghandlare?

– Ja, svarade han. Men hennes oro är äkta.

Linda lyfte på några papper på skrivbordet. Genast var han på henne.

– Du får vara med, du får lyssna och titta på. Men inte röra nånting.

– Jag lyfte ju bara på ett papper.

– Ett för mycket.

Linda lämnade ilsket rummet. Naturligtvis hade han rätt. Men hon tyckte ändå inte om hans ton. Hon nickade kort mot Vanja som fortfarande hostade, och gick ner på gatan. När hon steg ut i blåsten förbannade hon redan sin barnsliga reaktion.

Hennes far kom ut genom porten tio minuter senare.

– Vad hände? Vad var det jag gjorde som inte passade?

– Det var ingenting. Det är glömt.

Linda slog ut med armarna i en ursäkt. Han låste upp bildörrarna. Vinden slet och drog. De satte sig i bilen. Han stack in nyckeln men vred inte om.

– Du märkte att jag hajade till när den där förfärliga människan sa att hon hette Jorner. Inte blev det bättre av att jag insåg att hon var gift med en son till gamle Jorner.

Han morrade till och kramade händerna hårt runt ratten. Sen berättade han.

– När Kristina och jag var små och farsan satt och målade hände det ju ibland att det inte kom några nasare glidande i sina vrålåk och köpte vad han hade åstadkommit. Vi hade inga pengar. Då fick morsan ge sig ut och arbeta. Eftersom hon inte hade nån utbildning så kunde hon i stort sett bara välja mellan att stå på ett fabriksgolv och att bli piga. Hon valde det senare och hamnade hos familjen Jorner fast hon bodde hemma. Gamle Jorner, Hugo hette han, och frun Tyra var riktigt otäcka människor. För dom hade samhället inte ändrat sig dom senaste femti åren. För dom var det överklass och underklass, ingenting annat. Värst var han.

En gång en sen kväll kom morsan hem alldeles förgråten. Farsan som normalt aldrig frågade hur hon hade det undrade vad som hänt. Jag satt på golvet bakom soffan och lyssnade och jag glömmer det aldrig. Det hade varit fest hos Jorner, inte så många gäster, kanske var dom åtta runt bordet. Och morsan skulle servera. Fram mot kaffet när dom börjat bli lite dragna, framförallt Hugo, kallade han in morsan och bad henne hämta en trappstege. Jag minns det ord för ord, hur morsan berättade med gråten i halsen. Hon hämtade trappstegen. Gästerna satt där runt bordet, och Hugo som den sadist han var bad morsan klättra upp på stegen. Hon gjorde som han sa och sen förklarade han att hon från toppen av stegen borde kunna se att hon hade glömt att lägga fram en kaffesked till en av gästerna. Sen skickade han ut morsan med stegen och hon hörde hur dom skrattade och skålade bakom henne.

Morsan började gråta när hon pratat färdigt, hon sa att hon aldrig skulle gå tillbaka dit. Och farsan var så förbannad att han var på väg till uthuset för att hämta en yxa som han skulle slå i huvudet på Jorner. Men morsan lugnade ner honom förstås. Jag glömmer det aldrig. Jag kan ha varit tio tolv år. Och nu träffar jag på en av svärdöttrarna i det där huset.

Han startade motorn med en häftig rörelse. Linda förstod att minnet hade gjort honom upprörd. De lämnade Skurup. Linda såg på landskapet, molnskuggorna som vandrade över fälten.

– Jag undrar ofta över min farmor. Hon dog ju långt innan jag föddes. Mest undrar jag nog över hur nån kunde klara att vara gift med farfar.

Han brast i skratt.

– Morsan brukade säga att om man bara gned in honom med lite salt så gjorde han som hon sa. Jag förstod aldrig vad hon menade. Gnida in en människa med salt? Men morsan hade ett oändligt tålamod.

Han tvärbromsade och girade hårt mot vägkanten. En öppen sportbil gjorde en riskabel omkörning. Fadern svor till.

– Egentligen borde jag ta den där, sa han.

– Varför gör du inte det då?

– Därför att jag är orolig.

Linda betraktade sin far. Han var spänd.

– Det är något med den där försvunna kvinnan som jag inte tycker om, fortsatte han. Jag tror att allt vad Vanja Jorner sa var riktigt. Hennes oro var inte spelad. Jag tror att Birgitta Medberg antingen har blivit sjuk, drabbats av en helt oförutsägbar sinnesförvirring och gett sig av, eller så har nånting hänt.

– Ett brott?

– Jag vet inte. Men min lediga dag är nog slut nu. Jag kör dig hem.

– Jag åker med upp till polishuset. Jag går hem.

Han parkerade nere i polisens garage. Linda gick ut bakvägen, hukade i blåsten och var plötsligt osäker på vad hon skulle göra. Klockan hade blivit fyra, vinden kändes kall, som om hösten hastigt närmade sig. Hon började gå hemåt men ändrade sig och vek in på Annas gata. Hon ringde på dörren, väntade och öppnade.

Det tog henne bara några sekunder för att inse att något hade hänt. Först visste hon inte vad det var. Sen förstod hon att någon hade varit inne i lägenheten. Hon visste utan att hon förstod hur. Sen märkte hon att någonting fattades. Hon stod i dörröppningen till vardagsrummet och letade efter det som var annorlunda. Hade nåt försvunnit? Nånting på väggen? Hon gick fram till bokhyllan och strök med handen över bokryggarna. Ingenting saknades.

Hon satte sig i den stol Anna oftast använde och såg sig omkring. Nånting *hade* förändrats, det var hon säker på. Men vad? Hon reste sig och ställde sig vid fönstret för att se ur en annan synvinkel. Då upptäckte hon det. Det hade hängt en liten glastavla med en uppnålad blå fjäril på en av kortväggarna, mellan en konstaffisch från Berlin och en gammal barometer. Nu var fjärilstavlan borta. Linda skakade på huvudet. Inbillade hon sig? Nej, den var borta. I hennes synminne fanns den där när hon senast var i lägenheten. Kunde Henrietta ha varit inne och tagit den? Det verkade orimligt. Hon hängde av sig jackan och gick långsamt igenom lägenheten.

Det var först när hon öppnade dörrarna till Annas garderob som hon blev helt övertygad om att någon varit inne i lägenheten. Där fattades kläder och kanske också en väska. Linda visste det eftersom Anna brukade ha garderobsdörrarna öppna. Linda hade några dagar innan Anna försvann varit inne i sovrummet för att hämta en telefonkatalog när hon för ett ögonblick var ensam i lägenheten. Hon satte sig på sängen och försökte tänka. Sen såg hon på dagboken som låg på skrivbordet. Dagboken är kvar, tänkte hon. Och det är fel. Rättare sagt: det betyder att det inte är Anna som har varit här. Hon kan ha hämtat kläder, hon kan till och med ha valt att ta med den blå fjärilen. Men hon skulle aldrig ha lämnat kvar dagboken. Aldrig någonsin.

13

Linda försökte se vad som hade hänt. Hon befann sig i ett tomt rum, att stiga in genom dörren var som att skära igenom en vattenspegel och sjunka in i ett alldeles tyst och främmande landskap. Hon försökte minnas vad hon lärt sig. Det fanns alltid spår på platser där något dramatiskt utspelats. Men hade här överhuvudtaget hänt något som hade med dramatik att göra?

Det fanns inga blodfläckar, ingen förstörelse, allt var lika välordnat som det brukade vara. Frånsett att en liten fjärilstavla var borta tillsammans med en väska och några klädesplagg. Ändå borde här finnas spår. Även om det trots allt är Anna som varit här måste hon ha betett sig som en objuden gäst i sin egen lägenhet.

Linda gick långsamt igenom lägenheten ytterligare en gång utan att märka något mer som förändrats eller försvunnit. Sen lyssnade hon på telefonsvararen där den röda lampan som markerade nya meddelanden blinkade. Det fanns tre samtal markerade. Vi lämnar ifrån oss våra röster, tänkte Linda. Vi sprider dom på hundratals bandspelare runtom i världen. Tandläkare Sivertsson ville ändra tiden för den årliga kontrollen och bad henne ringa sköterskan, någon som hette Mirre ringde från Lund och undrade om Anna skulle med till Båstad eller inte. Och sen till sist Linda själv, hennes hojtande och klicket när hon avslutade samtalet.

Det låg en adressbok på bordet. Linda letade upp tandläkare Sivertsson och slog numret.

– Hos tandläkare Sivertsson.

– Jag heter Linda Wallander. Jag har lovat ta mig an Anna Westins telefonsamtal. Hon är borta några dagar. Jag bara undrar vilken dag och vilken tid det var.

Tandsköterskan kom tillbaka till telefonen med besked.

– Den tionde september klockan nio.

– Jag behöver kanske inte påminna henne.

– Anna brukar aldrig missa sina tider.

Linda avslutade samtalet och försökte hitta ett telefonnummer till den som hette Mirre. Hon tänkte på sin egen fullklottrade adressbok, där hon gång på gång tvingats tejpa ihop pärmarna. Nånting hindrade henne från att köpa en ny. Det var som ett minnesalbum. Alla dessa överstrukna telefonnummer som inte längre leder nånstans, telefonnummer som vilar i frid på ens högst privata kyrkogård. För några minuter glömde hon alla tankar på Anna och återvände istället till stunden i skogen, till hennes pappa och hans träd. Hon kände en ömhet för honom, som om hon anade hur han en gång varit som liten. En liten pojke med stora tankar, kanske alltför stora emellanåt. Jag vet alldeles för lite om honom, tänkte hon. Det jag tror mig veta visar sig ofta dessutom vara fel. Så brukar han själv säga och så säger även jag. Jag har alltid föreställt mig honom som en vänlig man, inte särskilt skarpsinnig, men envis och med stora intuitiva resurser. Nu vet jag inte längre. Jag tror att han är en skicklig polis. Men jag misstänker att han är en djupt sentimental människa, som förmodligen i hemlighet älskar och drömmer om små romantiska möten och i grund och botten hatar den oftast obegripliga och brutala verkligheten omkring honom.

Hon drog fram en stol till fönstret och började bläddra i en bok som Anna hållit på att läsa. Den var på engelska och handlade om Alexander Fleming och penicillinet. Linda ögnade igenom en sida och märkte att hon hade svårt att förstå. Det förvånade henne att Anna klarade att läsa boken. För länge sen hade de talat om att de borde resa till England och förbättra sina språkkunskaper. Kanske Anna hade förverkligat den drömmen? Hon la undan boken om Fleming och bläddrade långsamt igenom den omfångsrika adressboken. Varje sida var som en fulltecknad svart tavla under en avancerad matematiklektion. Överallt fanns överkorsningar och hänvisningar. Linda log lite vemodigt när hon hittade sina egna gamla telefonnummer, dessutom till två pojkvänner som sen länge nästan helt försvunnit ur hennes medvetande. Vad är det jag letar efter? tänkte hon. Jag söker efter ett hemligt spår som Anna har lämnat efter sig. Men varför skulle hon ha det i sin adressbok?

Hon bläddrade vidare, då och då störd av en känsla av att hon på orätt sätt beträtt Annas allra hemligaste och mest privata område. Jag har klättrat över hennes staket, tänkte hon. Jag gör det i gott syfte. Men det känns ändå inte riktigt bra. Olika papper låg instuckna i den trasiga adressboken. Ett tidningsurklipp om en resa till ett medicinskt museum i Reims i Frankrike, några tågbiljetter mellan Lund och Ystad.

Linda hajade till. På en sida hade Anna med kraftigt rött skrivit ”Pappa” och sen ett telefonnummer som bestod av nitton siffror, bara ettor och treor. Ett nummer som inte finns, tänkte Linda. Ett nummer till den hemliga stad med sitt lika hemliga riktnummer där alla de försvunna människorna samlas.

Hon kände mest lust att slå igen boken. Hon hade inget i Annas liv att göra, utan hennes vetskap. Men hon fortsatte. Många av telefonnumren förvånade henne. Anna hade noga skrivit upp numret till statsrådsberedningen och noterat namnet på statsministerns sekreterare. Vad ville Anna honom? Det fanns ett telefonnummer till en man som hette Raul och bodde i Madrid. Intill numret hade Anna ritat ett hjärta som hon senare hetsigt strukit över. Vi borde ha fått studera teori och praktik om hur man tyder människors adressböcker, tänkte Linda.

Men ett enda nummer intresserade henne fortfarande när hon gått igenom hela boken. ”Hemma i Lund”, hade Anna skrivit. Linda tvekade en stund. Sen slog hon siffrorna. En mansröst svarade genast.

– Peter.

– Jag söker Anna.

– Jag ska se om hon är inne.

Linda väntade. Musik hördes i bakgrunden. Hon kände igen den men kom inte ihåg namnet på sångaren.

Han som hette Peter återkom.

– Hon är inte inne.

– Vet du när hon kommer tillbaka?

– Jag vet inte ens om hon är här. Jag har inte sett henne på ett tag. Jag ska fråga.

Han försvann igen men var snart tillbaka igen.

– Ingen har sett henne dom senaste dagarna.

Innan Linda hann be om adressen hade han avslutat samtalet. Hon blev stående med luren i handen. Ingen Anna, tänkte hon. Ingen oro, bara ett sakligt konstaterande att hon inte var där. Linda började känna sig dum. Hon jämförde med hur hon själv hade brukat bete sig. Jag kan ge mig av, tänkte hon. I hela mitt liv har jag gett mig av utan att ge besked. Vid flera tillfällen har pappa varit på väg att efterlysa mig. Men jag har alltid haft en känsla för när det var på väg att gå för långt och har hört av mig. Varför skulle Anna inte göra samma sak?

Linda ringde till Zebran och frågade om hon hade hört nåt från Anna. Zebran sa nej, Anna hade inte gett ett ljud ifrån sig. De bestämde att träffas dagen efter.

Linda gick ut i köket och kokade te. Medan hon väntade på att vattnet skulle koka upp såg hon ett par nycklar som hängde på väggen. Hon visste till vilka lås de passade. Hon stängde av plattan och gick ner i källaren. Annas gallerförsedda utrymme låg längst bort i den trånga gången. Linda hade en kväll hjälpt Anna att bära ner ett bord. Det stod fortfarande kvar, kunde hon se genom gallret. Hon låste upp hänglåset och tände lampan. Genast började hon känna sig dum igen. Jag låter Anna försvinna för att ha något att göra, tänkte hon. I samma ögonblick jag kan dra på mig den där uniformen och börja arbeta kommer Anna att dyka upp igen. Det hela är en lek. Naturligtvis har ingenting hänt. Hon lyfte på några trasmattor som låg på ett bord. Där under fanns ett antal dammiga tidskrifter. Hon la mattorna på plats igen, låste och gick tillbaka till lägenheten.

Den här gången lät hon tevattnet koka klart. Hon tog med sig koppen och gick in i Annas sovrum och la sig på den sida i dubbelsängen som inte var Annas. Hon hade legat där en gång tidigare. En natt när hon och Anna pratat länge, druckit mycket vin och hon inte orkat gå hem. Då hade hon sovit där, oroligt eftersom Anna snodde och vände sig häftigt i sömnen. Hon ställde ifrån sig koppen och sträckte ut sig. Strax hade hon somnat.

När Linda vaknade visste hon först inte var hon befann sig. Hon såg på klockan. Hon hade sovit en timme. Teet hade kallnat. Hon drack det ändå eftersom hon var törstig. Sen steg hon upp och slätade till sängöverkastet. Plötsligt kände hon på nytt att det var något som inte stämde.

Det tog en stund innan Linda förstod. Sängöverkastet. På Annas sida. Någon hade legat där, märket syntes fortfarande. Och inte slätat till det efter sig. Det stämde inte. När det gällde ordning levde Anna i sitt eget hårda disciplinära grepp. Ett bord med brödsmulor eller ett icke utslätat sängöverkast var en omöjlighet, ett nederlag i hennes liv.

Av en ingivelse lyfte Linda på sängöverkastet. Det låg en undertröja där. Hon tog upp den. Det var en XXL-storlek, mörkblå med en reklamtext för det engelska flygbolaget Virgin. Hon luktade på den. Det var inte Annas doft. Det luktade av ett starkt tvättmedel eller rakvatten. Hon bredde ut tröjan på sängen. Anna sov i nattlinne. Hon var dessutom kräsen och köpte bara bra kvalitet. Linda kunde inte föreställa sig att Anna en enda natt skulle ha använt en reklamtröja för ett engelskt flygbolag.

Hon satte sig på sängkanten och såg på tröjan. Vi lärde oss ingenting på Polishögskolan om hur man förhåller sig till främmande tröjor i sina försvunna väninnors sängar, tänkte hon. Hon började grubbla på frågan om vad hennes far skulle ha gjort. Det hade hänt att han svarat utförligt på hennes alltmer krävande frågor under den tid hon gått på Polishögskolan och träffat honom under långhelger. Han hade berättat om olika utredningar och hon visste nu att han hade en utgångspunkt som han alltid återvände till, upprepade som ett mantra innan han påbörjade undersökningen av en brottsplats. Det finns alltid något man inte ser, hade han sagt. Det gäller att försöka lokalisera den detalj man inte genast har upptäckt. Hon såg sig omkring i sovrummet. Vad finns här som jag inte ser? Det som bekymrar mig är inte det osynliga utan det synliga. Ett sängöverkast som inte är ordentligt tillslätat, en tröja som ligger där det borde funnits ett nattlinne.

Telefonen ringde ute i vardagsrummet. Hon hajade till, reste sig och ställde sig att se på telefonsvararen. Skulle hon svara? Hon sträckte ut handen men drog tillbaka den. Efter femte ringsignalen slog telefonsvararen på. Det var Henrietta. *Det är bara jag. Din väninna Linda, hon som konstigt nog ska bli polis, var här igår och undrade var du höll hus. Det var bara det. Hör av dig när du har tid. Hej.*

Linda spelade upp meddelandet ytterligare en gång. Henriettas röst, alldeles lugn, inga meddelanden mellan orden, ingen oro, inget utom det normala. Kritiken, kanske föraktet för att hennes dotter hade en väninna som var dum nog att klä sig i uniform. Hon märkte att det irriterade henne. Kanske var Anna likadan? Kanske såg hon med motvilja och även förakt på det yrkesval Linda gjort? Jag struntar i henne, tänkte Linda. Anna kan vara borta så mycket hon vill. Hon fyllde vattenkannan i köket och vattnade krukväxterna. Sen lämnade hon lägenheten och gick hem till Mariagatan.

När hennes pappa steg in genom ytterdörren vid sjutiden hade hon lagat mat och ätit. Hon värmde upp det hon lämnat till honom medan han bytte kläder. Hon satt med honom i köket medan han åt.

– Vad hände?

– Med den försvunna tanten?

– Vad annars?

– Färghandeln har hand om det.

Linda såg undrande på honom.

– Färghandeln?

– Vi har en kriminalare som heter Svartman. Och en som heter Grönkvist. Dom är ganska nya här och jobbar ofta ihop. Svart och grönt, det blir Färghandeln i vårt lokala språkområde. Att Svartman dessutom är gift med en kvinna som heter Rosa fulländar bilden. Dom ska försöka reda ut vart Birgitta Medberg kan ha tagit vägen. Nyberg skulle ta en titt på hennes lägenhet. Vi har gjort bedömningen att det ska tas på allvar. Så får vi se.

– Vad tror du?

Han sköt undan tallriken.

– Nånting är oroande. Men jag kan ta fel.

– *Vad* är det som oroar dig?

– Vissa människor ska helt enkelt inte försvinna. Gör dom det har nånting hänt. Jag antar att det är min erfarenhet som talar.

Han reste sig från bordet och satte på kaffe.

– Det försvann en fastighetsmäklerska för snart tio år sen. Det måste du minnas? Men kanske du inte vet om att hon var religiös, tillhörde en frikyrka, hade små barn. Där förstod jag direkt att nånting hänt när mannen kom och anmälde att hon var borta. Det var hon också. Hon hade blivit mördad.

– Birgitta Medberg är änka, hon har inga små barn och tillhörde knappast nån kyrka. Kan du föreställa dig den där feta dottern religiös?

– Jag kan föreställa mig vem som helst religiös. Dig med. Men det är inte det det handlar om. Jag talar om det oväntade, det man inte riktigt kan ta på.

Linda berättade om sitt återbesök i Annas lägenhet. Hon berättade i detalj och hennes far betraktade henne med ett ansiktsuttryck som visade ett växande ogillande.

– Du ska inte hålla på med det där, sa han när hon tystnat. Om nånting hänt är det polisens och åklagarnas sak.

– Jag är ju polis?

– Du är en polisaspirant som ska arbeta på ordningen och se till att det är någorlunda lugnt på gator och torg och i dom små vackra byarna i det skånska landskapet.

– Jag tycker det är konstigt att hon är borta.

Kurt Wallander ställde ner sin tallrik och kaffekoppen i diskhon.

– Om du på allvar menar att nånting har hänt föreslår jag att du gör en polisanmälan.

Han lämnade köket. Teven slogs på. Linda blev sittande. Hans ironi retade henne. Framförallt eftersom han naturligtvis hade rätt.

Hon satt kvar och surade i köket tills hon kände sig beredd att möta sin far igen. Han satt i vardagsrummet och sov i sin stol. När han började snarka stötte Linda till honom i sidan så att han vaknade. Han ryckte till och lyfte händerna som om han blivit överfallen. Precis som jag skulle ha gjort, tänkte hon. Där har vi ytterligare en likhet mellan oss. Han försvann in i badrummet och gick sedan och la sig. Linda satt och såg en film utan att helt kunna koncentrera sig. Strax före midnatt gick hon till sängs. Hon drömde om Herman Mboya som nu hade rest hem till Kenya och öppnat en egen mottagning i Nairobi.

Plötsligt väcktes hon av mobiltelefonen. Den låg och vibrerade intill sänglampan. Hon svarade samtidigt som hon såg att klockan var kvart över tre. Ingen sa nånting, hon hörde bara andetag. Och sen bröts samtalet. Linda var säker. Vem som än hade ringt, hade det med Anna att göra. Hon hade fått ett meddelande utan ord, bara några andetag. Men meddelandet var viktigt.

Linda somnade aldrig om. Hennes far steg upp kvart över sex. Hon lät honom duscha och klä sig ifred. När han började slamra i köket gick hon dit. Han blev förvånad över att se henne uppstigen och klädd redan.

– Jag åker med dig till polishuset.

– Varför det?

– Jag har tänkt på det du sa igår. Att om jag var orolig skulle jag göra en polisanmälan. Det är det jag ska göra. Jag följer med dig för att anmäla att Anna Westin har försvunnit. Och att jag tror att nånting allvarligt har hänt.

14

Linda visste aldrig på förhand när hennes far skulle få ett av sina plötsliga och svårartade raserianfall. Hon mindes rädslan från uppväxten, den som både hon och hennes mor hade upplevt, men aldrig hennes farfar som bara ryckte på axlarna eller röt tillbaka. Ett oroligt sökande efter tecken på att ett raserianfall var på väg. En röd fläck i pannan, mitt emellan ögonbrynen, flammade upp, men oftast så sent att utbrottet redan var igång.

Inte heller denna morgon, när Linda bestämt sig för att förvandla Annas försvinnande från en privat oro till ett polisärende, hade hon väntat sig den reaktion som kom. Fadern slängde en hög med pappersservetter i golvet. Det blev lite komiskt eftersom den smäll och kraschlandning han sökt åstadkomma bara blev ett antal fladdrande servetter i fritt fall över köket. Men Linda kände åter den barnsliga skräcken.

Hon mindes i ett förbirusande ögonblick alla de gånger hon som barn vaknat kallsvettig ur mardrömmar där hennes far förvandlat leende vänlighet till ett plötsligt raseriutbrott. Hon mindes också vad hennes mor Mona sagt någon gång när föräldrarna redan skilt sig. *Han förstår det inte själv. Vilken terror det innebär att alltid mötas av raseriutbrott av ingen orsak alls och när man minst anar det.* Linda mindes fortsättningen: *Jag tror bara han får dom här raseriutbrotten här hemma. Andra upplever honom säkert som en axelbred, vänlig man, som en duktig men lite egensinnig polisman. Ryter han i arbetet är det befogat. Men här hemma släpper han lös en vilde, en terrorist som jag fruktar men också hatar.*

Linda tänkte på Monas ord samtidigt som hon såg på sin storväxte far. Han var fortfarande upprörd. Nu slängde han servetter omkring sig.

– Varför lyssnar du inte på vad jag säger? Hur ska du kunna bli en bra polis om du tror att ett brott blivit begånget varje gång nån av dina väninnor inte svarar i telefon.

– Det är inte så.

Han kastade resten av servetterna på golvet. Ett barn, tänkte Linda, som sopar ner den mat han inte vill ha från bordet.

– Avbryt inte. Lärde ni er ingenting på Polishögskolan?

– Jag lärde mig att ta saker och ting på allvar. Vad dom andra lärde sig vet jag inte.

– Du blir till åtlöje.

– Då blir jag det. Men Anna har försvunnit.

Anfallet var över lika hastigt som det börjat. Några droppar svett skymtade på hans ena kind. Ett kort raseriutbrott, tänkte Linda. Ovanligt kort, inte heller lika starkt som tidigare. Antingen vågar han sig inte på mig eller så har han börjat bli gammal. Och nu ber han säkert om ursäkt.

– Jag ber om ursäkt.

Linda svarade inte utan plockade istället upp servetterna från golvet. Hon slängde dem i soppåsen och märkte först då att hon fått hjärtklappning. Jag kommer alltid att vara rädd för hans raseri, tänkte hon.

Fadern hade satt sig på en stol och såg olycklig ut.

– Jag vet inte vad som far i mig.

Linda stirrade på honom, väntade med att säga det hon tänkte innan hon lyckades fånga hans blick.

– Jag vet ingen som mer än du skulle behöva nån att knulla med.

Han ryckte till som om hon slagit honom. Samtidigt rodnade han. Linda klappade honom på kinden på sitt allra vänligaste sätt.

– Du vet att jag har rätt. För att du inte ska bli generad går jag upp till polishuset. Du får åka ensam.

– Jag hade själv tänkt promenera idag.

– Gör det i morron. Jag tycker inte om när du skriker. Jag vill vara ifred.

Fadern försvann med slokande huvud ut genom ytterdörren. Linda bytte blus eftersom hon blivit svettig, övervägde om hon trots allt skulle låta bli att anmäla Annas försvinnande och lämnade lägenheten utan att ha lyckats fatta något beslut.

Solen sken, vinden var byig. Linda blev stående nere på Mariagatan, osäker om vad hon skulle göra. Hon brukade alltid berömma sig av att ha lätt för att fatta beslut. Men i faderns närhet kunde den beslutsamheten överge henne. Hon tänkte ilsket att hon snart måste få den lägenhet hon väntade på, i ett av husen strax bakom Mariakyrkan. Hon kunde inte bo hos sin far hur lång tid som helst.

Hon tvekade inte längre utan gick mot polishuset. Om nånting hänt Anna skulle hon aldrig förlåta sig själv om hon inte anmält försvinnandet och gjort något åt sina misstankar. Då skulle hennes karriär som polis vara slut innan den börjat.

På vägen passerade hon Folkparken. En gång när hon var liten hade hon varit där i sällskap med sin far. Det hade varit söndag, kanske försommar, och de hade sett på en trollkarl som plockade guldmynt ur de församlade barnens öron. Men minnesbilden grumlades av det som hade hänt innan. Hennes minne var alldeles klart på den punkten. Hon hade vaknat i sitt rum av att föräldrarna grälat. Sen hade rösterna stigit och sjunkit, hon hade hört att de grälade om pengar som inte fanns, som saknades, som hade slösats bort. Plötsligt hade Mona skrikit till och börjat gråta. När Linda tassat upp ur sängen och försiktigt skjutit upp dörren till vardagsrummet hade hon sett sin mor blöda näsblod. Fadern hade stått med ångande rött ansikte vid fönstret. Hon hade genast förstått att han hade slagit hennes mor. Bara för de där pengarna som inte fanns.

Hon stannade på trottoaren och kisade mot solen. Minnet gav henne en klump i halsen. Hon hade stått där i dörrspringan och sett på sina föräldrar och tänkt att det bara var hon som kunde lösa deras problem. Hon ville inte att Mona skulle blöda näsblod. Hon gick tillbaka till sitt rum och hämtade sin sparbössa. Sen gick hon in i vardagsrummet och ställde den på bordet. Det hade varit alldeles tyst. En ensam ökenvandring med en liten sparbössa i handen.

Hon kisade mot solen men kunde inte hålla tårarna borta. Hon gnuggade ögonen och vände om, som om hon ville lura minnet på avvägar. Hon svängde in på Industrigatan och bestämde sig för att vänta ännu en dag med att anmäla Annas försvinnande och istället gå till hennes lägenhet. En gång till, tänkte hon. Har någon varit där sen igår kväll kommer jag att upptäcka det. Hon ringde på ytterdörren. Inget svar. När hon öppnat stannade hon återigen på helspänn i tamburen. Ögonen vandrade, alla hennes inre antenner var utfällda. Men det fanns inga spår, ingenting.

Hon fortsatte in i vardagsrummet. Posten, tänkte hon. Även om Anna aldrig skrev brev eller kort så bör nånting ha kommit in genom hennes brevinkast. Reklam, kommunala meddelanden, vad som helst. Men här är ingenting.

Hon gick runt i lägenheten. Sängen var som hon lämnat den dagen innan. Hon satte sig i vardagsrummet och gick i tankarna igenom det som hänt. Anna hade nu varit borta i tre dagar. Om hon verkligen var borta.

Linda skakade ilsket på huvudet och gick tillbaka in i sovrummet. Hon tog fram den påbörjade dagboken, bad tyst om syndernas förlåtelse och gick sen trettio dagar tillbaka i tiden. Ingenting. Det mest uppseendeväckande var att Anna den 7 och 8 augusti hade haft tandvärk och besökt tandläkare Sivertsson. Linda mindes dagarna och rynkade pannan. Den 8 augusti hade hon, Zebran och Anna tagit en lång promenad ute vid Kåseberga. De åkte i Annas bil, Zebrans pojke var för ovanlighetens skull alldeles medgörlig och de turades om att bära på honom när han inte orkade gå.

Men tandvärk?

Linda fick återigen en känsla av att det fanns saker i Annas dagbok som var underliga, som ett kodat språk. Men varför? Vad kan en anteckning om tandvärk betyda annat än just tandvärk?

Hon fortsatte att läsa och försökte upptäcka skillnader i stilen. Anna växlade hela tiden penna, ofta mitt i en rad. Linda misstänkte att hon blivit avbruten, kanske av ett telefonsamtal, och sen inte hittat pennan som hon förlagt på väg till telefonen. Linda la ifrån sig dagboken, gick ut i köket och drack vatten.

Hon ställde ifrån sig glaset och återvände till dagboken. Hon vände en sida och drog efter andan. Först tänkte hon att det var inbillning, att hon mindes fel. Men sen insåg hon att det stämde. Den 13 augusti skrev Anna: *Brev från Birgitta Medberg.*

Linda läste om texten, den här gången stående vid fönstret där solljuset sken på dagbokens sida. Birgitta Medberg var inget vanligt namn. Hon la dagboken i fönstret och slog upp telefonkatalogen. Det tog henne bara några minuter att kontrollera att det fanns en enda Birgitta Medberg i den del av Skåne som katalogen täckte. Hon ringde till nummerbyrån och frågade på namnet Birgitta Medberg över hela landet. Det fanns bara ett fåtal personer med det namnet. Och bara en kulturgeograf i Skåne.

Linda fortsatte, nu både ivrigt och otåligt, att läsa vidare ända till den sista obegripliga anteckningen, om *minorna, farorna.* Men det fanns ingenting mer om Birgitta Medberg.

Ett brev, tänkte hon. Anna försvinner. Ett par veckor innan har hon fått detta brev från Birgitta Medberg, som också försvunnit. Mitt i detta finns också den far Anna tror sig ha upptäckt på en gata i Malmö efter tjugofyra års frånvaro.

Linda letade igenom lägenheten. Nånstans måste brevet finnas. Hon bad inte längre om förlåtelse när hon rotade igenom alla Annas lådor. Men brevet fanns inte. Det tog henne tre timmar att gå igenom lägenheten. Hon hittade andra brev. Men inget från Birgitta Medberg.

När Linda lämnade lägenheten hade hon Annas bilnycklar med sig. Hon for ner till Hamncaféet och åt en smörgås och drack te. En man i hennes ålder log mot henne när hon lämnade caféet. Han hade en oljig overall på sig. Det tog en stund innan hon kände igen honom som en av sina klasskamrater på högstadiet. De stannade till och hälsade. Linda letade förgäves i minnet efter hans namn. Han sträckte fram sin hand efter att ha torkat av den.

– Jag seglar, sa han. En gammal koster som har en motor som inte vill. Därför all olja.

– Jag kände genast igen dig, sa hon. Jag har kommit tillbaka till stan.

– För att göra vad då?

Linda tvekade. Hon undrade varför, men påminde sig de historier hennes far hade berättat, om tillfällen i livet när han valt att presentera sig med ett annat yrke än polis. *Alla poliser har en lönndörr*, hade han sagt. *Man väljer en annan identitet som man kan ikläda sig. Martinsson är fastighetsmäklare, och Svedberg som dog brukade säga att han körde schaktmaskiner på entreprenad. Mitt andra jag är att vara föreståndare för en obefintlig bowlinghall i Eslöv.*

– Jag har utbildat mig till polis, svarade Linda.

Samtidigt kom hon ihåg hans namn. Den oljige mannen hette Torbjörn. Han såg på henne med ett leende.

– Jag trodde att du skulle bli möbeltapetserare.

– Jag med. Men jag ändrade mig.

Hon gjorde en ansats att gå. Han sträckte fram handen igen.

– Ystad är litet. Vi ses säkert igen.

Linda skyndade upp till bilen som hon parkerat på baksidan av den gamla teaterbyggnaden. Vad tänker dom? undrade hon. Varför kommer Linda tillbaka hit som snut? Hon hittade inget svar, lika lite som hon hittat något brev.

Hon for till Skurup, parkerade på torget och gick sen gatan upp mot det hus där Birgitta Medberg bodde. Inne i trappuppgången luktade det matos. Hon ringde på dörren, ingen svarade. Hon lyssnade och ropade in genom brevinkastet. När hon förvissat sig om att ingen var hemma tog hon fram sina dyrkar. Jag börjar min polisiära karriär med att bryta upp dörrar, tänkte hon och märkte att hon blev svettig. Så smet hon in. Hjärtat slog hårt. Hon lyssnade och gick sen tyst igenom lägenheten. Hon letade igenom den och fruktade hela tiden att någon skulle komma. Vad hon letade efter visste hon egentligen inte, bara något som kunde bekräfta att det funnits en kontakt, en länk mellan Anna och Birgitta Medberg.

Hon höll nästan på att ge upp när hon hittade ett papper som låg under det gröna underlägget på skrivbordet. Det var inget brev utan en bit av en karta. En ålderdomlig lantmätarkarta där text och skiftesgränser syntes dåligt på fotostatkopian.

Linda tände lampan på skrivbordet. Med stor svårighet lyckades hon tyda skriften: "Egor kring Rannesholm". Det var ett slott, men var låg det? I bokhyllan hade hon sett en karta över Skåne. Hon vecklade upp den. Rannesholm låg bara några mil norrut från Skurup. Linda såg på den andra kartan igen. Trots att kopian var dålig tyckte hon sig kunna se några anteckningar och pilar. Hon stoppade de två kartorna i jackan, släckte ljuset och lyssnade länge genom brevinkastet innan hon försiktigt lämnade lägenheten.

Klockan hade blivit fyra på eftermiddagen när hon körde in och parkerade vid det friluftsområde som omgav Rannesholm och två mindre sjöar som fanns på ägorna. Vad är det jag gör, tänkte hon. Uppfinner ett äventyr eller en saga som ska få tiden att gå fortare? Hon låste bilen och tänkte att hon hade tröttnat på sin osynliga uniform. Hon gick ner till vattnet. Ett svanpar simmade ute på vattnet som krusades av vinden. Ett regnväder höll på att dra in västerifrån. Hon drog upp jackans blixtlås och huttrade till. Ännu var det sommar, men hösten närmade sig. Hon såg sig runt på parkeringsplatsen. Den var tom, bara Annas bil. Hon ställde sig vid sjökanten och slängde stenar i vattnet. Det fanns ett samband mellan Anna och Birgitta Medberg, tänkte hon. Men vad de har gemensamt vet jag inte.

Hon kastade ytterligare en sten i vattnet. Det finns en sak till som binder dem samman, fortsatte hon tanken. Båda är försvunna. Det ena försvinnandet tar polisen kanske på allvar, det andra inte.

Regnmolnen hade dragit in fortare än hon anat. Hon ställde sig under en hög ek som stod intill parkeringsplatsen. Regndropparna började falla. Hela situationen föreföll henne plötsligt idiotisk. Hon skulle just springa tillbaka genom regnet till bilen för att åka därifrån när hon upptäckte något som glimmade till bland de blöta buskarna. Först trodde hon det var en metallburk eller ett föremål av plast. Hon petade undan en av buskarna och såg ett svart gummidäck. Det tog en stund innan hon insåg vad det var hon stod och såg på. Med händerna skapade hon en öppning genom buskarna. Hjärtat slog fortare. Hon sprang till bilen och slog ett nummer på mobilen. För en gångs skull hade hennes far kommit ihåg att ta sin med sig och dessutom ha den påslagen.

– Var är du? frågade han.

Hon kunde höra att han lät ovanligt lite burdus. Utbrottet på morgonen hade gjort sitt.

– Jag är vid Rannesholms slott. På parkeringen.

– Vad gör du där?

– Jag tycker du ska komma hit.

– Det hinner jag inte. Vi ska just börja ett möte där vi ska gå igenom några nya vansinniga direktiv från Rikspolisstyrelsen.

– Hoppa över det. Kom hit. Jag har hittat nånting.

– Vad?

– Birgitta Medbergs vespa.

Hon hörde sin fars tunga andhämtning.

– Är du säker?

– Ja.

– Hur har det gått till?

– Det får du veta när du kommit hit.

Det skrapade till i Lindas mobil. Samtalet bröts. Men hon ringde inte upp igen. Hon visste att han skulle komma.

15

Regnet tilltog. Linda satt i bilen och väntade. I bilradion talade någon om kinesiska terosor. Linda tänkte på alla de gånger hon väntat på sin far. Alla de gånger han kommit för sent när han skulle hämta henne på flygplatsen eller vid tåget inne i Malmö. Alla de gånger han inte kommit alls och sedan presenterat den ena ursäkten sämre än den andra. Flera gånger hade hon försökt förklara för honom att hon kände sig kränkt av att det alltid var något annat som var viktigare än hon. Han sa alltid att han förstod, att han skulle bättra sig, att hon aldrig mer skulle behöva vänta på honom. Sällan gick det sedan mer än några månader innan det hände igen.

En enda gång hade hon hämnats. Hon var tjugoett år den gången, en vild och romantisk tid då hon föreställt sig ha talang för att bli skådespelerska; en hopplös dröm som snabbt hade kallnat och lämnat henne. Men då hade hon iskallt gjort upp en plan, bestämt med sin far att de skulle fira jul tillsammans i Ystad. Bara hon och han. Inte med hennes farfar som då hade börjat leva tillsammans med Gertrud. Hon hade talat länge med fadern i telefon om att de skulle äta kalkon till julmiddag och vem som skulle tillaga den eftersom hon befann sig i Stockholm och han var en oduglig, eller snarare ointresserad, kock.

Det skulle bli ett tredagars julfirande, med gran och presenter och långa promenader i ett landskap som förhoppningsvis skulle vara snötäckt. Han skulle hämta henne på morgonen den 24 december på Sturups flygplats. Men dagen innan reste hon till Kanarieöarna med sin dåvarande pojkvän Timmy som hade argentinsk pappa och finlandssvensk mamma. Först på juldagens morgon ringde hon hem från en telefonautomat vid stranden i Las Palmas och frågade om han nu förstod hur hon ofta kunde känna det. Han hade varit ursinnig, mest av oro, men också för att han inte alls kunde förstå eller acceptera att hon gjort som hon gjort. Plötsligt hade hon själv börjat gråta där hon stod i telefonautomaten. Hela planen, hämnden, kom nu med full kraft rusande tillbaka mot henne. Vad blev bättre av att hon imiterade sin egen far? Ingenting. Det kom till en försoning. Hon var förkrossad och bad om ursäkt och han bedyrade att han aldrig mer skulle låta henne vänta. Sen hade han med osviklig precision kommit två timmar för sent till Kastrup för att hämta henne och Timmy när de återvände från Las Palmas.

Det blänkte till utanför bilrutan. Linda lät vindrutetorkarna gå för att kunna se ut genom regndropparna. Det var hennes far som kom. Han parkerade framför henne och sprang genom regnet och satte sig bredvid henne. Han var otålig och hade bråttom.

– Förklara nu.

Linda sa precis som det var. Hon märkte att hon blev nervös av att han verkade så otålig.

– Har du dagboken med dig? avbröt han.

– Varför skulle jag ta med den? Det stod precis som jag sa.

Han frågade inte mer. Hon fortsatte. När hon var färdig stirrade han tankfullt ut i regnet.

– Det låter egendomligt, sa han.

– Du brukar säga att man alltid måste vänta på att det oväntade ska inträffa.

Han nickade. Sen såg han på henne.

– Har du regnkläder?

– Nej.

– Jag har en extra regnkappa i bilen.

Han ryckte upp bildörren och sprang tillbaka till sin egen bil. Linda upphörde aldrig att förvånas över att hennes store och kraftige far kunde vara så smidig och snabb. Hon följde honom ut i regnet. Han stod vid bakluckan och drog på sig ett regnställ. Han gav henne en regnkappa som nådde henne nästan ända ner till fötterna. Sen rotade han fram en keps med reklam för en bilverkstad och tryckte ner den över hennes huvud. Han stirrade upp mot himlen. Vattnet rann över hans ansikte.

– Detta måste vara syndafloden, sa han. Jag kan inte minnas att det regnade så här mycket när jag var barn.

– Det regnade jättemycket när jag var liten, svarade Linda.

Han manade på henne. Hon gick före honom bort till eken och vek undan buskarna. I regnställets ficka hade han sin mobil. Hon hörde hur han ringde in till polishuset, morrade till när Svartman inte kom tillräckligt snabbt till telefonen. De kontrollerade registreringsnummer. Han sa siffrorna högt, Linda såg på vespan. Siffrorna stämde. Han stoppade tillbaka mobilen i fickan.

I precis samma ögonblick avtog regnet. Det gick så fort att de först inte förstod vad som hände. Det var som ett filmregn där kranar skruvades till efter en tagning.

– Syndafloden tar paus, sa han. Det är Birgitta Medbergs vespa du har hittat.

Han såg sig omkring.

– Birgitta Medbergs vespa, upprepade han. Men ingen Birgitta Medberg.

Linda tvekade. Sen drog hon fram fotostatkopian av kartan som hon hittat hemma hos Birgitta Medberg. I samma ögonblick insåg hon att hon begått ett misstag. Men han hade redan sett att hon hade något i handen.

– Vad är det?

– Ett kartblad över det här området.

– Var hittade du det?

– Det låg här på marken.

Han tog det torra pappret och såg undrande på henne. Den fråga han nu kommer att ställa kan jag inte svara på, tänkte hon.

Men det kom ingen fråga om varför pappret var torrt när marken var genomblöt. Han studerade kartan, såg mot sjön, mot vägen, mot parkeringsplatsen och stigarna som ledde in i skogen.

– Det var alltså hit hon for, sa han. Men området är stort.

Han synade marken intill eken och buskaget där vespan var gömd. Linda iakttog honom, försökte följa hans tankar.

Plötsligt såg han på henne.

– Vilken fråga bör man först besvara? frågade han.

– Om hon gömt vespan eller bara ställt den där för att den inte skulle stjälas.

Han nickade.

– Det finns naturligtvis ytterligare ett alternativ.

Linda förstod. Hon borde ha tänkt på det från början.

– Att det är nån annan som gömt den.

Han nickade igen.

En hund kom springande längs en av stigarna. Den var vit med svarta prickar. Linda kunde inte komma på vad rasen hette. Strax efter kom ytterligare en likadan hund och sen en till, tätt följd av en kvinna i regnställ som rörde sig med hastiga steg och ropade till sig sina hundar och kopplade dem när hon fick syn på Linda och hennes far. Kvinnan var i fyrtioårsåldern, lång, ljushårig, vacker. Linda såg hur hennes far genomgick sin vanliga, instinktiva förvandling när en vacker kvinna kom i hans väg. Han rätade på ryggen, lyfte huvudet för att göra halsen mindre rynkig och drog in magen.

– Får jag störa, sa han. Jag heter Wallander och kommer från Ystadspolisen.

Kvinnan betraktade honom misstroget.

– Kan jag få se en legitimation?

Han letade reda på sin plånbok och höll upp id-kortet som hon studerade noga.

– Har det hänt nåt?

– Nej. Brukar du gå här med dina hundar?

– Två gånger om dagen.

– Det betyder att du känner stigarna här?

– Ganska bra. Hur så?

Han bortsåg från hennes fråga.

– Brukar du möta folk här?

– Inte ofta när det börjar bli höst. På somrarna och vårarna. Men snart är det bara ett antal hundägare som använder det här området. Det är skönt. Hundarna kan släppas lösa.

– Men dom ska väl vara kopplade? Det står där på anslaget.

Han pekade på en skylt. Hon såg undrande på honom.

– Är det därför du är här? För att fånga in ensamma damer med okopplade hundar?

– Nej. Jag har nåt jag vill visa dig.

Hundarna drog i sina koppel. Wallander petade undan några av buskarna som dolde vespan.

– Har du sett den här förut? Den tillhör en kvinna i sextiårsåldern som heter Birgitta Medberg.

Hundarna ville fram och nosa. Kvinnan var stark och höll igen. Hennes svar kom utan tvekan.

– Ja, sa hon. Jag har sett både vespan och kvinnan. Flera gånger.

– När såg du henne senast?

Hon tänkte efter.

– Igår.

Han kastade en blick mot Linda som stod en bit vid sidan av och lyssnade.

– Är du säker?

– Nej. Jag *tror* det var igår.

– Hur kommer det sig att du inte är säker?

– Jag har sett henne ofta på sista tiden.

– Sen när då?

Återigen gav hon sig tid att tänka efter innan hon svarade.

– Juli. Kanske sista veckan i juni. Då såg jag henne för första gången. Hon gick på en stig på andra sidan sjön. Vi stannade faktiskt och pratade med varandra. Hon berättade att hon höll på att kartlägga gamla igengrodda stigar inom Rannesholms ägor. Sen mötte jag henne igen då och då. Hon hade mycket intressant att berätta. Varken jag eller min man visste om att det hade gått en gammal pilgrimsled över våra ägor. Vi bor alltså på slottet, la hon till. Min man är fondmäklare. Jag heter Anita Tademan.

Hon såg på vespan inne bland buskarna. Hennes ansikte blev plötsligt allvarligt.

– Vad är det som har hänt?

– Vi vet inte. Jag har en sista fråga som är viktig. När du såg henne senast, var såg du henne då? På vilken stig?

Hon pekade över axeln.

– Den väg jag kom idag. Den är bäst att gå när det regnar mycket. Hon hade hittat en helt övervuxen stig ungefär femhundra meter in i skogen. Vid en nerfallen bok. Där såg jag henne.

– Då ska jag inte fråga mer, sa han. Anita Tademan? Var det så?

– Det stämmer. Vad är det som har hänt?

– Det är möjligen så att Birgitta Medberg kan ha försvunnit. Men det är inte säkert.

– Så obehagligt. Den vänliga kvinnan.

– Var hon alltid ensam? frågade Linda.

Hon hade inte alls förberett sig, frågan gled ut ur hennes mun innan hon hann stoppa den. Fadern såg förvånat på henne men blev inte arg.

– Jag såg aldrig att hon hade sällskap, svarade hon. Varken direkt eller indirekt.

– Vad menar du med det?

Nu var det fadern som hakat tag i frågan.

– Det är knappast såna tider att kvinnor rör sig i öppen terräng hur som helst. Jag går aldrig ut om jag inte har hundarna. Det smyger omkring många konstiga människor i det här landet. Förra året hade vi en blottare här. Jag har för mig att polisen aldrig fick tag på honom. Men jag vill naturligtvis gärna ha besked om vad som hänt Birgitta Medberg.

Hon släppte hundarna och tog vägen som ledde genom en allé upp till slottet. Linda och hennes far stod och såg efter hundarna och kvinnan.

– Mycket vacker, sa han.

– Snobbig och rik, sa Linda. Knappast nån för dig.

– Säg inte det, svarade han. Jag vet hur man uppför sig. Både Kristina och Mona uppfostrade mig.

Han såg på klockan och sedan upp mot himlen.

– Femhundra meter. Vi går bort och ser om vi upptäcker nånting.

Han började gå mot stigen med hastiga steg. Hon följde efter och var tvungen att halvspringa för att inte halka efter. Det luktade starkt av den våta jorden inne bland träden. Stigen ringlade mellan klippblock och rotvältor. En skogsduva flög upp från ett träd, strax efter ännu en.

Det var Linda som upptäckte stigen. Fadern gick så fort att han inte såg när den delade sig och vek av åt ett annat håll. Hon ropade till honom. Han stannade och kom tillbaka och insåg att hon hade rätt.

– Jag räknade, sa Linda. Hit är det drygt fyrahundrafemti meter.

– Anita Tademan sa femhundra.

– Om man inte räknar varje steg är femhundra meter lika rätt som fyrahundra eller sexhundra.

Han lät irriterad när han svarade.

– Jag vet faktiskt hur man beräknar avstånd.

De följde den nya stigen som knappt var synlig. Men båda såg de mjuka avtrycken av stövelklädda fötter. *Ett* par fötter, tänkte Linda. En ensam människa.

Stigen ledde dem djupt in i en skog som var vildvuxen och aldrig tycktes ha blivit röjd. Så tog den brant slut vid kanten av en ravin eller djup klippskreva som skar genom skogen. Fadern satte sig på huk och petade med ett finger i mossan. Linda tänkte plötsligt att han var som en överviktig svensk indian med stigfinnarkraften intakt. Det var nära att hon började fnissa åt honom.

De tog sig försiktigt ner i ravinen. Linda fastnade med ena foten mellan några grenar och ramlade omkull. När grenen bröts av lät det som ett skott i skogen. Fåglar som de inte kunde se flög upp och försvann.

– Hur gick det?

Linda borstade av sig.

– Bra.

Han vek undan buskarna. Linda stod alldeles bakom honom. Hon såg en koja, nästan som i en saga, en häxas hus, med bakväggen lutad mot en klippa. Det fanns en dörr där, en trasig hink låg halvt begravd i jorden. Båda lyssnade. Allt var tyst, bara enstaka försenade regndroppar föll mot bladen.

– Vänta här, sa han och gick fram mot dörren.

Hon gjorde som han sa. Men när han tog tag i dörren närmade hon sig. Han öppnade och ryckte till. Samtidigt halkade han och föll baklänges. Linda hoppade åt sidan och hamnade så att hon kunde se in genom dörren. Först visste hon inte vad det var hon skymtade.

Sen insåg hon att de hade återfunnit Birgitta Medberg.

Åtminstone en del av henne.

Del 2

Tomheten

16

Det hon såg genom dörren, det som gjort att hennes far ryckt till och halkat omkull, hade hon sett en gång när hon var barn. En bild flammade till inne i hennes huvud. Det var ur en bok som Mona hade ärvt efter sin mor, den mormor Linda själv aldrig hade sett. Det var en stor och tung bok med ålderdomlig skrift, en bok med berättelser ur Bibeln. Hon mindes teckningarna bakom de tunna silkesbladen. En av bilderna var densamma som den hon nu upplevde i verkligheten, med en enda skillnad. I boken hade bilden föreställt en skäggig mans huvud med slutna ögon, utställt på en glänsande bricka och med en kvinna i bakgrunden, Salome med sina slöjor. Den bilden hade gjort ett nästan outhärdligt starkt intryck på henne.

Kanske det var först nu, när bilden rymt ur boken eller hennes minne och återuppstått i en kvinnas skepnad, som den starka upplevelsen från barndomen försvann. Linda stirrade på Birgitta Medbergs avhuggna huvud som låg på sidan på jordgolvet. Strax intill fanns hennes hopflätade händer. Det var allt. Resten av kroppen var borta. Linda hörde hur hennes far stönade till bakom hennes rygg, och samtidigt kände hon hans näve som drog undan henne.

– Du ska inte se det här, skrek han. Gå hem nu. Du ska inte se det här.

Han slog hårt igen dörren. Linda var så rädd att hon skakade. Hon klättrade uppför ravinens kant och rev hål på byxorna. Hennes far fanns alldeles bakom henne. De sprang tills de kom fram till den stora och upptrampade stigen.

– Vad är det som händer? väste han. Vad är det som händer?

Han ringde polishuset och begärde stor utryckning. Hon hörde kodorden som han använde för att åtminstone hålla borta några av de journalister och nyfikna som ständigt lyssnade på polisradion. Sedan återvände de till parkeringsplatsen och väntade. Det tog fjorton minuter tills de första sirenerna hördes på avstånd. Under den tid de väntade sa de ingenting till varandra. Linda var uppskakad och ville vara nära sin far. Men han vände sig bort, tog några steg åt sidan. Linda hade fortfarande svårt att förstå. Samtidigt kom den andra rädslan krypande, den som handlade om Anna. Det måste finnas ett samband, tänkte hon förtvivlat. Nu är den ena död, styckad. Hon avbröt tanken och satte sig på huk, drabbad av yrsel. Hennes far såg på henne och närmade sig. Hon tvingade sig upp i stående igen och skakade på huvudet, det var ingenting, bara en plötslig svaghet som redan gått över.

Nu var det hon som vände honom ryggen. Hon försökte tänka. Tänk klart, långsamt, bestämt, men framförallt klart! Det hade varit den ständigt upprepade uppmaning som präglat utbildningen på Polishögskolan. I varje situation, vare sig det gällde att bända isär berusade slagskämpar eller hindra människor från att begå dramatiska självmord, måste alltid detta krav på klarhet ställas. *En polis som inte tänker klart är en dålig polis.* Det hade hon skrivit och klistrat upp vid spegeln i badrummet och intill sängen. Det var vad inträdet i kåren krävde av henne, det var den bokstavliga skriften på väggen. Alltid tänka klart. Men hur i helvete skulle hon kunna tänka klart just nu när hon mest hade lust att gråta? Det fanns inte tillstymmelse till klarhet i hennes huvud, där var bara den förfärliga upptäckten av det avhuggna huvudet och de hopflätade händerna. Och vad som var ännu värre, det som trängde sig på bakifrån som en mörk flod som ljudlöst höll på att välla över sina bräddar. Vad hade hänt med Anna? Nya bilder som hon helst ville jaga på flykten flammade upp. Annas huvud, Annas händer. Johannes Döparens huvud och Annas händer, hennes huvud och Birgitta Medbergs händer.

Det hade börjat regna igen. Hon sprang fram till sin far och ryckte honom i jackan.

– Förstår du nu att nånting kan ha hänt Anna?

Han högg tag i henne, försökte hålla henne ifrån sig.

– Lugna dig. Det var Birgitta Medberg därinne. Det var inte Anna.

– Anna skrev i sin dagbok att hon kände Birgitta Medberg. Och Anna är också borta. Fattar du inte?

– Du måste vara lugn. Ingenting annat.

Och hon blev lugn. Eller som förlamad och därmed stilla. Strax efter hördes sirenernas ylande allt närmare, polisflocken var på väg och bilarna sladdade in på parkeringsplatsen. De steg ur och samlades runt hennes far efter att ha bytt om till stövlar och regnkläder som samtliga tycktes ha i beredskap i bakluckan. Hon stod utanför cirkeln. Men ingen opponerade sig när hon makade sig in i den. Martinsson var den enda som nickade åt henne. Inte heller han ifrågasatte hennes närvaro. Det var nu, i det här ögonblicket på den regniga parkeringsplatsen vid Rannesholms slott, som hon definitivt klippte av navelsträngen till Polishögskolan. Hon följde med i utkanten av den vandrande karavan som försvann in i skogen. Hon uppfattade sin pappas auktoritet men också hans obehag när han begärde att hela parkeringsplatsen skulle spärras av för att hejda de nyfikna. Han använde just de orden, som om han hade talat om en speciell människotyp, *de nyfikna.*

Hon följde efter som den sista länken i den långa kedjan. När en kriminaltekniker som gick framför henne tappade ett lampstativ tog hon upp det och bar det med sig.

Hela tiden fanns Anna där. Rädslan nådde hennes medvetande som bultande stötar. Fortfarande kunde hon inte tänka klart. Men det var i den här kedjan hon måste hålla sig kvar. Till sist skulle någon, kanske till och med hennes pappa, förstå att det inte bara handlade om Birgitta Medberg utan lika mycket om hennes väninna Anna.

Hon följde arbetet medan dagen sakta förvandlades till skymning och sedan kväll. Regnmolnen kom och gick, marken var våt, de uppriggade lamporna slog ljus och skuggor ner i ravinen. Kriminalteknikerna hade försiktigt röjt en stig till kojan. Linda aktade sig noga för att vara i vägen och hon satte aldrig ner sin fot utan att den hamnade i någon annans fotspår. Ibland möttes hennes och faderns blick, men det var som om han egentligen inte såg henne. Ann-Britt Höglund fanns alltid vid hans sida. Linda hade träffat henne då och då sen hon kom tillbaka till Ystad. Men hon hade aldrig tyckt om henne, alltid haft en känsla av att hennes far borde akta sig för henne. Ann-Britt Höglund hade knappt hälsat på henne idag och Linda anade att det inte skulle bli alldeles enkelt att arbeta tillsammans med henne. Om det nu nånsin blev av. Ann-Britt Höglund var kriminalinspektör, Linda polisaspirant som ännu inte ens hade börjat arbeta och som skulle gnuggas länge bland buset på gator och torg innan hon hade möjlighet att söka specialisering.

Hon betraktade arbetet som pågick, där ordning och disciplin, rutin och noggrannhet hela tiden tycktes gränsa till kaos. Då och då var det någon som höjde rösten, inte minst den argsinte Nyberg som svor förbannelser över att folk inte såg upp med var de satte sina fötter. Tre timmar efter att arbetet påbörjats bars huvudet och händerna bort, inneslutna i plastpåsar. Allting avstannade när likdelarna bars bort. Trots att plasten var tjock anade Linda konturerna av Birgitta Medbergs ansikte och hennes händer.

Sen fortsatte arbetet igen, Nyberg och hans män kröp omkring, någon sågade av grenar eller rensade sly, andra riggade upp lampor eller reparerade hackande generatorer. Folk kom och gick, telefoner ringde, och mitt i allt detta stod hennes far alldeles orörlig som om han var bakbunden av osynliga rep. Linda tyckte synd om honom, hans ensamhet och kravet att alltid vara beredd att svara på det obrutna flöde av frågor som ställdes och dessutom fatta alla beslut som måste till för att undersökningen av brottsplatsen inte skulle stanna av. En osäker lindansare, tänkte Linda. Så ser jag honom. En osäker lindansande polis som borde gå ner i vikt och bota sin ensamhet.

Det var först när det blivit sent som han upptäckte henne. Han avslutade ett telefonsamtal och vände sig sen till Nyberg som höll fram några föremål under en av de lampor där nattinsekterna studsade och brändes till döds. Linda tog ett steg framåt för att se. Nyberg gav hennes far ett par plasthandskar som han med besvär drog på sina stora händer.

– Vad är det? frågade han.

– Om du inte är alldeles blind borde du se att det är en bibel.

Han tycktes inte bry sig om den ilskne mannen med det tunna håret som spretade på hans huvud.

– En bibel, fortsatte Nyberg. Den låg på golvet, bredvid händerna. Det finns blodiga fingeravtryck. Men det kan ju vara nån annans.

– Gärningsmannens?

– Tänkbart. Allt är tänkbart. Hela kojan är full med blod. Det måste ha varit ohyggligt. Vem som än ligger bakom måste ha blivit alldeles nersölad av blod.

– Inget vapen, inga tillhyggen?

– Nej, ingenting. Men den här bibeln, frånsett blodfläckarna, den är egendomlig.

Linda tog ännu ett steg närmare samtidigt som hennes far satte på sig sina glasögon.

– Uppenbarelseboken, sa Nyberg.

– Jag kan inte Bibeln. Tala om vad som är konstigt.

Nyberg grimaserade men lät sig inte lockas in i en träta.

– Vem kan Bibeln? Men Uppenbarelseboken är ett viktigt kapitel, eller vad det kallas.

Och sen en hastig blick mot Linda.

– Vet du det? Heter det kapitel?

Linda ryckte till.

– Ingen aning.

– Du ser, inte heller ungdomen vet det. Men vad det nu än kallas så är det nån som suttit och plitat mellan textraderna. Ser du?

Nyberg pekade. Kurt Wallander förde boken nära glasögonen.

– Jag ser nåt som ser ut som grå ludd mellan bokstäverna.

Nyberg ropade på en man som hette Rosén. En man med lera upp till magen kom klafsande med ett förstoringsglas. Kurt Wallander försökte igen.

– Nån har skrivit mellan raderna. Vad står det?

– Jag har tolkat två rader, sa Nyberg. Det verkar som om den som skrivit inte är nöjd med det som står. Det tycks som om någon har försökt förbättra Guds ord.

Kurt Wallander tog av sig glasögonen.

– Vad menas med det? "Guds ord"? Kan du inte uttrycka dig begripligt.

– Jag trodde Bibeln var Guds ord. Hur ska jag säga då? Men jag tycker det är intressant att nån sitter och skriver om texter i Bibeln. Gör en vanlig människa det? Om han eller hon har nån sorts grundläggande kontroll över sina sinnen?

– Galning, alltså. Vad är den här kojan egentligen? Bostad eller gömställe?

Nyberg skakade på huvudet.

– För tidigt att svara på. Men brukar inte gömställen och bostäder kunna vara samma sak för folk som håller sig undan?

Han gjorde en gest mot skogen som stod svart bortom strålkastarna.

– Hundarna har sökt igenom terrängen. Dom är ute fortfarande. Hundförarna säger att det är en näst intill ogenomtränglig terräng. Om man vill gömma sig i den här trakten kan man inte hitta ett bättre ställe.

– Har ni nån indikation på vem?

Nyberg skakade på huvudet.

– Det finns inga kläder. Inget personligt. Vi kan inte ens säga om det är en man eller kvinna som bott här.

En hund gav skall i mörkret. Det började duggregna. Ann-Britt Höglund, Martinsson och Svartman kom från olika håll och samlades kring Kurt Wallander. Linda fanns i bakgrunden, precis vid gränslinjen mellan att vara deltagare eller åskådare.

– Ge mig en bild, sa hennes far. Vad har hänt på den här platsen? Vi vet att ett vidrigt mord har skett. Men varför? Vem kan ha gjort det? Varför kommer Birgitta Medberg hit? Har hon stämt möte med nån? Har hon blivit dödad här? Var är resten av kroppen? Ge mig en bild.

Regnet droppade. Nyberg nös. En av strålkastarna slocknade. Nyberg sparkade ilsket omkull stativet och ställde det sen på plats igen.

– En bild, upprepade Kurt Wallander.

– Jag har sett mycket vidrigt, sa Martinsson. Men inget som det här. Det måste ha varit en fullständig dåre som har gjort det här. Men var är resten av kroppen? Vem har använt den här kojan? Vi vet ingenting.

– Nyberg har hittat en bibel, sa Kurt Wallander. Vi kör fingeravtryck på allt vi hittar. Men nån har krafsat ner nya texter mellan raderna i boken. Vad berättar det? Vi måste undersöka om familjen Tademan nånsin besöker den här platsen. Vi får knacka dörr. Bred front, dygnet runt.

Ingen sa nånting.

– Vi måste ta den som har gjort det här, sa Wallander. Så fort vi kan. Jag vet inte vad det här betyder. Men jag är rädd.

Linda steg in i ljuset. Det var som om hon gjorde entré på en scen utan att ha förberett sig.

– Jag är också rädd.

Blöta och trötta ansikten omgav henne. Bara hennes far såg spänd ut. Han blir vansinnig, tänkte Linda. Men hon hade tagit ett steg som var nödvändigt.

– Jag är också rädd, upprepade hon. Och berättade om Anna. Hela tiden undvek hon att se på sin far. Hon försökte minnas alla detaljer, undvika sin intuitiva fruktan, bara redovisa det hon visste och låta slutsatserna komma av sig själv.

– Vi ska naturligtvis undersöka det här, sa hennes far när hon slutat. Hans röst var iskall.

I det ögonblicket ångrade Linda vad hon gjort. Jag ville det inte, tänkte hon. Jag gör det bara för Anna, inte för att provocera dig.

– Jag vet, sa hon. Jag ska gå hem nu. Jag har ju inget här att göra.

– Det var du som hittade vespan, sa Martinsson frågande. Var det inte så?

Fadern nickade. Sen vände han sig mot Nyberg.

– Har du nån som kan lysa Linda till bilen?

– Jag gör det själv, svarade Nyberg. Jag måste gå på dass. Jag kan ju inte skita här i skogen och ställa till det för hundarnas känsliga näsor.

Linda klättrade upp ur ravinen. Hon märkte först nu hur hungrig och trött hon var. Nyberg lyste upp stigen framför henne. De mötte en hundförare och en hund med slokande svans. Lampor glimtade mellan träden. Nattorientering, tänkte Linda. Poliser som jagar bland skuggorna. Nyberg muttrade något ohörbart när de nått fram till parkeringsplatsen. Sen var han borta. En fotoblixt lyste upp mörkret. Linda såg några ordningspoliser bredvid avspärrningarna. Hon satte sig i bilen, någon lyfte på plastbanden, och hon var ute på vägen. Det fanns nyfikna där, parkerade bilar, människor som väntade på att något skulle hända. Hon kände att hon satte på sig den osynliga uniformen igen. Undan här, tänkte hon. Ett svårt brott är begånget. Ingen får störa vårt arbete. Hon drev bort i en dagdröm.

Filmpoliser hade de kallat sig på Polishögskolan. Det fanns minnen av långa kvällar med vin och öl och lekarna om den framtid som mest skulle bli att böka med fyllon och tala förstånd med unga snattare. Men alla yrken har drömmar, hade hon tänkt. Så måste det vara. Läkarna som räddar människor från att dö efter en svår olycka. Blodiga läkarrockar, oslagbara hjältar. Så även med oss, småungar som snart ska ut och bära uniform. De snabba och hårda, de starka och oslagbara.

Hon skakade bort tankarna. Hon var inte polis, inte än.

Hon märkte att hon körde för fort och saktade ner. Just då hoppade en hare över vägen. Ett kort ögonblick låstes harens öga av strålkastarna. Hon tvärbromsade. Haren försvann och hon fortsatte. Hjärtat bultade. Hon drog djupa andetag. Ljusen från bilarna på huvudvägen närmade sig. Hon körde in på en parkeringsplats, slog av ljuset och sen motorn. Runt henne mörker. Hon tog fram sin mobil. Innan hon hann slå numret ringde det. Det var hennes far. Han var ursinnig.

– Vad menar du med att anklaga mig för att inte sköta mitt jobb?

– Jag anklagar dig inte, sa hon. Jag är bara rädd att nånting har hänt Anna.

– Du gör inte om det. Aldrig nånsin. Då ska jag personligen se till att din tid här i Ystad blir kort.

Hon hann inte svara innan han bröt samtalet. Han har rätt, sa hon till sig själv. Jag borde ha tänkt mig för. Hon började slå hans nummer för att be om ursäkt eller åtminstone försöka förklara sig. Men hon ångrade sig. Hans ilska hade inte gått över. Först om några timmar skulle han kanske lyssna på henne.

Hon kände att hon behövde tala med någon och slog numret till Zebran. Det tutade upptaget. Hon räknade långsamt till femtio och ringde igen. Fortfarande upptaget. Utan att hon egentligen visste varför slog hon numret till Anna. Upptaget. Hon ryckte till. Försökte ringa igen. Fortfarande upptaget. Hon fylldes av glädje. Anna har kommit tillbaka! Hon startade motorn, slog på ljuset och svängde ut på vägen igen. Gode Gud, tänkte hon. Jag ska berätta för henne vad som har hänt bara för att hon inte höll vår avtalade tid.

17

Linda steg ur bilen och såg upp mot Annas fönster. De var mörka. Rädslan återkom. Telefonen hade varit upptagen. Linda slog numret till Zebran. Hon svarade snabbt, som om hon hade stått och väntat vid telefonen. Linda hade bråttom, snubblade på orden.

– Det är jag. Har du pratat med Anna just nu?

– Nej.

– Säkert?

– Det är väl klart att jag vet vem jag har talat med i telefon? Har du försökt ringa? Jag har tjatat med min bror om ett lån jag inte tänker ge honom. Han bara slösar bort sina pengar. Jag har fyratusen på banken. Det är min förmögenhet. Det vill han låna för att köpa in sig i en lastbil som går på Bulgarien med styckegods...

– Jag skiter i din bror, avbröt Linda. Anna har försvunnit. Det har aldrig hänt tidigare att hon har glömt en avtalad tid.

– Nån gång ska vara den första.

– Det säger min pappa med. Men det måste ha hänt nånting. Anna har varit borta i tre dagar.

– Hon kanske är i Lund?

– Nej. Egentligen spelar det ingen roll var hon är. Det är inte likt henne att vara borta. Har du varit med om att hon inte kommit eller ringt eller varit hemma när ni har kommit överens om att talas vid eller träffas?

Zebran tänkte efter.

– Faktiskt inte.

– Där ser du.

– Varför är du så uppjagad?

Linda var nära att berätta om allt som hade hänt, om huvudet och de avhuggna händerna. Men det skulle vara en dödssynd att avslöja något för en utomstående.

– Du har säkert rätt. Jag oroar mig i onödan.

– Kom hit.

– Jag hinner inte.

– Jag tror du håller på att bli konstig av att vänta på att börja jobba. Du kan komma hit och lösa ett mysterium.

– Vad?

– En dörr som gått i baklås.

– Jag hinner inte. Prata med fastighetsskötarn.

– Du stressar för mycket. Lugna ner dig.

– Jag ska. Hej.

Linda ringde på dörren i hopp om att de mörka fönstren bara innebar att Anna sov. Men lägenheten var tom, sängen orörd. Linda ställde sig och såg på telefonen. Luren var pålagd som den skulle, telefonsvararens lampa mörk. Hon satte sig och gick igenom allt som hänt de senaste dagarna. Varje gång det avhuggna huvudet återkom i hennes tankar blev hon illamående. Eller var det kanske synen av händerna som var värst. Vem kunde beröva en människa hennes händer? Tog man huvudet från en människa dödade man henne. Men händerna? Hon undrade om det var möjligt att avgöra om händerna huggits av medan Birgitta Medberg levde eller om det var tvärtom. Och var fanns resten av kroppen? Illamåendet tog plötsligt överhanden. Hon hann precis in på toaletten innan hon började kräkas. Efteråt sträckte hon ut sig på golvet i badrummet. En liten gul plastanka satt fastkilad under badkaret. Hon kom ihåg den, mindes när Anna hade fått den, många år tidigare.

De hade varit tolv eller tretton år. Vems idén var kunde hon inte längre påminna sig. Men de hade bestämt att åka över till Köpenhamn. Det var vår, både Anna och Linda var oroliga och rastlösa i skolan, och de började ingå fler och fler pakter där de skyddade varandra när de skolkade från skolan. Mona hade sagt ja till att Linda for. Men hennes far hade omedelbart förbjudit resan. Linda kunde fortfarande minnas hur han utmålade Köpenhamn som en lömsk och hotande stad för två unga flickor som visste alltför lite om livet. Det hela hade slutat med att Linda och Anna hade rest i alla fall. Linda insåg att det skulle bli ett våldsamt bråk när hon kom hem igen. Som för att hämnas på förhand stal hon en hundralapp ur hans plånbok innan de for. De tog tåget till Malmö och sen flygbåten. Linda mindes den resan som hennes och Annas första allvarliga besök i vuxenvärlden.

Det hade varit en fnissande och fnittrande dag, blåsig men solig, en vår som närmade sig. På Tivoli hade Anna vunnit plastankan på en tombola.

Först var allting ljust. Frihet, äventyr, osynliga murar som rämnade var de än gick. Sen mörknade bilderna. Något hade hänt, det första stora grundskottet mot deras vänskap. De klarade sig igenom den gången.

Men när de sedan blev kära i samma pojke var slaget förlorat redan från början. Den osynliga sprickan i vänskapen vidgade sig och sprängde loss dem från varandra. En grön bänk, tänkte Linda. Vi satt där, Anna som hela dagen lånat pengar av mig eftersom hon inte hade några, bad mig passa hennes väska medan hon gick på toaletten. Nånstans på Tivoli spelade en orkester, trumpetaren låg hela tiden på gränsen till det falska.

Linda mindes allt detta när hon låg på golvet i Annas badrum. Värmeslingorna värmde hennes rygg. Den gröna bänken och väskan. Fortfarande, efter alla dessa år, kunde hon inte svara på varför hon öppnat den, tagit upp Annas plånbok och hittat två hundralappar i den. Helt öppet, inte hopknycklade i något hemligt fack. Hon hade stirrat på de där pengarna och känt hur sveket drabbade henne med våldsam kraft. Hon hade stoppat tillbaka plånboken och bestämt sig för att ingenting säga. Men när Anna kom tillbaka från toalettbesöket och undrade om Linda kunde köpa något att dricka, hade hon exploderat. De hade stått och skrikit åt varandra; vad Anna hade haft för argument hade hon glömt. Men de hade skilts där och gått åt varsitt håll. På resan tillbaka till Malmö hade Anna suttit på ett annat ställe i båten. På stationen när de väntat på tåget till Ystad hade de undvikit varandra. Det hade tagit lång tid innan de åter börjat tala med varandra. De hade aldrig berört händelsen i Köpenhamn, bara försökt och faktiskt lyckats med att återupprätta den sargade vänskapen.

Linda satte sig upp på badrumsgolvet. Allt handlar om en lögn, tänkte hon. Jag är övertygad om att Henrietta dolde något när jag var hemma hos henne. Och Anna ljuger, det lärde jag mig den där gången i Köpenhamn. Jag har beslagit henne med lögner senare också. Men jag känner henne så väl att jag också kan vara säker på när det hon säger är sant. Och det som hände i Malmö, att hon såg sin far, eller åtminstone är övertygad om att det var han, är inget påhitt. Men vad ligger bakom? fortsatte Linda sin tankegång. Vad har hon inte berättat för mig? Det outsagda kan vara den största av alla lögner.

Mobilen ringde i hennes ficka. Hon visste genast att det var hennes far. För att göra sig beredd på att han fortfarande var arg reste hon sig upp innan hon svarade. Men hans röst lät bara trött och spänd. Hon tänkte att hennes far hade många olika röster, fler än alla andra människor hon kände.

– Var är du?

– I Annas lägenhet.

Han var tyst en lång stund. Hon kunde höra att han fortfarande var kvar därute i skogen. Röster i bakgrunden som tornade upp och försvann, skrapande walkie-talkies, en hund som gav skall.

– Vad gör du där?

– Jag är räddare nu än tidigare.

Till hennes förvåning sa han:

– Jag förstår. Det är därför jag ringer. Jag är på väg.

– Vart?

– Till lägenheten. Där du befinner dig. Jag måste få höra det här i detalj. Det finns naturligtvis ingen anledning för dig att oroa dig. Men jag tar det du säger på allvar nu.

– Varför skulle jag inte oroa mig? Det är inte naturligt att hon är borta. Det har jag sagt från början. Om du inte förstår att jag oroar mig ska du inte säga att du förstår att jag är rädd. Dessutom var hennes telefon upptagen. Men hon är inte här. Men nån har varit här. Det är jag säker på.

– Jag vill höra allt i detalj när jag kommer. Vad är det för adress?

Linda gav honom den.

– Hur går det?

– Jag tror aldrig jag har stått inför nåt liknande.

– Har ni hittat kroppen?

– Nej. Vi har inte hittat nånting. Minst av allt en förklaring till vad som hänt. Jag tutar när jag kommer fram.

Linda sköljde munnen med vatten. För att få bort smaken av det hon kräkts upp lånade hon Annas tandborste. Hon skulle just gå därifrån när hon fick en ingivelse att öppna badrumsskåpet. Då upptäckte hon något som förvånade henne. Den andra kvarlämnade dagboken, tänkte hon.

Anna led av eksem på halsen. Bara några veckor tidigare, när de en kväll tillsammans med Zebran suttit och lekt med tanken på en drömresa, hade Anna sagt att det hon först skulle packa ner i sin väska, handbagaget, var den enda salva som höll hennes eksem under kontroll. Linda mindes hennes ord. *Jag tar bara ut en tub åt gången på receptet för att den ska vara så färsk som möjligt.* Nu låg den kvar bland medicinburkar och tandborstar. Anna hade mani på tandborstar. Linda räknade till nitton stycken, varav elva var oanvända. Men salvtuben fanns där. Hon skulle inte ha gett sig av utan den, tänkte Linda. Inte frivilligt. Varken den eller dagboken skulle hon ha lämnat kvar. Hon stängde spegeldörren till skåpet och lämnade badrummet. Men vad kunde egentligen ha hänt? Ingenting tydde på att Anna tvingats bort. I alla fall inte från sin lägenhet. Naturligtvis kunde något ha hänt på gatan. Hon kunde ha blivit påkörd eller inknuffad i en bil.

Linda ställde sig vid fönstret och väntade på att hennes far skulle dyka upp. Hon märkte att hon var trött. Den osynliga uniformen stramade. Hon överfölls av en känsla av att ha blivit lurad. På vilket sätt hade de blivit förberedda på detta under tiden på Polishögskolan? Kunde man överhuvudtaget förbereda en blivande polis på vad som väntade när dörren till verkligheten öppnades? Ett kort ögonblick kände hon lust att slita av sig uniformen innan hon ens fått den på sig. Att bli polis var ett beslut som hon nu borde ångra och snarast byta ut mot en annan livsdröm. Hon var inte lämpad, hon dög inte.

Vem hade sagt henne att hon när som helst kunde förvänta sig att öppna en dörr och stå framför ett avhugget gråhårigt kvinnohuvud och ett par hopflätade händer. Nu när magen var tom återkom inte illamåendet.

Händerna var knäppta, tänkte hon igen. Två händer i bön som blir avhuggna. Hon skakade på huvudet. Vad hade hänt just innan? Det dramatiska ögonblicket när en osynlig yxa höjdes av ett par lika osynliga händer? Vad hade Birgitta Medberg sett i detta sitt sista levande ögonblick? Hade hon sett in i en annan människas ögon, hade hon förstått vad som skulle ske? Eller hade hon förunnats nåden att aldrig uppfatta vad som drabbade henne. Linda stirrade på gatlyktan som svängde i vinden. Det fanns ett drama där som hon kunde ana. Knäppta händer, en bön om nåd. Som inte beviljades av en brutal överstepräst med yxa i handen. Birgitta Medberg visste, tänkte Linda. Hon förstod vad som skulle hända och hon bad om nåd.

Ett par strålkastarljus lyste upp en mörk husvägg. Hennes far bromsade in. Han steg ur och såg sig villrådigt omkring innan han uppfattade Linda som vinkade åt honom. Hon slängde ner nycklarna på gatan. Sen öppnade hon ytterdörren och hörde hans tunga steg i trappan. Han väcker hela huset, tänkte hon. Jag har en far som dundrar fram genom livet som en ilsken infanteripluton. Han var svettig och trött, ögonen flackade, kläderna var blöta.

– Finns det nåt att äta? frågade han när han steg in i tamburen och sparkade av sig stövlarna.

– Det finns.

– Och en handduk, har du det?

– Badrummet är där. Det finns handdukar på den nedre hyllan.

När han kom tillbaka från badrummet hade han tagit av sig kläderna och slog sig ner vid matbordet i undertröja och kalsonger. De blöta kläderna och strumporna hade han hängt upp på värmerören i badrummet. Linda hade dukat fram det som fanns i Annas kylskåp. Hon visste att han ville äta ifred, under tystnad. När hon var barn hade det nästan varit en dödssynd att prata eller stoja vid frukostbordet. Mona stod inte ut med att sitta mitt emot sin stumme man. Hon åt frukost när han gått hemifrån. Men Linda hade suttit där och delat hans tystnad. Ibland hade han sänkt tidningen, oftast Ystads Allehanda, och blinkat åt henne. Tystnaden om mornarna var helig.

Han tog en tugga av en smörgås. Sen var det som om maten fastnade i hans mun.

– Jag skulle naturligtvis inte ha tagit dig med, sa han. Det var oförsvarligt. Du skulle inte ha behövt se det som fanns i den där kojan.

– Hur går det?

– Vi har inga spår eller förklaringar till vad som har hänt.

– Men resten av kroppen?

– Inga spår efter det heller. Hundarna vittrar ingenting. Vi vet att Birgitta Medberg kartlade stigar i området. Det finns ingen anledning att tro annat än att hon stötte på den där kojan av en tillfällighet. Men vem fanns i kojan? Varför detta brutala mord, varför är kroppen styckad och till största delen borta?

Han åt upp smörgåsen, bredde en ny och lämnade den halväten.

– Nu vill jag höra. Anna Westin. Din väninna.Vad gör hon? Studerar? Till vad?

– Till läkare. Det vet du.

– Jag litar allt mindre på mitt minne. Du avtalade tid då ni skulle träffas. Var det här?

– Ja.

– Och hon var inte hemma?

– Nej.

– Inga missförstånd är tänkbara?

– Nej.

– Dessutom är hon alltid punktlig. Är det rätt?

– Alltid.

– Ta det där med hennes far igen. Han har varit borta i tjugofyra år. Aldrig hört av sig? Och sen ser hon honom genom ett fönster i Malmö?

Linda berättade så detaljerat som möjligt. Han satt tyst när hon slutat.

– Ena dagen återvänder en försvunnen människa, sa han till sist. Dagen efter försvinner en annan människa som just upptäckt den försvunne. En kommer och en går.

Han skakade på huvudet. Linda berättade om dagboken och tuben med salva. Och till sist om sitt besök hos Annas mor. Hon märkte att han lyssnade med stor uppmärksamhet.

– Varför tror du att hon ljög?

– Anna skulle ha berättat om det varit så att hon ofta tyckt sig se sin far.

– Hur kan du vara så säker?

– Jag kände henne.

– Människor förändrar sig. Dessutom känner man aldrig annat än delar av en annan människa.

– Gäller det mig också?

– Det gäller mig, det gäller dig, det gäller din mor och det gäller Anna. Dessutom finns det människor man inte känner alls. Farsan var ett lysande exempel på den personifierade obegripligheten.

– Jag kände honom.

– Det gjorde du inte.

– Bara för att ni inte begrep er på varandra behöver det inte gälla mig. Dessutom är det Anna vi talar om.

– Jag hörde att du aldrig gjorde nån anmälan.

– Jag gjorde som du sa.

– För en gångs skull.

– Sluta nu.

– Visa mig dagboken.

Linda hämtade den och slog upp sidan där Anna skrivit om brevet från Birgitta Medberg.

– Kan du påminna dig att hon nånsin nämnde Birgitta Medbergs namn?

– Aldrig.

– Frågade du hennes mamma om det fanns nån koppling till Birgitta Medberg?

– Jag träffade henne innan jag hittade Birgitta Medberg i dagboken.

Han reste sig från köksbordet, hämtade ett block ur jackfickan och gjorde en anteckning.

– Jag ber nån ta ett samtal med henne i morron.

– Jag kan göra det.

Han satte sig ner igen.

– Nej, svarade han bistert. Det kan du inte. Du är inte polis än. Jag ber Svartman eller nån annan. Du håller inte på med nånting på egen hand.

– Varför måste du låta så förbannad?

– Jag är inte förbannad. Jag är trött. Och jag är orolig. Jag vet inte vad som har hänt i den där kojan annat än att det är fruktansvärt. Och jag vet inte heller om det var en början på nånting eller ett slut.

Han såg på klockan och reste sig.

– Jag måste tillbaka ut igen.

Han blev obeslutsamt stående på golvet.

– Jag vägrar att tro att det var en tillfällighet, sa han. Att Birgitta Medberg råkade stöta på en elak häxa i en pepparkakskoja. Jag vägrar tro att man begår ett sånt mord för att nån råkar knacka på fel dörr. Det bor inte monster i svenska skogar. Det bor inte ens troll där. Hon skulle ha hållit sig till sina fjärilar.

Han gick till badrummet och klädde på sig. Linda följde efter. Vad var det han hade sagt? Dörren till badrummet stod på glänt.

– Vad var det du sa?

– Att det inte bor några monster i svenska skogar.

– Men sen.

– Jag sa inget mer.

– Efter det. Efter monstren och trollen. Sist. Om Birgitta Medberg.

– Hon skulle ha hållit sig till fjärilarna och inte letat efter gamla pilgrimsleder.

– Vad då för fjärilar?

– Ann-Britt pratade med dottern. Nån måste ju tala om att hon var död. Dottern berättade att mamman haft en stor samling fjärilar. Som hon sålt för några år sen för att hjälpa Vanja och hennes barn att köpa en lägenhet. Vanja hade dåligt samvete nu när mamman var död, eftersom hon trodde att mamman saknat sina fjärilar. Människor reagerar ofta besynnerligt när nån plötsligt dör. Jag var likadan själv när farsan dog. Jag kunde börja lipa när jag tänkte på att han brukade sätta på sig omaka strumpor.

Linda höll andan. Han märkte genast att det var nånting.

– Vad är det?

– Kom.

De gick ut i vardagsrummet. Linda tände en lampa och pekade på den tomma tapeten.

– Jag har försökt se om nånting har ändrats. Det har jag redan berättat. Men jag glömde säga att här är nånting borta.

– Vad?

– En liten tavla. Eller en liten låda bakom glas. Med en fjäril i. Det är jag helt säker på. Den försvann dagen efter det att Anna inte var hemma.

Han rynkade pannan.

– Är du säker?

– Ja, svarade hon. Jag är dessutom säker på att fjärilen var blå.

18

Den natten tänkte Linda att en blå fjäril varit vad som behövdes för att hennes far skulle börja ta henne på allvar. Hon var inte ett barn längre, inte en osnuten polisaspirant som det kanske kunde bli nåt av, utan en vuxen människa som hade omdöme och iakttagelseförmåga. Till slut hade hon lyckats riva ner hans bestämda uppfattning att hon fortfarande bara var hans dotter och ingenting annat.

Det hade gått mycket fort. Han hade bara frågat om hon var säker, att det verkligen varit en tavla med en blå fjäril och att den försvunnit samtidigt med eller strax efter Annas försvinnande. Linda tvekade inte. Hon kunde minnas de nattliga lekarna med sina närmaste tjejkompisar på Polishögskolan, Lilian som kom från Arvidsjaur och hatade Stockholm eftersom där inte fanns några snöskotrar, och sen förstås Julia från Lund. De pressade varandras minne och iakttagelseförmåga, dukade upp brickor med ett tjugotal föremål och tog sen bort ett för att se om femton sekunders iakttagelsetid hade varit nog. Linda vann alltid. Den största bravaden var när hon på en bricka med nitton olika föremål och endast tio sekunders iakttagelsetid hade lyckats identifiera ett gem som borttaget när hon blev förevisad brickan igen. Hon blev deras inofficiella världsmästare i iakttagelseförmåga.

Hon var säker. Den blå fjärilen bakom glas hade försvunnit samtidigt eller alldeles efter Annas försvinnande. Det avgjorde saken. Hennes far ringde ut till skogen och bad Ann-Britt Höglund komma, samtidigt som han frågade efter nyheter från brottsplatsen. Linda kunde höra först den ilskne Nyberg, sedan Martinsson som nös så det tycktes stänka genom luren och till sist Lisa Holgersson, polismästaren, som nu själv fanns på plats ute i skogen. Han la mobilen på bordet.

– Jag vill ha Ann-Britt här, sa han. Jag är så trött att jag inte helt litar på mitt omdöme. Har du nu sagt allt som är viktigt?

– Jag tror det.

Han skakade misstroget på huvudet.

– Jag har fortfarande svårt att tro att det här är sant. Jag frågar mig om det inte är en så stor tillfällighet att den helt enkelt inte ska kunna inträffa.

– För några dar sen sa du att man alltid måste vara beredd på att det oväntade kan inträffa.

– Jag pratar så mycket skit, svarade han tankfullt. Finns det kaffe i huset?

Vattnet hade just kokat upp när Ann-Britt Höglund tutade nere på gatan.

– Hon kör alldeles för fort, sa han. Hon har två barn. Vad händer om hon kör ihjäl sig? Släng ner nycklarna.

Ann-Britt Höglund fångade knippan i ena handen och var snart uppe i lägenheten. Linda tyckte fortfarande att Ann-Britt betraktade henne med ovilja. Linda noterade att hon hade hål på ena strumpan. Men hon var målad, hårt sminkad. När hade hon tid med det? Eller sov hon med färg i ansiktet?

– Vill du ha kaffe?

– Ja tack.

Linda trodde att hennes far skulle berätta. Men när hon kom in med kaffekoppen från köket och ställde den på bordet bredvid Ann-Britt Höglunds stol, nickade han åt henne.

– Det är bättre att det kommer ur hästens mun. Allt i detalj, fru Höglund är en bra lyssnerska.

Linda tog tag i händelsernas alla hörn och vecklade ut allt som hon mindes det, dessutom i rätt ordning, visade dagboken och sidan med Birgitta Medbergs namn. Hennes far blandade sig i det hela först när den blå fjärilen kom på tal. Då tog han över, där blev hennes berättelse förvandlad till något som kanske skulle bli inledningen till en brottsutredning. Han reste sig ur soffan och knackade på tapeten där tavlan hängt.

– Här går det ihop, sa han. Två punkter, nej tre. Först står Birgitta Medbergs namn i Annas dagbok. Minst ett brev är utväxlat. Men brevet är borta. Dessutom finns fjärilar i bådas liv. Vad det betyder vet vi inte heller. Och sen det viktigaste, båda är borta.

Det blev tyst i rummet. Nere på gatan var det nån som skrek, en berusad man som talade polska eller ryska.

– Konstigt alltsammans, sa Ann-Britt Höglund. Vem känner Anna bäst?

– Jag vet inte.

– Har hon ingen kille?

– Inte just nu.

– Men hon har haft?

– Det har väl alla? Jag gissar på hennes mor.

Ann-Britt Höglund gäspade och rev sig i håret.

– Vad betyder det här med pappan som hon tror sig ha sett? Varför försvann han? Hade han gjort nånting?

– Annas mamma menar att han rymde.

– Från vad?

– Från ansvar.

– Men nu kommer han tillbaka? Och sen försvinner hon? Och Birgitta Medberg blir mördad?

– Nej, avbröt Kurt Wallander. Inte mördad. Det räcker inte, det täcker inte skeendet. Hon har blivit slaktad. Avhuggna händer som är knäppta till bön, avskuret huvud, resten av kroppen borta. En liten koja som ur en saga, ett livsfarligt pepparkakshus nere i en ravin i den orörda skogen vid Rannesholm. Martinsson har jagat upp Tademans, båda två. Fondmäklaren var för övrigt kraftigt berusad trots att han sov, påstod Martinsson. Intressant. Anita Tademan som Linda och jag träffade var betydligt enklare att tala med, allt enligt Martinsson. Inga konstiga individer har synts till i närheten av slottet eller på vägarna runt om, ingen har känt till nån koja. Hon ringde och väckte en jägare som brukar vara i skogen. Han hade aldrig sett nån koja, inte nån ravin heller, konstigt nog. Så vem det än var som fanns i den där kojan så visste han hur man håller sig gömd, osynlig. Men mycket nära andra människor. Jag anar att det här sista kan vara viktigt. Osynlig, men i närheten.

– Av vad?

– Vet inte.

– Vi får börja med mamman, sa Ann-Britt Höglund. Ska vi väcka henne nu?

– Vi tar det i morron bitti, svarade Kurt Wallander efter att ha tvekat. Vi har nog som det är ute i skogen.

Linda kände att det hettade till i kinderna. Hon blev arg.

– Tänk om det händer nåt med Anna för att vi väntar?

– Tänk om hennes morsa glömmer nåt för att vi rycker upp henne mitt i natten. Dessutom skrämmer vi livet ur henne.

Han reste sig.

– Det blir som vi har sagt. Gå hem och sov nu. Men du följer med till hennes morsa i morron bitti.

De lämnade henne åt sitt öde, satte på sig stövlar och jackor och försvann. Hon stod och såg på dem genom fönstret. Vinden hade tilltagit, fortfarande byig, kom från både öster och söder. Hon diskade kopparna och tänkte att hon borde sova. Men hur skulle hon kunna sova? Anna borta, Henrietta som ljög, Birgitta Medbergs namn i dagboken. Hon började leta igenom lägenheten igen. Birgitta Medbergs brev, varför hittade hon inte det?

Hon gick på jakt djupare den här gången, pillade bort baksidor på tavelramar, drog bort hyllor från väggarna för att se om nåt fanns fastsatt på baksidan. Hon drog och bökade tills det plötsligt ringde på dörren. Klockan var över ett på natten, vem ringde på då? Hon öppnade. Där stod en man med starka glasögon, klädd i brun morgonrock och med rosa, trasiga tofflor på fötterna. Han presenterade sig som August Brogren.

– Detta oerhörda oväsen mitt i natten, sa han ilsket. Får jag be fröken Westin att lugna ner sig.

– Jag beklagar, sa Linda. Från och med nu ska det vara tyst.

August Brogren tog ett bestämt steg närmare.

– Ni låter inte som fröken Westin, sa han. Ni är inte fröken Westin. Vem är ni?

– Hennes väninna.

– När man får dålig syn lär man sig känna igen människor på rösten, sa August Brogren strängt. Fröken Westin talar med mjuk stämma, ni är hård och raspig. Det är som skillnaden mellan mjukt bröd och knäckebröd. Om ni förstår vad jag menar.

August Brogren famlade sig fram till ledstången och försvann nerför trappan. Linda lyssnade på Annas röst i sitt inre och förstod vad han menat med sin beskrivning. Hon stängde dörren och gjorde sig i ordning för att gå hem. Plötsligt kände hon sig gråtfärdig. Anna är död, tänkte hon, Anna finns inte mer. Men hon skakade hårt på huvudet. Hon ville inte tänka sig livet så, utan Anna. Hon la bilnycklarna på köksbordet, låste och gick hem genom den tomma staden. Hon la sig ovanpå sängen och rullade in sig i en filt.

Hon vaknade med ett ryck. Väckarklockans visare gnistrade i mörkret. Klockan var kvart i tre. Hon hade bara sovit en dryg timme. Vad var det som hade väckt henne? Hon steg upp och gick till det andra sovrummet. Sängen var tom. Hon satte sig i vardagsrummet. Varför hade hon vaknat? Hon hade drömt nånting, en fara som hotat, nånting som närmade sig i mörkret, ovanifrån, en osynlig fågel på ljudlösa vingar som dykt mot hennes huvud. En näbb skarp som ett rakblad. Det var fågeln som väckt henne.

Trots att hon sovit så lite kände hon sig klar i huvudet. Hon undrade vad som hände ute i skogen, såg strålkastarna framför sig, människor som rörde sig fram och tillbaka i ravinen, insekter som svärmade kring ljusfläckarna och brände sina vingar. Hon tänkte att hon hade vaknat för att hon inte hade tid att sova. Var det Anna som hade ropat på henne? Hon lyssnade. Rösten var borta. Kanske hade den funnits där i drömmen om fågeln? Kanske hade fågeln sjunkit genom luften, ljudlöst, med allt högre hastighet mot ett huvud som inte var hennes utan Annas? Hon såg på klockan. Tre minuter i tre. Anna har ropat, tänkte hon igen. Och bestämde sig i samma ögonblick. Hon satte på sig skorna, tog jackan och försvann nerför trapporna.

Bilnycklarna låg på Annas bord där hon lämnat dem. För att slippa dyrka upp dörren i fortsättningen tog hon med ett par reservnycklar som låg i en låda i tamburen. Hon tog bilen och körde ut ur staden. Klockan hade blivit tjugo över tre. Hon svängde norrut och parkerade på en kärrväg som låg i en sänka, osynlig från fönstren i Henriettas hus. Hon steg ur bilen, lyssnade och stängde sen försiktigt bildörren. Natten var kylig. Hon drog jackan tätare omkring sig och irriterades över att hon inte tagit med en ficklampa. Hon gick några steg från bilen och såg sig omkring. Allting var mörkt, på avstånd återskenet från ljusen i Ystad. Himlen var molnig, vinden fortsatt byig.

Hon började gå längs kärrvägen, försiktigt för att inte snubbla. Vad hon skulle göra visste hon inte. Men Anna hade ropat. Man övergav inte en vän som ropade. Hon stannade och lyssnade. På avstånd skrek en nattfågel. Hon fortsatte längs kärrvägen tills hon var framme vid stigen som ledde fram till baksidan av Henriettas hus. Hon såg tre upplysta fönster. Vardagsrummet, tänkte hon. Henrietta kan vara vaken. Men hon kan också sova och ha lämnat ljuset tänt.

Linda grimaserade vid tanken på sin egen mörkrädsla. Åren innan hennes föräldrar skilde sig och ofta bråkade om nätterna kunde hon inte sova i mörka rum. En tänd lampa var som en besvärjelse. Det tog henne många år att komma över den rädslan för mörker. Ibland kunde den fortfarande återvända, när hon var orolig.

Hon gick mot ljuset, tog en omväg runt en sönderrostad harv och närmade sig trädgården. Hon stannade och lyssnade. Satt Henrietta uppe och komponerade? Hon fortsatte fram mot staketet och klättrade över. Hunden, tänkte hon. Henriettas hund. Vad gör jag om den ger skall? Varför befinner jag mig överhuvudtaget här ute i mörkret? Om några timmar ska farsan och kanske Ann-Britt Höglund och jag åka hit. Vad är det jag tror jag kan upptäcka på egen hand? Men det handlade inte om det, det var det andra, att hon vaknat ur en mardröm som egentligen gett henne ett meddelande om att Anna ropat på henne.

Hon fortsatte försiktigt fram mot husväggen och de upplysta fönstren. Hon tvärstannade. Hörde röster. Först kunde hon inte avgöra varifrån de kom. Sen såg hon att ett av fönstren stod på glänt. Annas röst var mjuk, hade mannen i trappan sagt. Men det var inte Annas röst, det var Henriettas. Henrietta och en man. Linda lyssnade, försökte tänja ut öronens osynliga antenner. Hon gick närmare och kunde nu se in genom fönstret. Henrietta satt i en stol med ansiktet halvvägs bortvänt. I soffan med ryggen mot fönstret satt en man. Linda gick närmare. Vad mannen sa kunde hon inte avgöra. Henrietta talade om en komposition, något om tolv fioler och en ensam cello, en sista nattvard, den apostoliska musiken. Linda förstod inte vad Henrietta menade. Hon försökte vara alldeles tyst. Nånstans därinne fanns hunden. Hon försökte förstå vem det var Henrietta talade med. Varför mitt i natten?

Plötsligt, långsamt, vände Henrietta blicken mot det fönster som Linda stod och såg in genom. Hon ryckte till. Henrietta såg rakt in i hennes ögon. Hon kan inte ha sett mig, tänkte Linda. Det är omöjligt. Men det var nånting i blicken som gjorde henne rädd. Hon vände sig om och sprang men råkade trampa på stenkanten till en vattenpump. Det skrällde till i pumpens järnfundament. Hunden började skälla.

Linda sprang tillbaka samma väg hon kommit. Hon snubblade och föll, rev sig i ansiktet och snubblade vidare. Hon hörde ytterdörren långt bakom sig samtidigt som hon kastade sig över staketet och fortsatte längs stigen bort mot bilen. Men nånstans på vägen vek hon av åt fel håll. Plötsligt kände hon inte alls igen sig. Hon stannade, flämtade efter luft, lyssnade. Henrietta hade inte släppt hunden. Då hade den redan hittat henne. Hon lyssnade ut i mörkret. Det fanns ingen där. Men hon var så rädd att hon skakade. Försiktigt började hon leta sig tillbaka till stigen där den vek av mot kärrvägen och bilen. Men hon gick fel igen eftersom mörkret skrämde henne och skuggor förvandlades till träd och träd till skuggor. Hon snubblade och föll.

När hon reste sig slog en kraftig smärta till i hennes vänstra ben. Det var som om knivar skar i det. Hon skrek till och försökte slita sig fri från smärtan. Men hon kunde inte röra sig. Det kändes som om ett djur hade huggit sina tänder i benet. Men djuret andades inte, det kom inga ljud. Hon trevade med handen över benet. Det fanns något kallt där, järn, och en kedja. Då förstod hon. En fälla hade slagit till runt hennes ben.

Handen blev våt av blod. Hon fortsatte att ropa. Men ingen hörde henne, ingen kom.

19

En gång hade hon drömt att hon dog, ensam i en kall vinternatt. Hon åkte skridskor i månljuset på en ensligt belägen skogssjö. Plötsligt föll hon och bröt benet. Hon ropade men ingen hörde henne. Hon frös ihjäl där på isen, och just när hjärtat slutade att slå vaknade hon upp med ett ryck.

Hon tänkte på den där drömmen när hon försökte komma loss från fällan som slagit igen runt hennes ben. Hon ville först inte ringa till sin far för att få hjälp. Men järnklon gick inte att rubba. Hon tog fram telefonen och slog hans nummer. Hon förklarade var hon befann sig och att hon behövde hjälp.

– Vad är det som har hänt?

– Jag har fastnat i nån sorts fälla.

– Vad menar du med det?

– Att jag har nån sorts järnklo runt ena benet.

– Jag kommer.

Linda väntade. Hon började frysa och tyckte att det dröjde en oändlighet innan hon såg billjusen. De stannade vid huset. Linda ropade. Dörren öppnades, hunden skällde. De kom genom mörkret. En ficklampa lyste upp vägen. Det var hennes far, Henrietta och hunden. Det fanns ännu en person med i sällskapet, men han befann sig i bakgrunden, i skuggorna.

– Du har fastnat i en gammal rävsax. Vem har lagt ut den?

– Inte jag, sa Henrietta. Det måste vara markägaren.

– Honom ska vi tala med. Hennes far bröt upp järnklon.

– Det är bäst att vi tar dig till sjukhuset, sa han.

Linda satte prövande ner foten. Det gjorde ont men hon kunde stödja på den. Mannen som dolt sig i skuggorna kom fram.

– En ny kollega som du inte har träffat, sa hennes far. Stefan Lindman. Han började hos oss för några veckor sen.

Linda såg på honom. Hon tyckte omedelbart om hans ansikte som lystes upp av ficklampan.

– Vad gjorde du här? frågade Henrietta.

– Det kan jag ge svar på, sa Stefan Lindman.

Linda hörde att han talade dialekt. Var kom han ifrån? Kunde det vara värmländska? Hon frågade sin far när de satt i bilen och körde mot Ystad.

– Han är västgöte, sa han. Dom pratar så där. Ett konstigt språk. Svårt att sätta sig i respekt. Östgötar, västgötar och gotlänningar har det svårast. Lättast att ryta till sig respekt har tydligen norrbottningar. Vad det nu beror på.

– Hur ska han förklara vad jag gjorde därute i mörkret?

– Han hittar på någonting. Men du kanske kan förklara för mig vad du skulle dit att göra?

– Jag drömde om Anna.

– Vad drömde du?

– Hon ropade på mig. Jag vaknade. Och for ut till Henriettas hus. Jag visste inte vad jag skulle göra. Jag såg henne därinne. Och en man. Sen såg hon på mig, och jag sprang och så fastnade jag i den där fällan.

– Nu vet jag i alla fall att du inte rusar ut på privata uppdrag mitt i natten, sa han.

– Förstår du inte att det är allvar? skrek hon. Att Anna faktiskt är försvunnen?

– Jag tar dig på allvar. Jag tar hennes försvinnande på allvar. Jag tar hela mitt liv och ditt med på allvar. Fjärilen avgjorde saken.

– Vad gör ni?

– Allt som ska göras. Vi vänder på varenda sten, jagar uppgifter, upplysningar. Ett avvaktande drev blir ett litet drev som blir ett stort drev. Vi gör allt vad vi ska. Och nu säger vi ingenting mer förrän vi har visat upp ditt ben på sjukhuset.

Det tog en timme att få benet omplåstrat. Just när de skulle ge sig av kom Stefan Lindman. Linda såg nu att han var kortklippt och hade blå ögon.

– Jag sa att du hade mycket dåligt mörkerseende, sa han glatt. Det fick räcka som förklaring till att du irrade omkring där i mörkret.

– Jag såg en man inne i huset, sa Linda.

– Henrietta Westin berättade att hon haft besök av en man som ville att hon skulle tonsätta ett versdrama. Det verkar alldeles trovärdigt.

Linda satte på sig jackan. Hon ångrade att hon skrikit åt sin far. Det var ett tecken på svaghet. Aldrig skrika, alltid kontrollera sig. Men hon hade burit sig dumt åt, hon behövde rikta uppmärksamheten på andras dumheter. Ändå var lättnaden det viktigaste. Nu var Annas försvinnande verkligt, inte något hon inbillade sig. En blå fjäril hade avgjort saken. Priset var en molande värk i ett ben.

– Stefan kör dig hem. Jag måste iväg.

Linda gick in på en toalett och kammade sig. Stefan Lindman väntade i korridoren. Han hade svart skinnjacka och var slarvigt rakad på ena kinden. Det tyckte hon inte om, slarvigt rakade män var bland det värsta hon visste. Hon valde att gå på hans välrakade sida.

– Hur känns det?

– Vad tror du?

– Det gör ont, antar jag. Jag vet vad det är.

– Vad?

– Smärta.

– Har du nånsin trampat i en björnsax?

– Det var en rävsax. Men jag har aldrig trampat i nån.

– Då vet du inte heller hur det känns.

Han höll upp dörren för henne. Hon var fortfarande irriterad. Den orakade kinden hade stört henne. Samtalet tog slut. Stefan var tydligen en människa som inte pratade i onödan. Det var som på Polishögskolan, tänkte Linda. Det fanns den pratande folkstammen och den stumma folkstammen, det fanns de som bara skrattade åt allting och de som slukade allt med sin stora tystnad. Fast de flesta var ändå medlemmar i den största familjen, den pratande och slamrande folkstam som inte kunde konsten att hålla käft.

De kom ut på baksidan av sjukhuset. Han pekade mot en rostig Ford. När han låste upp dörren kom en ambulansförare fram och frågade vad han menade med att parkera så att ambulansintaget blockerades.

– Jag hämtar en skadad polis, sa han och pekade på Linda.

Ambulansmannen nickade och gick. Linda kände hur den osynliga uniformen passade henne igen. Hon manövrerade in sig i framsätet.

– Mariagatan, sa din pappa. Var ligger den?

Linda förklarade. Det fanns en stark lukt i bilen.

– Målarfärg, sa Stefan. Jag håller på och rustar upp ett hus ute i Knickarp.

De svängde in på Mariagatan. Linda pekade på porten. Han steg ur och öppnade åt henne.

– Vi ses, sa han. Jag har haft cancer. Jag vet vad det innebär att ha ont. Vare sig man har en tumör eller har fått en järnklo runt benet.

Linda såg efter honom när han for iväg. Hon kom på att hon inte ens hade frågat efter hans efternamn.

När hon kom in i lägenheten märkte hon att hon var trött. Hon skulle just lägga sig på soffan i vardagsrummet när telefonen ringde. Det var hennes far.

– Jag hörde att du var hemma nu.

– Vad heter han som körde mig hem?

– Stefan.

– Har han inget efternamn?

– Lindman. Han kommer från Borås, tror jag. Eller kanske det var Skövde. Vila dig nu.

– Jag vill veta vad Henrietta sa. Jag antar att du har talat med henne.

– Jag har inte tid.

– Det måste du ha. Säg bara det viktigaste.

– Vänta lite.

Hans röst försvann. Linda anade att han var på polishuset, men på väg ut. Det slog i dörrar, telefonsignaler blandades med ljudet av startande bilmotorer. Han återkom, rösten var pressad.

– Är du där?

– Jag är här.

– Mycket kort. Ibland önskar jag att nån hade uppfunnit en sorts stenografi för talande röster. Henrietta sa att hon inte visste var Anna befann sig. Hon hade inte hört nånting från henne, ingenting tydde på att hon var deprimerad. Anna hade ingenting sagt om sin far men Henrietta insisterar på att det var en återkommande upplevelse hos dottern att tycka sig se honom på gatan. Där står era ord mot varandra. Hon kunde inte ge oss några ledtrådar. Inte heller visste hon nånting om Birgitta Medberg. Det gav alltså inte mycket.

– Märkte du att hon ljög?

– Varför skulle jag ha märkt det?

– Du brukar ju alltid säga att bara du andas på folk så vet du om dom talar sanning eller ljuger.

– Jag tror inte att hon talade osanning.

– Hon ljuger.

– Jag hinner inte mer nu. Men Stefan som körde dig hem koncentrerar sig på att försöka hitta ett samband mellan Birgitta Medberg och Anna. Vi har skickat ut ett larm på henne också. Mer kan vi inte göra.

– Hur går det därute i skogen?

– Långsamt. Nu hinner jag inte mer.

Samtalet bröts. Linda som inte ville vara ensam ringde till Zebran. Hon hade tur. Zebrans son var hos hennes kusin Titchka, och Zebran själv satt hemma och hade tråkigt. Hon lovade att komma genast.

– Köp med mat, sa Linda. Jag är hungrig. Kinakrogen vid Torget. Det är en omväg, men jag lovar att göra det för dig när du nån gång trampar i en djurfälla.

Efter måltiden berättade Linda för Zebran om det som hänt. Zebran hade hört om det makabra likfyndet i radion. Men hon hade ändå svårt att dela Lindas oro över att Anna råkat ut för nånting allvarligt.

– Om jag vore ful gubbe och bestämt mig för att överfalla en tjej skulle jag akta mig för Anna. Vet du inte att hon gått nån kurs i en kampsport? Jag vet inte vad det heter. Men jag tror att allting är tillåtet. Utom möjligen att döda folk. Ingen ger sig på Anna ostraffat.

Linda ångrade att hon börjat prata med Zebran om Anna. Zebran stannade ytterligare en timme innan det var dags för henne att hämta sin son.

Linda var åter ensam. Smärtan i benet hade börjat avta. Hon haltade in i sovrummet. Fönstret stod på glänt, gardinen rörde sig långsamt. Hon försökte tänka igenom allt det som hänt, framförallt för att förstå varför hon gett sig ut till Henriettas hus mitt i natten. Men hon hade svårt att fånga tankarna, tröttheten tyngde.

Hon rycktes upp ur slummern av att det ringde på dörren. Först tänkte hon låta det vara, men ändrade sig och haltade ut i tamburen. Det var den nye polisen, Stefan Lindman, som stod där.

– Jag är ledsen om jag väckte dig.

– Jag sov inte.

Sen såg hon sitt hår i tamburspegeln. Det spretade åt alla håll.

– Jag sov, sa hon. Varför skulle jag påstå nåt annat? Jag har ont i benet.

– Jag behöver dina nycklar till Anna Westins lägenhet, sa han. Du sa till din far att du hade hennes reservnycklar.

– Då följer jag med.

Han verkade förvånad över hennes reaktion.

– Jag trodde du hade ont?

– Det har jag också. Vad ska du göra där?

– Jag försöker skapa mig en bild.

– Om den bilden ska föreställa Anna är det mig du ska tala med.

– Jag tycker om att trampa runt lite för mig själv. Sen kan vi prata.

Linda pekade på nycklarna som låg på bordet i tamburen. De hölls ihop av en ring med en bild av en egyptisk farao.

– Var kommer du ifrån? frågade hon.

– Kinna.

– Farsan sa Skövde eller Borås.

– Jag jobbade i Borås. Men jag tyckte det var dags att bryta upp.

Linda tvekade.

– Vad menade du med det där du sa om cancer?

– Jag fick cancer. I tungan av alla ställen. Prognosen var rätt dålig. Men jag överlevde och är helt frisk.

För första gången såg han henne i ögonen.

– Jag har som du förstår tungan kvar. Annars skulle jag inte kunna prata. Det är värre med håret.

Han knackade med ett finger på sin nacke.

– Där har det snart försvunnit.

Han försvann nerför trappan. Linda återvände till sängen.

Cancer i tungan. Hon ryggade inför tanken. Rädslan för döden kom och gick. Just nu var livskänslan stark. Men hon hade aldrig glömt vad hon tänkte när hon stod där på broräcket den gången hon var så nära att hoppa. Livet kom inte av sig själv. Det fanns svarta hål som man kunde ramla ner i. På botten fanns spetsiga käppar och man genomborrades som i en fälla konstruerad av ett monster.

Hon la sig på sidan och försökte sova. Just nu orkade hon inte med några svarta hål. Sen rycktes hon upp ur halvsömnen. Det var nånting med Stefan Lindman. Hon satte sig upp i sängen. Nu visste hon vilken tanke som jagat henne. Hon slog ett nummer på telefonen. Upptaget. Vid tredje försöket svarade hennes far.

– Det är jag.

– Hur mår du?

– Bättre. Jag vill fråga en sak. Den där mannen som var hos Henrietta i natt. Han som ville att hon skulle komponera nånting. Sa hon hur han såg ut?

– Varför skulle jag ha frågat om det? Hon sa bara hans namn. Jag noterade hans adress. Hur så?

– Gör mig en tjänst. Ring henne och fråga om hans hår.

– Varför det?

– Därför att det var vad jag såg.

– Jag ska. Men jag har egentligen inte tid. Vi håller på att regna bort här.

– Ringer du tillbaka?

– Om jag får tag på henne.

Han ringde efter nitton minuter.

– Peter Stigström som vill att Henrietta Westin ska sätta musik till hans verser om de svenska årstiderna har axellångt mörkt hår med vissa inslag av gråa hårstrån. Duger det?

– Det duger mycket bra.

– Förklarar du nu eller när jag kommer hem?

– Det beror på när du kommer.

– Ganska snart. Jag måste byta kläder.

– Vill du äta?

– Vi har fått ut mat hit i skogen. Det finns några initiativrika kosovoalbaner som slår upp mattält på brottsplatser eller brandplatser. Hur dom får reda på var vi befinner oss vet jag inte. Antagligen nån som ringer och läcker från polisen och har procent på försäljningen. Jag kommer om en timme.

Samtalet var över. Linda blev sittande med telefonen i handen. Den man hon sett genom fönstret, den nacke som varit vänd mot henne, hade inte täckts av mörkt hår med inslag av grå hårstrån. Den nacke hon sett hade varit kortklippt.

20

Kurt Wallander steg in genom dörren. Hans kläder var dyblöta, stövlarna täckta av lera, men han kom som en budbärare om stora förändringar, eftersom Nyberg ringt till flygledartornet på Sturup och fått veta att det skulle klarna upp och vara fritt från nederbörd under de kommande fyrtioåtta timmarna. Han bytte kläder, tackade nej till Lindas omsorger och lagade själv till en omelett i köket.

Hon väntade på det rätta ögonblicket att börja tala om de två nackarna som inte stämde överens. Hon förstod inte varför hon väntade. Var det något av den gamla rädslan för faderns lynnighet som fanns kvar? Hon visste inte, hon bara väntade. Och sen, när han sköt undan tallriken och hon dunsade ner på stolen mitt emot honom för att börja tala, var det han som grep ordet.

– Jag har tänkt på det där med farsan, sa han oväntat.

– Tänkt vad då?

– Hur han var. Och hur han inte var. Jag tror du och jag kände honom på olika sätt. Som det måste vara. Jag gick och letade efter mig själv i honom, mest med oro för vad jag skulle hitta. Jag tycker också jag har blivit mer och mer lik honom ju äldre jag blir. Lever jag lika länge som han kommer jag kanske en dag att sätta mig i något otätt ruckel och börja måla tavlor med tjädertuppar och solnedgångar.

– Det händer aldrig.

– Du ska inte vara så säker. Men jag började tänka därute i den där nerblodade kojan. Jag tänkte på farsan och nånting som han berättade gång på gång, en oförrätt som drabbade honom när han var ung. Jag försökte säga åt honom att det inte var rimligt att gå och gnaga på en oförrätt som inträffat för en mansålder sen, en liten obetydlig händelse för mer än femti år sen. Men farsan vägrade att lyssna. Vet du vad jag talar om?

– Nej.

– Ett omkullvält glas som blev till en livslång anklagelse om livets orättvisor. Berättade han aldrig för dig om det?

– Nej.

Han hämtade ett glas vatten och tömde det, som för att ge sig kraft att berätta.

– Farsan var ju ung en gång, även om det var svårt att tro det. Ung och ogift och en vilde som ville se världen. Han föddes på Vikbolandet utanför Norrköping. Hans farsa slog honom ständigt, han var lagårdskarl hos en greve Sigenstam, och han hade nog religiösa grubblerier för det var synden han försökte slå ur farsan med en läderrem som han skurit loss ur en gammal hästsele. Min farmor som jag aldrig träffade tycks ha varit en förskrämd kvinna som aldrig gjorde annat än gömde ansiktet i händerna. Du har sett fotografiet av farfar och farmor som står inne på hyllan. Titta på henne. Det ser ut som om hon försöker försvinna ut ur fotografiet. Det är inte bilden som bleknar. Det är hon som försöker bleka bort sig själv. Farsan rymde hemifrån när han var fjorton och gick till sjöss, först på roslagsskutor och senare på allt större båtar. Och det var då, när han var tjugo år, som han gick iland en gång när dom låg i Bristol.

På den tiden söp han, det tvekade han inte att berätta. Farsan var en som *söp*, det var på nåt underligt sätt finare än att bara sitta och öla. Dom som söp hamnade i en annan sorts fylla. Dom raglade inte omkring på gatorna eller hamnade i slagsmål. Det var en sorts sjömansaristokrati som söp med vett och sans och måtta. Farsan lyckades aldrig förklara det där för mig. När han och jag satt och snapsade tyckte jag att han blev full som alla andra. Röd i ansiktet, sluddrig, halvilsken eller sentimental, eller oftast en oredig röra av allt på en och samma gång. Jag kan medge nu att jag saknar det, alla gånger vi satt i hans kök och söp till och han började vråla gamla italienska schlager som han älskade mer än allt annat. Har man hört farsan gasta fram ”Volare” har man hört nåt man aldrig glömmer, det kan jag lova dig. Om det finns en himmel så sitter han på ett moln och kastar äppelskrottar på Sankt Peterskyrkan och vrålar ”Volare”.

Farsan satt alltså på en pub i Bristols hamn och nån vid bardisken stötte till hans glas så att det välte. Och denne någon bad inte om ursäkt. Han bara såg på det omkullslagna glaset och erbjöd sig att betala för ett nytt. Det där kom farsan aldrig över. Han kunde tjata om det där glaset och den uteblivna ursäkten i dom mest oväntade ögonblick. En gång när han och jag var inne på Skattemyndigheten för att ordna nåt papper började han plötsligt berätta om glaset för tjänstemannen som naturligtvis undrade om farsan blivit galen. Han kunde bromsa upp en hel kö i en livsmedelsaffär om han fick för sig att den unga flickan i kassan behövde höra om den femti år gamla oförrätten. Det var som om det gick en skiljelinje genom hans liv vid glaset. Före den uteblivna ursäkten och efter. Det var som två helt olika tidsåldrar. Som om farsan hade mist sin tro på människors godhet när en okänd man välte hans glas och inte bad om ursäkt. Det var som om den där ursäkten som aldrig kom var en värre kränkning än alla dom gånger hans egen farsa slog honom blodig med hästremmen. Jag försökte ibland få honom att förklara, kanske inte för mig, mer för sig själv, varför det där omkullvälta glaset och den uteblivna ursäkten fick lov att bli den stora demonen i hans liv.

Han kunde berätta hur han vaknade kallsvettig om nätterna och hade stått där vid bardisken och inte fått nån ursäkt. Det var grundbulten i världen, den heliga skruven som höll ihop allting. På nåt sätt tror jag den där händelsen gjorde honom till den han blev. En man som satt i ett uthus och målade samma tavla, om och om igen. Han ville inte ha mer än nödvändigt att göra med en värld där folk inte bad om ursäkt för omkullvälta glas.

Till och med när vi gjorde vår resa till Italien så började han tjata om det. Vi hade en sagolik kväll på en restaurang nånstans i närheten av Villa Borghese. Underbar mat, gott vin, farsan lätt rörd och sentimental, vackra kvinnor vid dom andra borden, farsan struttade nog lite för dom, cigarr skulle han ha också, och mitt i alltihop mörknade han plötsligt och började berätta om hur mattan rycktes undan från hans fötter den där gången i Bristol. Jag försökte få honom att sluta, jag beställde in grappa, men han gav sig inte. Ett omkullvält glas och en utebliven ursäkt. Jag kom att tänka på det här ikväll, det är som om jag blivit bärare av farsans historia, som om han gett den till mig, en del av ett arv jag inte alls vill ha.

Han tystnade och fyllde vatten i sitt eget glas.

– Sån var farsan, sa han. För dig var han nog en annan.

– Alla är olika för alla, sa Linda.

Han sköt undan glaset och såg på henne. Ögonen var mindre trötta nu. Historien om det omkullvälta glaset hade gett honom förnyad energi. Egentligen handlar det om det, tänkte Linda. Oförrätter kan plåga. Men dom kan också ge kraft.

Hon berättade om nackarna som inte stämde överens. Han lyssnade uppmärksamt. När hon tystnat frågade han inte om hon var säker på det hon sett genom fönstret. Han uppfattade redan från början att hon var övertygad. Han sträckte sig efter telefonen och slog ett nummer ur minnet, först fel, sen rätt, och fick tag på Stefan Lindman. Linda hörde hur han kort refererade vad hon sagt. Och vad slutsatsen måste bli: att de skulle göra ett förnyat besök hos Henrietta Westin.

– Vi har inte tid med lögner, avslutade han samtalet. Varken lögner, halvsanningar eller undvikande minnesluckor.

Han la på luren och såg på henne.

– Det är egentligen inte rätt, sa han. Inte ens nödvändigt. Men jag ber dig följa med. Om du kan.

Linda blev glad.

– Jag kan.

– Hur är det med benet?

– Bra.

Hon såg att han inte trodde henne.

– Vet Henrietta varför jag var där mitt i natten? Det Stefan sa kan knappast ha gjort henne klokare.

– Vi vill bara veta vem som egentligen var där. Vi kan säga att vi har ett vittne som inte är du.

De gick ner på gatan och väntade. Flygledarna hade haft rätt. Vädret hade börjat slå om. Regnet hade ersatts av torrare vindar från söder.

– När kommer snön? frågade Linda.

Han såg roat på henne.

– Knappast i morron. Varför undrar du?

– Eftersom jag inte minns. Jag är ändå född här, jag har levt större delen av mitt liv i den här stan. Men jag minns nästan ingen snö.

– Den kommer när den kommer.

Stefan Lindman bromsade in sin bil. De steg in, hon i baksätet. Kurt Wallander hade besvär med att få på sig säkerhetsbältet som hängt upp sig i det trasiga stolsätet.

De åkte mot Malmö. Linda såg havet skimra till vänster. Jag vill inte dö här, tänkte hon. Det var en alldeles oväntad tanke, ett nedslag från ingenstans. Jag vill inte leva bara här. Inte bli som Zebran, en ensamstående morsa bland tusen andra morsor, där livet blir ett enda jäkla jagande för att få pengar att räcka och barnvakter att passa tiden. Jag vill inte ha det som farsan som aldrig hittar det där huset och den där hunden och den där frun han behöver.

– Vad sa du? frågade Kurt Wallander.

– Sa jag nånting?

– Du mumlade. Det lät som om du svor.

– Det märkte jag inte.

– Jag har en underlig dotter, sa han till Stefan Lindman. Hon svär utan att hon märker det.

De svängde in på vägen som ledde till Henriettas hus. Minnet av rävsaxen gjorde att smärtan i benet återkom. Hon frågade vad som skulle hända med mannen som satt ut fällorna.

– Han blev lite blek när han förstod att det var en polisaspirant som drabbats. Jag antar att han får kraftiga böter.

– Jag har en god vän i Östersund, sa Stefan Lindman. Han är kriminalare. Giuseppe Larsson.

– Var kommer han ifrån?

– Östersund. Men han hade nog en italiensk smörsångare som drömpappa.

– Vad menas med det? frågade Linda och lutade sig fram mellan de två framsätena. Hon kände en plötslig lust att röra vid Stefans ansikte.

– Hans morsa drömde att det inte var hans far som var hans far utan nån som uppträtt i Folkparken. Och han hade varit italienare. Det är inte bara karlar som har sina drömbrudar.

– Man kan undra om Mona hade samma tankar, sa Kurt Wallander. Men då hade det nog blivit en svart farsa eftersom hon gillade Hosh White.

– Inte Hosh, sa Stefan Lindman. Josh.

Linda funderade frånvarande på vad det skulle ha inneburit att ha en svart far.

– Giuseppe har en gammal björnsax på väggen, fortsatte Stefan Lindman. Den ser ut som ett ruggigt tortyrinstrument från medeltiden. Han sa att om en människa fastnar i den så går järnklorna rakt igenom. Björnar eller rävar som fastnar kan i desperation tugga av sina egna ben.

De stannade och steg ur. Vinden var byig. De gick upp mot huset där fönstren var upplysta. Linda haltade till ibland när hon satte ner vänster fot. När de kom in på gårdsplanen undrade alla tre nästan samtidigt varför hunden inte skällde. Stefan Lindman knackade på dörren. Ingen svarade, ingen hund reagerade. Kurt Wallander tittade in genom ett fönster. Stefan Lindman kände på dörren. Den var olåst.

– Vi kan ju alltid säga att vi tyckte oss höra nån säga ”kom in”, sa han försiktigt.

De öppnade och gick in. Linda blev stående i den trånga tamburen bakom de två breda ryggarna. Hon försökte stå på tå för att se nånting. Men då högg det genast till i benet.

– Nån här? ropade Kurt Wallander.

– Ingen här, svarade Stefan Lindman.

De gick in. Huset såg ut precis som när Linda var där. Notblad, papper, tidningar, kaffekoppar. Hundens matskålar. Bortom det första intrycket av slarv och oordning avtäckte sig ett hus där allt var inrättat efter Henrietta Westins bestämda behov.

– Olåst dörr, sa Stefan Lindman. Ingen hund. Alltså är hon ute på en kvällspromenad. Vi ger henne en kvart. Om vi ställer upp dörren förstår hon att nån är här.

– Hon kanske ringer till polisen, sa Linda. Om hon tror att vi är tjuvar.

– Tjuvar ställer inte upp dörren på glänt, svarade hennes far bestämt.

Han satte sig i rummets bekvämaste fåtölj, knäppte händerna över bröstet och blundade. Stefan Lindman ställde en stövel i dörrspringan. Linda stod och såg på ett fotoalbum som Henrietta hade lagt på pianot. Hon öppnade det och började bläddra. Hennes far pustade från sin stol, Stefan Lindman nynnade bortifrån dörren. Linda bläddrade. De första bilderna var från sjuttiotalet. Färger som börjat blekna, Anna satt på marken omgiven av pickande höns och en gäspande katt. Linda kom ihåg det Anna berättat. Minnen från kollektivet utanför Markaryd där hon och hennes föräldrar bodde hennes första levnadsår. På en annan bild stod Henrietta och höll sin dotter. Hon hade träskor, sladdriga byxor och en palestinaschal draperad runt halsen. Vem håller i kameran? undrade Linda. Förmodligen Erik Westin som snart ska försvinna spårlöst.

Stefan Lindman hade lämnat dörren och kommit fram till henne. Linda pekade och förklarade det hon visste. Kollektivet, gröna vågen, sandalmakaren som försvann.

– Det låter som en saga, sa han. Från Tusen och en natt. ”Sandalmakaren som försvann.”

De bläddrade vidare.

– Finns han på bild?

– Dom enda fotografier jag har sett av honom fanns hemma hos Anna. Nu är dom borta.

Stefan Lindman rynkade pannan.

– Hon tar med fotografier men lämnar sin dagbok. Stämmer det?

– Det stämmer. Men det stämmer inte alls.

De fortsatte att vända blad. Kollektivet med höns och gäspande katt var ersatta av en lägenhet i Ystad. Grå betong, en frusen lekplats. Anna är några år äldre.

– När den här bilden togs hade han varit borta i flera år, sa Linda. Den som håller i kameran har ställt sig nära Anna. På dom tidigare bilderna var avståndet större.

– Pappan tog dom första bilderna. Nu är det Henrietta som håller i kameran. Är det så du menar?

– Ja.

De fortsatte att gå igenom albumet. Ingenstans fanns någon bild på Annas far. En av de sista bilderna visade Anna på hennes studentdag. Zebran skymtade i utkanten av fotografiet. Linda hade också varit med. Men hon syntes inte på bilden.

Hon skulle just vända sida igen när ljuset började blinka och sedan slocknade. Huset blev svart. Hennes far vaknade med ett ryck i stolen.

Allt var mörkt. Utifrån hördes en hund som skällde. Linda tänkte att det också fanns människor därute i mörkret. Som inte kom fram och visade sig, inte sökte ljuset utan drog sig allt djupare in i skuggornas värld.

21

Det var i det djupaste mörkret han kände sig tryggast. Han hade aldrig förstått varför prästerna alltid talade om ljuset som ständigt omgav den stora nåden, evigheten, bilden av Gud. Varför kunde inte ett under ske i mörker? Var det inte svårare för Djävulen och hans demoner att finna dig i skuggornas värld än på ett upplyst fält där vita gestalter rörde sig långsamt som skummet på en havsvåg? För honom hade Gud alltid uppenbarat sig som ett stort och tryggt mörker. Så var det också nu när han stannade kvar i mörkret utanför huset med de upplysta fönstren. Han såg gestalter röra sig därinne. När allt sen slocknade och stängde den sista mörka dörren var det som om Gud hade givit honom ett tecken. I mörkret hade han ett kungadöme som var större än det som predikades som ljusets rike. Jag är hans tjänare i mörkret, tänkte han. Ur detta mörker kommer inget ljus, men de heliga skuggor jag sänder ut för att fylla människors tomrum. De saknar det de inte ser. Jag ska öppna deras ögon och lära dem att sanningen är bilder som gömmer sig i skuggornas värld. Han tänkte på det som stod i Johannes andra brev, att "många bedragare har gått ut i världen, sådana som inte vill erkänna att Jesus Kristus har kommit i mänsklig gestalt. Där har ni bedragaren, Antikrist." Det var hans allra heligaste nyckel till förståelsen.

Efter mötet med Jim Jones och de fruktansvärda händelserna i Guyanas djungler visste han vad en bedragare var. En falsk profet med välkammat svart hår, som log med jämna vita tänder och som alltid omgav sig med ljus. Jim Jones hade fruktat mörkret. Många gånger hade han förbannat sig själv för att han inte redan då hade genomskådat den falske profeten som skulle förleda dem, inte leda dem, ut till en djungel där de också alla skulle dö. Alla utom han som hade kommit undan. Det hade varit det första uppdrag Gud hade gett honom. Han skulle överleva för att berätta för världen om den falske profeten. Han skulle predika läran om mörkret, det som skulle bli inledningen till det femte evangeliet, det han skulle skriva för att fullborda den heliga skriften. Också om detta hade han läst i Johannes andra brev, själva sluthälsningen: ”Jag har mycket att säga er, men jag vill inte göra det med papper och bläck utan hoppas få komma till er och tala med er personligen, för att vår glädje skall bli fullkomlig.”

Gud var alltid nära honom i mörkret. I solljuset, under dagen, kunde han ibland förlora honom ur sikte. Men i mörkret var han alltid nära. Då kunde han känna Guds andedräkt mot sitt ansikte. Varje natt var den olika. Den kunde komma emot honom som en vind eller som en flåsande hund, men oftast var det bara en vag doft av någon okänd krydda. Gud var nära honom i mörkret, och hans minnen var också alltid starka och tydliga när där inte fanns något ljus som störde hans lugn.

Just den här natten började han tänka på alla de år som gått sen han senast varit här. Tjugofyra år, en stor del av hans liv. När han gav sig av hade han ännu varit ung. Nu hade ålderdomen redan börjat ta hans kropp i besittning. Det fanns små antydda tecken på åldrandets olika krämpor. Han skötte sin kropp, han valde noga vad han åt och drack, och han befann sig i ständig rörelse. Men åldrandet var på väg. Det som ingen kunde komma förbi. Gud låter oss åldras för att vi ska inse att vi helt och hållet är i hans händer. Han har gett oss detta märkliga liv. Men han har utformat det som en tragedi för att vi ska förstå att det bara är han som kan ge oss nåden.

Han stod där i mörkret och tänkte tillbaka. Fram till det han mötte Jim och följde honom till djungeln i Guyana hade allting varit som han drömt om. Även om han saknade dem han lämnat så hade Jim övertygat honom om att Gud hade sett hans uppdrag, att vara en av Jims följeslagare, som ett viktigare ändamål än att finnas nära sin hustru och sitt barn. Han hade lyssnat till Jim och det hade ibland gått veckor utan att han tänkt på dem. Det var först efter sammanbrottet, när alla låg döda och ruttnade på åkrarna, som de hade återvänt i hans medvetande. Men då hade det varit för sent, hans förvirring så stor, tomrummet efter den Gud som Jim berövat honom så fasansfull att han inte förmådde bära annan börda än sig själv.

Han mindes flykten från Caracas där han hämtade sina dokument och de pengar han lagt undan. Då hade det varit som en lång flykt som han hoppades skulle förvandlas till en pilgrimsfärd, en resa genom mörka eller solförbrända landskap, i olika bussar, med oändliga stopp långt ute i ödemarken när motorer eller hjul gått sönder. Han mindes vagt namnen på de platser han passerat, gränsstationer och flygplatser. Från Caracas hade han färdats med buss till Colombia, till staden Barranquilla. Han mindes den långa natten vid gränsstationen mellan Venezuela och Colombia, staden Puerto Päez med sina beväpnade män som vakade som hökar över alla som passerade gränsen. Just den natten när han lyckades övertyga de misstänksamma vakterna om att han verkligen var den John Lifton som det stod i de falska pappren, och dessutom inte hade några pengar alls, hade han sovit djupt och tungt, lutad mot en gammal indiankvinna som hållit en bur med två hönor i knät. De hade inte växlat några ord, bara blickar, och hon hade sett hans plåga och trötthet och lånat ut sin axel och sin rynkiga hals åt hans huvud. Den natten drömde han om dem han lämnat. Han vaknade alldeles genomsvettig. Den gamla indiankvinnan var vaken. Hon hade sett på honom och han hade sjunkit tillbaka mot hennes axel igen. När han vaknade på morgonen var hon borta. Han kände med fingrarna innanför strumpan. Det tjocka knippet med dollarsedlar fanns kvar. Det fanns en längtan inom honom efter den gamla kvinna som låtit honom sova. Han ville tillbaka till henne, luta sitt huvud mot hennes axel och hals resten av det liv han hade att leva.

Från Barranquilla flög han till Mexico City. Han valde den billigaste biljetten som innebar att han fick vänta på den smutsiga flygplatsen för att en restplats skulle dyka upp. På en toalett tvättade han av sig den ingrodda skiten. Han köpte en ny skjorta och en liten bibel. Det hade varit förvirrande att se så många människor gå förbi, all denna brådska, det liv han vant sig av med hos Jim. Han passerade tidningsstånden och såg att det som hänt utgjorde en världsnyhet. Alla var döda, kunde han läsa. Ingen troddes ha överlevt. Det betydde att också han var död. Han fanns men han hade upphört att vara en levande varelse eftersom han antogs ligga bland de jäsande kropparna där i Guyanas djungel.

Den femte dagens morgon fick han plats på ett flyg till Mexico City. Fortfarande hade han ingen plan. Han hade tretusen dollar kvar efter det att flygbiljetten var betald. Det kunde han klara sig på under ganska lång tid om han levde sparsamt. Men vart skulle han ta vägen? Var kunde han ta det första steget för att hitta tillbaka till Gud? Vart skulle han ta vägen för att Gud skulle hitta honom? Var skulle han kunna stiga ut ur det outhärdliga tomrum där han befann sig? Han visste inte. Han stannade i Mexico City, tog in på ett pensionat och ägnade dagarna åt att besöka olika kyrkor. Han undvek de stora katedralerna, där fanns inte den Gud han sökte, inte heller i de neonglittrande tabernakel som styrdes av de maktfullkomliga och giriga präster som sålde frälsning på avbetalning och ibland höll utförsäljning och billiga restdagar på Guds ord. Han sökte sig till de små väckelsehusen där kärleken och passionen fanns hos menigheten, där prästerna knappt gick att skilja från dem som lyssnade på deras ord. Det var den här vägen han måste gå, det hade han insett.

Jim hade varit den mystiske och högdragne ledaren, som levde långt från alla andra. Han hade varit bedragaren som gjort sig trovärdig i sin osynlighet. Han hade gömt sig i ljus, tänkte han. Nu vill jag hitta den

Gud som kan leda mig in i det heliga mörkret. Han vandrade runt bland de små väckelsehusen, deltog i bön och sång, men tomrummet han bar tycktes hela tiden vidgas mot en punkt där han en dag skulle sprängas sönder. Han vaknade varje morgon med en tilltagande känsla av att han måste ge sig av. Han hittade inga spår efter Gud i Mexico City. Det var som om han ännu inte hade funnit det rätta spåret att följa.

Samma dag lämnade han staden och sökte sig norrut. Han tog olika lokala bussar för att göra resan billig. Vissa sträckor färdades han på lastbilar. Vid Laredo passerade han gränsen till Texas. Han tog in på det billigaste motell han kunde finna och satt sedan i nästan en vecka på ett bibliotek och slog upp i tidningslägg allt som skrivits om den stora katastrofen. Till hans förvåning fanns där tidigare anhängare av Folkets Tempel som beskyllde FBI och CIA eller den amerikanska regeringen för att ha legat bakom det stora självmordet och hetsen mot Jim och hans anhängare. Han började svettas. Varför fanns de som ville skydda bedragaren? Var det för att de inte orkade se sin egen livslögn tas ifrån dem? Han tänkte under sina långa sömnlösa nätter att han borde skriva ner allt det som hänt. Han var det enda levande vittnet. Han borde berätta historien om Folkets Tempel, om hur Jim var en bedragare som till sist, när han insåg att han höll på att förlora sin makt, slet av sig kärleksmasken och visade fram sitt egentliga ansikte, dödens kranium med de tomma ögonhålorna. Han köpte ett skrivhäfte och började göra anteckningar. Samtidigt överfölls han också av en tvekan. Skulle han skriva den verkliga historien måste han tala om vem han var. Inte John Clifton, utan en man som en gång haft en helt annan nationalitet och annat namn. Ville han det? Fortfarande tvekade han.

Det var under de veckorna, när han passerat gränsen till Texas, som han på allvar övervägde att begå självmord. Om tomrummet inom honom inte kunde fyllas av en gud var han tvungen att fylla det med sitt eget blod. Själen var en behållare, ingenting annat. Han hade sett ut en plats där han från en banvall skulle kunna kasta sig ner på järnvägsrälsen. Han hade nästan bestämt sig när han gjorde ett sista besök på biblioteket för att se om det kommit in något nytt om massjälvmordet i Guyana.

I en av de mest lästa tidningarna där han befann sig, Houston Chronicle, upptäckte han en intervju med en kvinna som hette Sue-Mary Legrande. Det fanns ett foto på henne. Hon var i fyrtioårsåldern, hade mörkt hår och ett smalt, nästan spetsigt ansikte. Hon berättade om Jim Jones och påstod att hon kände hans hemlighet. Han läste intervjun och förstod att hon var en avlägsen andlig släkting till Jim. Hon hade ofta träffat honom under den tid då han påstod sig ha fått de uppenbarelser som sedan ledde till att han grundade sin kyrka Folkets Tempel.

Jag känner Jims hemligheter, sa Sue-Mary Legrande. Men vad innebar de? Det berättade hon inte. Han stirrade på fotografiet. Sue-Marys ögon tycktes vara riktade mot honom. Hon var frånskild, hade en vuxen son och ägde nu ett litet postorderföretag i Cleveland som sålde något som kallades "självförverkligandets manualer". Vagt tyckte han sig minnas från sin skoltid att Cleveland var en stad i Ohio som i mycket hade skapats när de stora amerikanska järnvägarna anlades. Inte bara för att staden, om han nu mindes rätt, var en järnvägsknut, utan också för att där fanns järnverk som tillverkat den räls som började sträckas över de amerikanska slätterna. Det fanns alltså både banvallar och räls i Cleveland. Där fanns också den kvinna som påstod sig känna Jim Jones hemlighet.

Han vek ihop tidningen och la den i sitt fack, nickade åt den vänliga bibliotekarien och gick ut på gatan. Det var en ovanligt mild dag för att vara i december, strax innan jul. Han ställde sig i skuggan av ett träd. Om Sue-Mary Legrande i Cleveland kan berätta för mig om Jim Jones hemlighet kommer jag att förstå varför jag lät mig bedras. Då kommer jag aldrig att drabbas av samma svaghet igen.

Han anlände till Cleveland på julaftonskvällen med tåg. Då hade han rest i över trettio timmar och han letade reda på ett billigt hotell i ett förfallet område i närheten av stationen. I en kinesisk speceriaffär som också serverade mat åt han sig mätt och återvände sen till hotellet. Det stod en grön plastgran och blinkade i receptionen. Från teveapparaten hörde han julsånger samtidigt som reklambilder flimrade förbi. Plötsligt kände han en våldsam vrede. Jim hade inte bara varit en bedragare som tömt hans själ på dess innehåll. I stället för Gud hade han av Jim fått ett stort hål i sitt inre. Men Jim hade också bedragit honom på andra delar av hans liv. Jim hade alltid sagt att den sanna tron innebar att man avstod. Men vilken gud hade nånsin förmanat människan att ta avstånd från sitt eget barn eller sin hustru? Det var för att återvända till dem han övergivit som han sökt en tro. Men Jim hade bedragit honom. Nu var han mer vilsen än någonsin tidigare.

Han la sig på sängen i sitt mörka hotellrum. Just nu är jag ingenting annat än en människa i detta hotellrum, tänkte han. Om jag dog nu, eller bara försvann, skulle ingen sakna mig. I min strumpa skulle finnas pengar att betala detta rum och min begravning. Om nu inte någon stal pengarna så att jag dumpades i en fattiggrav. Man skulle kanske upptäcka att det inte finns någon som heter John Lifton. Åtminstone inte en person som har min gestalt. Men kanske det bara läggs åt sidan, som ett papper man inte riktigt vet varför man sparar. Sen är det inte mer. Just nu är jag ingenting annat än en ensam människa på detta hotell vars namn jag inte ens har lagt på minnet.

På juldagen föll snö över Cleveland. Han åt varma nudlar, grönsaker och ris hos kinesen, och låg sen orörlig på sängen i sitt rum. Dagen därpå, den 26 december, hade snöfallet dragit bort. Det låg ett tunt snötäcke över gator och trottoarer, det var tre grader kallt och vindstilla. Vattnet på Eiresjön låg spegelblankt. Han hade i telefonkataloger och på kartor spårat Sue-Mary Legrande till en adress i Clevelands sydvästra utkanter. Han hade tänkt att det var Guds mening att han skulle träffa henne just denna dag. Han tvättade sig noga, rakade sig och klädde sig i kläder han köpt i en andrahandsaffär i Texas innan han rest norrut mot Ohio. Vad tänker en människa som öppnar sin dörr och ser mitt ansikte, frågade han sig framför spegelbilden. En människa som inte helt har gett upp, en människa som har gått igenom ett stort lidande. Han skakade på huvudet åt både sin tanke och spegelbild. Jag väcker ingen rädsla till liv, tänkte han. Möjligen kan jag väcka medlidande, knappast något annat.

Han lämnade rummet och tog en buss från stationen som följde Eiresjön. Sue-Mary Legrande bodde på 1024 Madison. Det tog honom en knapp halvtimme att komma fram. Hon bodde i ett stenhus som låg gömt bakom höga träd. Han tvekade innan han vågade sig in bakom träden och ringa på dörren. Sue-Mary Legrande såg precis ut som på fotografiet i Houston Chronicle. Hon var magrare än han hade föreställt sig. Hon såg avvaktande på honom, beredd att slå igen dörren.

– Jag överlevde, sa han. Alla dog inte där i Guyana. Jag överlevde. Jag har kommit eftersom jag undrar över Jim Jones hemlighet. Jag vill veta varför han bedrog oss.

Hon såg länge på honom innan hon svarade. Hon avslöjade ingen förvåning, inga känslor överhuvudtaget.

– Jag visste det, svarade hon till sist. Jag visste att någon skulle komma.

Hon öppnade dörren lite mer och steg åt sidan. Han följde med henne in och stannade i hennes hus i nästan tjugo år. Det var genom henne han lärde känna den Jim Jones han aldrig lyckats genomskåda. Sue-

Mary kunde med sin milda röst berätta om det som varit Jim Jones mörka hemlighet. Han var inte Guds budbärare, han hade tagit Guds plats. Sue-Mary menade att Jim Jones innerst inne hade förstått att hans högmod en dag skulle få allting att brista. Men han hade aldrig förmått ändra den kurs han slagit in på.

– Var Jim Jones galen? hade han frågat.

Men Sue-Mary hade varit bestämd: Jim Jones var minst av allt en galen människa. Han hade menat väl. Han ville skapa en kristen väckelse över världen. Det var bara hans högmod som hindrat honom, som förvandlat hans kärlek till hat. Men en galen människa hade Jim Jones aldrig varit. Därför måste också någon följa i hans spår, ta över hans väckelse. Det måste vara någon som förmådde undvika högmodet, men som samtidigt inte väjde för att visa hänsynslöshet när så behövdes. Den kristna väckelsen måste ske i blod.

Han stannade och hjälpte henne att driva postorderföretaget som hon kallade Guds nycklar. Hon ställde själv samman alla de egenartade manualer som människor kunde beställa för att få hjälp att förverkliga sig själva. Han insåg snart att hon förstod Jim Jones eftersom hon var en bedragare själv. Han studerade manualerna de sände ut, och allt var ett kaos av suggestiva antydningar om självständighetens vägar, kantade med citat, ofta oriktiga eller ändrade, från Bibeln. Men han stannade hos henne eftersom hon tog emot honom. Han behövde tid för att göra sig av med sitt tomrum. Han behövde tid för att planera det som skulle bli hans livsuppgift. Han skulle ta vid där Jim Jones hade misslyckats. Han skulle undvika högmodet men aldrig glömma att den kristna väckelsen skulle kräva offer och blod.

Tiden gick och de fasansfulla minnena från Guyanas djungel blev alltmer avlägsna, oskarpa. Mellan Sue-Mary och honom fanns en kärlek som han länge trodde var den nåd han sökt, det han kunde fylla sitt tomrum med. Gud fanns i Sue-Mary. Han hade kommit fram. Tanken på att skriva ner sin berättelse om tiden med Jim övergav honom aldrig helt. Någon borde skriva bedragarens och Antikrists berättelse. Men han sköt undan det.

Sue-Marys postorderföretag gick bra. De hade alltid mycket att göra. Särskilt efter det att hon skapat något hon kallade "smärtpunktspaketet" som hon sålde för 49 dollar exklusive frakt och som blev en fantastisk framgång. De började bli rika, lämnade huset på Madison och flyttade ut på landet, till ett stort hus i Middleburg Heights. Sue-Marys son Richard kom från sina studier i Minneapolis och bosatte sig i ett grannhus. Han var en enstöring, men alltid vänlig. Det var som om han gladdes åt att han själv inte behövde ta hand om sin mors ensamhet.

Slutet kom hastigt, oväntat. En dag åkte Sue-Mary in till Cleveland. Han antog att hon hade ärenden att uträtta. När hon kom tillbaka satte hon sig mitt emot honom vid hans skrivbord och sa att hon skulle dö. Hon uttalade orden med en egendomlig lätthet, som om det var en befrielse för henne att säga som det var.

– Jag har cancer och ska dö, sa hon. I min kropp sprider sig metastaser okontrollerat. Det finns inget hopp om räddning. Det kommer att ta ungefär tre månader.

Hon dog den åttisjunde dagen efter att hon kommit från doktorn och meddelat honom att hennes liv snart skulle vara slut. Det var en vårdag 1999. Eftersom de aldrig gift sig ärvde Richard hela hennes förmögenhet. De åkte ut till Eiresjön den kväll de hade begravt henne och tog en lång promenad. Richard ville att han skulle stanna, att de skulle dela på postorderföretaget och tillgångarna. Men han hade redan bestämt sig. Tomrummet hade bara temporärt lindrats under alla de år han levt tillsammans med Sue-Mary. Han hade ett uppdrag att utföra. Tankarna och den stora planen hade mognat. Det var som om han nu insåg att Gud i honom hade nedlagt en profetisk vision som det var hans uppgift att utföra. Han skulle lyfta svärdet mot den stora tomhet som omgav honom, tomheten efter en gud som blivit allt svårare att upptäcka. Men det sa han inte till Richard. Han ville bara ha en del pengar, så mycket Richard ansåg sig kunna avvara utan att riskera företagets existens. Sen skulle han ge sig av. Han hade ett uppdrag. Richard ställde inga frågor.

Han lämnade Cleveland den 19 maj 2001 och flög via New York till Köpenhamn. Sent på kvällen den 21 maj kom han till Helsingborg. Han stod alldeles stilla när han landstigit på svensk mark efter så många år. Det var som om de sista resterna av minnet av Jim Jones nu äntligen hade försvunnit.

22

Kurt Wallander höll just på att ringa till elbolaget när strömmen kom tillbaka. Bara några sekunder efter att ljuset återvänt ryckte de till. In genom dörren kom en hund och Henrietta Westin. Hunden som hade leriga tassar hoppade upp på Kurt Wallander och smutsade ner hans tröja. Henrietta röt åt hunden som genast la sig i sin korg. Henrietta slängde ilsket kopplet ifrån sig och såg på Linda.

– Jag vet inte vad som ger er rätt att gå in i mitt hus utan att jag är hemma. Jag tycker inte om människor som snokar.

– Om inte strömmen hade gått så hade vi gått ut igen, sa Kurt Wallander.

Linda märkte att han höll på att tappa humöret.

– Det var inte svar på min fråga, fortsatte hon. Varför ni överhuvudtaget går in här utan att jag öppnat dörren.

Linda anade faran av ett utbrott från faderns sida.

– Vi vill bara ta reda på var Anna är, sa hon.

Henrietta tycktes inte lyssna på vad Linda sa. Hon gick runt i rummet och såg sig noga omkring.

– Jag hoppas ni inte har rört nånting.

– Vi har inte rört nånting, sa Kurt Wallander. Vi har några saker som bör redas ut. Sen ska vi gå.

Henrietta tvärstannade och spände ögonen i honom.

– Vad är det som ska redas ut? Red ut. Jag lyssnar.

– Vi kanske kan sätta oss ner?

– Nej.

Nu exploderar han, tänkte Linda och blundade. Men hennes far behärskade sig, kanske för att han uppfattat hennes reaktion.

– Vi behöver komma i kontakt med Anna. Hon är inte i sin bostad. Vet du var hon är?

– Nej.

– Finns det nån som vet var hon är?

– Linda är en av hennes vänner. Har du frågat henne? Men hon kanske inte har tid att svara eftersom hon spionerar på mig?

Kurt Wallander blev rasande. Henrietta Westin har klättrat över hans osynliga gräns, tänkte Linda. Han röt till så att hunden satte sig upp i sin korg. Det där rytandet vet jag allt om, tänkte Linda. Det skär rakt igenom mitt liv. Gud vet om inte hans ilska är det första levande minne jag har i livet.

– Nu svarar du tydligt och klart på mina frågor. Om inte det går kommer vi att ta med dig in till Ystad. Vi behöver komma i kontakt med Anna eftersom hon kan ha upplysningar om Birgitta Medberg.

Han gjorde en kort paus innan han fortsatte.

– Dessutom vill vi försäkra oss om att ingenting har hänt.

– Vad skulle ha hänt? Anna studerar i Lund. Det vet Linda. Varför talar ni inte med nån av dom hon bor ihop med?

– Det ska vi göra också. Du kan inte föreställa dig att hon är nån annanstans?

– Nej.

– Då övergår vi till frågan om den man som besökte dig.

– Du menar Peter Stigström?

– Kan du beskriva hans frisyr för oss?

– Det har jag ju redan gjort.

– Vi kan naturligtvis besöka Peter Stigström. Men just nu föredrar vi att du svarar.

– Han har långt hår. Ner till axlarna. Färgen är mörkbrun. Ett och annat grått hårstrå. Duger det?

– Kan du beskriva hans nacke?

– Herregud! Har man hår till axlarna har man det i nacken också.

– Du är säker på din sak?

– Naturligtvis är jag det.

– Då tackar jag dig.

Han lämnade rummet och slog hårt i ytterdörren. Stefan Lindman skyndade efter. Linda blev förvirrad. Varför hade inte hennes far konfronterat Henrietta med det faktum att Linda sett en kortklippt nacke genom fönstret? När hon skulle gå ställde sig Henrietta i hennes väg.

– Jag vill inte att någon går in här när jag är ute. Jag vill inte känna att jag måste låsa dörren när jag luftar min hund. Förstår du?

– Jag förstår.

Henrietta vände ryggen mot henne.

– Hur är det med ditt ben?

– Bättre.

– Nån gång kan du kanske berätta för mig vad du gjorde därute i mörkret.

Linda lämnade huset. Nu var hon säker på varför Henrietta inte oroade sig för sin dotter. Trots att ett brutalt mord hade begåtts. Det kunde bara betyda att Henrietta mycket väl visste var Anna fanns.

Stefan Lindman och hennes far väntade vid bilen.

– Vad gör hon? frågade Stefan Lindman. Alla dom där notpappren. Skriver hon schlager?

– Hon gör musik som ingen vill spela, sa Kurt Wallander.

Han vände sig till Linda.

– Är det inte så?

– Kanske.

En mobil ringde. Alla kände på sina fickor. Det var Kurt Wallanders. Han lyssnade och såg på klockan.

– Jag kommer.

Han stoppade ner mobilen i fickan.

– Vi får åka ut till Rannesholm, sa han. Tydligen har det kommit uppgifter om att personer varit synliga i skogen dom senaste dygnen. Vi kör dig hem först.

Linda frågade varför han inte pressat Henrietta om Peter Stigströms hår.

– Jag väntar med det, svarade han. Ibland bör en fråga få mogna till sig.

Sedan talade de om Henriettas bristande oro för sin dotter.

– Det finns ingen annan förklaring, sa Kurt Wallander. Hon vet var Anna är. Varför hon ljuger kan vi undra över. Förr eller senare får vi nog svar. Om vi anstränger oss. Men det är knappast vår högsta prioritet just nu.

De närmade sig Ystad under tystnad. Linda hade lust att fråga om vad som hade hänt ute i Rannesholm. Men hon kände att hon borde låta bli. De stannade på Mariagatan.

– Stäng av motorn ett tag, sa hennes far och vände sig halvvägs om.

Jag upprepar vad jag nyss sa. Jag är övertygad om att ingenting har hänt Anna. Hennes mor vet var hon är, varför hon håller sig borta. Vi kan inte avsätta resurser till att hålla på med henne just nu. Men ingenting hindrar dig från att åka till Lund och tala med hennes vänner. Bara du inte uppträder som polis.

Hon steg ur och vinkade åt dem när de for. Just när hon öppnat ytterdörren blev hon stående. Det var nånting som Anna hade sagt. Kanske senaste gången de träffats. Hon letade efter tanken utan att finna den.

Linda steg upp tidigt nästa dag. Lägenheten var tom. Hennes far hade inte varit hemma under natten. Strax efter åtta gav hon sig iväg. Solen sken, det var vindstilla och varmt. Eftersom hon inte hade bråttom for hon längs kusten mot Trelleborg och svängde norrut mot Lund först när hon kom till Anderslöv. Hon lyssnade på nyhetssändningen i radion. Ingenting om Birgitta Medberg. Hon letade reda på en dansk kanal med discopop, skruvade upp volymen och ökade farten. Strax utanför Staffanstorp blev hon invinkad till vägkanten av en polisbil. Hon svor till, dämpade musiken och vevade ner fönstret.

– Tretton kilometer för fort, sa polismannen förtjust, som om han kommit bärande på en blombukett.

– Aldrig, svarade Linda. Inte mer än tio.

– Vi har dig på radarn. Om du bråkar så bråkar jag. Och jag vinner.

Han satte sig bredvid henne i framsätet och kontrollerade hennes körkort.

– Varför så bråttom?

– Jag är polisaspirant, svarade hon och ångrade sig genast.

Han såg på henne.

– Jag frågade inte efter vad du gjorde, sa han. Jag frågade varför du hade så bråttom. Men du behöver inte svara. Böter får du i alla fall.

Han avslutade sina anteckningar, steg ur bilen och vinkade iväg henne. Hon kände sig idiotisk, men ändå mer ilsken över att ha haft sån otur.

Hon letade reda på adressen i Lunds innerstad, parkerade bilen och gick och köpte en glass. Fortfarande var hon upprörd över att hon hade fått en fortkörningsbot. Hon satte sig på en bänk i solen och försökte slå bort tankarna. Nio dar kvar, tänkte hon. Kanske bättre att det hände nu, om det måste hända.

Mobilen i hennes ficka ringde. Det var fadern.

– Var är du?

– I Lund.

– Har du hittat henne?

– Jag kom just. Jag åkte dit på vägen hit.

– Vad menar du med det?

– Fortkörning.

Han skrockade belåtet.

– Hur kändes det?

– Vad tror du?

– Jag tror att du kände dig dum.

Hon vände irriterat samtalet åt ett annat håll.

– Varför ringer du?

– För att se om jag behövde väcka dig.

– Du behöver inte väcka mig, det vet du. Jag såg att du inte har varit hemma i natt.

– Jag sov en stund inne på slottet. Vi har lånat ett par rum där.

– Hur går det?

– Det hinner jag inte svara på nu. Hej då.

Hon stoppade tillbaka mobilen i fickan. Varför hade han ringt? Han kontrollerar mig, tänkte hon och reste sig från bänken.

Huset var ett tvåvånings trähus och omgavs av en liten trädgård. Grinden var rostig och höll på att ramla av sina fästen. Hon ringde på dörren. Ingen öppnade. Hon ringde igen och lyssnade. Hon hörde ingen ringsignal. Hon knackade hårt och länge. En skugga skymtade innanför glasrutan. Han som öppnade var i tjugoårsåldern. Hans ansikte var täckt med finnar. Han var klädd i jeans, undertröja och en stor brun badrock som hade hål. Linda märkte att han luktade svett.

– Jag söker Anna Westin, sa hon.

– Hon är inte här.

– Men hon bor i det här huset?

Han tog ett steg åt sidan och släppte in henne. Hon kände hans ögon i nacken när hon passerade.

– Hon har sitt rum bakom köket, sa han.

Linda sträckte motvilligt fram sin hand och presenterade sig. Hon rös när han tog emot hennes hälsning med ett slappt och svettigt handslag.

– Zacharias, sa han. Jag vet inte om hon har låst dörren.

Köket var ostädat. I diskhon låg smutsiga tallrikar, bestick och kastruller staplade. Hur kan hon bo i den här skiten, tänkte Linda. Hon kände på dörren. Den var olåst. Zacharias stod i dörren till köket och stirrade på henne. Hon kände sig illa till mods. Hans blick var lysten. Hon öppnade dörren. Zacharias tog ett steg in i köket. Han satte på sig ett par glasögon, som för att med blicken dra henne närmare intill sig.

– Hon tycker inte om när nån går in i hennes rum.

– Jag är en av hennes närmaste vänner. Hade hon inte velat att jag skulle gå in hade hon låst dörren.

– Hur ska jag kunna veta att du är hennes vän?

Linda kände en växande lust att knuffa ut den illaluktande unge mannen ur köket. Men hon samlade sig. Hon lät rummet vara.

– När såg du henne senast?

Han tog ett steg bakåt.

– Är det nån sorts förhör?

– Inte alls. Jag har bara försökt ringa henne. Jag får inte tag på henne.

Han fortsatte att stirra på henne.

– Vi kan sätta oss inne i vardagsrummet, sa han.

Hon följde efter honom. Vardagsrummet bestod av omaka och slitna möbler. På ena väggen hängde en sönderriven affisch med Che Guevaras ansikte, på en annan vägg en bonad som manade till ”frid och ro i eget bo”. Zacharias satte sig vid ett bord där det stod ett schackspel. Linda satte sig på andra sidan bordet, så långt från honom hon kunde.

– Vad pluggar du? frågade hon.

– Jag pluggar inte. Jag spelar schack.

– Kan man leva på det?

– Det vet jag inte. Jag bara vet att jag inte kan leva utan det.

– Jag vet inte ens hur man flyttar pjäserna.

– Om du vill kan jag visa dig?

Nej, tänkte Linda. Jag vill ut ur det här huset så fort jag kan.

– Hur många är ni som bor här?

– Det växlar. Just nu är vi fyra. Margareta Olsson som studerar ekonomi, jag som spelar schack, Peter Engbom som ska bli fysiker men just nu är fast i religionshistorien, och Anna.

– Som ska bli läkare, sa Linda.

Rörelsen var nästan omärklig, men hon hann ändå uppfatta den. Han hade blivit förvånad. Samtidigt kom hon på vad det var för tanke som oroat henne dagen innan.

– När såg du henne senast?

– Jag har dåligt minne. Det kan ha varit igår eller en vecka sen. Jag är just nu inne i en studie av Capablancas mest virtuosa slutspel. Ibland tror jag det vore möjligt att hitta en form att transkribera schackdrag som noter. I så fall är Capablancas partier som fugor eller stora mässor.

Ännu en galning som håller på med ospelbar musik, tänkte Linda.

– Det låter intressant, sa hon och reste sig. Är nån av dom andra hemma?

– Jag är ensam.

Hon återvände till köket. Han följde efter. Hon stannade och såg honom stint in i ögonen.

– Nu går jag in i Annas rum vad du än säger.

– Jag tror inte hon skulle tycka om det.

– Du kan ju försöka hindra mig.

Han stod orörlig i köksdörren och stirrade på henne när hon öppnade dörren. Annas rum var en gammal jungfrukammare, liten och trång. Där fanns en säng, ett litet skrivbord och en bokhylla. Linda satte sig på sängen och såg sig omkring. Zacharias dök upp i dörren. Linda fick plötsligt en känsla av att han skulle kasta sig över henne. Hon reste sig upp. Han tog ett steg bakåt men fortsatte att följa henne med blicken. Det var som att ha djur innanför kläderna, tänkte hon. Hon ville dra ut lådorna i skrivbordet. Men så länge han stod och stirrade kom hon sig inte för. Hon kunde lika gärna ge upp.

– När kommer nån av dom andra hem?

– Det vet jag inte.

Linda gick ut i köket och stängde dörren bakom sig. Han retirerade utan att släppa henne med blicken. Han log. Han öppnade munnen och visade en rad gula tänder. Linda började må illa. Hon kände att hon måste lämna huset så fort som möjligt.

– Jag visar dig gärna hur schackpjäserna går, sa han.

Hon öppnade ytterdörren och steg ut på trappan. Sen tog hon sats och gjorde ett utfall.

– Om jag vore du skulle jag ställa mig i en dusch, sa hon, vände sig om och gick mot grinden.

Hon hörde hur dörren slog igen bakom henne. Hela expeditionen hade misslyckats, tänkte hon ilsket. Det enda hon hade förmått var att för sig själv demonstrera sina svagheter. Hon sparkade upp grinden. Den slog emot brevlådan som satt på staketet. Hon vände sig om. Dörren var stängd, inget ansikte skymtade i något fönster. Hon öppnade brevlådan. Det låg två brev längst ner på bottnen. Hon tog upp dem. Det ena var till Margareta Olsson från en resebyrå i Göteborg. Det andra hade en handskriven adress. Det var till Anna. Linda tvekade men tog sen med sig brevet till bilen. Jag har läst hennes dagbok, tänkte hon. Nu öppnar jag hennes brev. Jag gör det för att jag är orolig, inte något annat. Det låg ett dubbelvikt papper inne i kuvertet. När hon vecklade upp det ryckte hon till. Mellan bladen låg en pressad och förtorkad spindel.

Texten var oavslutad, skriven för hand och saknade underskrift. *"Vi finns nu i det nya huset, i Lestarp, bakom kyrkan, första vägen till vänster, ett rött märke på en gammal ek, där bakom. Låt oss aldrig glömma att Satan har stor makt. Men vi ser en annan väldig ängel komma ner från himlen klädd i ett moln..."*

Linda la brevet på sätet. Tanken som hon letat efter hade dykt upp. Det kunde hon i alla fall tacka den stirrande schackspelaren för. Alla utom Anna presenterade han med uppgift om vad de gjorde. Men Anna var bara Anna. Och hon studerade medicin för att bli läkare. Men vad var det hon hade sagt i det samtal de haft när hon berättat om upptäckten av hennes far ute på gatan? Hon hade sett någon som fallit omkull, någon som behövde hjälp. Hon tålde inte olyckor och blod, så hade hon sagt. Och Linda tänkte att det var en märklig utgångspunkt för att bli läkare. Hon såg på brevet som låg på sätet. Vad betydde det? *En annan väldig ängel komma ner från himlen klädd i ett moln.*

Solljuset var skarpt; trots att det var i början av september var det en av sommarens varmaste dagar. Hon tog fram en Skånekarta ur handskfacket. Lestarp låg mellan Lund och Sjöbo. Linda fällde ner solskyddet. Det är för barnsligt, tänkte hon. Brev med en död och förtorkad spindel som faller ut som när man tömmer en lampkupa. Men Anna är borta. Den barnsliga föreställningen finns alldeles vid sidan av verkligheten. Verklighetens pepparkakshus. Med knäppta händer och ett avhugget huvud.

Det var som om Linda först nu insåg vad hon hade sett i den där kojan. Och Anna var inte längre en människa hon kunde se klart och tydligt framför sig. Kanske hon inte alls studerar till läkare, tänkte hon. Det är som om jag idag, denna sommarens varmaste dag, upptäcker att jag ingenting vet om Anna Westin. Hon blir som en egendomlig dimma. Eller kanske det är hon som är klädd i ett moln.

Hon fattade inget beslut. Hon bara for mot Lestarp. Den dagen gick temperaturen i Skåne upp till nästan 30 grader.

23

Linda parkerade utanför kyrkan i Lestarp.

Hon kunde se att kyrkan nyligen hade blivit restaurerad. Den nymålade porten glänste. Ovanför satt en tavla med svart botten och guldfärgad ram som berättade att kyrkan byggts år 1851 under Kung Oscar I:s regering. Linda hade ett vagt minne av att hennes farfar berättat om sin farfar som omkommit på havet just det året. Hon försökte minnas samtidigt som hon letade efter en toalett inne i vapenhuset. Hennes farfarsfarfar hade drunknat när ett segelfartyg slagit sönder rodret och drivit in mot Skagens redd under en hård nordvästlig storm. Alla hade omkommit, de döda kropparna hade återfunnits när stormen bedarrat några dagar senare. Hennes farfarsfarfar hade blivit begravd i en omärkt grav. Hon gick ner en trappa till kryptan. Hennes fotsteg ekade och kylan svalkade. Hon öppnade dörren till toaletten och inbillade sig plötsligt att Anna skulle stå där och vänta på henne. Men toaletten var tom. Hon mindes vad hennes farfar hade sagt. *Jag intresserar mig bara för de riktigt viktiga årtalen. Som när någon drunknar eller när någon, som du, föds.*

När hon var färdig tvättade hon händerna grundligt som för att göra sig av med de sista resterna av den obehaglige schackspelarens slappa handslag. Sen betraktade hon sitt ansikte i spegeln, strök till håret och gjorde en bedömning. Det dög. Munnen som vanligt för stram, näsan lite bucklig, men ögonen skarpa och tändernas jämnhet kunde väcka människors avund. Hon rös till vid tanken på att schackspelaren skulle ha försökt kyssa henne och skyndade sig uppför trappan igen. En äldre man kom bärande på en låda med stearinljus. Hon höll upp dörren för honom och följde med in i kyrkorummet. Mannen ställde ner ljuslådan på ett bord och tog sig åt ryggen.

– Gud kunde bevara en trogen tjänare för värk, sa han.

Han talade med låg röst. Linda förstod varför. De var inte ensamma i kyrkan. I en bänk satt en ensam person. Linda tyckte sig se en hukande man. Men hon hade fel.

– Gudrun sörjer sina barn, sa han med viskande röst. Hon kommer varje dag, året om. Vi har fått besluta extra i kyrkorådet om att ha öppet här så hon kan komma in. Jag tror hon har gått här i nitton år nu.

– Vad var det som hände?

– Hon hade två pojkar som blev överkörda av tåget. Det var en gräslig tragedi. En av ambulansmännen som kom och samlade ihop resterna miste förståndet efteråt. Jag hörde om det. Dom var på en utryckning. Plötsligt bad han den som körde att stanna. Han gick ur bilen, rakt ut i skogen och försvann. Dom hittade hans kropp först tre år senare. Gudrun kommer att gå här tills hon dör. Jag tänker att hon nog dör där hon sitter i bänken.

Han lyfte upp lådan med stearinljus och försvann längs mittgången mot altaret. Linda gick ut i solen. Överallt finns döden, tänkte hon. Den lockar på mig och försöker lura mig. Jag tycker inte om kyrkor, jag orkar inte heller med gråtande kvinnor som sitter ensamma i kyrkor. Hur kan det gå ihop med att jag väljer att bli polis? Lika lite som att Anna inte tål att se blod eller människor som faller omkull på gatan? Kanske man blir läkare av samma skäl som man blir polis? För att se om man duger.

Duger till vad, tänkte hon och gick in på kyrkogården. Att vandra mellan gravstenar var som att passera bland hyllorna i ett bibliotek. Varje sten var som pärmen eller omslaget till en bok. Här låg Hemmansägaren Johan Ludde begravd sen nittiosju år, tillsammans med sin hustru Linnea. Men Linnea var bara fyrtioett år när hon dog och Johan Ludde var sjuttiosex. Det fanns en historia gömd i denna vanskötta grav där de bruna resterna av en blombukett låg intill stenfoten. Hon bläddrade bland boktitlarna och omslagen. Föreställde sig en egen sten, sin fars sten, alla sina vänners stenar. Men inte Birgitta Medbergs, det gick inte.

En sten låg i gräset, nästan övervuxen. Linda satte sig på huk och torkade bort mossa och jord från stenen. Sofia 1854–1869. Femton år hade hon blivit. Hade hon också stått och balanserat på ett broräcke men inte haft någon som hjälpt henne ner?

Linda fortsatte att gå runt på kyrkogården. Hon tänkte på skogsdungen hennes far hade visat henne, där stenarna var ersatta av träd. Hur såg hennes kyrkogård ut? Hon föreställde sig att det var som det landskap som hon sett under en utflykt i Stockholms skärgård. Den yttersta skärgården, bortanför Möja, där kobbar, grynnor och skär hukade alldeles ovanför vattenytan. En arkipelag. Varje sten, varje grynna som hennes fars träd. En sten, en kobbe, en död. Farleden och de blinkande fyrarna visar vägen.

Hon tvärvände och nästan sprang ut från kyrkogården. Hon skulle undvika döden, ropade man så kom han. Kyrkporten gick upp. Men det var inte döden som kom utan vaktmästaren som nu hade satt på sig jacka och keps.

– Vem är Sofia? frågade Linda.

– Vi har fyra döda med namnet Sofia. Två som blev urgamla, en trettiåring som dog i barnsäng och en femtonåring.

– Jag tänker på den yngsta.

– Jag har vetat en gång men nästan glömt. Jag tror hon dog av lungsot. Föräldrarna fattiga, pappan var lytt, tror jag. Dom var fattighjon. Men stenen betalades av en av handlarna som fanns här i Lestarp då. Det gick rykten förstås.

– Vad för rykten?

– Att han skulle gjort flickan med barn. Och ville döva samvetet genom att ge henne en sten. Men det går inte att svara på.

Linda följde honom bort mot hans bil.

– Kan du alla namn på dom döda? Alla historier?

– Nej. Men många. Sen ska du inte glömma att gravarna grävs om. Under dom nyligen döda ligger andra, dom gamla döda. Även bland dom döda finns olika generationer, olika våningar i dom dödas trädgård. Men rösterna viskar.

– Hur då?

– Jag tror inte på spöken. Men nog kan jag höra hur det viskar bland stenarna. Jag tycker att man ska välja vilka som ligger vid ens sida. För man ska ju vara död länge, om man säger. Vem vill ha en snattrande kärring vid sin sida? Eller en gubbe som heller aldrig kan hålla tyst eller berätta en historia på ett bra sätt. Man hör på rösterna hur dom viskar.

Nog är det så, kan man tro, att en del av dom döda har roligare än dom andra.

Han låste upp bildörren och skuggade med handen mot solen när han såg på henne.

– Vem är du?

– Jag letar efter en god vän.

– Det är en bra sak. Att leta efter en god vän när solen skiner och det är en vacker dag. Jag hoppas att du hittar henne.

Han log.

– Men som sagt, spöken tror jag inte på.

Linda såg efter honom när han körde iväg.

Jag tror på spöken, tänkte hon. Men just det att jag tror på dom gör att jag vet att dom inte finns.

Hon lät bilen stå och följde vägen som ledde till baksidan av kyrkan och kyrkogården. Nästan genast upptäckte hon trädet med det röda märket. Hon vek av längs en väg som ledde nerför en sluttning. Huset var gammalt och medfaret. En vinkellänga var av rödmålat trä, resten av huset vitkalkad sten. Taket var lagat med skifferskivor i olika färger. Linda stannade och såg sig omkring. Det var alldeles tyst. En rostig traktor stod halvt övervuxen vid sidan av några äppelträd. Ytterdörren öppnades. En kvinna i vita kläder kom ut och gick rakt emot Linda. Hade hon blivit upptäckt? Hon förstod inte hur. Hon hade inte mött någon, och nu stod hon dold mellan träden. Men kvinnan gick rakt emot henne. Hon log. Hon var i Lindas egen ålder.

– Jag såg att du behövde hjälp, sa kvinnan när hon stannat. Hon talade en blandning av danska och engelska.

– Jag söker en god vän, sa Linda. Anna Westin.

Kvinnan log.

– Vi har inga namn här. Följ med mig in. Kanske hittar du din vän där.

Hennes milda röst gjorde att Linda kände sig osäker. Hon fick en känsla av att hon höll på att gå i en fälla, men följde med. Kvinnan öppnade dörren. De steg in i ett svalkande dunkel. Alla innerväggar var borta, rummet vitkalkat, kalt, på golvet breda plankor, inga mattor. Heller inga möbler, men vid ena kortväggen, mellan två bågade fönster med tjocka järnbeslag, hängde ett kors i svart trä. Längs väggarna, direkt på golvet, satt människor. Det tog tid för Linda att vänja ögonen. Det var en av de få fysiska svagheter hon upptäckt hos sig själv under tiden på Polishögskolan. Hennes ögon behövde lång omställning från mörker till ljus. Hon hade talat med en läkare om det och fått sina ögon undersökta. Men det fanns inga fel, hon hade bara ovanligt långa start- och landningssträckor när hon gick från ljus till mörker eller tvärtom.

Människorna som satt längs väggarna, oftast med armarna runt knäna, var i växlande åldrar. Det fanns inget som på ytan förenade dem, annat än att de befann sig i samma rum och satt fullkomligt tysta. De var olika klädda. En man i kortklippt hår hade mörk kostym och slips, vid hans sida fanns en äldre kvinna som var enkelt klädd. Linda vandrade med blicken runt rummet. Anna fanns inte där. Kvinnan som kommit ut och mött henne såg frågande på henne. Linda skakade på huvudet.

– Det finns ett rum till, sa kvinnan.

Linda följde efter henne. Träväggarna var vitmålade, fönstren raka utan järnbeslag. Även här satt människor längs väggarna. Linda sökte igenom rummet med ögonen. Ingen Anna. Men vad var det egentligen som pågick i huset? Vad stod det i brevet som hon tjuvläst? *En ängel klädd i ett moln*?

Vad är det som händer här? tänkte hon.

Samtidigt undrade hon fortfarande hur det kom sig att hon hade blivit upptäckt. Fanns det vaktposter bland träden runt huset?

– Låt oss gå ut, sa kvinnan som följde henne.

De gick ut på gården, runt huset, till en grupp stenmöbler som stod i skuggan av en bok. Linda hade blivit nyfiken på allvar. På något sätt hade dessa människor med Anna att göra. Hon bestämde sig för att säga som det var.

– Jag letar efter en Anna Westin. Hon har försvunnit. I hennes brevlåda hittade jag ett brev som ledde hit. Nu förstår jag att ingen här har några namn. Men för mig är hon Anna Westin.

– Kan du tala om hur hon ser ut?

Jag tycker inte om det här, tänkte Linda. Hennes leende, det här lugnet. Det är konstlat. Och det kryper i mig av obehag. Som när jag tog den där schackspelaren i hand.

Linda beskrev Annas utseende. Kvinnan fortsatte att le.

– Jag tror inte att jag har sett henne, sa kvinnan. Har du brevet med dig?

– Jag lämnade det i bilen.

– Och var finns bilen?

– Jag parkerade den bakom kyrkan. En röd Golf. Brevet ligger på sätet. Bilen är olåst. Dumt nog.

Det blev tyst. Linda kände ett växande obehag.

– Vad gör ni här? frågade hon.

– Det måste din väninna ha berättat. Alla som är med här ska föra med sig andra till vårt tempel.

– Är det här ett tempel?

– Vad skulle det annars vara?

Nej, tänkte Linda ironiskt. Vad skulle det annars vara? Naturligtvis är det här ett tempel och inte en nerlagd gammal Skånegård där torpare och småbönder en gång gick omkring och släpade för sin utkomst.

– Vad heter ni då?

– Vi använder inga namn. Vår gemenskap kommer inifrån, genom den luft vi delar och andas in.

– Det låter märkligt.

– Det självklara är alltid det mest gåtfulla. En spricka i en klanglåda förändrar akustiken. Om botten alldeles faller ur upphör musiken att finnas till. Samma är det med människor. Man kan inte leva utan att det existerar en högre mening.

Linda förstod inte de svar hon fick på frågorna. Hon tyckte inte om att inte förstå. Därför frågade hon inget mer.

– Jag tror jag ska gå, sa hon och reste sig.

Hon gick snabbt därifrån utan att vända sig om och stannade inte förrän hon kommit tillbaka till bilen. Men i stället för att köra därifrån blev hon sittande. Solen sken ner genom lövverket och bländade henne. Hon skulle just starta bilen när hon såg en man komma gående över grusplanen.

Hon uppfattade först bara hans konturer. Men när han kom in i skuggan från de höga träden vid kyrkogårdsmuren var det som om hon drog ett andetag med iskall luft. Hon kände igen hans nacke. Men inte bara den. Under det korta ögonblick hon kunde se honom innan han försvann i solljuset igen fanns Annas röst hela tiden inom henne. En röst som var tydlig och klar och som berättade om en man hon hade sett genom ett hotellfönster i Malmö. Jag sitter vid ett annat fönster, tänkte Linda. Ett fönster i en bil. Och jag får plötsligt för mig att den man jag just sett är Annas far. Det är en orimlig tanke. Men ändå tänker jag den.

24

Mannen försvann i soldiset. Vad berättade egentligen en nacke? tänkte Linda. Hon undrade varför hon för ett ögonblick varit så övertygad om något hon inte hade förutsättningar att veta. Man känner inte igen en människa man aldrig har sett. Vad är det för hjälp med Annas fotografier och den bild hon gav av honom när hon tyckte sig se honom på gatan utanför hotellet i Malmö?

Hon skakade av sig tanken och kastade en blick i backspegeln. Planen framför kyrkan var tom. Hon väntade en minut utan att veta på vad. Sen for hon tillbaka till Lund. Det hade blivit eftermiddag. Solen var fortfarande stark, värmen stod stilla. Hon parkerade utanför det hus hon tidigare besökt, rustade sig för ett nytt möte med schackspelaren och gick in genom grinden. Men när dörren öppnades var det en flicka som stod där. Hon var några år yngre än Linda, hade illrött hår med blå slingor och en kedja som gick från ena näsborren till kinden. Hon var klädd i svarta kläder som verkade vara en kombination av plast och läder. På ena foten hade hon en svart sko, på den andra en vit.

– Vi har inga rum lediga, sa flickan irriterat. Om det sitter anslag på Akademiska Föreningen är det fel. Vem har påstått att vi har rum?

– Ingen. Jag letar efter Anna Westin. Jag är en god vän till henne, jag heter Linda.

– Jag tror inte hon är inne. Men du kan se efter själv.

Hon steg åt sidan och släppte in Linda som kastade en blick mot vardagsrummet. Schackspelet var kvar. Men inte spelaren.

– Jag var här för några timmar sen, sa Linda. Men då pratade jag med han som spelar schack.

– Du pratar väl med vem du vill, svarade hon avvisande.

– Är det du som heter Margareta Olsson?

– Det är mitt artistnamn.

Linda blev ställd. Margareta såg roat på henne.

– Egentligen heter jag Johanna von Lööf. Men jag föredrar ett vanligt namn. Alltså har jag döpt om mig till Margareta Olsson. I det här landet finns bara en Johanna von Lööf. Men rätt många tusen Margareta Olsson. Jag menar, vem vill vara ensam?

– Nej, vem vill det? Minns jag rätt att du studerar juridik?

– Fel. Ekonomi.

Margareta pekade mot köket.

– Ska du inte se efter om hon är här?

– Du vet att hon inte är här, eller hur?

– Det är klart jag vet. Men jag hindrar ingen från att kontrollera verkligheten med sina egna ögon.

– Har du tid ett tag?

– Jag har väl all tid i världen? Har inte du?

De satte sig i köket. Margareta drack te. Men hon gjorde sig inget besvär med att fråga om Linda också ville ha.

– Ekonomi. Det låter svårt.

– Det är svårt. Livet ska vara svårt. Men jag har en plan. Vill du höra?

– Gärna.

– Om det låter som att jag skryter, som om jag är stöddig, så är det alldeles rätt. Ingen tror att en tjej med kedjor i näsan kan ha sinne för affärer. Redan där har jag lurat rätt många. Men min plan ser ut så här: Jag studerar ekonomi i fem år. Sen praktiserar jag på några utländska banker och mäklarfirmor. Två år, inte mer. Då har jag naturligtvis tagit bort kedjorna. Men jag har bara lagt dom åt sidan. När jag börjar för mig själv sätter jag på dom igen. Kanske jag firar dom slutförda studierna med att jag borrar upp några nya hål i min kropp? Jag räknar med att det här tar sju år. Under den tiden ska jag ha byggt upp ett eget kapital på ett par miljoner.

– Är Johanna von Lööf rik?

– Hennes farsa spekulerade bort ett sågverk vid Norrlandskusten samma år Johanna föddes. Sen var det mest skit med allting. Inga pengar, trerummare i Trelleborg, farsan nån sorts hamnuppsyningsman. Men jag har mina aktier. Jag känner marknaden, går in och ut och lägger undan vinsterna. Det räcker med att sitta och lyssna på teverutan, textteve, börsens rörelser, så vet man när dom olika lägena uppstår.

– Jag trodde man *såg* på en teve?

– Man måste titta på samma sätt som man *lyssnar*. Annars hittar man inte dom slaglägen man söker. Jag är en svartklädd och fräck gädda som lurar bakom en vassrugge och som slår hårt när bytet dyker upp. Det ska ta mig sju plus tre, tio år, att lägga upp en förmögenhet. Då har studierna lönat sig. Jag är trettitvå när jag lägger av. Sen tänker jag inte arbeta mer i mitt liv.

– Vad ska du göra då?

– Flytta till Skottland och se på soluppgångar och solnedgångar.

Linda var osäker på om Margareta drev med henne. Hon tycktes läsa hennes tanke.

– Du tror mig inte? Det är ditt val. Vi kan träffas här om tio år så får vi se om jag hade rätt eller inte.

– Jag tror dig.

Margareta skakade irriterat på huvudet.

– Nej, det gör du inte. Vad var det du ville veta?

– Jag letar efter Anna. Hon är min väninna. Jag undrar om nånting har hänt henne. Hon hör inte av sig som hon ska.

– Vad vill du att jag ska göra åt det?

– När såg du henne sist? Känner du henne?

Svaret som kom var fränt och mycket bestämt.

– Jag tycker inte om henne. Jag försöker tala så lite som möjligt med henne.

Linda hade aldrig hört det tidigare, någon som inte tyckte om Anna. Minnena for genom hennes huvud: hon hade ofta hamnat i bråk med skolkamrater, men det hade aldrig hänt Anna.

– Varför?

– Jag tycker hon är dryg. Eftersom jag också är det brukar jag kunna ha överseende med andra som beter sig lika illa som jag. Men inte hon. Hon är dryg på ett sätt jag inte kan med.

Hon reste sig och diskade ur sin kopp.

– Men du kanske inte tycker om att höra nån tala illa om din väninna?

– Var och en har ju rätt till sin åsikt.

Margareta satte sig vid bordet igen.

– Det är en sak till, sa hon. Eller två. Det ena är att hon är snål, det andra att hon inte talar sanning. Det går inte att lita på henne. Inte på vad hon säger eller att hon ska låta bli min mjölk eller nån annans äpplen.

– Det där låter inte som Anna.

– Det kanske är en annan Anna som bor här. Jag tycker inte om henne. Hon tycker inte om mig. Det jämnar ut sig. Vi hittar våra vanor. Jag äter inte när hon äter, och det finns två badrum så vi behöver aldrig krocka.

Det ringde i Margaretas mobil. Hon svarade och lämnade köket. Linda försökte reda ut vad hon fått höra. Mer och mer insåg hon att den Anna hon nu hade återupptagit kontakten med inte alls var den Anna hon växt upp med. Även om Margareta eller Johanna gav ett egendomligt motsägelsefullt intryck, förstod Linda att det hon sagt om Anna stämde. Jag har inget mer att göra här, tänkte hon. Anna håller sig borta. Det finns en förklaring på samma sätt som det finns en förklaring till att hon och Birgitta Medberg hade kontakt med varandra.

Linda reste sig för att gå. Margareta kom tillbaka.

– Är du arg?

– Varför skulle jag vara arg?

– För att jag talar illa om en av dina vänner?

– Jag är inte arg.

– Då kanske du tål att höra värre saker?

De satte sig vid bordet igen. Linda märkte att hon var spänd.

– Vet du vad hon studerar? frågade Margareta.

– Hon ska bli läkare.

– Det trodde jag också. Det trodde vi alla. Men sen hörde jag av nån att hon hade blivit avstängd från medicinarutbildningen. Det gick rykten om fusk. Om det stämmer vet jag inte. Kanske hon slutade av andra skäl. Men hon sa ingenting om det som hänt. Hon låtsades att hon studerade medicin. Men det gör hon alltså inte. Hon håller på med helt andra saker.

– Vad?

Margareta tänkte efter innan hon fortsatte.

– Hon gör det som jag kan tycka är den goda sidan hos henne. Den enda goda sidan.

– Vad är det?

– Hon ber.

– Ber?

– Du har kanske hört det ordet förut? sa Margareta. ”Ber”. Det man gör i kyrkor.

Linda miste plötsligt tålamodet.

– Vad tror du att du är? Det är klart jag vet vad det innebär att be? Anna ber, säger du. Men var? Hur? När? Varför?

Margareta tycktes inte bry sig om att hon blev arg. Linda undrade med ett stänk av avund över denna självkontroll som hon själv inte alls var i besittning av.

– Jag tror att hon är uppriktig. Hon söker nånting, det är ingen lögn eller ett sätt att göra sig till. Jag kan förstå henne. Jag har inga svårigheter att tänka mig att det finns människor som söker en inre rikedom på samma sätt som jag söker en yttre.

– Hur vet du allt det här om du inte talar med henne?

Margareta lutade sig mot henne över bordet.

– Jag snokar. Jag tjuvlyssnar. Jag är den där människan som står bakom alla draperier och hör och ser allt som sker i hemlighet. Det värsta är att jag inte skämtar. Det har med min syn på den ekonomiska verkligheten att göra. Där om någonstans, i marknadsekonomins stora katedral, måste man veta vilka pelare man ska gömma sig bakom för att kunna stjäla sig till dom bästa informationerna.

– Hon har alltså nån här som är hennes förtrogna?

– Konstigt ord, "förtrogna". Vad menas med det? Jag har ingen förtrogen, Anna Westin har det inte heller. Om jag ska fortsätta att vara ärlig upplever jag henne som osedvanligt korkad. Jag tänkte, gud bevare mig för att bli diagnostiserad och behandlad av en sån läkare. Det var när jag fortfarande trodde att hon studerade medicin. Anna Westin pratar högt och vitt och brett. Vi tycker nog alla att hennes samtal är som naiva och verkningslösa predikningar här i köket. Hon moraliserar. Det orkar ingen av oss med. Möjligen vår käre schackspelare. Han har nog en fåfäng dröm om att få henne med sig i sin säng.

– Kommer han att lyckas?

– Knappast.

– Vad menar du med att hon moraliserar?

– Hon talar om våra fattiga liv. Att vi inte bekymrar oss om våra inre världar. Jag vet inte riktigt vad hon tror på. Kristen är hon. Jag försökte en gång diskutera islam med henne. Men då blev hon ursinnig. Hon är kristen, konservativt kristen tror jag. Djupare än så har jag inte kommit. Men det finns nånting hos henne, en kärna av nåt som är äkta, när hon beskriver sina religiösa tankar. Ibland kan man höra henne be därinne bakom sin dörr. Det låter sant, ärligt. Då ljuger hon inte, stjäl inte. Hon är den hon är. Mer vet jag inte.

Samtalet tog slut. Margareta såg på henne.

– Har det hänt nåt?

Linda skakade på huvudet.

– Jag vet inte. Kanske.

– Du är orolig?

– Ja.

Margareta reste sig.

– Anna Westin har en gud som beskyddar henne. Åtminstone säger hon det, hon skryter om det. En gud och ett jordiskt skyddshelgon hon kallar Gabriel. Var det inte en ängel? Jag minns allt det där så dåligt. Men med så många överjordiska livvakter måste hon väl klara sig bra.

Margareta hade rest sig och räckte fram handen.

– Nu måste jag gå. Är du student?

– Jag är polis. Jag ska bli polis.

Margareta betraktade henne granskande.

– Det blir du säkert. Så många frågor som du har.

Linda insåg att hon hade ännu en fråga.

– Känner du nån som heter Mirre?

– Nej.

– Vet du om Anna känner nån? Hon finns på Annas telefonsvarare.

– Jag kan fråga dom andra.

Linda gav henne sitt telefonnummer och lämnade huset. Fortfarande kunde hon känna en oklar avund inför Margareta Olssons sätt att bete sig, hennes självsäkerhet. Vad var det hon hade som Linda själv saknade? Hon visste inte.

Hon for hem, parkerade bilen, handlade och märkte att hon var trött. Redan vid tiotiden hade hon somnat.

På måndagsmorgonen vaknade Linda av att ytterdörren slog igen. Hon satte sig yrvaket upp i sängen. Klockan var sex. Hon la sig ner igen och försökte somna om. Regndroppar trummade mot fönsterblecket. Det var ett ljud hon kunde minnas från barndomen. Regndropparna, Monas hasande tofflor och hennes pappas bestämda kliv. En gång hade det varit hennes största trygghet att lyssna på sina föräldrar utanför sovrumsdörren. Hon skakade av sig minnesbilderna och steg upp. Gardinen for upp med en smäll. Strilande grått regn därute. På termometern i köksfönstret kunde hon se att det var plus tolv grader. Vädret hade slagit om igen. Hennes far hade glömt att stänga av en platta på spisen. Kaffekoppen var bara tömd till hälften. Han är orolig och han har bråttom, tänkte hon.

Hon drog till sig tidningen och bläddrade sig fram till rapporteringen om händelserna i Rannesholmsskogen. Det fanns en kort intervju med hennes far. Det var tidigt, de visste inte, de saknade spår, men kanske hade de trots allt några spår, de kunde inte säga mer på nuvarande tidpunkt. Hon la undan tidningen och började tänka på Anna. Om Margareta Olsson hade haft rätt, vilket det inte fanns några skäl att betvivla, hade Anna under de år som gått sen de senast haft kontakt förvandlats till en helt annan personlighet. Men varför höll hon sig borta? Varför påstod hon att hon sett sin far? Varför talade Henrietta inte sanning? Och den man som gått över planen framför kyrkan i det starka solljuset; varför trodde hon att det var Annas far?

Det fanns också en annan avgörande fråga. På vilket sätt fanns det ett samband mellan Birgitta Medberg och Anna?

Linda hade svårt att hålla isär tankarna. Hon värmde kaffet och skrev ner vad hon nyss tänkt på ett anteckningsblock. Hon knölade ihop pappret och slängde det i papperskorgen. Jag måste tala med Zebran, tänkte hon. Till henne ska jag säga precis som jag tänker. Zebran är klok. Hon tappar aldrig fotfästet. Hon kommer att tala om för mig vad jag ska göra. Hon duschade, klädde sig och ringde till Zebran. Telefonsvararen bad henne lämna ett meddelande. Hon ringde hennes mobil. Den saknade förbindelse. Eftersom det regnade kunde Zebran knappast ha tagit nån promenad med pojken. Kanske hon var på besök hos sin kusin.

Linda kände sig otålig och irriterad. Hon funderade på att ringa till sin far, kanske rentav till sin mor, för att få någon att prata med. Hon kom fram till att hon inte ville störa sin far. Med Mona kunde ett samtal bli hur långt som helst. Det ville hon inte. Hon drog på sig stövlarna, tog regnjackan och gick ner till bilen. Hon började vänja sig vid att ha tillgång till en bil. Det var farligt. När Anna kom tillbaka skulle hon få gå igen när hon inte kunde låna sin fars bil. Hon körde ut ur staden och stannade för att tanka. En man som stod vid en pump intill nickade åt henne. Hon kände igen honom utan att komma på vem det var, men när de stötte ihop inne vid kassan visste hon vem han var, Sten Widén. Han som hade cancer och snart skulle dö.

– Det är Linda, eller hur?

Han lät hes och trött på rösten.

– Det är jag. Och du är Sten?

Han skrattade till, ett ryckigt skratt som verkade kosta honom stor ansträngning.

– Jag minns dig som liten. Plötsligt är du stor. Och polis.

– Hur går det med hästarna?

Han svarade inte förrän hon gjort sig färdig och de lämnade butiken.

– Din farsa har säkert sagt som det är, sa Sten Widén. Att jag har cancer och snart ska dö. Jag ska göra mig av med dom sista hästarna nästa vecka. Så är det med det. Lycka till i livet.

Han väntade inte på något svar, satte sig bara i den smutsiga Volvon och for därifrån. Linda såg efter honom och kunde bara tänka en enda tanke, att hon var tacksam att det inte var hon som var på väg att sälja sina sista hästar.

Hon for till Lestarp och parkerade vid kyrkan. Någon måste veta, tänkte hon. Om Anna inte är där, var är hon då? Hon fällde upp huvan på den gula regnjackan och skyndade längs stigen på baksidan av kyrkan. Gårdsplanen var övergiven, regnvattnet blänkte på den rostiga traktorn. Hon bankade på dörren. Den gled upp. Men det var ingen som öppnade, dörren hade stått på glänt. Hon ropade in i huset men ingen svarade. När hon gick in insåg hon genast att huset var tomt. Det fanns ingen där. Det fanns ingenting. Huset var inte bara tomt, det var övergivet. Hon såg på väggen att det svarta korset var borta. Det var som om huset hade stått tomt under en lång tid.

Linda stod orörlig mitt på golvet. Mannen i motljuset, tänkte hon. Som jag såg igår och trodde var Annas far. Han kom hit. Och idag är alla borta.

Hon lämnade huset och körde till Rannesholm. Där fick hon veta att hennes far befann sig på slottet och hade möte med sina närmaste medarbetare. Hon gick dit genom regnet och satte sig att vänta nere i den stora hallen. Hon tänkte på det sista Margareta Olsson hade sagt. Anna Westin behövde inte oroa sig eftersom hon hade beskyddare. En gud och ett jordiskt skyddshelgon vid namn Gabriel. Hon tänkte att den upplysningen var viktig, men hon kunde inte avgöra på vilket sätt.

25

Linda upphörde aldrig att förvånas över sin far. Rättare sagt, hon upphörde inte att förvånas över att hon aldrig helt lärde sig inse att han mitt bland alla sina strikta rutiner kunde vara så ombytlig. Som nu, när hon såg honom komma ut genom en dörr i den stora trapphallen på Rannesholms slott och styra sina steg mot henne. Han är trött, tänkte hon, trött och sur och orolig. Men han var på gott humör. Han satte sig bredvid henne i soffan och berättade en intetsägande historia om en gång då han glömt ett par handskar på en restaurang och blivit erbjuden ett trasigt paraply som ersättning. Håller han på att bli galen? tänkte hon. Men när Martinsson anslöt sig och hennes far försvann till en toalett sa Martinsson att han för närvarande tycktes vara på gott humör, sannolikt eftersom han hade sett sin dotter återbördas till hemstaden. Martinsson gick när hennes far kom tillbaka. Han dunsade tungt ner i soffan där de gamla fjädrarna gnällde. Hon berättade om sitt möte med Sten Widén.

– Han har en förunderlig styrka inför sitt öde, sa han när hon talat färdigt. Han påminner mig om Rydberg som också hade samma lugn inför det som skulle komma. Jag tänker ibland att det kanske är en nåd att hoppas på, att man när ögonblicket kommer visar sig starkare än man tidigare haft anledning att tro.

Några ordningspoliser kom slamrande, bärande på några lådor med kriminalteknisk utrustning. Sen blev det tyst igen.

– Hur går det? frågade Linda försiktigt.

– Dåligt. Eller snarare långsamt. Ju värre brott man ställs inför, dess större blir otåligheten, trots att det är just då som tålamodet är viktigast. Jag kände en gång en polisman i Malmö, Birch hette han, som brukade jämföra polisutredare med läkare. Man spär inte på sin otålighet inför en komplicerad operation. Då behövs lugnet, tiden, tålamodet. Lite samma är det nog för oss. Birch är också död. Han drunknade i en skogssjö. Han simmade, fick kramp, ingen hörde honom. Vad han nu hade i den där sjön att göra. Han borde ha vetat bättre, kan man tänka. Men nu är han död. Det dör så mycket folk hela tiden. Det är naturligtvis en idiotisk tanke. Det föds och dör människor ständigt. Det är bara det att man märker det tydligare när man står först i kön. När farsan dog blev det jag som knuffades fram i främsta ledet.

Han tystnade och såg på sina händer. Sen vände han sig emot henne. Han log.

– Vad var det du frågade om?

– Hur det går?

– Vi har inga spår efter vare sig motiv eller gärningsman. Vi vet inte alls vem som huserade i den där kojan.

– Vad tror du då?

– Det vet du att du aldrig ska fråga mig. Aldrig vad jag tror, bara vad jag vet eller vad jag anar.

– Jag är nyfiken.

Han suckade demonstrativt.

– Jag gör alltså ett undantag. Jag *tror* att Birgitta Medberg av en tillfällighet, på sin jakt efter de gamla pilgrimslederna, råkade gå fel och stöta på kojan. Där var det nån som antingen fick panik eller blev ursinnig och slog ihjäl henne. Men att han styckade henne komplicerar bilden.

– Har ni hittat resten av kroppen?

– Vi draggar i sjön. Hundarna finkammar hela skogen. Hittills ingenting. Det kommer att ta tid.

Han satte sig upp i soffan som om tiden höll på att rinna ut.

– Jag antar att det är nånting du vill berätta?

Linda refererade sina möten med schackspelaren och Margareta Olsson. Hon berättade om huset bakom kyrkan i Lestarp och hon vinnlade sig om att inte utelämna några detaljer.

– För många ord, sa han när hon slutat. Du kunde ha uttryckt det där bättre med färre ord.

– Jag övar. Begrep du vad jag sa?

– Ja.

– Då måste jag i alla fall ha berättat på ett sätt att det inte blir underkänt.

– B?, sa han.

– Vad är det?

– Betyg den gång jag gick i skolan. Sämre än B? var underkänt.

– Vad tycker du jag ska göra?

– Sluta oroa dig. Du hör inte på vad jag säger. Birgitta Medberg råkade ut för något som berodde på att ett fel blivit begånget. Av henne själv. Ett fel som nästan har bibliska proportioner. Hon valde fel väg. Hela kristendomen är full av felaktiga och rätta vägar, smala och breda, krokiga och förrädiska. Birgitta Medberg hade, om jag nu inte misstar mig, en ohygglig otur. Och då förintas alla tänkbara orsaker till att tro att Anna skulle ha råkat illa ut. Det finns nån sorts samband mellan dom två, det visar dagboken. Men ingenting som vi har nytta av nu.

Ann-Britt Höglund och Lisa Holgersson kom gående. De hade bråttom. Lisa nickade vänligt mot Linda, Ann-Britt Höglund tycktes inte märka henne. Kurt Wallander reste sig upp.

– Åk hem, sa han till Linda.

– Vi skulle behövt dig redan nu, sa Lisa Holgersson. Men pengarna räcker inte till. När är det du ska börja?

– Nästa måndag.

– Det är bra.

Linda såg dem försvinna. Sen lämnade hon slottet. Det regnade. Hon märkte att det hade blivit kallare, det var som om vädret svajade utan att kunna bestämma sig. På vägen tillbaka till bilen påminde hon sig att det var en lek som hon och Anna hade haft. Att gissa vilken temperatur det var, både utomhus och inne. Anna hade varit mycket skicklig, hon hade alltid varit den som kommit närmast. Linda stannade vid bilen. Det fanns ett tillägg till minnesbilden som bara motvilligt dök upp till ytan. Linda hade undrat över Annas märkliga förmåga att alltid vara den som kunde avläsa den osynliga temperaturen. Det hade funnits ögonblick då hon misstänkt Anna för att fuska. Men hur skulle hon ha gjort det? Hade hon haft en termometer gömd bland sina kläder? Jag måste fråga henne, tänkte Linda. Den dag Anna kommer tillbaka har jag många saker jag måste få veta. Det kan innebära att den här korta tiden då vi försökte återerövra en gammal förlorad vänskap blev just kort och ingenting annat.

Hon satt i bilen och tänkte. Varför skulle hon åka hem? Det hennes far sagt hade lugnat henne, på allvar fått henne att tro att ingenting hade hänt Anna. Men huset bakom kyrkan gjorde henne nyfiken. Varför var alla borta? Jag kan i alla fall försöka ta reda på vem som äger huset, tänkte hon. Till det behöver jag varken tillstånd eller polisuniform. Hon körde tillbaka till Lestarp och parkerade på sin vanliga plats. Porten till kyrkan stod halvöppen. Hon tvekade, sen gick hon in. I vapenhuset stod den man hon tidigare talat med. Han kände igen henne.

– Du kan inte avstå från att besöka vår vackra kyrka?

– Egentligen kom jag för att fråga en sak.

– Gör vi inte alla det? Stiger in i kyrkor för att ställa frågor?

– Det var inte så jag menade. Jag tänker på det här huset som ligger bakom kyrkan. Vem äger det?

– Det har gått genom så många händer. När jag var ung var det en låghalt torpare som bodde där. Johannes Pålsson, hette han. Han gjorde dagsverken åt Stiby Gård och var duktig på att laga porslin. Sista åren bodde han där ensam. Han hade flyttat in grisarna i salen och hönsen i köket. Det kunde vara så på den tiden. När han var borta gick huset till nån som använde det som spannmålslager en tid. Sen kom en hästhandlare, och efter det, det var på 1960-talet, har huset bytt ägare utan att jag lagt deras namn på minnet.

– Du vet alltså inte vem som äger det nu?

– Jag har sett människor komma och gå den senaste tiden. Stilla och försynt. Nån sa att dom mediterade där. Oss störde dom aldrig. Men nån ägare har jag inte hört talas om. Det måste väl fastighetsregistret kunna svara på.

Linda tänkte efter. Vad skulle hennes pappa ha gjort?

– Vem känner till allt skvallret i byn? frågade hon.

Han såg undrande på henne.

– Det är väl jag?

– Men frånsett dig. Om det finns nån här som kanske vet vem som äger huset, vem skulle det vara?

– Kanske Sara Edén. Lärarinnan som bor i det lilla huset intill bilverkstan. Hon ägnar sina gamla dar åt att sitta i telefon. Hon vet allt som rör sig här. Tyvärr vet hon också ganska väl vad som inte rör sig. Hon hittar på det hon tycker fattas, om du förstår hur jag menar. Men hon är snäll i grunden, bara så alldeles otroligt nyfiken.

– Vad händer om jag ringer på hennes dörr?

– Du gör en ensam gammal människa glad.

Ytterporten sköts upp. Den kvinna som hette Gudrun kom in. Hon mötte Lindas blick innan hon försvann in i kyrkan.

– Varje dag, sa han. Samma tid, samma sorg, samma ansikte.

Linda lämnade kyrkan och gick ner till huset. Hon stannade och såg sig omkring. Det var fortfarande övergivet. Hon återvände till kyrkan, bestämde sig för att låta bilen stå och gick backen ner till bilverkstaden som pryddes av en skylt där det stod Runes Bil & Traktor. På ena sidan av verkstaden fanns sönderplockade bilar, på den andra ett högt trästaket. Linda misstänkte att den gamla lärarinna hon snart skulle besöka inte ville ha sin utsikt förstörd av skrotbilar. Hon öppnade grinden och steg in i en välordnad trädgård. En kvinna stod böjd över en rabatt. Kvinnan reste på sig när hon hörde Lindas steg. Linda förstod att den kvinna hon hade framför sig var den hon sökte, Sara Edén.

– Vem är du? frågade hon strängt.

– Jag heter Linda. Jag undrar om jag kan få ställa några frågor.

Sara Edén kom fram mot Linda med en trädgårdsspade i högsta hugg. Linda tänkte att det fanns människor som var som folkilskna hundar.

– Varför skulle du få ställa några frågor?

– Jag letar efter en kamrat som försvunnit.

Sara Edén betraktade henne misstroget.

– Ska inte poliser hålla på med såna saker? Leta efter försvunna människor?

– Jag är polis.

– Då kanske jag kan få se ett identitetskort. Det har man rätt till, det har min äldre bror talat om för mig. Han var under många år rektor för ett läroverk i Stockholm. Trots att han slet ut sig med besvärliga kollegier och ännu besvärligare elever levde han tills han blev hundraett år gammal.

– Jag har inget id-kort. Jag ska bli polis. Polisaspirant.

– Jag antar att man inte ljuger om sånt. Är du stark?

– Ganska.

Sara Edén pekade på en skottkärra som var fylld till brädden med grönsaksrester och ogräs.

– Jag har en komposthög på baksidan. Men ryggen besvärar mig idag. Det brukar den inte göra. Kanske har jag legat fel i natt.

Linda tog tag i skottkärran, kände att den var tung men lyckades baxa den till komposten. Hon tömde den. Sara Edén visade en vänligare sida. Det fanns några gammaldags caféstolar och ett bord i en liten berså.

– Vill du ha kaffe? frågade Sara Edén.

– Gärna.

– Då är jag ledsen att jag måste hänvisa dig till kaffeautomaten i möbelvaruhuset som ligger på vägen mot Ystad. Jag dricker inte kaffe. Inte heller te. Men jag kan bjuda dig på mineralvatten.

– Det behövs inte.

De satte sig på stolarna. Linda kunde gott föreställa sig att Sara Edén hade ägnat sitt liv åt att vara lärare. Hon betraktade förmodligen Linda som en potentiellt besvärlig skolklass.

– Ska du berätta nu?

Linda sa som det var. Spåren efter Anna Westin ledde till huset bakom kyrkan. Linda var noga med att inte antyda att hon var orolig eller trodde att något allvarligt hade hänt.

– Vi skulle träffas, slutade hon. Men nånting blev fel.

Sara Edén lyssnade på Lindas historia med tilltagande tveksamhet.

– Vad tror du att jag ska kunna hjälpa dig med?

– Jag försöker ta reda på vem som äger det där huset.

– Förr i tiden visste man alltid vem som hade lagfart på en fastighet. Idag, i vår oroliga värld, vet man inte längre vem som har köpt eller sålt ett hus. Rätt vad det är kommer man att upptäcka att ens närmaste granne är en efterspanad förbrytare.

– Jag tänkte att man kanske vet på en sån här liten plats.

– Jag har hört talas om att det har kommit och gått människor i det huset den senaste tiden. Men ingenting störande tycks ha hänt. Om jag har förstått saken rätt har dom som haft huset tillhört nån form av hälsorörelse. Eftersom jag är mån om min hälsa och inte tänker låta min bror i sin himmel glädjas åt att jag inte levde lika länge som han, är jag intresserad av vad jag äter och vad jag gör. Jag är heller inte så konservativ att jag inte vågar vara nyfiken på alternativa metoder att sköta min hälsa. Jag gick till det där huset en gång. En vänlig dam som talade engelska gav mig ett informationsblad. Vad rörelsen hette minns jag inte. Men det var nåt om att meditation och vissa former av natursafter kunde ha stor betydelse för en människas hälsa.

– Gick du aldrig tillbaka dit?

– Jag tyckte det hela lät alldeles för oklart.

– Har du lappen kvar?

Sara Edén nickade mot komposthögen.

– Jag tror knappast det finns nåt kvar av det pappret nu. Inte bara människor blir till mull, även papper dör.

Linda försökte komma på något mer att fråga. Men hela situationen föreföll henne alltmer meningslös. Hon reste sig.

– Inga fler frågor?

– Nej.

De gick tillbaka mot framsidan av huset.

– Jag fruktar hösten, sa Sara Edén plötsligt. Jag är rädd för alla dimmor som kommer krypande, allt regn och alla kråkor som kraxar i trädtopparna. Det enda som kan hålla modet uppe är att jag tänker på vårblommorna jag redan nu sätter ner i jorden.

Linda gick ut genom grinden.

– Kanske jag minns nånting mer, sa Sara Edén.

De stod nu på varsin sida av grinden.

– En norrman, fortsatte hon. Jag går in till Rune ibland och grälar på honom när dom slamrar i verkstan på söndagarna. Rune är nog lite rädd för mig. Han tillhör den typ av människor som aldrig glömmer den fruktan dom hade för sina lärare. Slamret brukar ta slut. Men Rune sa en gång att han just hade haft besök av en norrman som tankat bilen och betalat med en tusenlapp. Rune är inte van vid tusenlappar. Han sa nånting om att norrmannen kanske ägde det där huset.

– Det är alltså Rune jag ska fråga?

– Om du har tid att vänta. Han är i Thailand på semester. Jag vill helst inte föreställa mig vad han gör där.

Linda tänkte efter.

– En norrman. Utan namn?

– Ja.

– Och inget utseende?

– Nej. Om jag vore du skulle jag fråga dom som sannolikt har sålt huset. Den vanligaste mäklaren här omkring är Sparbankernas Fastighetsförmedling. Eftersom dom har kontor här. Kanske dom vet.

De skildes. Linda tänkte att Sara Edén var en människa hon gärna hade velat veta mer om. Hon gick över gatan, förbi en damfrisering och steg in på det lilla bankkontoret. En ensam man tittade upp mot henne. Hon sa sitt ärende. Svaret kom utan att mannen bakom disken behövde leta i minnet eller i pärmar.

– Det är alldeles rätt. Vi förmedlade husaffären. Säljare var en Malmöbo, en tandläkare Sved, som haft det som sommarställe men tydligen tröttnat. Vi annonserade ut fastigheten på nätet och i Ystads Allehanda. Det kom in en man från Norge och begärde att få se på huset. Jag bad en av mäklarna i Skurup att ta hand om honom. Vi gör så eftersom jag sköter bankkontoret här och inte ansvarar för några fastighetsaffärer. Två dagar senare var affären klar. Såvitt jag minns betalade den där norrmannen kontant. Dom har gott om pengar nuförtiden.

Den sista repliken avslöjade ett vagt missnöje med det norska folkets goda ekonomi. Men Linda var intresserad av norrmannens namn.

– Jag har inte pappren här, men jag kan ringa in till Skurup.

Det kom in en kund på banken, en gammal man som stödde sig på två käppar.

– Jag måste nog ta herr Alfredsson först, sa mannen bakom disken.

Linda väntade. Hon hade svårt att dölja sin otålighet. Det tog en oändlig tid innan den gamle mannen var färdig. Linda höll upp dörren för honom. Mannen bakom disken ringde. Efter en minuts väntan fick han ett svar som han skrev ner på ett papper. Han avslutade samtalet och sköt över lappen. Linda läste: *Torgeir Langås.*

– Möjligen stavar han efternamnet med två a, alltså *Langaas.*

– Vad har han för adress?

– Du frågade bara efter namnet.

Linda nickade.

– Resten får du ta reda på i Skurup. Törs jag fråga varför du så gärna vill veta vem som är ägaren?

– Jag kanske vill köpa huset, svarade Linda och lämnade bankkontoret.

Hon skyndade upp till bilen. Nu hade hon ett namn. En norrman och ett namn. Så fort hon öppnade bildörren märkte hon att något var annorlunda. Ett kvitto som legat ovanpå instrumentbrädan låg på golvet, en tändsticksask hade blivit flyttad. Hon hade lämnat bilen olåst. Någon hade varit inne i den medan hon varit borta.

Knappast en tjuv, tänkte hon. Bilradion finns kvar. Men vem hade då varit inne i bilen. Och varför?

26

Den första tanke som slog Linda var orimlig. *Det är morsan som gjort det här. Det är Mona som har rotat igenom bilen som om hon letat igenom en av mina byrålådor.* Linda satte sig försiktigt i bilen. Det fanns en bråkdel av en sekunds tvekan, en frossa som ilade genom hennes kropp: en bomb. Någonting skulle explodera och krossa hennes liv. Men det fanns naturligtvis ingen bomb. En fågel hade skitit på framrutan, det var allt. Nu märkte hon också att sätet hade ändrats. Ett hack bakåt. Den som suttit där hade varit större än hon. Så stor att det varit nödvändigt att flytta sätet för att överhuvudtaget komma in bakom ratten. Hon snusade runt i kupén men kände inga främmande lukter, inget rakvatten, ingen parfym. Hon tittade överallt. I den svarta plastmugg med parkeringskronor som Anna tejpat fast bakom växelspaken hade något förändrats utan att hon kunde säga vad.

Linda tänkte återigen på Mona. Det hade varit som en kattochråttalek under hela hennes uppväxt. Hon kunde inte minnas det exakta ögonblick när hon insåg att hennes mamma ständigt letade igenom hennes tillhörigheter, på jakt efter okända hemligheter. Kanske hade hon varit åtta eller nio år när hon lagt märke till att något alltid förändrats när hon kom tillbaka från skolan. Först hade hon naturligt nog tänkt att hon mindes fel. Den röda koftan hade legat med ena ärmen över den gröna tröjan, inte tvärtom. Hon hade till och med frågat Mona som blivit arg. Det hade fött hennes första misstanke. Sen hade kattochråttaleken börjat på allvar. Hon hade arrangerat fällor bland sina kläder, leksaker och böcker. Men det var som om hennes mor genast hade förstått att hon höll på att bli ertappad. Linda var tvungen att göra alltmer komplicerade fällor. Hon hade fortfarande kvar en anteckningsbok där hon noterat och ibland även gjort en skiss av sin fälla för att vara säker på att inte glömma det exakta mönster som hennes mor skulle rubba och därmed avslöja sig själv.

Hon fortsatte att se sig runt i bilen. En morsa har varit här och snokat. En morsa som kan ha varit en man eller en kvinna. Det finns manliga morsor och kvinnliga farsor; att snoka i sina barns liv för att förstå något av sitt eget är vanligare än man tror. Bland mina vänner har jag knappast en enda som inte haft åtminstone en snokande förälder. Hon tänkte på sin far. Han hade aldrig rotat bland hennes tillhörigheter. Då och då hade hon legat vaken och märkt hur han försiktigt kikat in genom dörrspringan för att kontrollera att hon verkligen var hemma. Men bland hennes hemligheter hade han aldrig gett sig ut på olovliga expeditioner. Det hade alltid varit Mona.

Linda böjde sig fram bredvid ratten och tittade under sätet. Där skulle finnas en liten borste som Anna använde till sätena. Den fanns kvar. Men Linda såg genast att någon hade petat till den. Hon öppnade handskfacket och gick systematiskt igenom innehållet. Ingenting var borta. Vad betydde det? Att den som letat inte funnit något värdefullt. Radion hade inte varit värdefull. Det var nåt annat. Men det fanns ett sätt att tänka tanken ytterligare ett steg och bättre lära känna den morsa som varit på besök i bilen. Att ta radion hade varit ett enkelt sätt att dölja uppsåtet, dölja snokandet. Då hade Linda sett det som ett vanligt inbrott och förbannat det faktum att hon varit så lat att hon inte ens låst bilen.

Jag har att göra med en inte särskilt klok morsa, tänkte hon.

Längre kom hon inte. Det fanns ingen slutsats hon kunde dra. Inga svar på ett vem och ett varför. Hon steg ur bilen, satte sätet i rätt läge och såg sig omkring. *En man hade kommit gående i motljus. Hon hade sett en nacke och tänkt att det var Annas far.* Men nu skakade hon irriterat på huvudet åt leken. Anna hade inbillat sig att det var sin far hon hade upptäckt på gatan. Kanske hade hon blivit så besviken att hon rest bort. Det hade hon gjort tidigare, plötsliga uppbrott där ingen efteråt visste var hon varit. Det hade Zebran berättat. Zebran hade fyllt i luckorna om Anna under de år hon och Linda inte haft kontakt med varandra. Men Zebran hade också sagt att åtminstone någon hade vetat om att Anna var borta. Hon lämnade alltid ett spår efter sig.

Vem har hon lämnat spåret till nu? tänkte Linda. Det är felet, att jag inte hittar den hon berättat för.

Hon gick tillbaka över grusplanen, kastade en blick upp mot kyrktornet där några duvor flaxade omkring och fortsatte sedan ner mot huset. Fortfarande var det tomt och övergivet. *En man som heter Torgeir Langaas köpte huset,* tänkte hon. *Han betalade kontant.*

Hon gick runt huset och såg tankfullt men samtidigt frånvarande på stenmöblerna. Det fanns vinbärsbuskar, svarta och röda. Hon rev av några klasar och åt. Tanken på Mona återkom. Varför hade hon alltid varit så rädd? Hon snokade inte av nyfikenhet, hennes drivande begär bottnade i rädsla. Men för vad? För att jag skulle visa mig vara någon annan än den jag var? En nioåring kan spela dubbla roller, kan ha hemligheter, men knappast vara en så utstuderad dubbelnatur att det krävs ett snokande bland tröjor och trosor för att förstå vem som är ens eget barn.

Det var först när Mona letat reda på hennes dagbok och tjuvläste som det hade blivit en öppen konflikt. Hon hade varit tretton år då, dagboken hade hon gömt bakom en lös träpanel i en garderob. Till en början hade hon varit säker på att den legat ifred där. Men en dag hade hon insett att morsan hade spårat hennes hemliga rum. Dagboken hade legat några centimeter för långt in i hålrummet. Linda hade genast varit säker. Hennes hemliga rum var inte hemligt längre. Mona gick på besök där när hon inte var hemma. Hon kunde fortfarande minnas den gränslösa upprördhet hon känt. Den gången hade hon verkligen hatat sin mor. Hon fortsatte att repa vinbär och tänkte att hon senare i livet aldrig någonsin hade känt samma intensiva hat som den gång hon varit tretton och upptäckt sin mors svek.

Det fanns en fortsättning och ett avslut på minnet. Linda hade bestämt sig för att låta sin mor gå i den fälla det innebar att bli tagen på bar gärning. Hon skrev på den första tomma sidan i dagboken att hon visste att Mona läste dagboken, att hon snokade i hennes lådor. Hon la dagboken på plats och gick till skolan. Men efter halva vägen vek hon av, hon skolkade eftersom hon visste att hon ändå inte skulle kunna koncentrera sig, och tillbringade dagen med att driva omkring i stadens butiker. När hon kom hem var hon kallsvettig. Men hennes mor såg på henne som om ingenting hade hänt. Sent på natten, när de sov, steg hon upp, tog fram dagboken och såg att hennes mor hade skrivit några rader efter hennes egna sista ord. Inte ett ord om ursäkt, om att hon skämdes. Utan bara ett löfte: *Jag ska inte läsa mer, jag lovar.*

Linda rev av några sista vinbär. Vi har aldrig talat om det, tänkte hon. Efter det där tror jag hon slutade snoka. Men jag var aldrig säker. Kanske blev hon skickligare att dölja sina intrång, kanske brydde jag mig inte längre om det. Men vi har aldrig talat om det.

Hon skulle just lämna trädgården när hennes ögon fångades av något som låg bakom två höga kastanjeträd. Hon gick närmare för att se efter. Hajade till. Det såg ut som en kropp som låg där, ett bylte med kläder, utsträckta armar och ben. Hon kände hur hjärtat slog. Hon försökte förvandla sina ögon till kikare som förstorade föremålet. Hur länge hon stod där orörlig visste hon inte. Till sist var hon säker. Det kunde inte vara en människa. Hon gick närmare. Det var en fågelskrämma som låg bakom de höga träden. På andra sidan en liten kulle stod ett körsbärsträd. Linda antog att fågelskrämman skyddat bären och fallit omkull utan att någon brytt sig om att resa upp den igen. Det var som ett lik, tänkte hon. Ruttna kläder, en korsfäst människa som aldrig blivit begravd. Fågelskrämmans stomme var tillskuren av vit frigolit. Men kläderna var sammansatta. Överdelen var en herrkavaj medan underdelen bestod av en kjol. Ansiktet under en delvis förmultnad brun hatt bestod av en vit linnepåse fylld med gräs där ögon, näsa och mun var ditritade.

Linda satte sig på huk och såg på kjolen. Den var rostbrun, mindre sliten än resten av kläderna. Insikten kom från hennes mage, inte från huvudet. Anna hade en likadan kjol. Men hade den inte funnits i garderoben när hon tittat där? Plötsligt var hon osäker. Hon reste sig upp. Illamåendet var starkt. Kunde det vara Annas kjol som satt på fågelskrämman? Det fanns bara en tanke till hon kunde tänka. Om det var Annas kjol måste det betyda att Anna var död.

Hon sprang tillbaka till kyrkan och bilen och for till Ystad i en fart som bröt mot alla hastighetsgränser. Hon parkerade slarvigt utanför Annas hus och sprang upp i lägenheten. Jag tror inte på Gud, tänkte hon, jag ber inga böner. Men gode Gud, låt kjolen finnas där i garderoben. Hon ryckte upp dörrarna. Kjolen var borta. Hon rev och slet bland kläderna. Det fanns ingen rostbrun kjol. Hon märkte att hon skakade av rädsla. Rädslan som var som köld. Hon sprang in i badrummet och tömde ut innehållet i tvättkorgen. Ingen kjol. Sen såg hon den. Den låg i torktumlaren bland andra kläder. Lättnaden var så stor att hon satte sig på golvet och skrek rakt ut i rummet.

Efteråt såg hon på sitt ansikte i badrumsspegeln och bestämde sig för att det nu fick vara nog. Hon kunde inte fortsätta att inbilla sig att något hade hänt Anna. I stället för att köra runt i hennes bil skulle hon tala med Zebran. Nånstans fanns det någon som visste var Anna befann sig.

Hon gick ner på gatan. Borde hon trots allt inte avsluta sin meningslösa efterforskning genom att besöka fastighetsmäklaren i Skurup? Utan att egentligen ha fattat ett beslut satte hon sig i bilen och körde västerut.

Fastighetsmäklaren hette Ture Magnusson och höll på att sälja ett hus i Trunnerup till ett tyskt pensionärspar. Linda satte sig och bläddrade i en huspärm medan hon väntade. Hon kunde höra att Ture Magnusson talade mycket dålig tyska. Hans namn hade hon sett på väggen under hans fotografi. Det fanns tydligen två mäklare anställda men bara Ture Magnusson var inne. Hon bläddrade i pärmen, häpnade över priserna och undrade över vad som hänt med hennes gamla dröm om att flytta ut på landet och ha ett par hästar. Ända till slutet av tonåren hade det varit ett av de mål hon hade med sitt liv. Men sen hade drömmen plötsligt försvunnit. Nu hade hon svårt att föreställa sig att bo på en gård ute i leran när hösten djupnade och vintersnön kom drivande över slätten. Nånstans på vägen har jag utan att jag märkt det förvandlats till stadsmänniska, tänkte hon. Lilla Ystad är bara ett steg på vägen mot nånting annat, nånting större. Kanske Malmö. Kanske Göteborg. Kanske till och med Stockholm.

Ture Magnusson reste sig och kom bort till henne. Han log vänligt.

– Dom har enskild överläggning, sa han och presenterade sig. Sånt brukar ta tid. Vad kan jag hjälpa dig med?

Linda förklarade sitt ärende utan att den här gången leka polis. Ture Magnusson började nicka innan hon var färdig. Han tycktes påminna sig husaffären utan att behöva konsultera sina pärmar.

– Huset bakom kyrkan i Lestarp köptes av en norrman. En vänlig man, snabb att fatta beslut. Han var det man kan kalla en idealisk kund. Kontant betalning, inga dröjsmål, ingen tvekan.

– Hur kommer jag i kontakt med honom? Huset intresserar mig.

Ture Magnusson såg värderande på henne. Det knakade i hans stol när han gungade bakåt och tog stöd mot väggen.

– Uppriktigt sagt betalade han nog för mycket för det där huset. Det borde jag naturligtvis inte säga. Men jag kan på rak arm peka ut tre ställen som är i betydligt bättre skick, har vackrare omgivning och kostar mindre.

– Det är det huset jag är ute efter. Jag måste åtminstone kunna fråga den där norrmannen om han vill sälja.

– Naturligtvis kan du det. ”Torgeir Langaas var hans namn.”

Den sista meningen gnolade Ture Magnusson. Linda märkte att han hade en vacker röst. Han reste sig och försvann in i ett annat rum. När han kom tillbaka hade han en uppslagen pärm i händerna.

– Torgeir Langaas, läste han. Han stavar sitt efternamn med två a.

Född i nåt som heter Bærum, fyrtitre år gammal.

– Vad har han för adress i Norge?

– Ingen. Han är bosatt i Köpenhamn.

Ture Magnusson la pärmen framför Linda så att hon själv kunde läsa. *Nedergade 12.*

– Hur var han?

– Varför undrar du det?

– Om du tror att det är nån mening med att jag åker till Köpenhamn.

Ture Magnusson lutade sig mot väggen igen.

– Jag försöker alltid begripa mig på människor, sa han. Det är nästan en förutsättning för det här arbetet. Först och främst måste man lära sig att sålla bort dom som aldrig kommer att köpa ett hus trots att dom använder all sin tid till att plåga mäklare och begära visningar. Torgeir Langaas var en man som ville göra affär, det såg jag genast han klev in genom dörren här. Mycket vänlig. Han hade sett ut huset. Vi for dit, han gick runt, ställde inga frågor. Sen återvände vi hit. Han drog fram sedelbuntar ur en axelväska. Det hör inte till vanligheten. Jag har bara varit med om det två gånger tidigare. En av våra unga rika tennisspelare som kom med en resväska med hundralappar och köpte en storgård i Västra Vemmenhög. Han har aldrig varit där så vitt jag vet. Sen var det en äldre och mycket excentrisk änka efter en rik gummistövel, hon hade en betjänt med sig. Han betalade. Det var ett litet fult hus på vägen mot Rydsgård där tydligen nån anförvant till henne hade bott för många år sen.

– Vad menas med att vara änka efter en gummistövel?

– En man som hade stövelfabrik i Höganäs. Men han klådde förstås inte Dunkers i Helsingborg.

Linda visste ingenting om någon Dunker i Helsingborg. Hon skrev upp adressen i Köpenhamn och gjorde sig klar att gå. Ture Magnusson lyfte handen och hejdade henne.

– När jag tänker på honom inser jag att det var nånting annat också, nånting som jag la märke till, men som jag egentligen inte la på minnet eftersom affären gick så fort.

– Vad var det?

Ture Magnusson skakade långsamt på huvudet.

– Svårt att säga. Jag märkte att han ofta vände sig om. Som om han oroade sig för att det fanns nån där bakom som han helst inte ville träffa. Dessutom gick han på toaletten flera gånger vi satt här. Jag minns att hans ögon var glansiga när han kom ut sista gången.

– Hade han gråtit?

– Nej. Han var påverkad av nånting.

– Hade han druckit?

– Han luktade inte. Men han kan naturligtvis ha druckit vodka.

Linda försökte komma på nåt mer att fråga om.

– Framförallt var han vänlig, avbröt Ture Magnusson hennes tankar. Kanske han säljer huset till dig. Vem vet?

– Hur såg han ut?

– Han hade ett ganska vanligt ansikte. Det jag minns är hans ögon. Inte bara för att dom var glansiga. Det fanns något stickande i dom. Jag kan föreställa mig att det finns människor som skulle ha sagt att hans ögon var hotfulla.

– Men han var inte hotfull?

– Han var mycket vänlig. En idealisk kund. Jag köpte hem ett gott vin den kvällen när vi gjort vår affär. För att fira att det varit en bra dag, med gott resultat mot liten ansträngning.

Linda lämnade mäklarkontoret. Det är ett steg till, tänkte hon. Jag ska åka över till Köpenhamn och söka upp Torgeir Langaas. Varför jag gör det vet jag inte. Kanske som en besvärjelse? Att ingenting är konstigt med Annas frånvaro. Hon har inte försvunnit, hon är bara borta efter att ha glömt tala om det för mig. Allt som sker just nu handlar om att jag klättrar på alla mina inre väggar av otålighet att äntligen få börja arbeta.

Hon for till Malmö. Strax innan hon kom till avfarten mot Jägersro och Öresundsbron bestämde hon sig för att göra ett avbrott i Malmö. Hon letade sig fram till villan som låg i Limhamn, parkerade och gick in genom grinden. Det stod en bil på uppfarten. Hon antog att någon var hemma. Hon hejdade handen just när hon skulle ringa på. Varför visste hon inte. Hon gick runt huset, öppnade porten till den inre gården och gick bort till den inglasade verandan. Trädgården var välskött, grusgången krattad i raka linjer. Verandadörren stod på glänt. Hon öppnade och lyssnade. Det var tyst. Men någon var hemma. Annars hade dörren varit stängd. De människor hon nu besökte fyllde en stor del av sina liv med att låsa dörrar och kontrollera larm. Hon gick in. Tavlan som hängde över soffan kände hon igen. Som barn hade hon ofta stått och sett på den bruna björnen som tycktes splittrad av en eldsflamma och långsamt sprängdes i bitar. Det var en otäck tavla, nu som då. Hon mindes att den kommit i huset när hennes pappa vunnit den på något lotteri och gav den till Mona i födelsedagspresent. Det slamrade i köket. Linda gick dit.

Hon skulle just ropa hej till henne när hon tvärstannade. Mona stod vid diskbänken. Hon var naken och höll en spritflaska till munnen.

27

Efteråt skulle Linda tänka att det var som om hon hade stirrat på en minnesbild. Det var inte hennes mor som stod där naken med en spritflaska i handen, det var inte ens en människa, utan en avgjutning av något annat, ett minne som hon bara lyckades få tag på genom att dra djupt efter andan. En gång hade hon själv upplevt samma sak. Men hon hade inte varit naken med en spritflaska i handen. Hon hade varit fjorton år, den allra värsta delen av tonårstiden, där ingenting tycktes möjligt och begripligt, men där samtidigt allt var klart, lätt att genomskåda, alla delar av kroppen vibrerande av en ny sorts hunger. Det var under en period av hennes liv, en av de riktigt korta, när inte bara hennes far travade iväg till sitt arbete på de mest egendomliga tider, utan också hennes mor hade ryckt upp sig ur sin tröstlösa hemmafrutillvaro och tagit arbete på en speditionsfirma som kontorist. Linda hade varit lycklig, det gav henne äntligen möjlighet att efter skolan få tillgång till några timmars ensamhet i lägenheten eller också att ta med sig vänner hem.

Linda blev djärvare, det hände att det utspelade sig små fester på eftermiddagarna hemma hos henne. Hon hade plötsligt blivit en populär person eftersom hon kunde bidra med en föräldrafri lägenhet. Hon ringde dagligen till sin far för att kontrollera att han inte var på väg hem, att han skulle arbeta till sent på kvällen, vilket var det vanliga. Mona brukade alltid komma hem mellan sex och halv sju. Under den här tiden kom också Torbjörn in i hennes liv. Den första riktiga pojkvännen, han som ibland liknade Tomas Ledin, ibland som Linda föreställde sig att Clint Eastwood borde ha sett ut när han var femton år. Torbjörn Rackestad var halvt dansk och hade dessutom en kvarts svensk och en kvarts indian i sina gener, vilket inte bara gav honom ett vackert ansikte utan även en aura av något mystiskt.

Tillsammans med honom började Linda på allvar utforska det som doldes i begreppet kärlek. Åtminstone närmade de sig det stora ögonblicket även om Linda stretade emot. En dag när de låg i hennes säng, halvt avklädda, rycktes dörren upp. Där stod Mona, hon hade råkat i gräl med sin chef på speditionsfirman och gått hem. Linda kunde fortfarande bli kallsvettig vid tanken på chocken. Hon hade brustit ut i ett hysteriskt skrattanfall. Vad Torbjörn hade gjort anade hon bara eftersom hon valt att försöka fly från situationen genom att blunda. Men han måste ha klätt sig och försvunnit i en farlig fart från lägenheten.

Mona hade inte blivit stående i dörren. Hon hade bara sett på dem med en blick som Linda aldrig helt kunnat beskriva för sig själv. Där hade funnits allt från förtvivlan till en sorts märklig upprymdhet över att äntligen ha beslagit sin dotter med att vara precis så oberäknelig som hon alltid misstänkt. Hur länge hon själv stannade i rummet visste hon inte. Till sist hade hon ändå gått ut i vardagsrummet där Mona suttit i soffan och rökt. Det hade blivit ett uppträde, de hade skrikit åt varandra, Linda mindes fortfarande ett stridsrop som Mona upprepat gång på gång: *Jag struntar i vad ni gör bara du inte blir med barn.* Linda kunde också höra ekot av sin egen upprörda och skrikande röst. Men det var bara ett tjut, inga ord. Hon mindes känslan, genansen, raseriet, kränkningen.

Mitt i det våldsamma oväsendet hade hennes far öppnat ytterdörren. Han hade först blivit rädd, trott att det hänt en olycka. Sen hade han försökt medla och till sist själv blivit rasande och slagit sönder en glasskål som han och Mona fått i lysningspresent.

Så hade hon tänkt när hon upptäckt den nakna kvinnan med flaskan i handen. Hon hade också tänkt att hon inte sett sin mor naken sen hon var liten. Men den kropp hon nu hade framför sig var helt annorlunda. Mona hade blivit tjock, övervikten hängde ut. Linda grimaserade av obehag, det var en omedveten reaktion, men tillräckligt tydlig för att Mona skulle uppfatta den och ryckas ur sitt eget chocktillstånd av att ha blivit ertappad av sin egen dotter. Efteråt skulle Linda också tänka att det var det enda de hade haft gemensamt i detta ögonblick, att båda varit lika oförberedda. Mona ställde ner flaskan hårt på en bänk och slet upp kylskåpsdörren som skydd för sin nakenhet. Linda kunde inte hindra att hon fnissade till av att se sin mors huvud sticka upp ovanför kylskåpsdörren.

– Vad menar du med att komma in utan att ringa på?

– Jag ville bara överraska.

– Du kan väl inte komma in utan att ringa på först?

– Hur skulle jag annars få reda på att jag har en morsa som super mitt på dagen?

Mona slängde igen kylskåpsdörren.

– Jag super inte, skrek hon.

– Du stod och halsade en vodkaflaska.

– Det är vatten i flaskan. Jag kyler vatten innan jag dricker.

Båda kastade sig över flaskan samtidigt, Mona för att dölja sanningen, Linda för att avslöja den. Linda var snabbast och luktade på den.

– Det här är inget vatten. Det är ren vodka. Gå och sätt på dig nånting. Har du sett hur du ser ut? Snart är du lika tjock som farsan. Fast du är fet, han är bara tjock.

Mona ryckte till sig flaskan. Linda lät det ske. Hon vände ryggen mot Mona.

– Sätt på dig kläder.

– Jag går naken i mitt eget hus om och när jag vill.

– Det är inte ditt hus, det är kamrerns.

– Han heter Olof och är min man. Vi äger huset tillsammans.

– Det gör ni inte alls. Ni har äktenskapsförord. Skiljer ni er behåller han huset.

– Hur vet du det?

– Farfar berättade det.

– Den jävla gubben, vad visste han?

Linda vände sig blixtsnabbt om och gav Mona en örfil som bara snuddade vid hennes kind.

– Säg inte så om min farfar.

Mona tog ett steg bakåt, vinglade till, inte av slaget men av spriten och såg rasande på henne.

– Du är som din far. Han slog mig, nu kommer du och gör samma sak.

– Sätt på dig nånting.

Linda såg hur hennes nakna mamma tog en djup klunk ur flaskan. Det är inte sant, tänkte hon. Det jag ser nu händer inte. Varför åkte jag hit, varför fortsatte jag inte direkt till Köpenhamn?

Mona snubblade till och föll omkull. Linda ville hjälpa henne upp men blev avvisad. Mona hasade sig upp på en stol.

Linda gick in i badrummet och hämtade en morgonrock. Men Mona vägrade sätta på sig den. Linda började må illa.

– Kan du inte sätta på dig nånting?

– Alla kläder känns för trånga.

– Då går jag härifrån.

– Du kan väl åtminstone dricka lite kaffe?

– Bara om du sätter på dig nånting.

– Olof tycker om att se mig naken. Vi går alltid omkring nakna här i huset.

Nu blir jag mor åt min mor, tänkte Linda och satte på henne morgonrocken med bestämda rörelser. Mona gjorde inget motstånd. När hon sträckte sig efter flaskan ställde Linda bort den. Sen kokade hon kaffe. Mona följde hennes rörelser med slöa ögon.

– Hur mår Kurt?

– Bra.

– Han har aldrig mått bra i hela sitt liv.

– Just nu mår han bra. Bättre än nånsin.

– Det måste bero på att han äntligen har sluppit pappan som hatade honom.

Linda lyfte handen. Mona tystnade och höjde händerna till ursäkt.

– Du vet ingenting om hur mycket farsan sörjer honom. Ingenting.

– Har han köpt nån hund än?

– Nej.

– Håller han ihop med den där ryskan fortfarande?

– Baiba var från Lettland. Det är slut.

Mona reste sig från stolen, svajade till men höll sig på benen. Hon försvann in i badrummet. Linda lyssnade med örat intill dörren. Hon hörde en kran som spolade, inga flaskor som plockades fram ur något gömställe.

När Mona kom tillbaka till köket hade hon kammat sig och tvättat ansiktet. Hon sökte med blicken efter flaskan som Linda hade tömt ut i vasken. Hon hällde upp kaffe. Linda kände plötsligt medlidande med henne. Jag vill aldrig bli som hon. Aldrig bli den där snokande, nervösa, osjälvständiga människan, som egentligen inte ville skilja sig från pappa, men som var så osäker på sig själv att hon gjorde det hon inte ville.

– Jag brukar inte vara så här, mumlade hon.

– Nyss förstod jag det som att du och Olof brukade gå omkring här nakna.

– Jag dricker inte så mycket som du tror.

– Jag tror ingenting. Förr drack du nästan aldrig. Nu ser jag dig stå naken och halsa ur en flaska, mitt på dagen.

– Jag mår inte bra.

– Är du sjuk?

Mona började gråta. Linda blev handfallen. När hade hon senast upplevt att hennes mor hade gråtit? En nervös, nästan rastlös gråt som kunde drabba henne när en maträtt misslyckades eller nånting blivit bortglömt. Hon kunde gråta när hon bråkade med Lindas pappa. Men den här gråten var annorlunda. Linda bestämde sig för att vänta ut den. Den slutade lika fort som den börjat. Mona snöt sig och drack sitt kaffe.

– Jag ber om ursäkt.

– Tala hellre om vad det är.

– Vad skulle det vara?

– Det vet du, inte jag. Men nånting är det.

– Jag tror att Olof har träffat en annan kvinna. Han säger att det inte är så. Men en sak har jag lärt mig i mitt liv, att veta när en man ljuger. Det lärde jag mig av din far.

Linda kände genast ett behov av att försvara honom.

– Jag tror inte han ljuger mer än andra. I alla fall inte mer än jag.

– Du anar inte vad jag skulle kunna berätta.

– Du anar inte hur lite intresserad jag är av att veta.

– Varför måste du vara så elak?

– Jag säger bara vad jag menar.

– Just nu skulle jag faktiskt behöva nån som visade lite vänlighet.

Lindas känslor hade hela tiden växlat, medlidande, ilska, men inget var så starkt som det hon kände nu. Jag tycker inte om henne, sa hon till sig själv. Min mor är en kvinna som vädjar om en kärlek jag inte kan ge henne. Jag måste härifrån. Hon ställde sin kopp på diskbänken.

– Ska du redan gå?

– Jag ska till Köpenhamn.

– Vad ska du göra där?

– Det hinner jag inte förklara.

– Jag hatar Olof för det han gör.

– Jag kan komma tillbaka när du är nykter.

– Varför är du så elak?

– Jag är inte elak. Jag ringer.

– Jag kan inte ha det så här längre.

– Då får du väl bryta upp. Det har du gjort en gång tidigare.

– Du behöver inte berätta för mig vad jag har gjort i mitt liv.

Hon började bli hetsig igen. Linda vände sig om och gick. Hon hörde Monas röst bakom sig: *stanna en stund till.* Och sen, just när hon skulle slå igen dörren: *gå då och kom aldrig tillbaka.*

Hon var alldeles genomsvettig när hon satte sig i bilen. Kärring, tänkte hon. Fortfarande var hon arg. Men hon visste att innan hon ens nått till mitten på Öresundsbron skulle hon ha börjat ångra sig. Hon borde ha varit en god dotter som stannat kvar hos sin mor och lyssnat på hennes klagan.

Linda letade sig upp på avfarten mot bron, köpte sin biljett och passerade spärren. Hon körde långsamt. Redan hade det dåliga samvetet kommit krypande. Det fanns en plötslig längtan hos henne efter att inte ha varit enda barnet. Ett syskon, tänkte hon. Det hade förändrat allt. Nu är jag i ett ständigt underläge eftersom jag har två föräldrar och jag är ensam. Det blir jag som får ta mig an dom när dom inte klarar sig själva längre. Hon rös vid tanken. Samtidigt bestämde hon sig för att tala med sin far om det hon upplevt. Hade det hänt tidigare att Mona druckit för mycket? Hade hon haft spritproblem som Linda aldrig känt till?

Hon nådde brofästet i Danmark och slog bort tankarna på Mona. Beslutet att tala med fadern hade gjort att det dåliga samvetet försvann. Det var rätt att hon lämnat sin mor. Bara när hon var nykter skulle det gå att tala med henne. Om hon stannat kvar hade de fortsatt att skrika åt varandra.

Linda körde in på en parkeringsplats och steg ur bilen. Hon satte sig på en bänk och såg ut mot Sundet, bron, därborta i diset Sverige. Där fanns hennes två föräldrar som under hela hennes uppväxt hade lindat in hennes liv i en egendomlig dimma. Värst är min far, tänkte hon. Den duktige men så dystre polisman som kunnat skratta men av någon outgrundlig anledning förbjudit sig själv. Min far som inte lyckas hitta någon ny kvinna att leva med eftersom han fortfarande älskar Mona. Baiba i Riga förstod och försökte förklara för honom. Men han ville inte lyssna. "Jag har glömt Mona", sa han, det berättade Baiba för mig. Men han har inte glömt henne, han kommer aldrig att glömma henne, hon var hans stora kärlek i livet. Nu möter jag henne när hon står naken på ett köksgolv och har en flaska sprit i handen. Hon vandrar också omkring i den där dystra dimman, och jag har fortfarande inte lyckats befria mig ifrån den trots att jag snart är tretti år.

Linda sparkade ilsket med foten i gruset, tog upp en sten och kastade mot en fiskmås. Det elfte budordet, tänkte hon, det viktigaste, som talar om för mig att *jag ska icke bli som dom.* Bortom dimman finns en annan värld som dom har tappat kontakten med. Min mor dör av att leva med en blodfattig kamrer. Min far av att inte förstå att han redan träffat och förlorat den stora kärleken i sitt liv och försöker anpassa sig till det. Han kommer att fortsätta att valla sina osynliga hundar och köpa sina hus som inte existerar tills han en dag upptäcker att nånting är för sent. Men vad är detta nånting?

Linda reste sig och återvände till bilen. Med handen på bildörren brast hon i skratt. Några fiskmåsar lyfte. Sån är jag, tänkte hon. Ingen lockar in mig i dimman och villar bort mig så att jag aldrig hittar ut igen. Dimman kan nog vara en lockande labyrint. Men jag ska undvika den. Hon fortsatte att skratta medan hon körde in mot stan. Nånstans i Nyhavn stannade hon, och på en stor informationstavla för turister letade hon reda på var Nedergade låg.

Det hade börjat skymma när hon kom fram. Nedergade låg i ett förfallet kvarter med rader av höga och enformiga bostadshus. Hon kände sig genast otrygg och tvekade om hon skulle försöka få tag på Torgeir Langaas eller åka tillbaka en annan dag. Men brobiljetten var dyr, hon hade inte råd. Hon låste bilen, stampade med ena foten i gatan för att inge sig mod och försökte läsa namnen vid porttelefonen i det dåliga ljuset. Dörren öppnades, en man med ett ärr i pannan kom ut. Han ryckte till när han fick syn på henne. Innan dörren slog igen hade hon gått in. Det fanns en annan tavla med hyresgästernas namn. Men ingen hette Langaas, ingen hette Torgeir. En kvinna kom bärande på en soppåse. Hon var i Lindas ålder och hon log.

– Förlåt, sa Linda. Jag söker en man som heter Torgeir Langaas.

Kvinnan stannade.

– Bor han här?

– Jag har fått den här adressen.

– Vad hette han? Torgeir Langaas? Är han dansk?

– Han är norsk.

Hon skakade på huvudet. Linda märkte att hon verkligen ville hjälpa henne.

– Jag känner ingen från Norge som bor här. Vi har några svenskar och folk från andra länder. Men ingen norrman.

Ytterporten öppnades. En man kom in. Kvinnan med soppåsen frågade om han kände någon som hette Torgeir Langaas. Han skakade på huvudet. Han hade en tröja med huva över huvudet. Linda kom inte åt att se hans ansikte.

– Jag kan inte hjälpa dig. Tyvärr. Men försök tala med fru Andersen på andra våningen. Hon är den som håller reda på alla som bor i huset.

Linda tackade för hjälpen och gick uppför de ekande trapporna. Nånstans slog en dörr igen, hög latinamerikansk musik trängde ut i trapphallen. Utanför fru Andersens dörr stod en blomkruka på en pall, en orkidé. Linda ringde på dörren. Det skällde till i tamburen. Fru Andersen var en av de minsta kvinnor Linda någonsin sett. Hon var krum och hopböjd, vid hennes fötter som var instoppade i ett par slitna tofflor bjäffade en hund som också tillhörde de minsta Linda hade sett. Hon sa varför hon kommit. Fru Andersen pekade på sitt vänstra öra.

– Högre. Jag hör dåligt. Ropa.

Linda skrek fram sitt budskap. En norrman vid namn Torgeir Langaas. Fanns han i huset?

– Jag hör dåligt men mitt minne är bra, ropade hon till svar. Här finns ingen som heter Langaas.

– Kanske han är inneboende hos nån annan?

– Jag vet vilka som bor här, vare sig dom har kontrakt eller är inneboende. Jag har bott här i fyrtinio år, sen huset byggdes. Nu finns här både den ene och den andre. Man måste veta vem man omger sig med.

Hon lutade sig fram mot Linda och väste:

– Man säljer narkotika här i huset. Och ingen gör nånting.

Fru Andersen insisterade på att bjuda Linda på kaffe som fanns färdigt i en termos i det trånga köket. Efter en halvtimme lyckades Linda komma därifrån. Då visste hon allt om vilken bra man fru Andersen hade haft men som tyvärr dött alldeles för tidigt.

Linda gick nerför trapporna. Den latinamerikanska musiken hade tystnat. Nånstans skrek ett barn. Linda gick ut genom porten och såg sig om innan hon korsade gatan. Hon anade att någon dök upp i skuggorna. Det var mannen med huvan. Han grep henne i håret. Hon försökte göra sig fri men smärtan var för stark.

– Det finns ingen Torgeir, väste mannen. Ingen Torgeir Langaas, ingenting. Glöm honom.

– Släpp mig, skrek hon.

Han släppte greppet om hennes hår. Och slog sen till henne i tinningen. Slaget var hårt. Hon föll rakt ut i ett stort mörker.

28

Hon simmade i en sista kraftansträngning. Bakom henne höll de väldiga dyningarna på att hinna ikapp henne. Framför sig såg hon plötsligt klippor, svarta sylar som stack upp ur vattnet, beredda att spetsa henne. Krafterna rann ur henne, hon skrek till, och slog upp ögonen. Hon kände en bultande smärta i huvudet och undrade varför ljuset i sovrummet var förändrat. Sen såg hon sin fars ansikte, han lutade sig över henne, och hon undrade om hon försovit sig. Men vad var det hon skulle göra idag? Det hade hon glömt.

Sen mindes hon. Det var inte dyningarna som hunnit ikapp henne, det var minnet av ögonblicket just innan mörkret. Trappuppgången, gatan, mannen som steg fram ur skuggorna, hotet och sen slaget. Hon ryckte till. Hennes far la sin hand på hennes arm.

– Det blir bra. Allting blir bra.

Hon såg sig om i rummet. Ett sjukhus, dämpat ljus, skärmar, väsande luftintag.

– Jag minns nu, sa hon. Men hur kom jag hit? Är jag skadad?

Hon försökte sätta sig upp, samtidigt som hon vred och sprattlade med ben och armar för att kontrollera att ingenting var förlamat. Han höll ner henne.

– Det är bäst att du ligger. Du har varit medvetslös. Men inga inre skador, inte ens en hjärnskakning.

– Hur kom du hit? frågade hon och slöt ögonen. Berätta för mig.

– Om nu det jag har hört av mina danska kollegor och en av läkarna här på akutmottagningen på Rikshospitalet stämmer så hade du tur. En polisbil som kom körande såg dig och mannen som slog ner dig. Det tog bara några minuter för ambulansen att komma fram. Dom hittade ditt körkort och id-kortet från Polishögskolan. Efter en halvtimme hade dom fått tag i mig. Jag åkte hit direkt. Stefan är med.

Linda slog upp ögonen och såg bara sin far. Hon tänkte oklart att hon kanske var kär i Stefan trots att hon knappast hade träffat honom. Kan det stämma? Jag vaknar sen nån dåre har hotat mig och överfallit mig och det första jag tänker är att jag blivit kär, men alldeles för fort.

– Vad tänker du på?

– Var är Stefan?

– Han äter. Jag sa åt honom att åka hem. Men han ville stanna kvar.

– Jag är törstig.

Han gav henne vatten. Linda kunde tänka klarare nu, bilderna från ögonblicket innan mörkret blev allt tydligare.

– Vad hände med honom som överföll mig?

– Dom grep honom.

Linda satte sig upp så häftigt att hennes far inte hann hindra henne.

– Lägg dig ner.

– Han vet var Anna är. Nej, han kanske inte vet, men nånting måste han kunna säga.

– Lugna dig.

Hon la sig motvilligt på båren.

– Jag vet inte vad han heter, det kan vara Torgeir Langaas, men det behöver inte vara säkert. Men han måste veta något om Anna.

Hennes far satte sig på en stol vid sängen. Hon tittade på hans armbandsklocka. Kvart över tre.

– Natt eller dag?

– Natt.

– Han hotade mig. Sen tog han tag i mitt hår.

– Vad jag inte begriper är vad du hade här att göra? I Köpenhamn?

– Det tar för lång tid att berätta allting nu. Men han som överföll mig kan veta var Anna finns. Han kan ju ha gjort samma sak med henne. Dessutom kan han ha något med Birgitta Medberg att göra.

Han skakade på huvudet.

– Du är trött. Doktorn sa det, att minnesbilderna skulle komma hoppande och kanske vara röriga.

– Hör du inte vad jag säger?

– Jag hör vad du säger. Så fort doktorn har varit här kan vi åka hem. Du åker med mig och Stefan tar din bil.

Sanningen började gå upp för henne.

– Du tror inte på det jag säger? Att han hotade mig?

– Jag tror alldeles säkert att han hotade dig. Det har han erkänt.

– Vad har han erkänt?

– Att han hotade dig för att du skulle ge honom det knark han trodde att du varit inne och köpt i huset.

Linda stirrade på sin far samtidigt som hon försökte förstå vad det var han hade sagt.

– Han hotade mig och sa att det var bäst att jag inte frågade efter nån som hette Torgeir Langaas. Han sa inte ett ord om narkotika.

– Vi ska vara glada att det har klarats upp. Att polisen fanns på plats. Han kommer att bli åtalad för misshandel och rånförsök.

– Det var inget rån. Det handlar om den man som äger huset bakom kyrkan i Lestarp.

Han rynkade pannan.

– Vilket hus?

– Jag har inte hunnit berätta för dig om det här tidigare. Jag letade reda på huset i Lund där Anna bodde. Det ledde mig till Lestarp och ett hus bakom kyrkan. När jag frågade efter Anna försvann alla. Det enda jag lyckades ta reda på var att huset ägdes av en norrman som hette Torgeir Langaas och hade en adress här i Köpenhamn.

Hennes far såg länge på henne. Sen tog han upp ett anteckningsblock ur fickan och läste från en av sidorna.

– Mannen som överföll dig hette Ulrik Larsen. Om jag ska tro den danska kollega jag talat med är Ulrik Larsen knappast en människa som har särskilt många hus i sin ägo.

– Du hör ju inte på vad jag säger!

– Jag hör. Men vad du inte förstår är att det finns en man som har erkänt att han försökte plocka narkotika från dig och att han slog ner dig.

Linda skakade desperat på huvudet. Det bultade hårt i den vänstra tinningen. Varför förstod han inte vad det var hon försökte säga?

– Jag är klar i huvudet. Jag vet att jag har blivit överfallen. Men nu berättar jag för dig precis vad som hände.

– Du *tror* att du gör det. Vad jag fortfarande inte förstår är vad du hade i Köpenhamn att göra. Efter att du varit hemma hos Mona och gjort henne olycklig.

Linda blev alldeles kall.

– Hur vet du det?

– Hon ringde. Det var ett rätt förfärligt samtal. Hon snörvlade och pratade så otydligt att jag nästan trodde hon var berusad.

– Hon *var* berusad. Vad sa hon?

– Att du hade överöst henne med anklagelser och sen pratat illa om både henne och mig. Hon var alldeles förkrossad. Och den där kamrern hon är gift med var tydligen bortrest och kunde inte hjälpa henne.

– Morsan stod naken på golvet med en flaska i handen när jag kom in.

– Hon sa att du hade smugit dig på henne.

– Jag gick in genom verandadörren. Jag smög inte. Hon var full, hon ramlade. Vad hon än har sagt i telefon är det fel.

– Vi får tala om det sen.

– Tack.

– Vad gjorde du här i Köpenhamn?

– Det har jag redan sagt.

Han skakade på huvudet.

– Kan du då förklara för mig varför det sitter en man anhållen för att ha försökt råna dig?

– Nej. Jag kan inte heller förklara varför du inte fattar att det jag säger är sant.

Han lutade sig fram mot henne.

– Förstår du hur jag kände det när dom ringde? Och berättade att du låg på ett sjukhus i Köpenhamn efter ett överfall? Förstår du det?

– Jag är ledsen om du blev orolig.

– Orolig? Jag blev räddare än vad jag har varit på många, många år.

Kanske har du inte varit så rädd sen jag försökte ta livet av mig, tänkte Linda. Hon visste att hennes fars största fruktan alltid var att något skulle hända henne.

– Förlåt.

– Jag undrar naturligtvis hur det ska bli när du börjar jobba, fortsatte han. Ska jag bli en orolig gubbe som ligger sömnlös när du jobbar på nätterna?

Hon gjorde ett nytt försök, talade långsamt, nästan övertydligt. Men han tycktes fortfarande inte tro henne.

Hon hade just talat till punkt när Stefan Lindman kom in i rummet. Han hade en papperspåse med smörgåsar med sig. Han nickade glatt när han fick se att hon hade vaknat.

– Hur är det med dig?

– Bra.

Stefan Lindman gav hennes far påsen. Han började genast äta.

– Vad har du för bil? Jag tänkte hämta den, sa Stefan Lindman.

– En röd Golf. Den står parkerad snett emot huset på Nedergade. Det låg en tobaksaffär där, minns jag.

Han höll upp nyckeln.

– Jag tog den ur din jacka. Det var tur att det gick som det gick. Galna narkomaner hör till det värsta man kan råka ut för.

– Det var ingen narkoman.

– Berätta för Stefan vad du sagt till mig, sa hennes far mellan tuggorna.

Hon talade lugnt, metodiskt, övertygande. Precis som hon lärt sig. Hennes far tuggade på sina smörgåsar, Stefan Lindman stod på andra sidan sängen och såg ner i golvet.

– Det här stämmer inte riktigt med vad dom danska kollegorna har berättat, sa Stefan Lindman när hon tystnat. Inte heller med vad mannen som överföll dig har erkänt.

– Det jag säger är sant.

Hennes far torkade omsorgsfullt av händerna med en servett.

– Låt mig ta det här på ett annat sätt, sa han. Det är bevisligen så att det är mycket ovanligt att människor erkänner brott dom inte har begått. Det händer, det är också sant, men inte ofta. Och särskilt inte bland människor med stora missbruksproblem. Eftersom det dom mest fasar för är att spärras in och förlora tillgången till den livlina som utgörs av drogerna. Förstår du vad jag menar?

Linda svarade inte. En läkare kom in i rummet. Han frågade hur hon mådde.

– Hon kan åka hem, sa han. Men ta det lugnt några dagar. Och gå till en doktor om huvudvärken inte går över.

Linda satte sig upp. En tanke slog henne.

– Hur ser Ulrik Larsen ut?

Varken hennes far eller Stefan Lindman hade sett honom.

– Jag går inte härifrån innan jag vet hur han ser ut.

Hennes far tappade humöret.

– Har du inte redan ställt till med tillräckligt mycket oreda? Nu åker vi hem.

– Det kan väl inte vara så svårt att ta reda på hur han ser ut? Du med alla dina danska kollegor.

Linda märkte att hon nästan skrek. En sjuksköterska kom in och såg strängt på dem.

– Vi behöver det här rummet nu.

På en bår ute i korridoren låg en blödande kvinna och bankade ena handen i väggen. Ett väntrum var tomt. Där gick de in.

– Den man som överföll mig var ungefär hundraåtti centimeter lång. Jag såg inte hans ansikte eftersom han hade en tröja med huva. Tröjan var svart eller blå. Han hade mörka byxor och bruna kängor. Han var mager. Han talade danska och han hade ljus röst. Dessutom luktade han kanel.

– Kanel, sa Stefan Lindman förvånat.

– Han kanske hade ätit en bulle, fräste Linda. Ring nu era kollegor och ta reda på om den man som sitter anhållen ser ut som den man jag beskriver. Bara jag vet det så ska jag tills vidare hålla tyst.

– Nej, sa hennes far. Nu åker vi hem.

Linda såg på Stefan Lindman. Han nickade försiktigt när Kurt Wallander vände ryggen till.

De for över bron efter att ha skilts utanför sjukhuset. Stefan Lindman försvann i en taxi för att hämta den röda Golfen. Linda kurade i baksätet. Hon såg att hennes far då och då kastade en blick på henne i backspegeln. Just när de passerat ett av tornen började bilen skaka. Han svor till och bromsade in.

– Sitt kvar, sa han och steg ur. Han gick runt och stannade vid höger bakhjul. Han öppnade hennes dörr.

– Bäst du stiger ur. Det är som om jag aldrig ska få sova den här natten.

Linda såg på det punkterade däcket och fick en oklar känsla av skuld.

– Det är inte mitt fel, sa hon.

Hennes far gav henne en varningstriangel att sätta ut.

– Vem har sagt att det är ditt fel?

Trafiken över bron på natten var liten. Linda stod och såg upp mot den klara natthimlen. Hennes far flåsade och svor medan han höll på med hjulet. Till sist var han klar. Han torkade svetten ur pannan och letade fram en halvtömd vattenflaska ur bagageluckan. Han ställde sig bredvid henne och såg ut över Sundet.

– Om jag inte var så trött så vore det säkert en stor upplevelse att stå här mitt i natten, sa han. Men jag behöver sova.

– Vi ska inte diskutera det mer, svarade Linda. Åtminstone inte i natt. Men jag vill bara att du ska veta att det inte var en narkoman som slog ner mig. Åtminstone försökte han inte råna mig så länge jag var vid medvetande. Men han hotade mig. Han sa att jag inte skulle fortsätta att söka efter en man som heter Torgeir Langaas. Jag vill bara att du ska veta det. Och att jag tror att det finns ett samband mellan den mannen och Anna. Jag reste till Köpenhamn eftersom jag var orolig. Jag är mer orolig nu än när jag for över den här bron åt motsatt håll.

– Vi åker hem nu, sa hennes far. Jag hör vad du säger och jag tycker det är konstigt. Men faktum är att en man greps på bar gärning. Och hans bekännelse är trovärdig.

De fortsatte mot Ystad under tystnad. Klockan var närmare halv fem när de kom hem. Nyckeln till Golfen låg på golvet nedanför brevinkastet.

– Märkte du att han for förbi oss på bron? sa Linda.

– Han kanske inte tycker om att hjälpa till med däcksbyten.

– Är inte ytterporten här låst på natten?

– Låset glappar. Men nu har du din bil tillbaka.

– Det är inte min bil. Det är Annas.

Hon följde efter honom när han gick ut i köket och tog fram en öl ur kylskåpet.

– Hur går det för er?

– Inte fler frågor just nu, sa han. Jag är för trött. Jag måste sova. Du med.

Hon vaknade av att det ringde på dörren. Yrvaket satte hon sig upp och såg på väckarklockan. Kvart över elva. Hon klev ur sängen och satte på sig badrocken. Det ömmade i huvudet men den pulserande smärtan hade släppt. Hon öppnade ytterdörren på glänt. Det var Stefan Lindman som stod där.

– Jag är ledsen om jag väckte dig.

Hon släppte in honom.

– Vänta i vardagsrummet. Jag kommer strax.

Hon sprang in i badrummet, tvättade ansiktet, borstade tänderna och kammade sig. När hon kom ut i vardagsrummet stod han vid den öppna balkongdörren.

– Hur mår du idag?

– Bra. Vill du ha kaffe?

– Jag hinner inte. Jag vill bara berätta om ett telefonsamtal jag hade för nån timme sen.

Linda förstod. Han hade alltså trott på det hon berättat på sjukhuset under natten.

– Vad sa dom?

– Det tog lite tid att få tag på rätt polis. Jag väckte nån som hette Ole

Hedtoft och som hade arbetat i natt. Han var en av dom som hittade dig. Och som grep honom som överföll dig.

Han tog fram ett hopvikt papper ur fickan på skinnjackan och såg på henne.

– Ge mig signalementet igen på Ulrik Larsen.

– Om han heter Ulrik Larsen vet jag inte. Men han som hotade mig och slog ner mig var hundraåtti centimeter lång, mager, hade svart eller blå tröja med huva, mörka byxor och bruna skor.

Stefan Lindman nickade och strök sig sen fundersamt med tummen och pekfingret över näsan.

– Ole Hedtoft bekräftar det här signalementet. Men du kan ha missuppfattat det där med hotet.

Linda skakade på huvudet.

– Han hotade mig. Han talade om den man jag letade efter, Torgeir Langaas.

– På nåt sätt måste det ha uppstått ett missförstånd.

– Vad då för missförstånd? Jag vet vad jag säger. Jag blir mer och mer övertygad om att nånting har hänt Anna.

– Anmäl det då. Tala med hennes mamma. Varför anmäler inte hon?

– Jag vet inte.

– Borde inte hon vara orolig?

– Jag vet inte vad som händer. Jag vet inte varför hon inte oroar sig. Jag vet bara att Anna kan vara i fara.

Stefan Lindman gick mot tamburen.

– Anmäl det. Låt oss sköta det här.

– Men ni gör ju ingenting?

Stefan Lindman tvärstannade. Han var arg när han svarade.

– Vi arbetar dygnet runt. Med ett riktigt mord. Dessutom ett riktigt vidrigt mord. Som vi inte begriper oss på.

– Då är vi i samma situation, svarade hon lugnt. Jag har en väninna som heter Anna som inte är hemma när jag ringer till henne eller knackar på hennes dörr. Det begriper jag mig inte på.

Linda öppnade dörren.

– Tack för att du i alla fall trodde något av det jag sa.

– Oss emellan. Det finns inget skäl att berätta det här för din farsa.

Han försvann nerför trappan. Linda åt en slarvig frukost, klädde sig och ringde till Zebran. Hon svarade inte. Linda åkte till Annas lägenhet. Den här gången var det inga spår efter någon som varit där. Var är du, ropade Linda inom sig. Du har mycket att förklara när du kommer tillbaka.

Hon öppnade ett fönster, drog fram en stol och hämtade Annas dagbok. Det måste finnas nåt spår, tänkte hon. Som kan förklara vad som hänt.

Hon började läsa, gick en månad bakåt i tiden. Plötsligt stannade hon till. Det stod ett namn där i dagboken, ett namn skrivet i marginalen, ditkastat som en minnesanteckning. Linda rynkade pannan. Hon kände igen namnet. Hon hade sett det nyligen. Eller kanske hon hade hört det? Hon la ifrån sig dagboken. Nånstans på avstånd hade det börjat åska. Hettan var tryckande. Ett namn som hon sett eller hört. Frågan var bara var, eller av vem? Hon kokade kaffe och försökte distrahera hjärnan att släppa greppet om var hon mött namnet tidigare. Ingenting hände.

Det var först när hon var på väg att ge upp som hon mindes var hon hade stött på namnet.

Det hade hänt för mindre än ett dygn sen. På en namntavla i ett danskt hyreshus.

29

Vigsten. Hon visste att hon inte misstog sig. Namnet hade funnits på namntavlan i porten på Nedergade. Om det var gathuset eller gårdshuset visste hon inte, men namnet var hon säker på. Kanske hade det stått D eller O framför. Men efternamnet var Vigsten. Vad gör jag nu, tänkte hon. Jag arbetar mig fram till att något faktiskt hänger ihop. Men jag är ensam om att ta det på allvar, det finns ingen jag lyckas övertyga om att det här pekar åt ett bestämt håll. Men vilket håll? Hon kände den gnagande oron igen. Anna hade trott sig se sin far och sen hade hon försvunnit. Tanken malde inom henne. Först återvänder en sen länge försvunnen far, sen försvinner hans dotter. Två försvinnanden som täcker varandra, som tar ut varandra eller kompletterar varandra? Är det samma försvinnande, nånting som uppgår i vartannat? Hon kände plötsligt att hon måste dela sina tankar med någon. Det fanns ingen annan än Zebran. Hon sprang nerför trapporna i Annas hus och körde hem till Zebran. Hon var just på väg ut med sin son. Linda följde med. De gick till en lekplats i närheten. Pojken försvann till sandlådan. Det fanns en bänk där, men den var nerkletad med smuts och tuggummin.

De satte sig på ytterkanten. Pojken slängde sand omkring sig, vild av lycka. Linda såg på Zebran och drabbades av sin vanliga avund: Zebran var alldeles onödigt vacker; det fanns något arrogant och lockande hos henne. Linda hade en gång drömt om att bli den där kvinnan som Zebran blev. Men jag blev polis, tänkte hon. En polis som hoppas att hon inte innerst inne visar sig vara en räddhare.

– Anna, sa Zebran. Jag försökte ringa. Men hon var inte hemma. Har du talat med henne?

Linda blev arg.

– Har du inte fattat nånting? Att hon är borta, att jag är orolig, att nånting måste ha hänt?

– Du vet väl hur hon är?

– Vet jag? Tydligen inte. Hur är hon?

Zebran rynkade pannan.

– Varför är du så förbannad?

– Jag är orolig.

– Vad skulle ha hänt?

Linda bestämde sig för att berätta i detalj. Zebran lyssnade under tystnad. Pojken lekte.

– Det kunde jag ha berättat för dig, sa Zebran när Linda tystnat. Att Anna är religiös.

Linda såg undrande på henne.

– Religiös?

– Ja.

– Till mig har hon aldrig sagt nånting.

– Ni träffades ju nyligen, efter många år. Dessutom är Anna sån att hon berättar olika saker för olika människor. Hon ljuger mycket.

– Gör hon?

– Jag hade tänkt berätta det för dig. Men jag trodde det var bäst att du upptäckte det själv. Anna är mytoman. Hon kan hitta på precis vad som helst.

– När vi kände varandra tidigare var hon inte sån.

– Människor förändras, eller hur?

Linda uppfattade att Zebrans sista kommentar var full av ironi.

– Att jag orkar med Anna beror på att hon har goda sidor, fortsatte Zebran. Hon är oftast glad, snäll mot pojken, hjälpsam. Men när hon börjar berätta sina historier tar jag henne inte på allvar längre. Vet du att hon firade jul med dig förra året?

– Då var jag ju kvar i Stockholm.

– Hon sa att hon hade varit och hälsat på dig. Ni hade bland mycket annat gjort en resa till Helsingfors.

– Det är ju inte alls sant?

– Nej. Men det sa Anna. Hon ljög. Varför vet jag inte. Kanske är det som en sorts sjukdom? Eller kanske verkligheten är så tråkig att hon måste skapa en annan tillvaro.

Linda blev stum. Hon satt länge tyst.

– Du tror alltså att det kan ha varit lögn att hon hade sett sin pappa i Malmö?

– Jag är övertygad om att hon hittade på. Det vore så typiskt henne att plötsligt hitta sin pappa som säkert är död för länge sen.

– Varför sa du ingenting till mig om det här?

– Jag tyckte du kunde upptäcka det själv.

– Du tror alltså inte att nånting har hänt Anna?

Zebran såg roat på henne.

– Vad skulle det vara? Det har hänt tidigare att hon har försvunnit. Hon kommer tillbaka när hon kommer. Och då berättar hon en fantastisk historia som naturligtvis inte är sann.

– Är ingenting av det hon säger sant?

– Förutsättningen för att en mytoman ska lyckas är att han eller hon lägger fram en lögn som till största delen består av en sanning. Då glider den igenom, då tror vi på det. Tills vi inser att lögnaren lever i en värld som helt och hållet är hopljugen.

Linda skakade vantroget på huvudet.

– Läkarutbildningen?

– Tror jag inte ett dugg på.

– Men var får hon pengar ifrån? Vad gör hon?

– Det har jag också undrat över. Ibland har jag tänkt att hon kanske är en bedragare som lurar människor på pengar. Men jag vet inte.

Pojken i sandlådan ropade på sin mamma. Linda följde Zebran med blicken när hon gick dit. En man som passerade vände sig om efter henne. Linda tänkte på det Zebran hade sagt. Men det förklarar inte allt, tänkte hon. Det förklarar en del, det minskar min oro och gör mig upprörd eftersom jag inser att Anna har lurat mig. Jag tycker inte om att människor påstår att dom har rest till Helsingfors i mitt sällskap. Mycket förklaras, sa hon högt där på bänken. Men inte allt.

Zebran kom tillbaka.

– Vad sa du?

– Jag sa ingenting.

– Du satt här och talade högt för dig själv. Det hörde jag ända till sandlådan.

– Du måste förstå att jag är rätt omskakad.

– Hade du inte märkt nånting?

– Nej. Men jag förstår nu.

– Jag tycker du ska tala om för Anna att du har varit orolig. Jag tror att en dag kommer jag själv inte att orka med henne längre. Jag kommer att kräva av henne att hon börjar tala sanning. Då kommer hon att dra sig undan. Hennes sista lögn blir då att det var jag som bar mig illa åt mot henne.

Pojken tröttnade på att leka. De gick några varv i parken.

– Hur många dagar till? frågade Zebran.

– Sex, svarade Linda. Sen börjar jag arbeta.

När de hade skilts åt gick Linda ner till centrum och tog ut pengar i en bankomat. Hon var sparsam och oroade sig alltid för att hamna i en situation där hon skulle vara utan pengar. Jag liknar min far, tänkte hon. Vi är båda sparsamma och snåla.

Hon gick hem, städade lägenheten och ringde sen till bostadsföretaget som lovat henne en egen bostad. Hon lyckades efter flera försök få kontakt med den man som hade hand om hennes ärende. Hon frågade om det var möjligt att flytta in tidigare än planerat. Men det svar hon fick var negativt. Hon la sig på sängen i sitt rum och tänkte på det Zebran hade sagt. Oron för Anna var alldeles borta nu. Däremot kände hon en stark olust över att inte ha genomskådat henne. Men vad var det egentligen hon skulle ha sett? Hur upptäcker man att en människa ljuger? Inte om något särskilt men om det alldeles vardagliga.

Hon gick ut i köket och ringde till Zebran.

– Jag frågade aldrig färdigt om det där med att Anna är religiös.

– Varför talar du inte med henne själv när hon kommer tillbaka? Anna tror på Gud.

– Vilken gud?

– Den kristna. Hon går i kyrkan ibland. Säger hon. Men hon ber, det tror jag på. Jag har kommit på henne några gånger. Hon ligger på knä och ber.

– Vet du om hon tillhör nån församling? Eller sekt?

– Nej. Gör hon det?

– Jag vet inte. Har ni talat mycket om det här?

– Hon försökte några gånger. Men jag stoppade henne. Gud och jag har aldrig haft nåt bra förhållande till varandra.

Ett illvrål hördes genom telefonen.

– Nu slog han sig. Hej då.

Linda gick tillbaka till sängen och fortsatte att stirra upp i taket. Vad vet man om människor? Anna stod där framför henne i tankarna. Men det var som om det var en alldeles främmande person. Mona fanns där också, utan kläder och med en flaska i handen. Linda satte sig upp i sängen. Jag är omgiven av galningar, tänkte hon. Den enda som är alldeles normal här är farsan.

Hon gick ut på balkongen. Dagen var fortfarande varm. Jag bestämmer mig här och nu att sluta oroa mig för Anna, sa hon till sig själv. Det är bättre att jag njuter av det vackra vädret.

Hon läste i tidningen om utredningen av mordet på Birgitta Medberg. Hennes far uttalade sig. Hon hade läst samma ord många gånger tidigare. *Inga säkra spår, arbete på många olika fronter, kan ta tid.* Hon slängde ifrån sig tidningen och tänkte på namnet i Annas dagbok. *Vigsten.* Den andra personen i dagboken som korsat Lindas spår. Den första var Birgitta Medberg.

En gång till, tänkte hon. En resa över bron. Det kostar alldeles för mycket. Men en dag ska jag kräva tillbaka det av Anna. Som ersättning för all den oro hon vållat mig.

Den här gången ska jag inte gå omkring på Nedergade i mörker, tänkte hon när hon körde över bron mot Köpenhamn. Jag ska söka upp den man – om det nu är en man – som heter Vigsten och fråga om han vet var Anna befinner sig. Ingenting mer. Sen åker jag hem och lagar mat åt min pappa.

Hon parkerade på samma ställe som sist och kände obehag när hon steg ur bilen. Det var som om hon först nu insåg att hon faktiskt blivit överfallen på den här platsen dagen innan.

Hon hade stigit ur bilen när insikten drabbade henne. Hon satte sig i bilen igen och låste dörrarna. Lugnt och stilla, tänkte hon. Jag stiger ur bilen, det finns ingen som överfaller mig. Jag går in och letar reda på den hyresgäst som heter Vigsten.

Hon intalade sig att vara lugn, men hon sprang över gatan. En cyklist vinglade till och skrek nånting åt henne. Porten gick upp när hon tog tag i handtaget. Namnet såg hon genast. Fyra trappor upp i gathuset. F Vigsten. Den första bokstaven i förnamnet hade varit fel i hennes minne. Hon började gå uppför trapporna. Vad var det för musik hon hade hört här förra gången? Latinamerikansk. Nu var allt mycket tyst. Frederik Vigsten, tänkte hon. I Danmark heter man Frederik. Om det är en man. Annars kan det vara Frederike. Hon stannade och hämtade andan när hon kommit upp till fjärde våningen. Sen ringde hon på dörren. Det lät som ett klockspel inifrån tamburen. Hon väntade och räknade långsamt till tio. Sen ringde hon igen. I samma ögonblick öppnades dörren. En äldre man med håret på ända och glasögon i en snodd runt halsen betraktade henne strängt.

– Jag kan inte gå fortare, sa han. Varför har unga människor inget tålamod i våra dagar?

Utan att fråga efter hennes namn eller ärende steg han åt sidan och nästan drog henne in i tamburen.

– Jag måste ha glömt att jag har en ny elev. Men jag för inte alltid mina anteckningar så noga som jag borde. Varsågod och häng av er. Jag finns i det inre rummet.

Han försvann längs den långa korridoren med korta och nästan hoppande steg. Elev, tänkte Linda. I vad då? Hon hängde av sig jackan och följde efter mannen som nu försvunnit. Lägenheten var stor, Linda fick en känsla av att den nån gång måste ha blivit sammanslagen med en annan. I det innersta rummet stod en svart flygel. Den vithårige mannen stod vid ett litet bord intill ett fönster och bläddrade i en almanacka.

– Jag hittar ingen elev, sa han klagande. Vad heter ni?

– Jag är ingen elev. Jag vill bara ställa några frågor.

– Jag har svarat på frågor i hela mitt liv, sa den man som Linda antog hette Vigsten. Jag har svarat på varför det är så viktigt att sitta rätt när man spelar piano. Jag har försökt förklara för unga pianister varför alla inte kan lära sig att spela Chopin med den kombination av varsamhet och kraft som är nödvändig. Men framförallt har jag försökt få otaliga operasångare att stå ordentligt, att inte försöka sjunga dom svåraste partierna utan att ha ordentliga skor på fötterna. Är ni klar över det? Det viktigaste för en operasångare är att ha bra skor. Och för en pianist att inte ha hemorrojder. Vad heter ni?

– Jag heter Linda och jag är varken pianist eller operasångare. Jag har kommit för att fråga om nånting som inte rör musiken.

– Då har ni kommit fel. Jag kan bara svara på frågor om musik. Världen i övrigt är mig totalt obegriplig.

Linda blev förvirrad av mannen som i sin tur inte verkade alldeles klar i huvudet.

– Heter du Frederik Vigsten?

– Inte Frederik utan Frans. Men efternamnet är riktigt.

Han hade satt sig på pianopallen och bläddrade i ett nothäfte. Linda fick en känsla av att hon då och då försvann från hans medvetande. Det var som om hon bara ögonblicksvis befann sig i rummet.

– Jag hittade ditt namn i Anna Westins dagbok, sa hon.

Han trummade rytmiskt med ett finger i nothäftet och tycktes inte höra.

– Anna Westin, upprepade hon, nu med högre röst.

Han såg hastigt upp på henne.

– Vem?

– Anna Westin. En svensk flicka som heter Anna Westin.

– Jag hade många svenska elever tidigare, sa Frans Vigsten. Nu är det som om alla har glömt mig.

– Tänk efter. Anna Westin.

– Det är så många namn, svarade han drömmande. Så många namn, så många underbara ögonblick när musiken verkligen *börjat sjunga*. Kan ni förstå det? Att musiken måste fås att sjunga. Det är inte många som har förstått det. Bach, den gamle mästaren, han förstod. Det var Guds röst som sjöng i hans musik. Och Mozart och Verdi och kanske till och med den något okände Roman fick emellanåt musiken att sjunga...

Han avbröt sig och såg på Linda.

– Har ni sagt ert namn?

– Jag säger det gärna igen. Jag heter Linda.

– Och ni är ingen elev? Inte pianist, inte operasångerska?

– Nej.

– Ni frågar efter nån som heter Anna?

– Anna Westin.

– Jag känner ingen Anna Westin. Min hustru var däremot en vestal. Men hon dog för trettinio år sen. Kan ni förstå vad det innebär att vara änkeman i nästan fyrti år?

Han sträckte ut sin tunna hand med de fina blå ådrorna och rörde vid hennes handled.

– Ensam, upprepade han. Det gick bra så länge jag hade mitt dagliga arbete som repetitör på Det Kongelige. Sen en dag tyckte dom jag hade blivit för gammal. Eller kanske det var att jag höll fast vid dom gamla och stränga kraven. Jag kunde inte tolerera att man slarvade.

Han avbröt sig och började slå efter en fluga med en flugsmälla som låg bland nothäftena. Han jagade runt i rummet som om han dirigerade en osynlig orkester eller kör med sin smälla.

Sen satte han sig igen. Utan att han märkte det slog flugan sig ner på hans panna.

En omärklig fluga, tänkte Linda. Så ser ålderdomen ut.

– Jag hittade ditt namn i min väninnas dagbok, upprepade hon.

Hon hade tagit hans hand och kände att hans fingrar som girigt grep efter hennes var starka.

– Anna Westin, var det så?

– Ja.

– Jag har aldrig haft nån med det namnet som elev. Jag är gammal och glömsk. Men mina elevers namn vill jag minnas. Dom gav det här livet nån sorts mening sen Mariana försvann till gudarnas rike.

Hon visste inte längre vad hon skulle fråga om. Egentligen fanns det bara en enda sak.

– Torgeir Langaas, sa hon. Jag söker en man med det namnet.

Nu var han borta igen. Med den lediga handen slog han några toner på flygeln.

– Torgeir Langaas, sa hon igen. En norrman.

– Jag har haft många norska elever. Mest minns jag en märklig man som hette Trond Ørje. Han kom från Rauland och hade en underbar barytonröst. Men han var så ohyggligt blyg att han bara lyckades i skivstudion. Han var den märkligaste baryton och den märkligaste människa jag mött i mitt liv. Han grät av förfäran när jag sa att han var begåvad. En mycket märklig man. Det finns andra...

Han reste sig häftigt.

– Det är ensamt att leva. Musiken och mästarna som skrev den och flugorna. Och fortfarande en och annan elev. Annars går jag runt i den här världen och bara längtar efter Mariana. Hon dog för tidigt. Jag är så rädd för att hon ska hinna tröttna på att vänta på mig. Jag har levt för länge.

Linda reste sig. Hon insåg att hon aldrig skulle kunna få något ordentligt svar ur honom. Än mer obegripligt var det nu också att Anna skulle haft någon kontakt med honom.

Hon lämnade rummet utan att säga adjö. När hon gick mot tamburen hörde hon honom spela. Hon kastade en blick in i de andra rummen. Det var ostädat, luktade instängt. En ensam man med musik, tänkte hon. Som farfar med sina tavlor. Vad kommer jag att ha när jag blir gammal? Vad kommer farsan att ha? Och morsan? En flaska sprit?

Hon kom ut i tamburen och grep sin jacka. Musiken från flygeln fyllde lägenheten. Hon stod orörlig och såg på kläderna som hängde i tamburen. En ensam gammal man. Men där fanns en jacka och ett par skor som inte tillhörde någon gammal man. Hon såg inåt lägenheten. Där var tomt. Men hon visste redan att Frans Vigsten inte var ensam i lägenheten. Det fanns någon annan där. Rädslan kom över henne så fort att hon ryckte till. Musiken tystnade. Hon lyssnade. Sen lämnade hon hastigt lägenheten. Hon sprang över gatan och körde därifrån så fort hon kunde. Först när hon kommit ut på Öresundsbron blev hon lugn igen.

Samtidigt som Linda körde över bron bröt en man sig in i den zoologiska affären i Ystad och hällde bensin över fågelburarna och burarna med smådjur. Han kastade en brinnande tändare på golvet och försvann ur butiken samtidigt som djuren flammade upp och började dö.

Del 3

Trossen

30

Han valde alltid ut platserna för ceremonierna med stor omsorg. Det hade han lärt sig redan under flykten, eller snarare det han borde kalla det ensamma uttåget ur Jonestown. Var valde han att vila, på vilka platser kunde han känna sig trygg? Den gången fanns inga ceremonier med i hans värld, det var först senare som de blev till, när han hade återfunnit Gud som äntligen kunde hjälpa honom att fylla det tomrum som hotat att förtära honom inifrån.

Det var vid den tiden, när han redan varit i Cleveland och levt ihop med Sue-Mary i många år, som hans ständiga sökande efter platser där han var trygg började förändras till att bli en del av den religion han höll på att skapa. Ceremonierna blev hans följeslagare, en sorts daglig dopfunt där han kunde doppa sin panna och förbereda sig för att ta emot de budskap Gud sände honom och instruktioner för den uppgift som väntade honom. Det hade blivit ännu viktigare nu, att han inte begick några fel när han valde ut de platser där hans medhjälpare skulle förberedas för sina uppgifter.

Det hade också gått bra ända tills nu. Ända tills den olyckliga händelsen då en ensam kvinna hade hittat ett av deras gömställen och blivit ihjälhuggen av hans första lärjunge, Torgeir.

Jag såg aldrig hela Torgeirs svaghet, tänkte han. Den bortskämda redarungen som jag plockade upp ur rännstenen i Cleveland hade ett temperament som jag aldrig helt lyckades kontrollera. Jag visade honom både mildhet och ett oändligt tålamod. Jag lät honom tala och jag lyssnade. Men det fanns ett raseri gömt så djupt inne i honom, ett raseri bakom stängda dörrar, som jag inte lyckades upptäcka.

Han hade försökt få Torgeir att förklara. Varför hade han drabbats av detta besinningslösa ursinne när kvinnan kommit längs stigen och öppnat hans dörr? De hade talat om att det kunde hända, ingenting var helt omöjligt, en aldrig så sällan använd stig kunde en dag börja brukas igen. De måste hela tiden vara beredda på att det oväntade kunde inträffa. Torgeir hade inte kunnat ge honom något svar. Han hade frågat om Torgeir hade drabbats av en plötslig rädsla. Men han fick inga svar. Det fanns inga svar. Bara insikten om att Torgeir inte helt hade lagt sitt liv i hans händer. De hade bestämt att oväntade möten med okända människor i närheten av deras gömställen skulle lösas med vänlighet. Gömstället skulle sedan avvecklas så fort det gavs tillfälle. Torgeir hade valt den motsatta vägen. Något hade kortslutits i hans hjärna. I stället för vänlighet hade han tillgripit besinningslöst våld med en yxa. Varför han hade kluvit denna kvinna i olika delar kunde han inte svara på, lika lite som varför han sparat hennes huvud och flätat ihop hennes avhuggna händer som i bön. Därefter hade han lagt de resterande kroppsdelarna och stensänken i en säck, klätt av sig och simmat ut med säcken i närmaste tjärn och låtit den sjunka mot botten.

Torgeir var stark, det var en av hans första upplevelser när han snubblat över mannen som krälade i rännstenen i ett av Clevelands värsta slumområden. Han hade varit på väg att gå därifrån när han tyckte sig höra att den kvidande mannen sluddrat något. Han hade hejdat sig och böjt sig ner. Det lät som danska, eller kanske norska. Han hade förstått att Gud hade lagt denne man i hans väg. Torgeir Langaas hade varit nära döden. Den läkare som senare undersökte honom och la upp det rehabiliteringsprogram som var nödvändigt hade varit mycket tydlig. Det fanns inte plats för mer sprit eller narkotika i Torgeir Langaas kropp. Hans goda fysik hade räddat honom. Men nu fungerade hans olika organ med de sista reservkrafterna. Hans hjärna var kanske skadad, det var inte säkert att han skulle bli av med sina omfattande minnesluckor.

Han mindes fortfarande det där ögonblicket på gatan i Cleveland. Den dag en uteliggare med norsk nationalitet och med namnet Torgeir Langaas såg upp mot honom med ögon som var så blodsprängda att pupillerna lyste som på ursinniga hundar. Men det var inte blicken som var det viktiga utan det han sa. I Torgeir Langaas förvirrade hjärna var det Gud som lutade sig över honom. Han hade huggit tag med en av sina väldiga händer i jackan och riktat sin förfärliga andedräkt rakt upp mot den nya frälsarens ansikte.

– Är du Gud? hade han frågat.

Efter ett kort ögonblick, som om allt som hittills varit oklart i hans liv – alla samlade nederlag, men också drömmar och förväntningar – hade krympt till en enda punkt, hade han svarat:

– Ja, jag är din Gud.

I nästa ögonblick hade han tvekat. Den första lärjungen kunde förvisso vara en av de mest förtappade. Men vem var han? Hur hade han hamnat där?

Han hade gått därifrån och lämnat Torgeir Langaas – han kände då ännu inte till hans namn, bara att det var ett norskt fyllo som av någon anledning låg utslagen på en skitig gata i Cleveland. Men nyfikenheten hade inte gått över. Dagen efter hade han återvänt till slumkvarteren. Det var som en nedstigning till helvetet, hade han tänkt. Runt honom krälade de förtappade, de räddningslöst förlorade. Han hade letat efter mannen, flera gånger nästan blivit överfallen och rånad, men till sist hade en gammal man, med ett varigt och stinkande sår där han en gång haft sitt högra öga, kunnat tala om att en norrman med stora händer brukade krypa in i en nerrostad bropelare när han sökte skydd för regn och snö. Det var också där han fann honom. Torgeir Langaas sov, han snarkade, han stank, hans ansikte var fullt av sår och infekterade bölder. Ur jackan plockade han fram en liten hopvikt plastficka där Torgeir Langaas hade sitt röda norska pass, ett pass som gått ut sju år tidigare. På den linje som angav yrke stod "skipsreder". Skeppsredare. Det ökade hans nyfikenhet. Och den blev inte mindre av att det i plastfickan också fanns ett bankbevis. Han stoppade tillbaka dokumenten efter att ha memorerat passnumret och lämnade bropelaren.

Sue-Mary hade en bror Jack som levde ett egenartat dubbelliv. Han var söndagsskollärare på sin fritid, sålde hus som anställd på en av Clevelands mest anrika mäklarfirmor och använde en del av sin övriga tid till att förfalska olika dokument till den lokala mobben. Han sökte upp honom dagen efter i söndagsskolan och frågade om han kunde hjälpa till att skaffa fram några upplysningar om norrmannen som kommit i hans väg.

– Jag försöker hjälpa en broder i nöd, sa han.

– Passuppgifter från europeiska ambassader är svåra att komma över, sa Jack. Just därför är det en utmaning.

– Jag ska naturligtvis betala dig.

Jack log. Hans tänder var så vita att de nästan hade förlorat sin glans och blivit till krita.

– Jag tar inte betalt av Sue-Marys man, svarade han. Även om jag anser att ni borde gifta er. Synden varken ökar eller minskar av att den fortsätter år efter år. Den är alltid lika förkastlig.

Tre veckor senare kom Jack med häpnadsväckande uppgifter. Hur Jack hade fått tag på dem frågade han aldrig om.

– Utmaningen var välgörande. Särskilt när jag lyckades knäcka alla koder och ta mig in i Kongedømmet Norges hemligaste rum.

Han mindes fortfarande hur han öppnat kuvertet på väg till stolen intill den öppna spisen där han brukade sitta med sina tankar och sina böcker. Han sjönk ner i stolen och började ögna igenom papperen. Men han stannade genast upp, tände läslampan trots att det fortfarande var tidig eftermiddag, och läste sen grundligt igenom den fragmentariska men ändå mycket tydliga biografin över Torgeir Langaas.

Han var född i Bærum 1948, som arvtagare till det stora Langaasrederiet som specialiserade sig på att frakta olja och bilar. Langaasrederiet hade knoppats av från det anrika Refsvoldrederiet efter en konflikt. Det var inte känt varifrån Torgeir Langaas far, kapten Anton Helge Langaas som gått iland efter att ha studerat rederivärlden från olika kommandobryggor, fått det kapital och stora aktieinnehav som tvingat en motvillig styrelse i Refsvoldrederiet att släppa in honom i styrelserummet. Under konflikten spred Refsvoldfamiljen rykten om att Anton Helge Langaas kapital härstammade från motbjudande affärer med nazityskarna. Det viskades om illegala livlinor som hjälpt naziförbrytare att rädda sig undan med ubåtar som om nätterna gick in i La Platasundet mellan Argentina och Uruguay och släppte av sin last med lägerkommendanter och torterare. Men ingenting kunde bevisas och Refsvoldfamiljen hade också haft sina lik i garderoben.

Anton Helge Langaas hade väntat med att gifta sig tills han ansett att hans rederi som bar en rödgrön flagga med en flygfisk som motiv var tillräckligt etablerat och med en god ekonomi. I en gest av förakt mot det som kallades redaradeln valde han sig en fru från en plats så långt från havet man kunde komma i Norge, en skogsby öster om Røros, djupt inne i ödemarkerna mot Härjedalen. Där hittade han en kvinna som hette Maigrim och som körde ut post längs de ödsliga skogsvägarna till ensligt belägna gårdar. De byggde ett stort hus i Bærum utanför Oslo och där föddes tre barn i tät följd, först Torgeir och sedan två flickor, Anniken och Hege.

Torgeir Langaas hade tidigt insett vad som krävdes av honom, men också att han aldrig skulle kunna leva upp till det som begärdes. Han förstod sig aldrig på den roll han var satt att spela, vad skådespelet handlade om eller varför just han skulle spela den obegripliga huvudrollen. Redan i tonåren hade protesten och oviljan visat sig. Anton Helge Langaas hade fört en kamp som var förlorad från början. Till sist hade han resignerat och insett att Torgeir inte skulle bli hans efterträdare. Istället blev en av flickorna hans räddning. Hege var lik sin far, visade tidigt prov på en målinriktad vilja och satte sig på en direktörsstol i familjekoncernen när hon fyllde tjugotvå år. Då hade Torgeir med något som liknade en desperat målmedvetenhet, dock helt annorlunda än Heges, börjat den långa resan utför. Han hade redan utvecklat olika former av missbruk, och trots att Maigrim tog som sin livsuppgift att få honom på fötter igen, lyckades ingen av de dyra klinikerna eller de minst lika dyra psykologerna och terapeuterna.

Till sist kom det stora sammanbrottet. En julafton delade Torgeir ut presenter som bestod av ruttna fläskben, trasiga bildäck och smutsiga gatstenar. Därefter försökte han sätta eld på både sig själv, sina syskon och föräldrarna. Han flydde därifrån för att aldrig återkomma, han hade tillgång till pengar och försvann ut i världen. När hans pass gick ut och inte förnyades efterlystes han av internationell polis. Men ingen hittade honom där han drev omkring på gatorna i Cleveland. Han dolde att han hade tillgång till pengar. Han bytte bank, bytte allt utom sitt namn, och hade fortfarande en förmögenhet på nästan fem miljoner norska kronor när han mötte den man som uppenbarade sig som hans frälsare och Gud.

Det mesta av det här stod naturligtvis inte att läsa bland de papper som Jack hade lämnat. Men det tog inte mer än några sessioner inne i den trasiga bropelaren förrän Torgeir hade lockats att berätta den fullständiga historien. Efter det hade han som den frälsare han var lyft upp Torgeir Langaas ur rännstenen. Den förste lärjungen hade kommit.

Men jag såg inte hans svaghet, tänkte han igen. Raseriet som ledde till det obehärskade våldet. Han drabbades av vansinne och han högg kvinnan i bitar. Men det fanns faktiskt också något positivt i Torgeirs oväntade sätt att reagera. Att bränna djur på bål var en sak, att döda människor något helt annat. Uppenbarligen skulle inte Torgeir tveka. Nu när alla djur snart var offrade skulle han lyfta upp honom till nästa nivå där människooffret väntade.

De möttes nere vid stationen i Ystad. Torgeir hade tagit tåget från Köpenhamn eftersom han ibland kunde förlora koncentrationen när han körde bil. Hans frälsare hade ofta undrat över den rationella logik, omtanke och klokhet som överlevt under alla hans år i rännstenen.

Torgeir hade badat, det tillhörde den reningsprocess som alltid skulle föregå deras offerritualer. Han hade förklarat för Torgeir att allt fanns att läsa i Bibeln. Den var deras karta, deras farled. Det var viktigt att vara ren. Jesus tvättade alltid sina fötter. Ingenstans fanns att läsa att han regelbundet badade hela sin kropp. Men budskapet var ändå alldeles tydligt: man skulle gå till sin uppgift med ren kropp, alltid väldoftande.

Torgeir hade sin lilla svarta väska i handen. Han visste vad som fanns i den, han behövde inte fråga. Torgeir hade för länge sen visat sig kunna ta ansvar. Det enda var den där kvinnan som han styckat. Det hade skapat onödig uppståndelse. Tidningar och teve skrek om händelsen. Det som nu skulle ske hade redan förskjutits i två dagar. Men han hade tyckt det vara bäst att Torgeir använde sitt gömställe i Köpenhamn medan de låg stilla och väntade.

De gick upp mot centrum, vek av vid postkontoret och stannade vid den zoologiska affären. Inne i affären fanns inga kunder. Expediten var ung, hon höll på att ställa upp kattmat på en hylla när de steg in. Där fanns burar med hamstrar, kattungar, fåglar. Torgeir log men sa ingenting. Det var onödigt att låta människor höra hans norska brytning. Medan Torgeir såg sig om i affären och bestämde hur han skulle gå tillväga, köpte hans frälsare ett litet paket med fågelfrö. Sen lämnade de affären och gick ner till teatern och vidare ut mot småbåtshamnen. Dagen var varm, ännu i början av september var båtar på väg in och ut genom hamninloppet.

Det var den andra delen av ceremonin, att vara nära vatten. En gång hade de mötts vid Eiresjön. Sen dess uppsökte de alltid stränder när de hade viktiga förberedelser att göra.

– Burarna står tätt, sa Torgeir. Jag sprejar med båda händerna åt olika håll, slänger in tändaren och allt kommer att vara övertänt inom några få sekunder.

– Och sedan?

– Jag ropar: *Gud krevet.*

– Och sedan?

– Jag går till vänster och sen till höger, inte för fort, inte för långsamt. Jag stannar på torget och kontrollerar att ingen följer efter mig. Sen går jag upp till kiosken mitt emot sjukhuset där du väntar.

De avbröt samtalet och följde med blickarna en träbåt som var på väg in i hamnen. Motorljudet var högt och hackade orent.

– Det är dom sista djuren. Vi har nått vårt första mål.

Torgeir Langaas var på väg att ställa sig på knä där på piren. Blixtsnabbt högg han tag i Torgeirs arm och drog upp honom.

– Aldrig när någon ser.

– Jag glömde mig.

– Men du är lugn?

– Jag är lugn.

– Vem är jag?

– Min fader, min herde, min frälsare, min Gud.

– Vem är du?

– Den första lärjungen. Upphittad på en gata i Cleveland, räddad tillbaka till livet. Jag är den första lärjungen.

– Vad är du mer?

– Den första prästen.

En gång var jag sandalmakare, tänkte han. Jag drömde om något annat och rymde till slut från känslan av skam, av att ha förlorat, av att ha gjort slut på alla mina drömmar med min oförmåga att leva upp till dom. Nu formar jag människor på samma sätt som jag en gång formade sulor, inlägg och remmar.

Klockan hade blivit fyra. De gick runt i stan och satte sig på olika bänkar. Hela tiden tysta. Nu fanns inga fler ord. Då och då kastade han en blick på Torgeir. Han verkade alldeles lugn nu, koncentrerad på sin uppgift.

Jag gör en människa glad, tänkte han. En man som växte upp som ett rikt och bortskämt men samtidigt hunsat och förtvivlat litet barn. Nu gör jag honom glad genom att visa honom mitt förtroende.

De vandrade runt mellan bänkarna tills klockan blev sju. Affären stängde sex. Han följde Torgeir till hörnet vid postkontoret. I den ljumma kvällen var många människor ute på gatan. Det var en fördel. I det kaos som branden skulle utlösa skulle ingen minnas ett enskilt ansikte.

De skildes åt. Han gick fort upp till torget och vände sig om. Inne i hans huvud tickade ett tidsschema. Nu bröt Torgeir upp ytterdörren med ett kraftigt ryck med kofoten. Nu var han inne, sköt igen den trasiga dörren och lyssnade efter ljud. Väskan på golvet, sprejflaskorna med bensin, sedan tändaren. Han hörde en knall, tyckte sig skymta ett ljus bakom husen som låg mellan torget och den zoologiska affären. Sen kom rökpelaren. Han vände sig om och gick därifrån. Innan han ens hade hunnit fram till mötesplatsen hörde han de första sirenerna.

Det är över, tänkte han. Nu återupprättar vi den kristna tron, det kristna kravet på hur en människa ska leva sitt liv. Den långa tiden i öknen är över.

Nu gäller det inte längre de oskäliga djuren som bara känner en smärta de inte förstår.

Nu gäller det människan.

31

När Linda steg ur bilen på Mariagatan kände hon en lukt som påminde henne om Marocko. En gång hade Herman Mboya och hon rest dit på en veckolång charterresa. De hade valt det billigaste alternativet, hotellet hade varit fullt av kackerlackor och det var under den veckan som Linda börjat förstå att framtiden kanske inte var så tydlig som hon föreställt sig. Året efter hade hon och Herman gått åt olika håll, han så småningom tillbaka till Afrika och hon längs en slingrande väg som så småningom lett fram till Polishögskolan.

Lukten födde minnet. Lukten av brandrök. Hon mindes sopbergen som brunnit om nätterna i Marocko. Men ingen bränner sopor i Ystad, tänkte hon. Sen hörde hon brandbilar och polissirener. Hon förstod. Det brann nånstans i de centrala delarna av staden. Hon började springa.

Det brann fortfarande när hon flåsande kom fram. Vart hade hennes kondition tagit vägen? Hon var som en gammal kärring som alldeles slutat röra på sig. Nu såg hon att höga lågor hade slagit upp genom taket, några familjer som bodde på övervåningarna hade evakuerats. En brandskadad barnvagn stod övergiven på trottoaren. Brandmännen var sysselsatta med att skydda omkringliggande byggnader. Hon gick fram mot avspärrningarna.

Hennes far stod och grälade med Svartman om ett vittne som inte förhörts ordentligt och dessutom tillåtits försvinna.

– Vi kommer aldrig att ta den här dåren om vi inte ens kan följa dom enklaste rutiner.

– Martinsson hade hand om det där.

– Han säger att han två gånger lämnade över till dig. Nu får du försöka få tag på det där vittnet som försvann.

Svartman gick. Också han var arg. Retade bufflar som springer omkring, tänkte Linda. All denna tid som slösas bort med att pissa in revir.

En brandbil backade sig in mot brandhärden, samtidigt lossnade en brandslang och började piska vatten. Kurt Wallander hoppade åt sidan och upptäckte samtidigt att Linda hade kommit.

– Vad är det som har hänt?

– En eller flera brandbomber inne i butiken. Bensin igen. Precis som med svanarna och tjurkalven.

– Inga spår?

– Vi har ett vittne som dom har slarvat bort.

Linda såg att hennes far var så arg att han skakade. Det är så här han kommer att dö, tänkte hon plötsligt. Uttröttad, upprörd över något slarv vid en dramatisk brottsutredning. Så ser hans sista danssteg ut, om det nu är som Zebran har sagt, att varje människa söker efter det vackraste språnget att lämna livet med.

– Vi måste ta dom som gör det här, avbröt han hennes tankar.

– Dom? Det här är nåt annat.

– Vad?

Han såg på henne som om hon borde veta svaret.

– Jag vet inte. Det är som om det egentligen handlar om nåt annat.

Ann-Britt Höglund ropade på honom.

Linda såg honom gå därifrån, en stor man med huvudet nerkört mellan axlarna, med försiktiga kliv kryssande bland vattenslangar och nerfallen rykande bråte från det som en gång varit en zoologisk butik. Hon betraktade en rödgråten flicka som såg på branden. Ägarinnan, tänkte hon. Eller bara nån som älskar djur? Linda mindes ett litet trähus som brunnit någon gång när hon varit liten. Det var en söndagsmorgon, i huset fanns en klockaffär, och hon mindes hur hon tyckt så synd om alla de klockor vars hjärtan och visare och urverk smälte ner och dog. Hon rörde sig fram och tillbaka längs avspärrningen. Många stod och betraktade branden under tystnad. Brinnande hus väcker alltid förfäran, tänkte hon. Ett hus som brinner ner är alltid en påminnelse om att den plats där du själv bor kan fatta eld.

– Jag förstår inte varför dom inte frågar mig, hörde hon någon säga.

Hon såg sig om. Det var en flicka i tjugoårsåldern som stod tillsammans med en väninna och tryckte mot en husvägg. En fläkt av röken strök förbi och gjorde att de kröp ihop.

– Det är väl bara att du säger till dom vad du såg, sa hennes väninna.

– Jag tänker inte krusa några poliser.

Vittnet, tänkte Linda. Det borttappade vittnet. Hon tog ett steg närmare.

– Vad var det du såg? frågade hon.

Flickan såg granskande på henne. Linda upptäckte att hon skelade.

– Vem är du?

– Jag är polis. Jag heter Linda Wallander.

Det är nästan sant, tänkte hon. Inte en lögn som kan slunga mig ut i kylan.

– Hur kan man döda alla dom där djuren? Är det sant att det fanns en häst därinne också?

– Nej, sa Linda. Hästar får nog inte säljas i zoologiska butiker som inte har vidhängande stall. Man har inte hästar i burar, snarare i spiltor. Vad var det du såg?

– En man.

– Som gjorde vad då?

– Tände eld på affären så alla djur brann inne. Jag kom gående från teatern. Jag skulle posta några brev. När jag kommit halvvägs till posten, ungefär kvarteret före den zoologiska affären, märkte jag att det gick nån bakom mig. Jag ryckte till eftersom han rörde sig nästan ljudlöst. Jag gick åt sidan och lät honom passera. Sen började jag gå efter honom. Av nån underlig anledning försökte jag gå lika tyst. Men efter bara några meter upptäckte jag att jag glömt ett brev i bilen. Jag gick tillbaka och hämtade det. Sen gick jag till posten.

Linda lyfte handen.

– Hur lång tid tog det för dig att gå tillbaka och hämta brevet? frågade hon.

– Tre fyra minuter. Bilen stod vid lastintaget på teatern.

– Vad hände när du gick till posten? Såg du den där mannen igen?

– Nej.

– När du passerade djuraffären? Vad gjorde du då?

– Jag kastade kanske en blick mot fönstret. Jag är inte så intresserad av sköldpaddor och hamstrar.

– Vad såg du?

– Ett blått ljus inne i affären. Det finns alltid där.

– Hur vet du det?

– Jag postar brev flera gånger i veckan. Varje gång parkerar jag vid teatern, varje gång passerar jag djuraffären och ser en blå lampa. Jag antar att den har med värme att göra. Ett av mina stora nöjen i livet är att ingå i den antielektroniska maffia som envist fortsätter att skriva brev. För hand dessutom.

– Vad hände sen?

– Jag postade breven och började gå tillbaka mot bilen. Det tog kanske tre minuter till.

– Vad hände sen?

– Affären exploderade. Åtminstone kändes det så. Jag hade just gått förbi när det small. Jag ryckte till av smällen. Det var ett skarpt sken runt mig. Jag slängde mig ner på gatan. Sen såg jag att affären brann. Redan då var det nåt djur som rusade förbi med pälsen brinnande. Det var fruktansvärt.

– Vad hände sen?

– Det gick väldigt fort. Men så upptäckte jag att det stod en man på andra sidan gatan. Ljuset var så starkt att jag blev alldeles säker. Det var han som hade gått förbi mig. Dessutom hade han en väska i handen.

– Hade han det när du släppte förbi honom?

– Ja. Jag glömde säga det. En svart väska. En gammaldags doktorsväska.

Linda visste hur en sådan såg ut.

– Vad hände sen?

– Jag ropade åt honom att hjälpa mig.

– Var du skadad?

– Jag trodde det. Den där smällen och det skarpa ljuset var hemskt.

– Hjälpte han dig?

– Han bara såg på mig och gick därifrån.

– Åt vilket håll gick han?

– Upp mot torget.

– Har du sett honom tidigare?

– Aldrig.

– Kan du beskriva honom?

– Han var lång och kraftig. Dessutom var han skallig. Eller kortsnaggad.

– Hur var han klädd?

– Mörkblå jacka, mörka byxor, skorna hade jag sett tidigare när jag undrade varför han rörde sig så tyst. Dom var bruna och hade tjock gummisula. Men det var inga joggingskor.

– Minns du nåt mer?

– Han ropade.

– Vem ropade han till?

– Jag vet inte.

– Fanns det nån annan där?

– Inte som jag såg.

– Vad ropade han?

– Det lät som "Gud krävde".

– "Gud krävde"?

– Jag är säker på det första ordet. "Gud". Sen tror jag att han sa "krävde". Men det lät som han uttalade det på ett annat språk.

– Kan du försöka imitera?

– Det lät som "krevet".

– "Krevet"?

– Danska, kanske. Eller ännu hellre norska. Jo, så måste det vara. Han som sa det, han som satte eld på affären talade norska.

Linda kände att pulsen började slå hastigare. Det måste vara samma norrman, tänkte hon. Om det inte är en konspiration av människor som kommer från Norge. Men det tror jag inte på.

– Sa han nånting mer?

– Nej.

– Vad heter du?

– Amy Lindberg.

Linda letade reda på en penna i sin ficka och skrev upp hennes telefonnummer på handleden.

De tog i hand.

– Tack för att du lyssnade, sa Amy Lindberg.

Hon försvann upp mot bokhandeln.

Det finns en man som heter Torgeir Langaas, tänkte Linda för sig själv. Som en märklig skugga rör han sig tätt intill mig.

Hon kunde se att släckningsarbetet hade gått in i en ny fas, där rörelserna var långsammare, en bekräftelse på att branden snart skulle vara besegrad. Hon såg sin far samtala med den man som var släckningsledare. När han vände ansiktet åt hennes håll hukade hon, trots att han omöjligt kunde se henne inne i skuggorna. Stefan Lindman kom gående med den unga kvinna som Linda tidigare hade sett storgråtande vid det brinnande huset. Stefan Lindman gör sig bra vid sidan av gråtande kvinnor, tänkte hon. Men jag gråter sällan, det gjorde jag mig kvitt när jag växte upp. Hon följde dem med blicken. Stefan Lindman tog med flickan till en polisbil, de bytte några ord, sen öppnade han dörren och stängde efter henne.

Samtalet med Amy Lindberg gled fram och tillbaka genom Lindas huvud. *Gud krevet. Gud krävde.* Krävde vad? Att en zoologisk affär skulle förstöras, att hjälplösa djur skulle dö under obegripliga plågor? Först var det svanarna, tänkte hon. Sedan var det en tjurkalv på en gård på vägen mot Malmö. Ensam, svartbränd, död. Och nu en hel affär. Naturligtvis var det samma gärningsman. Som lugnt, utan brådska gått därifrån och ropat att Gud krevet nånting.

Det finns en norrman mitt i allt detta, tänkte hon igen. Döda djur, försvunna människor, återuppståndna fäder och min väninna Anna som är borta. Hon såg sig omkring bland dem som stod bakom avspärrningsbanden i en fåfäng förhoppning att Anna skulle finnas där.

Linda gick fram till Stefan Lindman. Han såg förvånat på henne.

– Vad gör du här?

– Jag tillhör dom nyfiknas skara. Men jag behöver tala med någon.

– Om vad?

– Om branden.

Han tänkte efter.

– Jag ska åka hem och äta nånting. Du kan följa med.

Han hade sin bil parkerad vid Hotell Continental. De for västerut. Han bodde i ett av tre hyreshus som låg till synes planlöst utslängda på ett område mellan några villor och en återvinningscentral för returpapper.

Nummer 4 var det mellersta huset. Glasrutan i ytterporten var trasig och hade reparerats med en pappskiva som någon i sin tur hade sparkat sönder. Linda läste något som var skrivet med tusch på husväggen. *Livet är till salu. Ring teve och berätta.*

– Jag grubblar på det där varje dag, sa han. En tänkvärd text.

Bakom en dörr på nedre botten hördes en kvinna som skrattade hysteriskt. Stefan Lindman bodde högst upp i huset. På dörren satt en gulsvart vimpel där det stod "IF Elfsborg". Linda hade för sig att det var ett fotbollslag. Under vimpeln satt ett avrivet papper med hans namn.

Han låste upp och gav henne en galge att hänga jackan på. De gick in i vardagsrummet. Där stod några enstaka möbler, utspridda som om de bara hamnat på sina platser av en tillfällighet.

– Jag kan inte bjuda på nånting, sa han. Vatten, en öl. Jag har nästan ingenting hemma. Det här är bara en provisorisk lägenhet.

– Vart ska du flytta? Du sa nåt om Knickarp.

– Jag håller på att rusta upp ett hus där. Trädgården är stor. Jag kommer att trivas där.

– Jag bor hemma, sa Linda. Jag räknar dagarna tills jag kan flytta.

– Du har en bra far.

Hon såg undrande på honom. Det var oväntat.

– Vad menar du med det?

– Precis det jag säger. Du har en bra far. Det hade inte jag.

På ett bord låg tidningar och nya gul-svarta vimplar. Hon drog till sig en av tidningarna; Borås Tidning.

– Jag lider knappast av hemlängtan, sa han. Men jag tycker om att läsa om allt det jag nu slipper.

– Var det så svårt?

– Jag kände att jag måste bort när jag förstod att jag skulle överleva den där cancern.

– Varför Ystad?

– Jag har en föreställning om att det måste vara nåt speciellt att leva i ett gränsland. Med resten av Sverige bakom ryggen. Skåne är gränsland. Bättre än så kan jag nog inte förklara mig. Nu är jag här.

Han tystnade. Linda visste inte hur hon skulle börja. Han reste sig hastigt ur soffan.

– Jag hämtar den där ölen och några smörgåsar i alla fall.

När han kom tillbaka hade han med sig två glas. Det var bara han som åt.

Linda berättade hur hon råkat hamna bredvid Amy Lindberg och återgav deras samtal. Han lyssnade uppmärksamt, ställde inga frågor, lyfte bara handen vid ett tillfälle så att hon tystnade, och flyttade sen en golvlampa som irriterade hans ögon. Det ryckte i en gardin. Linda förstod att det börjat blåsa. Vädret var tryckande. Han följde hennes blick mot gardinen.

– Jag tror det blir åska. Det värker i tinningarna. Jag har det efter min mor. Det betyder åska. Jag har en vän som heter Giuseppe Larsson och är polis i Östersund.

– Du har nämnt hans namn, avbröt Linda.

– Han påstod att han fick ett oerhört begär efter en sill och en sup när det skulle bli åska. Men jag tror ärligt talat inte att det var sant.

– Det jag säger är sant.

Han nickade.

– Jag menade inte att avbryta.

– Jag är så rädd att förlora koncentrationen.

Hon fortsatte, gick baklänges ända tillbaka till det som kanske var början på allt, att Anna trodde sig ha sett sin far på en gata i Malmö. Mitt i allt det hon berättat rörde sig en skugglik person som var norrman och som kanske hette Torgeir Langaas.

– Någon dödar djur, avslutade hon. Fler, brutalare, kanske djärvare. Om man nu kan använda ordet djärv när man talar om dårar. Någon dödar också en människa, styckar henne. Och Anna är försvunnen.

– Jag förstår att du är orolig, sa han. Inte minst därför att det inte bara finns en hotfull skugga här av någon som kanske är Annas far. Vi har dessutom en annan okänd person, nån som går vid sidan av och säger *Gud krevet*. Kanske inte högt alla gånger, så vi kan höra. Men orden finns där. Du säger att du fått veta att din väninna Anna är religiös. Det finns ytterligare bitar i det här sönderstyckade pusslet, som kanske inte är ett pussel utan bara verkar vara det, ett synvillepussel. Och det är den ohyggliga grymheten att låta två avhuggna händer be en osynlig bön om nåd. Allt det du berättat och allt det jag själv har sett klargör att det finns en religiös dimension som vi kanske inte har tagit så allvarligt på som vi borde.

Han tömde det som fanns kvar i glaset. På avstånd hördes åskan.

– Över Bornholm, sa Linda. Det brukar åska där.

– Vinden är ostlig. Det betyder att åskan är på väg hit.

– Vad tror du om det jag berättar?

– Att det är sant. Och att du kommit hit och berättat nåt som kommer att påverka utredningen.

– Vilken av utredningarna?

– Birgitta Medberg. Din väninna har hittills bara varit ett bevakningsärende. Jag antar att det blir annorlunda nu.

– Ska jag vara rädd?

Han skakade tveksamt på huvudet.

– Jag vet inte. Jag ska sätta mig och skriva ner allt du har sagt. Det borde kanske du också göra. I morron bitti tar jag upp det med kollegorna.

Linda huttrade till.

– Farsan kommer att bli vansinnig för att jag pratade med dig först.

– Du kan ju skylla på att han var upptagen med branden.

– Han menar att han aldrig kan vara upptagen när det gäller nåt som handlar om mig.

Stefan hjälpte henne på med jackan. Känslan av att hon tyckte om honom gjorde sig påmind igen. Hans händer på hennes axlar var försiktiga.

Hon gick hem till Mariagatan. Hennes far satt och väntade på henne vid köksbordet. Så fort hon såg hans ansikte förstod hon att han var arg. Den jävla Stefan, tänkte hon. Måste han ringa farsan innan jag ens hunnit hem?

Hon satte sig mitt emot honom och tog spjärn mot bordet.

– Om du tänker råskälla går jag och lägger mig. Nej, jag går härifrån. Jag sover i bilen.

– Du kunde väl ha talat med mig. Jag tar det som ett misstroende. Ett stort misstroende.

– Men herregud? Du höll ju på med dom döda djuren? Hela kvarteret brann ju?

– Du skulle inte ha talat med den där flickan själv. Hur många gånger måste jag tala om för dig att det inte är din sak. Du har inte ens börjat arbeta än.

Linda sträckte fram armen, drog upp tröjan och visade Amy Lindbergs telefonnummer.

– Bra så? Nu går jag och lägger mig.

– Jag tycker det är sorgligt att du inte kan ha så mycket respekt för mig att du inte går bakom min rygg.

Linda häpnade.

– Bakom din rygg? Vad talar du om?

– Du förstår precis vad jag säger.

Linda sopade ner ett saltkar och en blomvas med vissna rosor i golvet. Nu hade han gått för långt. Hon rusade ut i tamburen, slet till sig jackan och sprang ut. Jag hatar honom, tänkte hon när hon fumlade i fickorna efter bilnyckeln. Jag hatar hans otroliga tjat. Jag sover inte en natt till i den här lägenheten.

Hon satte sig i bilen och försökte lugna sig. Nu tror han att det dåliga samvetet kommer, tänkte hon. Han sitter kvar där och väntar, säker på att jag ska dyka upp, säker på att Linda Caroline bara har gjort ett litet uppror som hon genast ångrat.

Jag går inte tillbaka, sa hon högt. Jag sover hos Zebran. Hon skulle just starta bilen när hon ändrade sig. Zebran skulle börja prata, ställa frågor, undra. Det orkade hon inte. Hon körde hem till Annas lägenhet istället. Hennes far kunde sitta vid sitt köksbord och vänta på henne till tidens ände.

Hon satte nyckeln i låset, vred om och öppnade.

Inne i tamburen stod Anna och såg på henne med ett leende.

32

– Jag vet ingen som du, som kan komma på besök hos mig när som helst, som en tjuv om natten. Jag tror det var så att jag väckte dig. Plötsligt flög du upp ur sömnen och tänkte att jag hade kommit tillbaka. Var det inte så? sa Anna glatt.

Linda tappade nycklarna på golvet. De gled ur hennes hand.

– Jag förstår inte. Är det verkligen du?

– Det är jag.

– Ska jag vara glad eller lättad?

Anna rynkade pannan.

– Varför skulle du vara lättad?

– Begriper du inte hur orolig jag har varit?

Anna lyfte händerna som tecken på underkastelse.

– Jag är skyldig. Det är sant. Jag vet. Ska jag be om ursäkt eller ska jag förklara vad som hänt?

– Du behöver inte göra vare sig det ena eller det andra. Det räcker med att du är här.

De gick in i vardagsrummet. Trots att Linda ännu inte kunde tro att det verkligen var Anna som just satte sig i sin vanliga stol, registrerade en bit av hennes medvetande att tavlan med den blå fjärilen fortfarande saknades.

– Jag kom hit eftersom pappa och jag råkade i gräl, förklarade hon. Eftersom du inte var här tänkte jag sova på din soffa.

– Trots att jag har kommit tillbaka kan du fortfarande sova här.

– När jag kom var jag trött. Förbannad och trött. Min pappa och jag är som två tuppar som slåss på en gödselstack. Den orkar inte med bördan av oss båda. Vi trampar ner oss. Och börjar gräla. Faktiskt talade vi om dig.

– Om mig?

Linda sträckte ut sin hand och snuddade vid Annas bara överarm. Hon var klädd i en badrock där ärmarna av någon anledning var bortklippta. Annas hud var kall. Det fanns inget tvivel om att det var Anna som kommit tillbaka, inte någon som lånat hennes kropp. Annas hud var alltid kall. Det kunde Linda minnas från tidigare när de några gånger, med en isande känsla av att beträda förbjudet område, hade lekt döda. Linda hade bara blivit varm och svettig. Men Anna hade varit kall, så kall att de avbrutit leken eftersom den kalla huden gjorde dem båda rädda. Linda mindes tydligt att det var den gången den stora frågan om Döden blev avgjord. Vilket övervägde, lockelsen eller det som var skrämmande? Från det ögonblick de avbröt leken hade döden för Linda aldrig varit annat än något som alltid fanns vid en människas sida, som en luktlös gas, främmande, hotfullt väntande.

– Du måste förstå att jag har varit orolig, sa Linda. Det är inte likt dig att försvinna och inte vara hemma när nånting är avtalat.

– Ingenting var sig likt. Jag trodde jag hade mött min far. Jag hade sett honom genom ett fönster. Han hade kommit tillbaka.

Hon avbröt sig och såg på sina händer. Hon har kommit tillbaka på samma sätt som hon försvann, tänkte Linda. Hon är lugn, inte oroad, ingenting är annorlunda. De dagar hon har varit borta kunde klippas bort ur hennes liv utan att det märktes.

– Vad hände? frågade Linda.

– Jag sökte efter honom. Naturligtvis hade jag inte glömt att du och jag hade bestämt att träffas. Men den här gången var jag tvungen att bryta vårt avtal. Jag trodde nog du skulle förstå. Jag hade sett min far utanför ett hotellfönster i Malmö. Jag kände att jag var tvungen att hitta honom. Jag var så orolig, jag skakade, jag kunde inte köra bil. Så jag tog tåget till Malmö och började leta efter honom igen. Det var en alldeles obeskrivlig upplevelse att gå där på gatorna och söka efter honom. Jag sökte efter honom med alla sinnen, det måste finnas en lukt efter honom nånstans, ett ljud. Jag gick långsamt, som om jag var en ensam spanare med ett stort kavalleri som väntade nånstans i bakgrunden. Jag skulle hitta den rätta vägen mot målet, och målet var min far.

Det tog mig flera timmar att gå från stationen till hotellet där jag först hade sett honom. När jag kom in i receptionen satt en tjock dam och halvsov i stolen. Jag blev ursinnig. Hon hade tagit min plats, ingen fick sätta sig i den heliga stolen där jag hade sett min far och han hade sett mig. Jag gick förbi och stötte till den snarkande damen. Hon ryckte till. Jag sa till henne att hon måste flytta på sig eftersom möblerna alldeles strax skulle bytas ut. Hon gjorde som jag sa. Hur hon ens kunde tro att jag hade med hotellet att göra, klädd i regnrock och med ett hår som var blött och sammankletat begriper jag fortfarande inte. Jag satte mig i stolen och såg ut genom fönstret. Det fanns ingen där. Men jag tänkte att om jag satt där tillräckligt länge skulle han komma tillbaka.

Anna avbröt sig och försvann ut på toaletten. På avstånd mullrade åskan. Anna kom tillbaka och fortsatte:

– Jag satt i den där stolen vid fönstret. När receptionisterna började betrakta mig med misstänksamhet bokade jag ett rum. Jag försökte tillbringa så lite tid som möjligt i det. För att dölja att jag egentligen bara satt och väntade på att någon skulle dyka upp utanför fönstret, köpte jag en dagbok i en pappershandel och låtsades föra anteckningar. Andra dagen jag satt där kom den tjocka damen tillbaka. Jag hade inte sett henne. Men hon måste ha smugit omkring och spionerat på mig och nu tyckte hon sig ha avslöjat mig. Jag var en tjuv för henne. Jag hade stulit hennes sittplats under den falska förespeglingen att möblerna skulle bytas ut. ”Du är en tjuv. Du har stulit min sittplats.” Så sa hon. Hon var så upprörd att jag var rädd att hon skulle falla omkull. Jag tänkte att ingen ljuger om att man sitter i en stol därför att man hoppas att ens far som varit försvunnen i över tjugo år ska visa sig utanför fönstret. Man kan ljuga om det mesta, men inte om det. Jag sa som det var. Hon trodde mig genast. Det fanns inte skuggan av ett tvivel hos henne. Hon satte sig i en annan stol och sa att hon gärna höll mig sällskap medan jag väntade. Det var alldeles vansinnigt. Hon pratade oavbrutet. Hennes man deltog i en konferens om herrhattar. Du kan skratta, det gjorde inte jag, men det var alldeles sant, hon beskrev det i detalj, hur dystra män satt i ett trångt konferensrum och avtalade vilka sorters hattar man skulle satsa på nästa säsong. Hon satt och pladdrade i stolen, det var som om hon höll en obegriplig mässa som var tillägnad någon hittills okänd herrhattsgud. Jag började överväga om jag skulle mörda henne, strypa henne. Men det var som om hennes ord till slut bara drog förbi mig som en lukt man aldrig egentligen lägger märke till. Sen kom hennes man och hämtade henne, han var lika tjock som hon, men han bar en vidbrättad och säkert mycket dyrbar hatt. Hon, den tjocka damen, och jag hade inte presenterat oss för varandra. Nu när hon skulle gå sa hon: ”Här sitter en ung dam och väntar på sin far. Hon har väntat länge.” ”Hur länge”, frågade mannen och lyfte samtidigt på sin vackra hatt. ”I nära tjugofem år”, sa hon. Han såg på mig, både tankfullt och värderande, men framförallt andaktsfullt. Den där hotellreceptionen med sina glänsande, iskalla ytor och lukten av tvättmedel i alltför starka koncentrationer förvandlades under ett kort ögonblick till ett kyrkorum. Han sa: ”Man kan aldrig vänta för länge.” Sen satte han på sig hatten och jag såg dom lämna hotellet. Jag tänkte att hela situationen var obegriplig, absurd, men därmed också fullständigt trovärdig.

Jag satt i den där stolen i nästan två dygn. Då och då gick jag till mitt rum och sov. Det fanns små spritflaskor på rummet, sprit, öl och påsar med nötter. Jag tror inte jag åt eller drack nånting annat på hela tiden. Sen insåg jag att min far kanske inte alls hade tänkt återvända till det där fönstret. Jag lämnade hotellet men behöll rummet. Det fanns ingen plan med mitt sökande, jag gick omkring i parkerna, längs kanalerna eller i de olika hamnarna. Min far hade en gång gett sig iväg för att han sökte en frihet jag och Henrietta inte kunde ge honom. Därför var det på dom öppna platserna jag skulle leta efter honom. Flera gånger trodde jag att jag hade upptäckt honom. Jag fick yrsel, var tvungen att ta tag i en husvägg eller ett träd. Men det var inte han. Jag tänkte att min far alltid är nån annan. Det gjorde att all den längtan jag gått och burit på plötsligt förvandlades till raseri. Där gick jag och längtade och han bara fortsatte att kränka mig genom att först ha visat sig och sen försvinna igen. Jag började naturligtvis att tvivla. Hur kunde jag vara säker på att det var han? Allt talade för att det inte var han. Jag gick runt i Malmös alla parker, hela tiden regnade det och jag slets mellan tvivel och en absolut visshet om att det verkligen hade varit han. Dom sista två dygnen sov jag på dagarna och var ute på nätterna. Flera gånger tyckte jag att jag såg honom skymta bland skuggorna. Den sista natten stod jag ute i Pildammsparken, klockan var tre på morgonen och jag ropade rätt ut i mörkret: Pappa, var är du? Men ingen kom. Jag stannade i parken tills det blev gryning. Jag kunde plötsligt, alldeles tydligt och klart, tänka att jag hade gått igenom den sista stora prövningen i förhållande till min far. Jag hade gått in i inbillningens dimma att han trots allt skulle visa sig för mig, och till sist kommit ut igen med vissheten om att han inte fanns. Jo, kanske han finns, kanske han ändå inte är död. Men för mig skulle han från och med nu bara vara en hägring som jag då och då kunde plocka fram och drömma kring. Han var ingen levande människa längre, ingen att vänta på, ingen att ens bli ursinnig på. Äntligen var han på allvar borta. Allting vände i morse där i parken. I tjugofyra år hade jag innerst inne tänkt att han inte var försvunnen. Nu, när jag trodde att han verkligen hade kommit tillbaka, förstod jag att han var borta och aldrig skulle komma tillbaka igen.

Åskan drog undan mot väster. Anna tystnade och betraktade återigen sina fingrar. Linda fick en känsla av att hon oupphörligen räknade dem för att kontrollera att inget fattades. Hon försökte föreställa sig hur det skulle ha varit om hennes egen far hade försvunnit. Tanken var omöjlig. Han skulle alltid finnas där, en stor hukande skugga, ömsom varm, ömsom kall, som cirklade runt henne och hela tiden höll ögonen på vad hon gjorde. Linda drabbades plötsligt av en känsla av att hon begått sitt livs största misstag den dag hon bestämt sig för att följa i sin fars fotspår och bli polis. Varför gjorde jag det? tänkte hon. Han kommer att krossa mig med sin vänlighet, sin förståelse och all den kärlek han egentligen borde rikta mot en annan kvinna och inte mot sin egen dotter.

Hon slog undan tankarna. Nu var hon orättvis, inte bara mot sin far utan också mot sig själv.

Anna såg upp från sina fingrar.

– Nu är det över, sa hon. Min far var bara en reflex i ett fönster. Nu är han borta och kommer aldrig tillbaka. Jag kan börja studera igen. Vi pratar inte mer om mig. Jag är ledsen om jag gjorde dig orolig.

Linda undrade om hon kände till mordet på Birgitta Medberg. Det var en fråga som ännu inte fått något svar. På vilket sätt existerade en förbindelse mellan Anna och henne? Och Vigsten i Köpenhamn? Fanns namnet Torgeir Langaas i någon av hennes dagböcker? Jag borde ha plöjt igenom dom, tänkte Linda hädiskt. Att läsa en eller tusen sidor i en hemlig bok gör ingen skillnad. Det är som att bryta ett av dom där sigillen pappa envisades med att lacka på julklappspaketen när jag var liten. En gång brutet så är alla dörrar ställda på vid gavel.

Det var nånting som gnagde, en skärva av den tidigare oron satt fortfarande kvar i henne. Hon bestämde sig trots det för att vänta med att ställa några frågor.

– Jag besökte din mor, sa Linda. Hon verkade inte orolig. Det tog jag som ett tecken på att hon visste var du fanns. Men att hon inte ville säga nånting.

– Jag har inte berättat för henne att jag tyckte mig ha sett min far.

Linda tänkte på det Henrietta sagt, om att den försvunne fadern alltid hade funnits i Annas medvetande. Men vem ljuger, vem överdriver? Linda bestämde sig för att det just nu inte var viktigt.

– Jag besökte min mamma igår, sa hon. Jag tänkte överraska henne. Det gjorde jag också.

– Blev hon glad?

– Inte särskilt. Jag hittade henne naken i köket mitt på dan, halsande en flaska sprit.

– Du visste alltså inte att hon hade spritproblem?

– Det vet jag fortfarande inte om hon har. Vem som helst kan väl nån enstaka gång supa till mitt på dagen.

– Du har säkert rätt, sa Anna. Jag behöver sova. Jag ska bädda åt dig på soffan.

– Jag går hem, sa Linda. Nu när jag vet att du är tillbaka kan jag sova i min egen säng. Trots att jag sannolikt kommer att ryka ihop med farsan i morgon bitti igen.

Linda reste sig och gick ut i tamburen. Anna blev stående i dörren till vardagsrummet. Åskan hade dragit bort.

– Jag berättade inte om slutet på resan, sa Anna. Om vad som hände i morse, när jag bestämt mig för att min far aldrig skulle komma tillbaka. Det var nån annan jag såg. Jag gick mot stationen för att åka tillbaka hit till Ystad. Medan jag väntade drack jag kaffe på stationen. Plötsligt var det nån som satte sig vid bordet. Du kan aldrig gissa vem det var.

– Eftersom jag inte kan gissa måste det ha varit den tjocka damen.

– Det var hon. Hennes man stod på avstånd och vaktade en gammalmodig koffert. Jag minns att jag tänkte att den var full av hemlighetsfulla hattar som skulle bli det kommande modet. Hans tjocka fru var svettig och hade röda värmerosor på kinderna. När jag såg på honom lyfte han på den vackra hatten. Det var som om dom två och jag var en del av en hemlig konspiration. Hon lutade sig mot mig och frågade om jag hade träffat honom. Först förstod jag inte vem hon menade. Jag var trött och jag hade ju just för gott avskaffat min far. Jag hade tryckt in honom i kanonmynningen och avlossat skottet mot glömskan. Men jag ville inte göra henne ledsen. Så jag sa ja. Jag hade träffat honom. Det hade gått bra. Hennes ögon blev glansiga. Sen reste hon sig och sa: "Får jag berätta för min man? Vi ska åka hem till Halmstad nu. Det här blir ett minne för livet, att ha träffat en flicka som återfunnit sin far." Sen gick hon bort till mannen och kofferten. Jag såg att dom började diskutera nånting men jag hörde naturligtvis inte vad. Jag skulle just resa mig för att gå till tåget när hon kom tillbaka. "Jag vet inte ens vad du heter", sa hon. "Anna", sa jag. Sen gick jag, och jag vände mig inte om. Och nu är du här.

– Jag kommer tillbaka i morron, sa Linda. Låt oss ta igen det som aldrig blev av för en vecka sen.

De bestämde att ses vid tolvtiden. Linda gav Anna bilnycklarna.

– Jag har lånat bilen. Jag har letat efter dig. I morron ska jag fylla på bensin.

– Du ska inte behöva betala för att du oroade dig för att nånting hade hänt.

Linda gick hem. Det duggregnade. Åskan var borta, liksom vinden. Det doftade från den fuktiga asfalten. Linda stannade och drog in luften djupt ner i lungorna. Allt är bra, tänkte hon. Jag hade fel, ingenting hade hänt.

Skärvan som satt kvar i henne, den lilla skärvan av oro, var nästan borta. Men ännu inte helt. Hon tänkte på det som Anna hade sagt. *Det var nån annan jag såg.*

33

Linda vaknade med ett ryck. Rullgardinen hängde snett, en strimma av morgonsolen reflekterades i ett tak på andra sidan gatan och snuddade vid hennes nattygsbord. Hon sträckte ut handen och la den i solfåran. Hur börjar en dag? tänkte hon. Hon hade alltid en känsla av att just innan uppvaknandet fanns en dröm som talade om för henne att det var dags. Nu började dagen. Genom åren hade hon lekt med olika bilder av övergången mellan natt och dag. "När gryningen och drömmen har samsats om en segrare", hade hon tänkt för några år sen. Hon hade skrivit ner raden på ett papper och förstått att det var det närmaste hon nånsin skulle komma att skriva poesi. Men dagen kunde också vara som att bryta upp en låst dörr man kämpat med hela natten. Hennes bilder var många.

Hon satte sig upp i sängen. Anna hade kommit tillbaka. Hon höll andan ett kort ögonblick för att försäkra sig om att det inte hade varit någon förrädisk dröm. Men Anna hade stått där i tamburen i sin badrock med de avklippta ärmarna. Hon la sig ner i sängen igen och sträckte på sig. Handen lät hon ligga kvar i solfåran. Snart är det höst, tänkte hon. Just nu är mitt liv fullt av ett antal snart infallande ögonblick. Snart och viktigast: fem dagar tills jag kan byta ut den osynliga uniformen mot en som är verklig. Sedan lägenheten, så att min far och jag inte längre går och sliter på varandra. Snart höst, snart den första morgonen med frost. Hon såg på sin hand i solstrimman. Innan frosten, tänkte hon. Eller före frosten? Hur hette det egentligen?

Hon steg upp när hon hörde sin far slamra i badrummet och började skratta. Hon visste ingen som kunde föra sånt oväsen i ett badrum som han. Det var som om han utkämpade en ursinnig strid med motsträviga tvålar, vattenkranar och handdukar därinne. Hon satte på sig morgonrocken och gick ut i köket. Klockan var sju. Hon tänkte att hon skulle ringa Zebran och berätta att Anna kommit tillbaka. Men Zebran kanske sov. Hennes son var orolig på nätterna och Zebran kunde bli rasande om hon väcktes när hon äntligen lyckats somna. Stefan Lindman, tänkte Linda. Honom borde jag också ringa. Men det kan han få höra ur den rasande badrumstigerns mun.

Hennes far kom ut i köket medan han torkade håret.

– Jag ber om ursäkt för igår, sa han.

Utan att invänta något svar gick han fram till henne och böjde på huvudet.

– Kan du se om jag börjar bli skallig?

Hon kände med fingrarna i det blöta nackhåret.

– Det är en liten fläck där.

– Fan också. Jag vill inte bli skallig.

– Farfar hade ju nästan inget hår alls. Det går i släkten. Du kommer att se ut som en amerikansk officer om du snaggar dig.

– Jag vill inte se ut som en amerikansk officer.

– Anna har kommit tillbaka.

Han hade börjat hälla vatten i en kastrull men hejdade sig.

– Anna Westin?

– Jag vet ingen annan Anna som varit borta. Igår när jag blev arg och gick, åkte jag hem till henne för att sova där. Hon stod i tamburen.

– Vad hade hänt?

– Hon hade åkt tillbaka till Malmö, tagit in på hotell och letat efter sin far.

– Hittade hon honom?

– Nej. Till slut förstod hon att allt bara varit inbillning. Då kom hon hem. Det var igår.

Han satte sig vid bordet.

– Hon tillbringar ett antal dagar i Malmö med att leta efter sin far. Hon bor på hotell och hon talar inte om det för någon, vare sig dig eller sin mamma, är det riktigt uppfattat?

– Ja.

– Har du nån orsak att inte tro det hon säger?

– Egentligen inte.

– Vad menas med det? ”Egentligen”? Ja eller nej?

– Nej.

Han återgick till att fylla vatten i kastrullen.

– Då hade jag alltså rätt. Ingenting hade hänt.

– Birgitta Medbergs namn stod i hennes dagbok. Samma med den där mannen som heter Vigsten. Jag vet inte hur mycket Stefan Lindman hann berätta för dig igår när han ringde och skvallrade.

– Han skvallrade inte. Han var dessutom mycket utförlig. Han är en ny Martinsson när det gäller att göra klara och tydliga föredragningar. Senast i morron ska jag be Anna komma upp till polishuset så jag får prata med henne. Det kan du få lov att säga henne. Men inga frågor om Birgitta Medberg, ingen privat utredning, är det förstått?

– Nu låter du som en mallig polis, svarade Linda.

Han såg förvånat på henne.

– Jag är polis, sa han. Visste du inte det? Mycket har jag blivit beskylld för i mitt liv. Men aldrig för att vara mallig.

De åt frukost under tystnad och läste var sin del av Ystads Allehanda. Klockan blev halv åtta. Han reste sig för att gå. Men sen satte han sig igen.

– Du sa nånting häromdagen, började han tveksamt.

Linda visste genast vad han syftade på. Det roade henne att se på när han blev generad.

– Du menar det där jag sa om att jag inte vet nån som bättre skulle behöva knulla än du.

– Vad menade du egentligen?

– Vad tror du? Kan jag mena så många olika saker?

– Jag vill faktiskt ha mitt sexualliv ifred.

– Du har ju inget sexualliv?

– Jag vill ha det ifred i alla fall.

– Jag bryr mig inte om hur du bär dig åt för att ha ett icke-existerande sexualliv ifred. Men jag tror inte det är bra att du är ensam hela tiden. För varje vecka som du inte har nån att knulla med ökar du i vikt. Allt det där fettet du släpar på är som stora skyltar som skriker ut att här är en man i stort behov av erotik.

– Du behöver inte ropa.

– Vem skulle höra?

Han reste sig igen, hastigt som om han bestämt sig för att fly.

– Glöm det här, sa han. Jag går nu.

Hon följde honom med blicken när han sköljde ur sin kopp. Går jag för hårt åt honom, tänkte hon. Men om inte jag gör det, vem gör det då?

Hon följde efter honom ut i tamburen.

– Hur säger man? frågade hon. *Innan* frosten eller *före* frosten?

– Det är väl samma sak?

– Jag tror att det ena är rätt och det andra fel.

– Fundera på det, sa han. Berätta om resultatet för mig när jag kommer hem i kväll.

Dörren slog igen med en smäll.

Linda började tänka på Gertrud, den kvinna hennes farfar var gift med de sista åren av sitt liv. Hon bodde nu tillsammans med sin syster Elvira som varit modersmålslärare. Linda tänkte att det gav henne en anledning att ringa till Gertrud. Då och då talade de med varandra, oftast var det Linda som ringde. Hon slog upp numret i sin adressbok. Systrarna var morgontidiga. De brukade äta frukost redan klockan fem. Det var Gertrud som svarade. Som alltid lät hon glad. Linda hade ofta undrat över hur hon hade stått ut med att leva med en så ilsken och inåtvänd person som hennes farfar.

– Har du blivit polis nu? frågade Gertrud.

– På måndag.

– Jag förutsätter att du är försiktig.

– Jag är alltid försiktig.

– Jag hoppas du har klippt dig.

– Varför skulle jag ha gjort det?

– Så att dom inte får tag i ditt hår.

– Du behöver inte vara orolig.

– Nånting ska man sysselsätta sig med på gamla dar. När inget annat återstår kan man alltid ägna sina dagar åt att vara orolig. Elvira och jag brukar varje dag ge varandra små orosmoment som present. Det piggar upp oss.

– Det var egentligen Elvira jag skulle tala med. Jag har en fråga.

– Hur mår pappa?

– Han är sig lik.

– Hur går det med hon i Lettland?

– Baiba? Det är slut för länge sen. Visste du inte det?

– Jag pratar med Kurt högst en gång om året. Och aldrig om nåt som tillhör hans privatliv.

– Han har inget privatliv. Det är det som är felet.

– Jag ska ropa på Elvira.

Hon kom i telefonen. Linda tänkte att de två systrarnas röster var så lika att de var utbytbara.

– Vad är rätt? frågade Linda. *Innan* frosten eller *före* frosten.

– Före frosten, sa Elvira bestämt. Om du säger innan frosten måste det vara något mer. Innan frosten kommer, till exempel. Varför undrar du?

– Jag vaknade i morse och tänkte att det snart är höst. Och frost.

– Före frosten ska man säga.

– Då vet jag det. Tack för hjälpen.

– Idag ska vi plocka vinbär, sa Elvira. Du har rätt i att hösten och frosten snart kommer. Då kan det hjälpa med lite vinbär.

Linda plockade undan i köket. Hon hade duschat och klätt sig när telefonen ringde. Det var Elvira.

– Jag hade fel. Det kan idag heta både *före* frosten och *innan* frosten. Jag har talat med en god vän som är en gammal språkprofessor med kontakter i Svenska Akademien. Det visar sig att språket luckras upp. Tyvärr är det idag inte fel att säga innan frosten. Språket mjuknar, förlorar sin skärpa. Jag tycker inte om ord som blir som slöa knivar. Det var bara det jag ville berätta. Nu återgår jag till vinbären.

– Tack för hjälpen.

När klockan blivit tio ringde Linda till Anna.

– Jag ville bara försäkra mig om att jag inte hade drömt.

– Jag förstår nu att jag vållade oro. Men jag har talat med Zebran. Hon vet att jag är tillbaka.

– Och Henrietta?

– Henne talar jag med när jag har lust. Kommer du klockan tolv?

– Jag är alltid punktlig.

Linda blev sittande med handen på telefonluren när samtalet var över.

Nånstans fanns den där lilla skärvan kvar, en vag oro. Det är ett meddelande, tänkte hon. En skärva i kroppen vill berätta nånting. Det är som en dröm. Kurirer kommer ridande med hemliga meddelanden som alltid handlar om en själv, trots att man kanske drömmer om någon annan. Nu har jag den här skärvan. Anna har kommit tillbaka. Hon är oskadd, allt verkar som vanligt. Men fortfarande undrar jag över två namn i hennes dagbok. Birgitta Medberg och Vigsten. Dessutom finns det en tredje person, en norrman vid namn Torgeir Langaas. Några frågor återstår. Innan jag fått svaren kommer den där skärvan att finnas kvar.

Hon gick ut och satte sig på balkongen. Luften kändes frisk efter nattens åskväder. I tidningen hade hon sett att ett skyfall hade fått avloppen i Rydsgård att svämma över. På balkonggolvet låg en död fjäril. Också den måste jag fråga om, tänkte Linda. Tavlan med den blå fjärilen.

Hon la upp benen på balkongräcket. Fem dagar till, tänkte hon. Sen är den här egendomliga väntetiden över.

Varifrån hon fick tanken kunde hon inte reda ut. Hon gick in och ringde till nummerbyrån. Hotellet hon frågade efter tillhörde numer Scandickoncernen. Hon blev kopplad. En munter mansröst svarade. Hon anade vagt en dansk brytning.

– Jag vill gärna tala med en av era gäster. Anna Westin.

– Ett ögonblick.

Att ljuga en gång är lätt, tänkte hon. Nästa steg blir svårare.

Den muntra rösten var tillbaka.

– Tyvärr har vi ingen gäst med det namnet.

– Då kanske hon har rest. Jag vet att hon nyligen har bott hos er.

– Anna Westin?

– Ja.

– Ett ögonblick.

Han återkom nästan genast.

– Vi har inte haft någon gäst med namnet Westin under de två senaste veckorna. Är ni säker på att namnet är rätt?

– Det är en väninna. Hon stavar med W.

– Vi har haft Wagner, Werner, Wiktor med dubbelt W, Williamsson, Wallander...

Linda grep hårdare om telefonluren.

– Förlåt. Det sista namnet?

– Williamsson?

– Nej, Wallander.

Den muntra rösten lät allt mindre välvillig.

– Jag tyckte ni sa att ni ville tala med någon som hette Westin?

– Hennes man heter Wallander. Kanske dom var inbokade i hans namn?

– Ett ögonblick ska jag se.

Det är inte möjligt, tänkte hon. Det här händer inte.

– Det stämmer nog inte heller, tyvärr. Den enda Wallander vi haft är en ensam dam.

Linda blev stum.

– Hallå? Är ni kvar? Hallå?

– Jag antar att hon hette Linda i förnamn?

– Alldeles rätt. Mer kan jag tyvärr inte göra för er. Kanske er väninna har bott på något annat hotell här i Malmö. Vi har ju dessutom vårt eget utmärkta hotell utanför Lund.

– Tack.

Linda slog luren hårt i klykan. Först var det förvåning, sen ilska. Hon tänkte att hon genast borde tala med sin far, inte gå vidare på egen hand. Från och med nu är det enda som intresserar mig varför hon använder mitt namn när hon tar in på hotell i Malmö för att söka efter sin far.

Vid köksbordet rev hon loss ett papper från ett block och strök över "sparris" som hennes far hade skrivit upp. Han äter väl inte sparris, tänkte hon irriterat. Men när hon skulle börja skriva upp alla momenten, namnen och händelserna sen Anna försvann för att söka efter sin far, visste hon inte längre vad hon skulle anteckna. Det slutade med att hon ritade en fjäril och fyllde i den med blått. Pennan tog slut. Hon letade fram en annan. Första vingen blev blå, den andra svart. Det här är en fjäril som inte finns, tänkte hon. Lika lite som Annas far. Det som är verkligt är helt andra saker. Brinnande djur som dör, en styckad människa i en koja, överfallsmän i Köpenhamn.

Klockan elva tog hon en promenad ner till hamnen och gick längst ut på piren och satte sig på en pollare. Hon försökte finna en rimlig förklaring till varför Anna hade använt ett annat namn. Det viktiga var inte att hon hade valt just hennes. Det kunde ha varit Zebrans eller något påhittat namn. Det viktiga, tänkte Linda, och lyckades övertyga sig om att hon hade rätt, var att Anna gav sig ut att leta efter sin far under falskt namn.

En död and flöt i det grumliga vattnet vid stenkajen. När Linda till sist reste sig hade hon inte kunnat finna någon rimlig förklaring. Den måste finnas, tänkte hon. Det är bara jag som inte hittar den.

Prick klockan tolv ringde hon på Annas dörr. Oron från tidigare hade släppt. Nu var hon bara på sin vakt.

34

Torgeir Langaas slog upp ögonen. Varje morgon förvånades han över att han fortfarande levde. Det var två bilder som alltid flöt ihop när han vaknade. Han såg sig själv med sina egna och samtidigt den andres ögon, han som en gång hade fått honom att resa sig från gatan och spriten och drogerna, och vandra den väg som bar mot ett avlägset men inte ouppnåeligt paradis. Han hade legat där i rännstenen, nerspydd, stinkande, långt bortom den sista förhoppningen om att en dag kanske bli fri från alla gifter. Det hade varit slutet på den långa resan, från att ha varit en bortskämd arvinge till en av de största redarförmögenheterna i Norge till att bli ett söndersupet, nerknarkat vrak i Clevelands rännstenar. Det var där resan skulle ha slutat med döden i någon gränd, och sedan en fattigbegravning på staten Ohios bekostnad.

Han låg vaken i den jungfrukammare Vigsten hade glömt existerade i lägenheten på Nedergade. Inifrån lägenheten hördes det entoniga ljudet av en pianostämmare som arbetade med flygeln. Varje onsdag kom han och stämde instrumentet. Torgeir Langaas var tillräckligt musikalisk för att kunna höra att pianostämmaren behövde göra ytterst få justeringar. Han kunde också se framför sig hur gamle Vigsten satt orörlig på en stol vid fönstret och följde pianostämmarens alla rörelser. Torgeir Langaas sträckte på sig i sängen. Kvällen innan hade allt gått som planerat. Affären med djuren hade brunnit ner, inte en endaste mus eller hamster hade överlevt. Erik hade förklarat för honom hur viktigt det var att detta sista djuroffer inte misslyckades. Erik återkom alltid till detta, att Gud inte tillät misstag. Den människa han skapat till sin avbild var inte en varelse som hade lov att slarva med sin uppgift. Det gällde att leva sitt liv, att förbereda sig för uppstigandet till den härlighet Gud hade reserverat för dem som var utvalda, de som skulle återvända och befolka jorden på nytt när den stora väckelsen hade segrat.

Torgeir Langaas gjorde varje morgon som Erik hade lärt honom. Han var den främste och den förste lärjungen. Ännu en kort tid skulle Torgeir vara det viktigaste redskapet för Erik. Varje morgon måste Torgeir upprepa den trohetsed han avlagt till sig själv, till Erik och till Gud. ”Det är min uppgift att varje dag, av lydnad till Gud och till hans Mästare, följa de order jag får och inte tveka att utföra de handlingar som krävs för att människorna ska förstå vad som kommer att drabba dem som överger Gud. Bara genom att återvända till Gud och lyssna till de ord hans ende och sanne profet kommer att börja sprida över världen finns hopp om räddning, om att en dag kunna ingå bland dem som ska komma tillbaka när den stora övergången har skett.”

Han låg kvar i sängen med knäppta händer och mumlade de versrader ur Judas brev som Erik hade lärt honom: ”att Herren, sedan han hade frälst sitt folk ur Egyptens land, efteråt förgjorde dem som icke trodde.” Varje rum kan du förvandla till en katedral, hade Erik sagt. Kyrkan finns inom dig och runt dig.

Han viskade sin ed, slöt ögonen och drog täcket upp till hakan. Pianostämmaren slog an en och samma höga ton, gång på gång. Kyrkan finns inom dig och runt dig. Det var de orden som gett honom ingivelsen av att skaffa fram en ny typ av gömställen. De behövde inte bara kojorna inne i skogen eller ett hus som det bakom kyrkan i Lestarp. Han kunde också som en osynlig organism söka sig ett värddjur där han kunde gömma sig utan att värden ens visste om att han fanns. Han hade tänkt på sin egen morfar som under sina sista år hade bott ensam i sitt hus vid Femunden trots att han varit förvirrad och glömsk. En gång hade en av Torgeirs systrar bott där en vecka under ett sportlov utan att han märkt det. Torgeir hade talat med Erik om sin idé och fått svaret att om han trodde att det gick att genomföra utan att han riskerade något av den stora planen, kunde han försöka. Frans Vigsten hade kommit som från ingenstans. Torgeir hade tänkt att det kanske till och med var Erik som sänt honom i hans väg. Det hade varit på ett café i Nyhavn, Torgeir hade åkt dit för att se på dem som satt och drack och visa för sig själv att han klarade att motstå alla frestelser. Frans Vigsten hade suttit där och druckit vin. Plötsligt hade han rest sig och kommit fram till Torgeir och frågat:

– Kan ni tala om för mig var jag är?

Torgeir hade genast förstått att den gamle mannen var förvirrad, inte berusad.

– På ett café i Nyhavn.

Mannen hade sjunkit ner på en stol mitt emot honom, länge suttit tyst och sen frågat:

– Var ligger det?

– Nyhavn? Det ligger i Köpenhamn.

– Jag har glömt var jag bor.

På ett papper som Frans Vigsten hade i sin plånbok hade de funnit adressen, Nedergade. Men Frans Vigsten kunde inte påminna sig att han bodde där.

– Det kommer och går, sa han. Kanske är det där jag bor, där jag har min flygel och tar emot mina elever.

Torgeir hade följt honom ut, vinkat till sig en taxi och sedan åkt med till Nedergade. Det hade stått Vigsten på en tavla i trapphuset. Torgeir hade följt med upp, och när Frans Vigsten stigit in hade han känt igen sitt hem på den instängda lukten.

– Det är här jag bor, sa han. Så luktar min tambur.

Sen hade han försvunnit in i den stora lägenheten och tycktes alldeles ha glömt att Torgeir Langaas hade följt honom hem. Innan Torgeir gick letade han reda på en reservnyckel. Några dagar senare inrättade han sig i jungfrukammaren som stod oanvänd, och hittills hade Frans Vigsten inte insett att han tjänade som värddjur för en man som väntade på besked om när han skulle uppgå i ett högre tillstånd. En enda gång hade de stött ihop i lägenheten. Han hade sett på Frans Vigstens ögon att minnet av deras möte i Nyhavn för länge sen hade slocknat. Vigsten trodde att det var en av hans elever som kommit. Torgeir Langaas hade sagt att han inte kommit för att spela piano utan för att lufta elementen. Frans Vigsten hade lämnat honom och glömt hans närvaro i samma ögonblick han vänt honom ryggen.

Torgeir Langaas betraktade sina händer. De var stora och kraftiga. Men det viktigaste var att fingrarna inte längre darrade. Det hade gått många år sen han lyftes upp ur rännstenen, och efter det hade han aldrig smakat en droppe sprit eller några droger. Han mindes bara vagt den svåra tid då han långsamt återvände till livet. Det hade varit groteska dygn av vanföreställningar, myror som bet honom innanför huden, ödlor med hotfulla ansikten som kröp fram ur väggarnas tapeter. Hela tiden hade Erik funnits där och hållit honom under armarna. Torgeir visste att utan honom hade det aldrig gått. Det var genom Erik han hade fått tron, som var den styrka han behövde för att leva.

Han satte sig upp i sängen med ryggen stödd mot väggen. Pianostämmaren skulle snart vara färdig, Frans Vigsten skulle följa honom ut i tamburen och ha glömt att han varit där innan dörren ens hade slagit igen.

Styrkan, tänkte han. Den är min. Jag väntar i mina olika gömställen för att ta emot mina order. Jag utför dom och återvänder sen till osynligheten. Erik vet aldrig exakt var jag är, men jag kan höra hans röst i mitt inre när han behöver mig. Jag vet alltid när han vill att jag ska kontakta honom.

All denna styrka jag fått av Erik, tänkte han. Och bara en liten svaghet har jag ännu inte kunnat befria mig från. Därför fanns också känslan av skam över att han ännu bar på en hemlighet för Erik. Till honom, mannen från rännstenen, hade profeten talat alldeles öppet. Han hade inte dolt något av sig själv, och han hade begärt samma sak av den som skulle bli hans lärjunge. När Erik hade frågat honom om han nu var fri från alla hemligheter och alla svagheter hade han sagt ja. Men det var inte sant. Det fanns fortfarande en länk kvar till det liv han levt tidigare. In i det längsta hade han skjutit undan den uppgörelse som han hade framför sig. Den här morgonen när han vaknade visste han att han inte kunde skjuta upp det längre. Den brinnande affären kvällen innan hade varit det sista steget innan han lyftes upp till den högre nivån. Nu kunde han inte vänta längre. Om inte Erik upptäckte hans svaghet skulle Gud slunga sin vrede emot honom. Vreden skulle också drabba Erik, och den tanken var outhärdlig.

Pianostämmaren tystnade. Han väntade tills han hörde hur ytterdörren slog igen. Strax efteråt började Frans Vigsten spela. En mazurka av Chopin, kunde han höra. Frans Vigsten spelade utan att ens kasta en blick på några noter. Djupt inne i den stora förvirringen lyste musikens ljus fortfarande lika starkt. Torgeir Langaas tänkte att Erik hade rätt. Gud hade skapat musiken som den största andliga frestelsen. Bara när musiken var död kunde människan helt uppgå i förberedelserna för det liv som väntade bortom den utmätta tiden på jorden. Han lyssnade. Vagt kunde han minnas hur han hade följt med på en pianokonsert i universitetets aula i Oslo i sin barndom. Just den här mazurkan hade varit det sista av två extranummer. Han mindes också det första, Mozarts turkiska marsch. Han hade varit på konserten med sin far, och efteråt hade han fått frågan om han nånsin hade hört något vackrare. Musikens makt är stor, tänkte han. Gud är raffinerad i sin konst att skapa frestelser. En dag kommer tusen pianon att staplas på varandra och brännas på bål. Strängarna kommer att brista, tonerna att tystna.

Han steg upp och klädde sig. Genom fönstret såg han att det var molnigt och blåsigt. Han lämnade lägenheten efter att ha tvekat om han skulle använda skinnjackan eller den långa rocken. Han valde skinnjackan. I fickorna kände han de fjädrar från duvor och svanar som han plockade upp från gatorna där han gick. Kanske detta fjäderplockande också är en svaghet, tänkte han. Men en svaghet Gud förlåter mig. När han kom ner på gatan hade han turen att precis hinna med en buss. Vid Rådhuspladsen steg han av och gick till Hovedbanegården och köpte en skånsk morgontidning. Nyheten om den brinnande djuraffären fanns på första sidan. En polisman från Ystad uttalade sig. *Bara en sjuk människa kan göra detta. En sjuk människa med sadistiska anlag.*

Erik hade lärt honom att bevara sitt lugn, vad som än hände. Men vetskapen om att människor betraktade hans gärningar som utslag av sadism gjorde honom upprörd. Han kramade ihop tidningen och kastade den i en papperskorg. För att göra bot för sin svaghet att bli upprörd gav han femtio kronor åt en berusad man som tiggde. Mannen såg gapande efter honom. En dag ska jag komma tillbaka och slå ihjäl dig, tänkte Torgeir Langaas. I Jesu namn, i hela den kristna världens namn ska jag krossa ditt ansikte med ett enda slag av min näve. Ditt blod utgjutet på marken blir den röda matta som leder oss till paradiset.

Klockan var tio. Han satte sig på ett café och åt frukost. Erik hade sagt att denna dag skulle allt vara stilla. Han skulle hålla till i något av sina gömställen och vänta. Kanske Erik inser att jag fortfarande bär på en svaghet, tänkte han. Kanske har han genomskådat mig men vill vänta och se om jag har kraften att befria mig från denna sista svaga länk till mitt tidigare liv?

Men det fanns också en annan länk, den sista kvarvarande ägodelen. Han sköt undan frukostbrickan och tog upp diamantnålen ur fickan. Historien om diamantnålen var som en saga ingen trodde på. Ingen utom Erik. Han hade lyssnat och sagt att "människor dör för diamanter. Dom offrar sina liv i gruvor för att hitta dom. Dom mördar för att orättmätigt ta det dom själva inte fann. Diamanter gör människor giriga, falska. Dom bedövas av skönheten men inser inte att Guds mening var att visa människan att hårdheten och skönheten hänger samman."

Han hade fått diamantnålen av sin morbror Oluf Bessum som berättat en märklig och alldeles sann historia om hur han fått den. Oluf Bessum påstod att han slutade supa när han blev trettio, springa efter flickor när han blev femtio och slutade ljuga när han blev sjuttio. Han var åttiofyra år när han berättade för Torgeir om diamantnålen. Under några år i början av 1930-talet när Oluf varit mycket ung hade han arbetat på en valfångare och mönstrat av i Kapstaden och sedan tagit sig norrut, ibland gående, ibland med tåg eller liftande med hästkärror, för att komma till det Afrika där inga vägar fanns, bara oändligheten. I Johannesburg hade han på en trång gata blivit påkörd av en bil som tillhörde det stora diamantsyndikatet De Beers. Det var Ernest Oppenheimers privata bil, och Oluf hade blivit inlagd på ett privatsjukhus. Efteråt, under konvalescensen, hade Oluf vistats på ett av familjen Oppenheimers stora gods. Ernest Oppenheimer hade intresserat sig för den unge norske valfångaren och erbjudit honom att arbeta inom företaget. Oluf ville vidare på sin resa mot oändligheten, men bestämde sig ändå för att stanna under en begränsad tid.

En disig och dimmig septembermorgon 1933, två månader efter olyckan, följde han med Ernest Oppenheimer till en liten flygplats utanför Johannesburg för att vinka av Ernests brorson Michael. Han skulle flyga till Nord-Rhodesia för att inspektera några av familjens gruvor. Planet lyfte, gjorde en sväng över flygplatsen och skulle just lägga sig på kursen norrut när katastrofen inträffade. Oluf var själv aldrig säker på om det berodde på en oväntad kastvind eller om planet drabbats av ett motorhaveri. Planet tappade fart och störtade rakt i marken. Både piloten, major Cochrane-Patrick, och Michael dog ögonblickligen. Oluf förstod att den sorg som drabbat Ernest Oppenheimer – Michael hade varit som hans egen son – gjorde att han inte längre borde besvära familjen. Ernest Oppenheimer gav honom diamantnålen som avskedspresent när han fortsatte sin resa. Och nu när Oluf Bessum var gammal gav han nålen vidare till Torgeir. Den hade sen följt honom, och Torgeir kunde fortfarande inte förstå att den inte hade försvunnit eller blivit stulen under de år han krälade omkring på bottnen av sitt eget elände.

Han rispade med diamantnålen i bordet. Tiden var inne att göra sig av med den sista ägodelen. Han lämnade caféet och såg sig om i den stora stationshallen. Den berusade mannen satt på en soffa och sov.

Han gick fram till honom och stoppade omärkligt ner diamantnålen i hans ficka. Nu återstod bara att befria sig från den sista svagheten. Gud planerar allting väl, tänkte han. Gud och hans tjänare Erik är inga drömmare. Erik har förklarat att livet, människan, allt är organiserat och uttänkt i minsta detalj. Det är också därför jag har fått denna dag för att befria mig från svagheten och göra mig beredd.

Sylvi Rasmussen hade kommit till Danmark i början på 90-talet med en båt som släppt av sin last av illegala flyktingar på Jyllands västkust. Då hade hon bakom sig en lång och stundtals fasansfull resa från Bulgarien där hon var född. Hon hade färdats i lastbilar och på traktorsläp och under två ohyggliga dygn även inspärrad i en container där luften höll på att ta slut. Den gången hade hon inte hetat Sylvi Rasmussen utan Nina Barovska. Hon hade betalat sin resa genom att skuldsätta sig, och när hon väl kommit till den öde strandremsan på Jylland hade två män väntat på henne. De hade tagit henne till en lägenhet i Aarhus där de våldtagit och slagit henne under en vecka och sedan, när hon brutits ner, fört henne till en lägenhet i Köpenhamn där hon hölls inspärrad som prostituerad. Efter en månad hade hon försökt rymma. Men de två männen hade då klippt av hennes båda lillfingrar och hotat med ännu värre straff om hon upprepade sitt rymningsförsök. Det gjorde hon inte. För att uthärda började hon använda narkotika och hoppades att inte behöva leva ett alltför långt liv.

En dag hade en man vid namn Torgeir Langaas kommit in i lägenheten och begärt hennes tjänster. Han återkom och blev en av hennes få fasta kunder. Då och då försökte hon tala med honom, föra in deras korta möten i nån sorts förtvivlat mänskligt sammanhang. Men han skakade bara på huvudet och mumlade något ohörbart. Trots att han var vänlig och inte gjorde henne illa kunde hon då och då efter hans besök drabbas av rysningar. Det var något obestämt hotfullt, nånting kusligt över mannen som var hennes mest trofasta och vänligaste kund. Hans stora händer rörde vid henne med försiktighet. Ändå gjorde han henne rädd.

Klockan var elva när han ringde på dörren och steg in i hennes lägenhet. Han brukade alltid besöka henne på förmiddagarna. Eftersom han ville bespara henne ett ögonblick av fruktan, en insikt om att hon faktiskt skulle dö denna förmiddag i början av september, angrep han henne bakifrån när de var på väg in i sovrummet. Med sina stora händer tog han tag om hennes panna och nacke och knyckte till. Nacken knäcktes. Han la henne på sängen, drog av henne kläderna och försökte skapa en bild av ett sexualmord. Han såg sig omkring och tänkte att Sylvi hade förtjänat ett bättre öde. Under andra omständigheter hade han gärna tagit henne med sig till paradiset. Men det var Erik som bestämde. För honom var det viktigare att lärjungarna var utan svaghet. Nu var han det. Kvinnan, driften, var borta.

Han lämnade lägenheten. Nu var han beredd. Erik väntade, Gud väntade.

35

Linda mindes en bild hennes farfar en gång hade gett henne av en besvärlig människa. För honom var alla människor i grund och botten besvärliga, men oftast kunde han helt enkelt låta bli att släppa dem inpå livet. Det var dock inte möjligt att helt befrias från De Besvärligas närvaro. De allra besvärligaste människorna i hennes farfars värld var de som kom till hans ateljé och hade synpunkter på hans tavlor. Några trodde att de inspirerade honom när de föreslog att han kanske skulle försöka höja kvällssolen en aning över landskapet för att få bättre balans i bilden. Eller kanske en liten rävunge kunde ligga till vänster i förgrunden och betrakta tjädertuppen som tronade mitt i den nedgående solens rödstrimmade skogsgata.

– Jag höjer inga solar, hade han svarat. Gång på gång, tills förslaget hade dött. Han brydde sig aldrig om att argumentera. De besvärliga människorna lyssnade i alla fall inte. De var både förkättrade och högmodiga, de trodde att de idiotiska idéer de presenterade var något han skulle känna tacksamhet inför.

– En rävunge ligger inte och ser på en tjäder, sa han. Rävungen kanske försöker äta upp tjädern. Men förmodligen drar den sig undan.

Det fanns en grupp människor som hennes farfar dock var tvungen att lyssna på. Det gjorde dem till de besvärligaste av alla. Det var silkesriddarna, inköparna, som kom i sina glänsande amerikanska vrålåk och köpte upp hans tavlor för en spottstyver innan de försvann till det eviga svenska kretsloppet av marknader som flyttade med vädret från norr till söder och sedan tillbaka igen. De kunde komma till honom och meddela att de trodde att halvnakna, något mörkhyade – inte för mycket, inte för lite – damer skulle bli på modet just detta år. En annan gång kunde de ha den bestämda uppfattningen att en morgonsol var att föredra framför en kvällssol. Vid några tillfällen kunde han drista sig att ställa en fråga:

– Varför kommer morgonsolen att bli populärare detta år?

Det fanns inga svar, inga argument, bara dessa besvärliga människors stora och tunga plånböcker. Hela familjens existens stod på spel om en sedelbunt inte skalades av och bilen lastades full av landskapen med eller utan tjäder.

– En människa kunde aldrig helt undkomma de besvärligas närvaro, hade hennes farfar sagt. Dom är som ålar. Man försöker hålla dom men dom piskar sig alltid ur greppet. Dessutom rör sig ålar bara när det är mörkt. Det betyder inte att dom besvärliga människorna, om jag nu liknar dom vid ålarna, bara är i rörelse om natten. Tvärtom kommer dom ofta tidigt om mornarna med sina idiotiska förslag. Deras mörker är ett annat. Det är det stora mörker dom bär inom sig, att dom inte inser att dom bara vållar besvär när dom lägger sig i vad andra gör. Jag har aldrig lagt mig i vad någon har gjort.

Det sista var den stora lögnen i hennes farfars liv. Med den hade han dött, ovetande om att han i sitt liv ständigt, mer än de flesta, lagt sig i andra människors beslut, deras drömmar och göranden. Där hade det inte varit fråga om placeringar av rävungar eller kvällssolar, utan ett ständigt manövrerande för att hans två barn skulle följa hans vilja.

Minnet av de besvärliga människorna kom över henne just när hon skulle ringa på dörren till Annas lägenhet. Hon blev stående med fingret några centimeter från tryckknappen, frusen i minnet av hur hennes farfar satt med sin smutsiga kaffekopp i handen och berättade om någon olycksalig människa som råkat trampa in genom dörren till hans ateljé. Är Anna en besvärlig människa? tänkte hon. Hon rubbade mitt liv genom att göra mig orolig. Det är obegripligt att hon inte på allvar tycks förstå vad hon ställde till med.

Hon ringde på dörren. Anna öppnade, leende, i vit blus, mörka byxor, barfota. Den här dagen hade hon rufsat ihop håret till en knut i nacken.

Linda hade bestämt sig för att inte dröja, då skulle allting bara bli svårare. Hon la sin jacka på en stol och sa:

– Jag vill bara berätta att jag läste dom sista sidorna i din dagbok. För att se om jag kunde få någon förklaring till att du försvunnit.

Anna ryckte till.

– Då var det det jag märkte, sa hon. Det kom som en främmande doft ur boken när jag slog upp den.

– Jag ber om ursäkt. Men jag var orolig. Jag läste bara dom sista sidorna, ingenting annat, sa Linda.

Man ljuger för att det som inte är alldeles sant ska låta rimligt, tänkte hon. Men Anna genomskådar mig kanske. Den där dagboken kommer alltid att finnas mellan oss. Vad läste jag och vad läste jag inte? kommer hon att fråga sig.

De gick in i vardagsrummet. Anna blev stående vid fönstret, med ryggen mot Linda.

Det var i det ögonblicket som Linda insåg att hon inte alls kände Anna. Barn känner varandra på ett särskilt vis, tänkte hon, de gör inga överenskommelser som vuxna, de litar eller litar inte på varandra. Ofta kan den vänskap som finns mellan barn få brutala slut. Man blir ovän lika plötsligt som man upptäcker att man har blivit någons bästa vän. Linda insåg att det nu inte fanns någon fortsättning på den gemenskap som existerat när de varit barn och under tonåren. Försöket att bygga ett nytt hus på den gamla grunden var dömt att misslyckas. Hon visste inte vem Anna var. Hon betraktade ryggen som en fiende som plötsligt hade uppenbarat sig för henne.

Hon kastade en symbolisk handske mot Annas rygg.

– En fråga måste du svara på.

Anna vände sig inte om. Linda väntade ut rörelsen som aldrig kom.

– Jag hatar att tala med ryggar.

Fortfarande ingen reaktion. En besvärlig människa, tänkte Linda. Vad hade farfar gjort med detta exemplar? Han hade inte försökt greppa ålen utan slängt den på elden och låtit den vrida sig till döds i flammorna. Besvärliga människor kan gå över en gräns, och då väntar dem ingen nåd.

– Varför använde du mitt namn när du bodde på hotell i Malmö?

Linda försökte avläsa ryggen samtidigt som hon torkade svett från halsen. Det blir min förbannelse, hade hon tänkt redan under den första månaden hon gick på Polishögskolan. Det finns skrattande poliser och gråtande poliser, men jag blir den första svettande polisen.

Anna brast i skratt och vände sig om. Linda försökte leka skrattläserska; var den känsla Anna pumpade in i sitt skratt äkta eller inte?

– Hur har du fått reda på det?

– Jag ringde och frågade.

– Varför gjorde du det?

– Jag vet inte.

– Vad frågade du om?

– Det borde inte vara svårt att räkna ut.

– Du räknar bättre än jag.

– Jag frågade efter Anna Westin. Om hon fanns där eller om hon hade funnits. Ingen Westin, men däremot en Wallander. Det var inte svårt. Men varför gjorde du det?

– Vad säger du om jag svarar att jag egentligen inte vet varför jag använde ditt namn? Kanske var jag rädd för att min far skulle gömma sig om han upptäckte att jag tagit in på det hotell där vi hade upptäckt varandra, på varsin sida av en glasruta. Om du vill ha ett svar som är sant så är det: Jag vet inte.

Telefonen ringde. Anna gjorde ingen ansats att svara. De väntade tills telefonsvararen slog på. Det var Zebrans kvittrande röst. Hon ville inget särskilt.

– Jag älskar människor som inte vill något särskilt med så mycket energi och gott humör, sa Anna.

Linda svarade inte. Det var inte Zebran hon hade i tankarna nu.

– I din dagbok läste jag ett namn, Birgitta Medberg. Vet du vad som har hänt henne?

– Nej.

– Har du inte läst några tidningar?

– Jag har letat efter min far.

– Hon har blivit mördad.

Anna betraktade henne uppmärksamt.

– Varför det?

– Det vet jag inte.

– Vad menar du?

– Det jag säger. Det är ett mord, ett olöst mord. Polisen vet inte vem som är gärningsman. Dom kommer att begära ett möte med dig för att fråga på vilket sätt du kände Birgitta Medberg.

Anna skakade på huvudet.

– Vad är det som har hänt? Vem kunde vilja henne nåt illa?

Linda bestämde sig för att inte avslöja några detaljer om det makabra brottet. Hon sa bara var det hade hänt. Annas obehag verkade alldeles äkta.

– När hände det?

– För några dagar sedan.

– Kommer det att vara din pappa jag ska tala med?

– Kanske. Men dom är många som arbetar med utredningen.

Anna ruskade på huvudet, lämnade fönstret och satte sig i stolen.

– Hur kände du henne? frågade Linda.

Anna såg plötsligt irriterat på henne.

– Är det här ett förhör?

– Jag är nyfiken.

– Vi red tillsammans. Hur vi träffades första gången minns jag inte. Men någon hade två norska fjordingar som behövde motioneras. Det gjorde hon och jag. Jag kan inte säga att jag kände henne särskilt väl. Jag kände henne inte alls. Hon sa aldrig särskilt mycket. Jag vet att hon arbetade med att kartlägga gamla stigar och pilgrimsleder. Dessutom hade vi ett gemensamt intresse för fjärilar. Mer vet jag inte. En gång rätt nyligen skrev hon ett brev och frågade om vi skulle köpa en häst tillsammans. Jag svarade aldrig.

Linda letade efter tecken på en lögn utan att hitta något. Det är inte jag som ska göra det här, tänkte hon. Jag ska åka polisbil och plocka in berusade personer som inte kan ta vara på sig själva. Det är pappa som ska prata med Anna, inte jag. Det var bara det där med fjärilen. Den tomma ytan på väggen.

Anna hade redan följt hennes blick och läst hennes tanke. Hon svarade innan Linda hann ställa sin fråga.

– Jag tog med fjärilen för att ge den till min far om jag träffade honom. När jag insåg att allt bara varit inbillning kastade jag den i kanalen.

Det kan vara sant, tänkte Linda. Eller så ljuger hon så skickligt att jag inte förmår tränga igenom det som är falskt.

Det ringde igen. Nu var det Ann-Britt Höglund på telefonsvararen. Anna såg frågande på Linda som nickade. Anna svarade. Samtalet var kort, Annas kommentarer få och enstaviga. Hon la på och såg på Linda.

– Dom vill att jag kommer nu, sa hon.

Linda reste sig.

– Då är det bäst att du går.

– Jag vill att du följer med.

– Varför det?

– Det skulle kännas tryggare.

Linda kände sig tveksam.

– Jag är inte säker på att det är särskilt lämpligt.

– Men jag är inte misstänkt för nånting. Det sa hon som ringde, dom vill bara ha ett samtal, ingenting annat. Och du är både polis och min vän.

– Jag kan följa med dig. Men jag är inte säker på att dom låter mig följa med in.

Ann-Britt Höglund kom ut i receptionen på polishuset för att hämta Anna. Hon såg ogillande på Linda. Hon tycker inte om mig, tänkte Linda. Hon är säkert en kvinna som föredrar unga män med ringar i öronen och fräscha åsikter. Linda märkte att Ann-Britt Höglund hade börjat gå upp i vikt. Snart är plufset där, tänkte hon belåtet. Men jag undrar vad farsan såg i dig för några år sen när han sprang och friade.

– Jag vill att Linda är med, sa Anna.

– Det vet jag inte om det går, sa Ann-Britt Höglund. Varför det?

– Jag kan krångla till det, sa Anna. Jag vill bara att hon ska sitta med. Ingenting annat.

Just det, tänkte Linda. En besvärlig människa är precis vad som behövs just nu.

Ann-Britt Höglund ryckte på axlarna och såg på Linda.

– Du får väl prata med din farsa om han vill ha dig med, sa hon. Du vet var han har sitt kontor. Två dörrar längre bort, lilla mötesrummet.

Ann-Britt Höglund släppte in dem och marscherade iväg åt annat håll.

– Är det här du ska vara? frågade Anna.

– Knappast. För mig blir det snarast garaget och framsäten i olika bilar.

Dörren till mötesrummet stod halvöppen. Linda såg sin far sitta och vicka på stolen med en kaffekopp i handen. Han kommer att krossa den där stolen, tänkte hon. Måste alla poliser bli så feta? Då kommer jag att sluta i förtid. Hon sköt upp dörren. Han verkade inte förvånad över att se henne i sällskap med Anna. Han tog Anna i hand.

– Jag vill att Linda är med, sa hon.

– Det går naturligtvis bra.

Han kastade en blick ut i korridoren.

– Var är Ann-Britt?

– Jag tror inte hon ville vara med, sa Linda och satte sig vid bordets ena kortände, så långt ifrån sin far som möjligt.

Den dagen lärde sig Linda något avgörande om polisarbete. Både hennes far och Anna bidrog till lektionen. Hennes far genom att omärkligt styra samtalet åt precis det håll han ville. Han gick aldrig rakt på Anna, följde henne istället vid sidan, lyssnade på hennes svar, var hela tiden positiv även om hon motsade sig själv. Han tycktes ha all tid i världen, men han tillät henne inte att slippa undan. Linda tänkte att Anna var ålen som han lugnt och metodiskt styrde längs fångstarmen, in mot den innersta struten från vilken den inte kunde återvända till friheten.

Annas bidrag var hennes lögner. Både Linda och hennes far märkte att hon inte höll sig till sanningen. Hon tycktes försöka reducera lögnerna till ett minimum utan att lyckas. En enda gång, när Anna sträckte sig efter en penna som ramlat ner på golvet, utbytte Linda och hennes far en hastig blick.

Efteråt, när allt var över och Anna gått hem, satte sig Linda vid köksbordet på Mariagatan och försökte anteckna, som i en teaterdialog, hur samtalet hade framskridit. Hennes far hade haft ett block framför sig, då och då hade han gjort en anteckning, men det mesta hade han samlat i sitt huvud. En gång flera år tidigare hade han berättat för henne att det börjat som en ovana, en efterhängsen slarvighet, att aldrig göra anteckningar annat än när det var absolut nödvändigt. Men ovanan hade blivit en vana; han hade nu lärt sig vilka stolpar han skulle notera i ett samtal för att han efteråt skulle minnas det. Detta gällde naturligtvis de informella samtalen, inte de organiserade förhören där en bandspelare alltid fanns påslagen, med tidsangivelser när förhöret började och slutade.

Vad hade Anna sagt? Linda skrev, dialogen växte långsamt fram.

KW: Tack för att du kom. Jag är naturligtvis glad för att ingenting har hänt. Linda har varit orolig. Jag med.
AW: Jag behöver inte berätta vem jag trodde jag såg på en gata i Malmö.
KW: Nej, det behöver du inte. Vill du ha något att dricka?
AW: Juice.
KW: Det har vi nog inte tyvärr. Kaffe, te eller vanligt vatten.
AW: Då får det vara.

Lugnt och metodiskt, tänkte Linda. All tid i världen.

KW: Hur mycket vet du om vad som hänt Birgitta Medberg?
AW: Linda har berättat att hon blivit mördad. Det är hemskt. Obegripligt. Jag vet också att ni har hittat hennes namn i min dagbok.
KW: Vi har inte hittat. Linda upptäckte det när hon försökte begripa vad som hade hänt dig.
AW: Jag tycker inte om att man läser i min dagbok.
KW: Det kan jag förstå. Men Birgitta Medbergs namn fanns där, eller hur?
AW: Ja.
KW: Vi försöker kartlägga alla hennes kontakter och människor i hennes omgivning. Det samtal jag har med dig har mina kollegor med andra människor i andra rum just nu.
AW: Vi red några norska fjordingar tillsammans. Hästarna ägs av en man som heter Jörlander. Han bor på en avstyckad gård i närheten av Charlottenlund. Han har faktiskt varit jonglör tidigare. Han är stelbent och kan inte rida. Vi motionerade hästarna åt honom.
KW: När lärde du känna Birgitta Medberg?
AW: För sju år och tre månader sen.
KW: Hur kan du minnas det så exakt?
AW: Därför att jag tänkt efter. Jag förstod att du skulle fråga om det.
KW: Hur träffades ni?
AW: På hästryggen kan man säga. Hon hade hört på sitt håll att Jörlan-

der letade motionsryttare, jag hade hört det på mitt. Vi red tre gånger i veckan, ibland två. Vi pratade om hästarna, nästan ingenting annat.
KW: Ni började inte umgås vid sidan av?
AW: Jag tyckte ärligt talat hon var ganska tråkig. Förutom fjärilarna.
KW: Vad menar du?
AW: Vi satt där och red och en dag kom vi på att vi båda hade en passion för fjärilar. Då hade vi det att prata om.
KW: Hörde du henne nånsin tala om att hon var rädd för nånting?
AW: Hon verkade alltid rädd när vi skulle ta hästarna över en trafikerad väg.
KW: Frånsett det?
AW: Nej.
KW: Hade hon nånsin någon i sällskap?
AW: Nej, hon kom alltid ensam på sin gamla vespa.
KW: Ni hade alltså ingen annan kontakt med varandra?
AW: Nej. Bara att hon skrev brev en gång. Inget annat.

En liten skakning, tänkte Linda medan hon skrev. Som en jordbävning man egentligen inte märker. Men här snubblade hon till. Hon undanhåller nånting om sitt förhållande till Birgitta Medberg. Men vad? Hon mindes kojan och märkte att hon blev svettig på halsen igen.
KW: När träffade du Birgitta Medberg sista gången?
AW: För två veckor sen.
KW: Vad gjorde ni då?
AW: Men herregud, vi red! Hur många gånger ska jag behöva upprepa det?
KW: Inte fler gånger. Jag vill bara försäkra mig om att allt är rätt. Vad hände förresten när du var i Malmö och letade efter din far?
AW: Hur då?
KW: Vem red din häst? Vem red Birgitta Medbergs häst?
AW: Jörlander hade några reserver, småflickor som han helst inte ville

ha, om nåt skulle hända. Men det måste ha varit nån av dom. Fråga honom.

KW: Det ska vi göra också. Kan du minnas om hon var på något sätt annorlunda sista gången du träffade henne?

AW: Vem? Nån av småflickorna?

KW: Birgitta Medberg tänker jag nog närmast på.

AW: Hon var som vanligt.

KW: Kan du minnas vad ni talade om?

AW: Jag har flera gånger sagt att vi inte talade så mycket. Hästar, väder, fjärilar, i stort sett det, inget annat.

Just här, mindes Linda, hade han rätat på sig i stolen, överraskande, en sorts pedagogiskt spratt som skulle vara en varning till Anna att inte ta den loje polismannen alltför given.

KW: Vi har ett namn till i din dagbok. Vigsten. Nedergade. Köpenhamn.

Anna hade sett förvånat på Linda som inte sagt något om detta namn. Annas ögon smalnade. Där rök den vänskapen, tänkte Linda. Om den nu egentligen nånsin varit på väg att byggas upp på nytt.

AW: Nån har tydligen läst mer i min dagbok än jag visste om.

KW: Det är som det är med det. Vigsten. Ett namn.

AW: Varför är det viktigt?

KW: Jag vet inte om det är viktigt.

AW: Har han med Birgitta Medberg att göra?

KW: Kanske.

AW: Han är pianolärare. Jag spelade för honom en gång. Vi har hållit kontakten sen dess.

KW: Är det allt?

AW: Ja.

KW: Kan du minnas när du spelade för honom?

AW: 1997, på hösten.

KW: Bara då?
AW: Ja.
KW: Törs jag fråga om varför du slutade?
AW: Jag spelade för dåligt.
KW: Sa han det?
AW: Jag sa det. Inte till honom. Till mig själv.
KW: Det kan inte ha varit billigt att ha en pianolärare i Köpenhamn. Med resor och allt.
AW: Det handlar om vad man väljer att använda sina pengar till.
KW: Du ska bli läkare, eller hur?
AW: Ja.
KW: Hur går det?
AW: Med vad?
KW: Studierna.
AW: Det går väl upp och ner.

Här hade hennes far slagit om, lutat sig fram mot Anna över bordet, fortfarande lika vänlig, men ändå annorlunda, mer bestämd.

KW: Birgitta Medberg blev mördad inne i Rannesholmsskogen på ett särdeles brutalt sätt. Nån högg av henne huvudet och händerna. Kan du tänka dig vem som kan ha gjort nåt sånt?
AW: Nej.

Fortfarande var Anna alldeles lugn, tänkte Linda. För lugn. Bara så lugn man kan vara om man redan vet vad som ska komma. Hon drog snabbt tillbaka slutsatsen. Den var möjlig, men hon hade dragit den alldeles för tidigt.

KW: Kan du förstå varför nån kunde göra så mot henne?
AW: Nej.

Och sen hans snabba slut. Efter hennes sista svar hans händer som föll mot bordet.

KW: Det var allt. Tack för att du kom. Det har varit mycket värdefullt.

AW: Jag har ju inte kunnat hjälpa dig med nånting?

KW: Säg inte det. Tack för att du kom. Kanske hör vi av oss igen.

Han hade följt dem ut i receptionen. Linda hade märkt att Anna var spänd. Vad var det hon hade sagt utan att hon visste om det? Min far fortsätter att förhöra henne, tänkte Linda. Men han gör det inne i hennes huvud. Och väntar bara på vad som ska komma ut.

Linda sköt undan sina papper och sträckte på ryggen. Sen ringde hon upp sin fars mobiltelefon.

– Jag hinner inte prata. Hoppas du tycker det var lärorikt.

– Absolut. Men jag tror att hon ljög ibland.

– Att hon inte helt talar sanning kan vi utgå ifrån. Men frågan är varför. Vet du vad jag tror?

– Nej.

– Jag tror faktiskt att hennes far har kommit tillbaka. Men det kan vi tala mer om ikväll.

Kurt Wallander kom hem till Mariagatan strax efter sju. Linda hade lagat middag. De hade just satt sig vid matbordet och han hade börjat utveckla sina tankar om varför han trodde att Annas far hade återvänt, när telefonen ringde.

När han la på luren förstod hon genast att något allvarligt hade hänt.

36

De hade stämt möte på en parkeringsplats som låg mitt emellan Malmö och Ystad. Någon gång under sin skoltid hade Erik Westin läst en dikt av vilken han bara mindes två ord, förklädd Gud. Men de två orden hade alltid funnits i hans medvetande och en dag under det sista året i Cleveland, när han på allvar börjat förstå vilket uppdrag Gud hade gett honom, hade han kommit att tänka på de två orden och bestämt sig för att det var den väg de skulle gå. De som var utvalda, de som var gudar, skulle förklä sig till människor. Erik Westin hade inpräntat orden i dem som han valt ut att bli hans krigare. "I detta heliga krig är vi redan förvandlade till Guds redskap. Men vi ska hela tiden vara förklädda till människor." Det var också därför han hade valt en vanlig parkeringsplats till det ställe där de skulle mötas. Också en parkeringsplats kunde vara en katedral för dem som valde att se den. Den varma septemberluften som steg upp från marken var pelarna som bar upp detta väldiga men osynliga kyrkorum.

Han hade stämt möte med dem klockan tre på eftermiddagen. De skulle alla ha vanliga förklädnader, till turister, polacker som var på inköpsresa i Sverige, ensamma eller i grupper. De skulle komma från olika håll och få de sista instruktionerna av Erik, vid vars sida Torgeir Langaas hela tiden skulle finnas.

Erik hade tillbringat de sista veckorna i en husvagn på en campingplats i Höör. Den lägenhet han tidigare hyrt i Helsingborg hade han gjort sig av med. Den begagnade husvagnen hade han köpt billigt i Svedala, hans nergångna Volvo hade dragit upp den till campingplatsen. Frånsett sina möten med Torgeir och de uppgifter de hade utfört tillsammans hade han tillbringat all sin tid i husvagnen med att be och förbereda sig. Varje morgon hade han sett på sitt ansikte i den lilla rakspegeln som hängde på väggen och frågat sig om det var en galnings ögon som stirrade tillbaka på honom. Ingen kunde bli profet, kunde han tänka, om inte ödmjukheten ingick som en avgörande del i den utvaldes andliga utrustning. Att besitta styrka var att ställa sig själv de svåraste av alla frågor. Även om han aldrig vacklade i sin övertygelse om den stora uppgift Gud hade ålagt honom, ville han försäkra sig om att han inte var bedragen av sitt eget högmod. Men de ögon som mötte honom var morgon i spegeln avslöjade bara att han var den han visste sig vara. Den utvalde ledaren. Det fanns ingen galenskap i den stora uppgift som låg framför dem, allt var redan uttolkat i Bibeln. Kristendomen hade sjunkit ner i ett träsk av vanföreställningar och gjort Gud så utmattad att han inte orkat annat än vänta på den som skulle förstå vad som höll på att hända och gjorde sig till det redskap som en gång för alla skulle vända utvecklingen.

Erik Westin hade suttit i sin husvagn och tänkt att Gud var en logiskt tänkande varelse. Han var den store matematikern som fanns bortom den yttersta gränsen; ur hans medvetande skulle alltid komma den ande som varje människa hade rätt till. "Det finns bara en Gud", började Erik Westin alla sina böner. "Det finns bara en Gud, och hans ende son som vi lät korsfästa. Detta kors är vårt enda hopp. Korset är av enkelt trä, inte av guld eller dyrbar marmor. Sanningen ligger i fattigdomen och enkelheten. Det stora tomrum vi har inom oss kan bara fyllas av Den helige andes kraft, aldrig av materiella ägodelar och dyrbarheter, hur mycket de än lockar oss med sin förföriska glans."

De sista veckorna hade varit en tid av väntan, av kraftsamling, av koncentration. Varje dag hade han fört långa samtal med Gud. Under denna sista tid hade han också fått bekräftat att han valt det rätta ögonblicket för att återvända. De människor han en gång hade övergivit hade ännu inte glömt honom. Han fanns, och de förstod varför han varit borta och varför han kommit tillbaka. När allting en dag var över skulle han dra sig tillbaka från världen och sluta som han börjat, med att tillverka sandaler. Han skulle ha sin dotter vid sin sida och allt skulle vara fullbordat.

Under denna tid tänkte han också mycket på Jim Jones. Den man som en gång hade bedragit honom, den falske profeten som ingenting annat varit än en fallen ängel. Fortfarande kunde han drabbas av en blandning av ursinne och förtvivlan när han tänkte tillbaka på den tid han levt med Jim, som en av medlemmarna i hans församling. Han tänkte på uttåget från USA till djungeln i Guyana, den första tiden av lycka, och sedan det fruktansvärda sveket som lett till att alla hade tvingats begå självmord eller blivit mördade. Det fanns i hans tankar och böner alltid en plats för dem som dött där i djungeln. En dag skulle de befrias från allt det onda Jim Jones hade gjort och lyftas upp till den översta nivån, där Gud och paradiset väntade.

Campingplatsen låg vid en sjö. Varje kväll gick han runt den. Det doftade från mossan och träden. Ute på sjön såg han ibland svanar som sakta rörde sig mot den andra stranden. Alla offer sker för att skapa liv, tänkte han. Ingen vet om vi är de som ska leva eller de som ska offras. Nu hade han återupprättat de gamla offerceremonierna från den avlägsna tid då kristendomen formats. Liv och död hängde alltid ihop. Gud var logisk, han var klok. Att döda för att låta leva var en viktig del av vägen mot ett tillstånd där tomrummet inom människan hade försvunnit.

En natt när åskan drog fram över sjön låg Erik Westin vaken och tänkte på alla de ogudaktiga religioner som uppstått under kristendomens långa förfall. Det var som ett fartyg som långsamt vattenfylldes, tänkte han. Ett sjunkande skepp. Alla dessa ogudaktiga läror hade varit som pirater. Judarna, muslimerna, alla de som försökte äta sig in i människornas hjärtan och få dem att tillbe gudar som inte fanns eller förnekade den verkliga Guden.

Nu var ögonblicket inne. Gud hade uppenbarat sig för honom. Han hade varit eldslågorna som flammat upp från de brinnande svanarnas vingar, tjurkalvens ögon och alla de råttor som befriats ur sina burar. Eldarna var tända nu. Ögonblicket var inne.

På morgonen den dag de skulle mötas på parkeringsplatsen gick Erik Westin ner i sjöns mörka vatten som ännu behöll något av sommarens värme. Han tvättade sig grundligt, klippte sina naglar, rakade sig. Han var ensam på campingplatsen som var ensligt belägen. När

Torgeir hade ringt slängde han sin mobiltelefon i sjön. Sen klädde han sig, la sin bibel och sina pengar i bilen och körde upp den till vägen. Efteråt återstod en enda sak. Han tände eld på husvagnen och for därifrån.

De var sammanlagt tjugosex, de kom från olika länder och de hade ett kors tatuerat på bröstet intill hjärtat. Förutom Erik Westin och Torgeir Langaas var det sjutton män och nio kvinnor. Männen kom från Uganda, Frankrike, England, Spanien, Ungern, Grekland, Italien och USA. Kvinnorna var amerikanskor, en kanadensiska och en brittisk kvinna som länge bott i Danmark och lärt sig språket. Inga av dem var gifta med varandra, inga av dem hade träffats innan. Erik hade byggt upp sina kontakter med hjälp av en helig budkavle. Genom Torgeir Langaas hade han kommit i kontakt med den kanadensiska kvinnan Allison. Hon hade en gång skrivit en artikel om sin religiösa längtan. Tidskriften hade hamnat i Torgeirs hand innan han var alldeles nergången. Det fanns något i artikeln som slog an en sträng hos honom, och han rev ut den och sparade den. Och Allison hade i sin tur, när hon blivit en övertygad lärjunge till Erik, föreslagit en man hon kände i Maryland i USA.

Det hade tagit Erik fyra år att bygga upp den heliga kärnan i den kristna armé han tänkte föra ut i strid. Han hade rest och träffat alla dessa människor, inte en gång utan flera, och han hade noga gett akt på deras utveckling. Kanske var det trots allt något gott han lärt av Jim Jones, förmågan att läsa människor, upptäcka när de fortfarande kände tvekan, även om de försökte dölja eller förneka att så var fallet. Erik Westin visste att han kunde avgöra när en människa hade gått över den slutliga gränsen, befriat sig från sitt tidigare liv och helt gick upp i sin uppgift.

Nu möttes de för första gången på parkeringsplatsen. Det föll ett milt duggregn över deras huvuden. Erik hade parkerat sin bil på en kulle mitt emot parkeringsplatsen där han med hjälp av en kikare kunde ha uppsikt över dem som kom. Torgeir var där för att ta emot dem. Han skulle säga att han inte visste var Erik befann sig. Erik hade förklarat för Torgeir att hemliga överenskommelser kunde stärka människors uppfattning om det heliga i den uppgift som väntade. Erik såg mot parkeringsplatsen i kikaren. Nu kom de en och en, några i bilar, andra gående, ett par på cyklar, en hade motorcykel och några dök upp från ett litet skogsparti bortom parkeringsplatsen, som om de hade bott där, kanske slagit upp sina tält. Var och en hade bara en liten ryggsäck. Erik hade varit noga på den punkten. Ingen skrymmande packning, inga uppseendeväckande kläder. Hans armé var de förklädda gudarna som ingen skulle lägga märke till.

Han riktade in kikarlinsen mot Torgeir Langaas ansikte. Denne stod lutad mot parkeringsplatsens informationstavla. Utan honom hade det knappast varit möjligt, tänkte han. Hade jag inte snubblat över honom på den där smutsiga gatan i Cleveland och lyckats förvandla honom från en slocknad människospillra till en absolut och hänsynslöst hängiven lärjunge, då hade jag ännu inte varit klar att låta min armé marschera. Denna morgon hade Torgeir ringt och bekräftat att han var färdig med de sista förberedelserna. Nu kunde de lyfta bort den osynliga gränsbommen och tåga in i den första av alla de krigszoner som väntade.

Torgeir Langaas vände ansiktet åt det håll de kommit överens om. Sen strök han två gånger med vänster pekfinger över näsan. Allt var klart. Erik packade ner kikaren och började gå mot parkeringsplatsen. Det fanns en sänka som gjorde att han osedd kunde ta sig fram ända till vägen. Som från ingenstans skulle han komma till dem som väntade på honom. När han blev synlig stannade allting upp. Men ingen yttrade ett enda ord, precis som han bestämt.

Torgeir Langaas hade kommit med en lastbil med presenning över flaket. De lastade på cyklarna och de två motorcyklarna, lät bilarna stå och kröp in under presenningen. Erik körde med Torgeir bredvid sig. De svängde höger och letade sig ner till Mossby strand. De parkerade och gick ner till stranden. Torgeir bar på två stora korgar med mat. De satte sig bland sanddynerna, tätt sammanpressade, som en flock turister som tyckte att vädret var alltför kallt.

Innan de började äta sa Erik de nödvändiga orden:

– Gud kräver vår närvaro, Gud kräver striden.

De packade upp korgarna och åt. När maten var slut la de sig på Eriks uppmaning ner för att vila. Torgeir och Erik gick ner till stranden. En sista gång gick de igenom det som skulle ske. Ett stort moln förmörkade himlen.

– Vi får det ålamörker vi vill ha, sa Torgeir Langaas.

– Vi får det vi behöver eftersom vi har rätt, svarade Erik Westin.

De väntade på stranden tills det blivit kväll. Då klättrade de upp på lastbilsflaket igen. Klockan var halv åtta när Erik svängde ut på vägen och körde österut, mot Ystad. Utanför Svarte svängde han norrut, passerade huvudvägen mellan Malmö och Ystad och fortsatte sen på en väg som gick väster om Rannesholms slott. Två kilometer utanför Harup svängde han in på en kärrväg, stannade och släckte ljusen. Torgeir klättrade ur bilen. I backspegeln kunde han se hur två av männen från USA, den före detta frisören Pieter Buchanan från New Jersey och mångsysslaren Edison Lambert från Des Moines, klättrade av flaket.

Erik Westin kände att hans puls hade ökat. Kunde något gå fel? Han ångrade genast den tysta fråga han ställt till sig själv. Jag är ingen dåre, tänkte han. Jag litar på Gud, som styr mitt handlande. Han startade lastbilen och svängde ut på vägen igen. En motorcykel körde om honom, strax därpå ännu en. Han fortsatte norrut, kastade en blick mot

Hurups kyrka, dit Torgeir och de två männen från USA var på väg. En halv mil norr om Hurup svängde han vänster mot Staffanstorp. Efter tio minuter tog han av till vänster igen och stannade lastbilen på baksidan av ett raserat uthus som tillhörde en ödegård. Han steg ur lastbilen och manade på dem som fanns på flaket att hoppa ner.

Han såg på klockan. De följde tidsplanen. De gick långsamt för att ingen skulle ramla eller bli efter. En del av dem som följde honom var inte helt unga, någon var sjuk, kvinnan från England hade sex månader tidigare opererats för cancer. Han hade tvekat om han skulle ta henne med, han hade rådfrågat Gud och svaret hade varit att hon överlevt sin sjukdom just för att hon skulle kunna slutföra sitt uppdrag. De kom fram till en väg som ledde mot baksidan av Frennestads kyrka. Han kände efter i fickan att han hade nyckeln till kyrkporten. Två veckor tidigare hade han provat den kopia som Torgeir hade ordnat åt honom. Det hade inte ens gnisslat i låset när han öppnade porten. Framme vid muren stannade de. Ingen sa nånting, allt han hörde var människor som andades intill honom. Lugna, tänkte han, lugna andetag, ingen flåsar, ingen är orolig. Minst av allt hon som snart ska dö.

Han såg på klockan igen. Om fyrtiotre minuter skulle Torgeir, Buchanan och Lambert sätta eld på kyrkan i Hurup. De började gå. Grinden i kyrkogårdsmuren öppnades utan ett ljud. Torgeir hade oljat gångjärnen så sent som dagen innan. De följde i en lång rad mellan de mörka gravstenarna. Erik låste upp. Inne i kyrkorummet var det svalt. Någon huttrade till bakom honom. Han lyste med den avskärmade ficklampan. De satte sig på de främre bänkraderna som de fått order att göra. Den sista instruktionen Erik sänt ut hade innehållit 123 detaljanvisningar som de skulle lära sig utantill. Han tvivlade inte på att de hade gjort det.

Erik tände de stearinljus som Torgeir ställt fram vid altaret. Han lät ficklampan glida över ansiktena på den första bänkraden. Näst längst ut till höger intill dopfunten satt Harriet Bolson, kvinnan från Tulsa. Erik dröjde några sekunder extra vid hennes ansikte. Hon var alldeles lugn. Guds vägar är outgrundliga, tänkte han. Men bara för dem som inte behöver förstå. Han såg på klockan igen. Det var viktigt att allting sammanföll, branden i Hurup och det som skulle ske här framför altaret i Frennestads kyrka. Han såg ännu en gång på Harriet Bolson. Ett magert ansikte, kanske tärt, trots att hon bara var trettio år gammal. Men den synd hon begått måste sätta sina spår, tänkte han. Genom elden kan hon renas, bara på det sättet. Han släckte ficklampan och gick in i skuggorna på baksidan av trappan upp mot predikstolen. Ur ryggsäcken tog han fram trossen som Torgeir köpt i en skeppshandel i Köpenhamn. Han la den intill altaret. Ännu en gång såg han på klockan. Det var dags. Han ställde sig framför altaret och gav tecken att alla skulle resa sig. En efter en kallade han fram dem. Till den första gav han den ena repänden.

– Vi är oupplösligt sammanbundna, sa han. Från och med nu, denna kväll, kommer vi aldrig att behöva något rep igen. Vi är bundna av vår trohet till Gud och vårt uppdrag. Vi kan inte längre tolerera att vår värld, den kristna världen, sjunker allt djupare ner i förnedring. I eld ska världen renas, och vi måste börja med oss själva.

Under de sista orden hade han nästan omärkligt rört sig så att han stod framför Harriet Bolson. I samma ögonblick som han la repet om hennes hals förstod hon vad som skulle ske. Det var som om hennes medvetande tömdes av den plötsliga skräcken. Hon skrek inte, gjorde inget motstånd. Hennes ögon slöts. För Erik Westin var alla år av väntan äntligen över.

Kyrkan i Hurup började brinna klockan kvart över nio. När brandbilarna var på väg kom larm om att även kyrkan i Frennestad var övertänd. Torgeir och de två amerikanerna hade redan hämtats. Torgeir övertog ratten och lastbilen försvann mot det nya gömstället.

Erik Westin stannade i mörkret. Han gick upp på en kulle i närheten av Frennestads kyrka. Där satt han och såg hur brandmännen förgäves försökte rädda kyrkan. Han undrade om polisen skulle hinna in i kyrkan innan taket störtade in.

Han satt där i mörkret och såg på flammorna. Han tänkte att hans dotter en dag skulle komma och göra honom sällskap när eldarna brann.

37

Den kvällen och natten brann två kyrkor i Skåne ner till grunden. Hettan var så intensiv att dagen efter, i gryningen, återstod bara två tomma, nersotade skal. På kyrkan i Hurup störtade klocktornet in. De som befann sig i närheten tyckte sig ha hört klockornas dån som ett tjut i yttersta nöd. Kyrkorna låg i samma område av Skåne, där Staffanstorp, Anderstorp och Ystad utgjorde en provisorisk yttre triangel.

Men det var inte bara två kyrkor som brann. I Frennestads kyrka gjorde den kyrkvärd som bodde intill, och som var den första att ta sig in i kyrkan för att om möjligt rädda de värdefulla mässhakarna från medeltiden, en upptäckt som han genast insåg för alltid skulle förfölja honom. Framför altaret låg en kvinna i trettioårsåldern. Hon hade blivit strypt av ett grovt rep som dragits åt runt hennes hals, så hårt att huvudet nästan skilts från kroppen. Han rusade skrikande därifrån och svimmade utanför porten till den brinnande kyrkan.

Den första brandbilen, som kom från Staffanstorp, anlände till kyrkan några minuter senare. De hade egentligen varit på väg mot Hurup när de fått kontraorder. Ingen av brandmännen förstod riktigt vad som hade hänt. Var det första larmet ett misstag, eller var det två olika kyrkor som brann? Släckningsledaren som hette Mats Olsson och var en sansad man hittade kyrkvärden utanför porten. Han gick själv in i kyrkan för att se om det fanns andra människor därinne. När han hittade den döda kvinnan framför altaret fattade han ett beslut som polisen sen skulle tacka honom för. Det naturliga hade varit att ta ut den döda innan kyrkan blivit helt övertänd. Men Mats Olsson insåg att det inte kunde vara fråga om annat än mord. Därför behövde polisen få se brottsplatsen som den var. Han hade naturligtvis också en misstanke om att mordet kunde ha begåtts av den man som legat avsvimmad utanför porten och som nu långsamt höll på att repa sig.

Det rådde både ovisshet och förvirring under de minuter när de två larmen nådde polisen. I det ögonblick Kurt Wallander reste sig från matbordet trodde han att han skulle ge sig iväg till Hurup eftersom det kommit larm om att det låg en död kvinna framför altaret där. Han hade druckit vin till maten och begärde hämtning. Han gick ner på gatan där polisbilen strax efter bromsade in.

Just vid utfarten från Ystad kom besked om att det rådde ett missförstånd. Kyrkan i Hurup brann, men det var inte där den döda kvinnan fanns utan i Frennestads kyrka. Martinsson som körde började ryta och skrika åt larmoperatören för att försöka reda ut hur många kyrkor som egentligen brann.

Kurt Wallander hade suttit alldeles stilla och tyst under hela bilresan. Det var inte bara för att Martinsson som vanligt körde mycket dåligt. Han tänkte att det han hade befarat, att de djur som bränts till döds bara hade varit ett öppningsdrag, nu visade sig vara sant. Dårar, tänkte han, satanister, galningar. Men han lyckades inte övertyga sig själv. När de körde genom mörkret anade han en logik i allt det som skedde, utan att han ännu kunde reda ut vad det egentligen innebar.

När de bromsade in vid den brinnande kyrkan i Frennestad hade de bilden klar för sig. Två kyrkor hade börjat brinna nästan samtidigt. I Frennestads kyrka låg dessutom en död kvinna framför altaret. De hälsade på Mats Olsson. Martinsson var på något sätt släkt med honom. I den stora förvirringen och hettan från branden hörde Kurt Wallander till sin häpnad att de utbytte några snabba hälsningar till varandras fruar. Sen gick de in. Martinsson lät alltid Kurt Wallander gå först när de kom till en brottsplats. Kvinnan låg framför altaret med trossen runt halsen. Kurt Wallander fixerade bilden han hade framför sig. Något sa honom att den var arrangerad. Han vände sig till Mats Olsson som stod i bakgrunden.

– Hur länge till kan vi vara härinne?

– Vi bedömer att vi inte klarar taket. Det kommer att störta in.

– När?

– Snart.

– Hur lång tid har vi?

– Tio minuter. Inte mer. Det vågar jag inte.

Kurt Wallander insåg att inga tekniker skulle hinna fram. Han satte på sig en hjälm som någon räckte honom.

– Gå ut och se om det står nån nyfiken där som har en kamera eller en video, sa han. Konfiskera den i så fall. Vi behöver dokumentera det här.

Martinsson försvann. Kurt Wallander fortsatte att betrakta den döda kvinnan. Repet som var grovt, nästan som en tross till en båt, låg i en ögla runt halsen. Repändarna var utsträckta från kroppen. Två personer, tänkte han, har dragit åt varsitt håll. Som förr i tiden när man slet människor i bitar genom att surra armar och ben till hästar som drog åt olika håll.

Han kastade en blick upp mot taket. Flammorna hade börjat slå igenom. Runt honom sprang människor och bar ut olika föremål som fanns i kyrkan. En äldre man i pyjamas slet med att få ut ett vackert gammalt altarskåp. Det var något gripande över situationen, tänkte han. Människor upptäcker att de är på väg att förlora nånting de inte vill mista.

Martinsson kom tillbaka med en videokamera.

– Begriper du dig på den?

– Jag tror det, svarade Martinsson.

– Då blir du fotograf. Helbilder, detaljer, ur alla vinklar.

– Fem minuter, sa Mats Olsson. Inte ett ögonblick längre.

Wallander satte sig på huk intill kvinnan. Hon var blond, liknade på något otäckt sätt hans syster Kristina. En avrättning, tänkte han. Nyss brann djur, nu dör människor i brinnande kyrkor. Vad var det Amy Lindberg trodde sig ha hört? *Gud kräver*?

Han letade hastigt igenom kvinnans fickor. Där fanns ingenting. Han såg sig om. Inte heller någon handväska. Han skulle just sluta leta när han upptäckte att hon hade en bröstficka på sin blus. I den låg ett papper med ett handskrivet namn och en adress. *Harriet Bolson, 5th Avenue, Tulsa.*

Han reste sig upp.

– Tiden är ute, sa Mats Olsson. Nu går vi.

Han föste ut alla som fanns inne i kyrkan. Den döda kvinnan bars ut. Kurt Wallander tog själv hand om repet. Olika föremål som räddats ur kyrkan hade samlats bakom avspärrningarna. En äldre kvinna stod och höll en sotig ljusstake i handen. Många människor var där, många grät, flera tillkom hela tiden.

Martinsson ringde in till Ystad.

– Vi ska ha en slagning på en kvinna från Tulsa i USA, sa han. Över alla register, lokala, europeiska, internationella. Det ska ha högsta prioritet.

Linda slog otåligt av teven. Hon tog reservnycklarna till bilen som hennes far hade liggande på en bokhylla inne i vardagsrummet. Sen gav hon sig av, joggande upp mot polishusets parkeringsplats.

Bilen stod i ett hörn av parkeringsplatsen. Hon kände igen den bil som stod bredvid. Den tillhörde Ann-Britt Höglund. Hon kände med handen på den pennkniv hon hade i fickan. Men hon skulle inte sticka hål på några bildäck den kvällen. Hurup, hade hon hört honom säga. Och Frennestad. Hon öppnade bildörren och körde från parkeringsplatsen. Vid vattentornet stannade hon och letade fram en karta i handskfacket. Frennestad visste hon var det låg, men inte Hurup. Hon hittade det, släckte lampan och körde ut ur staden. Halvvägs till Hörby svängde hon vänster, och efter några kilometer såg hon den brinnande kyrkan i Hurup. Hon körde så nära hon kunde, parkerade bilen och gick upp till kyrkan. Hennes far fanns inte där, de enda poliserna var ordningspoliser, och det slog henne att hade den här kyrkan brunnit några dagar senare skulle hon kunnat vara en av dem som bevakade avspärrningarna. Hon sa vem hon var och frågade om de visste var hennes far befann sig.

– Det är en kyrka till som brinner, fick hon till svar. Frennestads kyrka. Och där är det dödsfall.

– Vad är det som har hänt?

– Bränderna kan man nog utgå ifrån är anlagda. Inte tar två kyrkor eld samtidigt. Vad som hänt inne i kyrkan i Frennestad vet vi inte. Men det är dödsfall.

Linda nickade och gick därifrån. Plötsligt hördes ett brak bakom henne. Hon ryckte till och vände sig om. Delar av kyrktaket störtade in. Gnistregnet steg högt mot natthimlen. Vem bränner kyrkor? tänkte hon. Hon kunde lika lite svara på det som hon kunde förklara varför det fanns människor som tände eld på svanar eller djur i en zoologisk affär.

Hon återvände till bilen och for mot Frennestad. Också där kunde hon se den brinnande kyrkan på stort avstånd. Brinnande kyrkor ser man bara i krig, tänkte hon. Men här brinner kyrkorna mitt i ett fredligt land i en lika fredlig septembermånad. Kan ett land ockuperas av en fiende man inte ser? Hon förmådde inte fullfölja sin oklara tanke. Vägen upp mot kyrkan var blockerad av parkerade bilar. När hon såg sin far i ljuset från elden stannade hon. Han talade med en brandman. Hon försökte se vad det var han hade i handen. En vattenslang? Hon gick närmare, trängde sig fram bland människorna utanför avspärrningsbanden. Det var ett rep han höll i, kunde hon se. En tross.

Intill henne stod en man och talade upphetsat i en mobiltelefon. Hon lyssnade. Han beskrev för någon som var yrvaken vad det var som höll på att hända. Linda lyssnade extra noga när hon hörde att han talade om en död människa inne i kyrkan. *En kvinna. Från Trosa. Men bara kanske. Varför hon var från Trosa? Hur ska jag kunna veta det? Nån hade hört när en av poliserna ringde in en efterlysning. Harriet från Trosa.* Samtalet bröts.

– Är det nån som är död? frågade Linda.

Hon visste att det fanns två tillfällen när en svensk bryter sin vana att reserverat närma sig omvärlden. Antingen är det när en snöstorm har lamslagit en storstad eller när en olycka har inträffat.

– Det låg tydligen nån död vid altaret, sa mannen.

– Från Trosa?

– Det är vad jag har hört. Men det kan ju vara fel. Fast ligger man död i en kyrka mitt i natten så har man väl blivit ihjälslagen. Det kan ju vara självmord, förstås. Folk är ju så konstiga nuförtiden.

Linda kände sig plötsligt som en hyena, en tjuvtittare som snaskade i sig av andras elände.

Nyberg gick upp mot kyrkan. Han såg som vanligt sur och irriterad ut. Men både Wallander och Martinsson hade stor respekt för hans yrkeskunnande. Nyberg skulle snart gå i pension. Framförallt Martinsson fruktade att de aldrig skulle kunna få en ersättare som hade samma kvalifikationer och tålamod.

– Jag tänkte ni skulle se på det här, sa Nyberg och höll fram ena handen.

Där låg ett litet halssmycke. Kurt Wallander letade fram sina glasögon. När han skulle sätta på sig dem gick ena skalmen av. Han svor till och höll dem framför ögonen.

– Det ser ut som en sko, sa han. Ett smycke i form av en sko.

– Hon hade det runt halsen, sa Nyberg. Eller hade haft det. När repet drogs åt måste kedjelåset ha gått upp. Smycket låg innanför hennes blus. Det var läkaren som kom med det.

Martinsson hade tagit det i handen och vände sig för att få ljus från elden.

– Märkligt motiv för ett smycke. Det ser ut som en sko.

– Det kan vara ett fotspår, föreslog Nyberg. Eller en fotsula. Jag har sett ett smycke en gång som såg ut som en morot. Med en diamant infälld i det som skulle vara blasten. Smycken kan se ut hur som helst. Den där moroten kostade fyrahundratusen kronor.

– Det kan hjälpa till att identifiera henne, sa Kurt Wallander. Det är det viktigaste av allt just nu.

Nyberg försvann till ett hörn av kyrkogårdsmuren och började genast gräla på en fotograf som höll på att ta bilder av den brinnande kyrkan. Kurt Wallander och Martinsson gick ner mot avspärrningsbanden.

De fick syn på Linda och vinkade henne till sig.

– Jaså, du kunde inte hålla dig härifrån, sa hennes far. Följ med oss i så fall.

– Hur går det? frågade Linda.

– Vi vet inte vad vi letar efter, sa Kurt Wallander långsamt. Men ingen av dom här två kyrkorna har börjat brinna av sig själv.

– Det pågår slagningar på den här kvinnan Harriet Bolson nu, sa Martinsson. Dom ska höra av sig direkt till mig om nånting dyker upp.

– Jag försöker förstå det här med repet, sa Kurt Wallander. Och varför i en kyrka och en amerikansk kvinna? Vad betyder det?

– Ett antal människor, minst tre men sannolikt fler, kommer till en kyrka mitt i natten, sa Martinsson.

Kurt Wallander hejdade honom.

– Varför fler än tre? Två som mördar och en som blir mördad. Räcker inte det?

– Kanske. Jag är inte säker. Det är därför jag tänker att dom är minst tre. Men det kan vara fler, till och med många fler. Dom har låst upp porten med nyckel. Det finns bara två nycklar, en finns i prästgården och en har kyrkvärden som svimmade. Båda finns där dom ska. Alltså har någon använt en avancerad dyrk eller en dubblettnyckel, sa Martinsson.

– Ett sällskap, fortsatte han. Som har utsett den här kyrkan till avrättningsplats för en kvinna som heter Harriet Bolson. Har hon gjort sig skyldig till nånting? Är hon ett religiöst offer? Är det satanister eller andra sorters dårar vi har att göra med? Det kan vi inte svara på.

– En sak till, sa Kurt Wallander. Lappen jag hittade med hennes namn. Varför var allt annat borta men inte den?

– Kanske för att vi skulle kunna identifiera henne. Det var ett meddelande till oss.

– Vi måste få hennes identitet bekräftad, sa Kurt Wallander. Om hon så bara har besökt en tandläkare i det här landet så ska vi få fram vem hon är.

– Vi håller på.

Kurt Wallander hörde på Martinsson att han blivit sårad.

– Jag menar inte att hacka på dig. Vad säger omvärlden?

– Ingenting än så länge.

– Håller prioriteten?

– Jag bad Stockholm om hjälp. Dom har en riktigt elak jävel där som kan skrämma slag på kollegor runt om i världen.

– Vem?

– Har du inte hört om Tobias Hjalmarsson?

– Kanske. Bara han inser att det är nu han ska vara riktigt elak.

– Det hoppas vi, sa Martinsson. En annan sak: vem har någonsin sett ett smycke som föreställer en sko? Eller en sandal?

Han skakade på huvudet och gick därifrån.

Linda höll andan. Hade hon hört rätt?

– Vad var det han sa? Att ni hade hittat?

– En lapp med ett namn och en adress.

– Inte det. Nånting annat?

– Ett smycke.

– Det liknade nånting?

– Ett fotspår.

– Det sa han inte. Han sa nånting annat.

– En sko. Varför undrar du?

Hon brydde sig inte om hans fråga.

– Vad för sorts sko?

– En sandal kanske.

Ljuset från branden slog då och då upp i flammor när vindbyar drog förbi.

– Jag tyckte bara att jag skulle påminna dig om att Annas far tillverkade sandaler innan han försvann. Det var bara det.

Det tog ett ögonblick innan han förstod. Han nickade långsamt.

– Bra, sa han. Mycket bra. Det kan kanske vara den öppning som vi så väl behöver. Frågan är bara vart den leder oss.

38

Kurt Wallander hade försökt skicka hem Linda för att sova. Men hon hade insisterat på att stanna kvar. Hon hade sovit några timmar i baksätet av en polisbil och vaknade i gryningen av att han knackade på rutan. Han har aldrig lärt sig konsten att väcka en människa med omtanke, tänkte hon. Han knackar för hårt i fönster eller skakar en axel alldeles för kraftigt. Jag har en far som inte väcker människor. Jag har en far som sliter upp dom med ett ryck ur deras drömmar.

Hon steg ur bilen och rös till. Det var kyligt. Sönderslitna rester av dimmoln drev över fälten. Kyrkan hade brunnit ner nu, bara de gapande sotiga väggarna fanns kvar. Tjock rök bolmade fortfarande upp ur det infallna taket. Tysta stod människor och betraktade det som fanns kvar av deras kyrka. Linda såg en gammal man med långsamma rörelser tvätta sot från en gravsten på kyrkogården. Hon tänkte att det var en bild hon aldrig skulle glömma. De flesta brandbilarna hade försvunnit, kvar fanns bara en mindre styrka som skötte eftersläckningen. Martinsson var inte där. Däremot hade Stefan Lindman kommit till platsen. Han räckte henne en pappmugg med kaffe. Hennes far stod och talade med en journalist utanför avspärrningarna.

– Det här landskapet liknar inget jag tidigare upplevt, sa Stefan Lindman. Inte Västergötland, inte Härjedalen. Här är det som om Sverige tar slut, sluttar mot havet och sen bara försvinner. Och all den här leran, den här dimman. Det är mycket märkligt. Jag försöker hitta min plats i ett landskap som är mig helt främmande.

Linda mumlade något ohörbart. Dimma var dimma, lera var lera, vad var det med det?

– Hur går det? frågade hon istället. Med kvinnan?

– Vi väntar på besked från USA. Vi är säkra på att hon inte är svensk medborgare.

– Finns det orsak att tro att hon är nån annan än det som stod på lappen i hennes ficka?

– Nej. Tanken att den som dödat henne skulle ha lämnat kvar en lapp med falskt namn är knappast rimlig.

Kurt Wallander kom gående från avspärrningsbanden. Journalisten försvann nerför backen.

– Jag har pratat med Lisa Holgersson, sa han. Eftersom du finns med i utkanten av den här utredningen så kan du lika gärna vara med hela tiden. Det är som att ha en boll som studsar vid min sida.

Linda trodde att han var ironisk.

– Jag kan i alla fall studsa fortfarande. Men det kan inte du.

Stefan Lindman brast i skratt. Linda såg att hennes far blev arg men han lyckades behärska sig.

– Akta dig för att få barn, sa han bara. Nu ser du hur jag har det.

En bil svängde in på uppfartsvägen mot kyrkan. Nyberg steg ur.

– Nyberg nyduschad, sa Kurt Wallander. Redo för en ny dags otrevligheter. Snart går han i pension. Han kommer att dö när han inser att han inte längre får lov att stå och gräva i leran med regnvatten upp till knäna.

– Han ser ut som en hund, sa Stefan Lindman med låg röst. Har du tänkt på det? Han går runt som om han vittrade och helst önskade att han hade fått lov att gå på alla fyra.

Linda såg att han hade rätt. Nyberg rörde sig verkligen som om han varit ett djur.

Nyberg luktade starkt av rakvatten. Han tycktes inte märka att Linda var med. De muttrade sina hälsningar, sa nånting om vädret.

– Har vi nån aning om en tänkbar brandorsak? frågade Kurt Wallander. Jag talade med Mats Olsson. Han menar att båda kyrkorna börjat brinna på flera ställen samtidigt. Kyrkvärden som var först på plats här säger att det var som om det brann i en ring. Vilket skulle betyda att elden fått fäste på många ställen samtidigt.

– Jag har inte hittat nånting än, sa Nyberg. Men naturligtvis är det anlagt.

– Det finns en skillnad, fortsatte Wallander. Branden i Hurup tycks ha varit mer explosionsartad. En granne vaknade av att det skakade till, som om en bomb hade briserat. Bränderna skulle alltså vara anlagda på olika sätt, men samordnade tidsmässigt.

– Mönstret är tydligt, sa Stefan Lindman. Man tänder eld på en kyrka som avledande manöver från ett mord.

– Men varför kyrkor? sa Kurt Wallander. Varför stryper man en människa med en tross?

Han såg plötsligt på Linda.

– Vad tror du? Vad ser du i allt det här?

Hon märkte att hon rodnade. Frågan hade kommit för fort. Hon var inte förberedd.

– Har man valt en kyrka så är det just en kyrka man har valt, svarade hon osäkert. Att strypa nån med ett rep som dras åt tyder på tortyr. Men också nåt som har med religion att göra. Man hugger händer av människor, stenar människor, begraver människor levande. Varför inte strypa nån med en tross?

Innan någon hann kommentera det hon sagt ringde Stefan Lindmans mobil. Han lyssnade och räckte den till Kurt Wallander som tog emot ett meddelande.

– Det har börjat komma uppgifter från USA, sa han. Vi åker till Ystad.

– Behövs jag? undrade Nyberg.

– Jag ringer om det är så, svarade Kurt Wallander. Sen vände han sig till Linda.

– Men du ska vara med, sa han. Om du inte vill hem och sova förstås.

– Det behöver du inte fråga om, svarade hon.

Han kastade en blick på henne.

– Det var bara omtanke.

– Tänk på mig som polis. Inte som din dotter.

I bilen satt de tysta, av brist på sömn och av rädsla för att säga något opassande och väcka den andras irritation.

När de parkerat utanför polishuset försvann Kurt Wallander mot ingången till åklagarämbetet. Stefan Lindman kom ikapp henne just utanför porten.

– Jag minns min första dag som polis, sa han. Jag var i Borås den gången. Kvällen innan hade jag festat med några kamrater. Det första jag gjorde när jag klivit in genom porten var att rusa in på en toalett och spy. Vad tänker du göra?

– I alla fall inte det, svarade Linda.

Ann-Britt Höglund stod vid receptionen. Fortfarande envisades hon med att knappt hälsa på Linda, som från och med nu bestämde sig för att behandla henne på samma sätt.

Det låg ett besked till Linda i receptionen: Lisa Holgersson ville tala med henne.

– Har jag gjort något fel? undrade Linda.

– Säkert ingenting, svarade Stefan Lindman och gick.

Jag tycker om honom, tänkte Linda. Mer och mer.

Lisa Holgersson var på väg från sitt rum när Linda kom i korridoren.

– Kurt har förklarat, sa hon. Vi låter dig vara med. Det är en egendomlig tillfällighet att en av dina väninnor är inblandad i det här.

– Det vet vi inte, sa Linda. Det kan vara så. Men vi vet det inte.

Klockan nio stängdes dörren till mötesrummet. Linda hade satt sig på den stol hennes far hade pekat ut åt henne. Bredvid sig hade hon Stefan Lindman. Hon såg på sin far som stod vid ena kortänden och drack mineralvatten. Hon tänkte att det var precis som hon alltid hade föreställt sig honom, ensam vid en bordsände, som vanligt törstig, håret rufsigt, beredd att börja en ny dag i en komplicerad brottsutredning. Men bilden var romantisk och därför falsk, det visste hon. Hon skakade av sig den med en grimas.

Hon hade alltid trott att han var en bra polis, en skicklig utredare, men nu när hon satt med vid bordet, hade hon förstått att han i sin hatt hade ett stort antal okända kaniner som hon inte alls kände till. Inte minst imponerades hon av hans förmåga att hålla en mängd fakta i minnet, noga inplacerade i olika tids- och händelsesammanhang. Samtidigt som hon lyssnade pågick ett annat spel djupt inne i hennes medvetande. Det var som om hon först nu förstod varför han så sällan hade haft tid med vare sig henne eller Mona. Det hade helt enkelt inte funnits plats. Jag måste tala med honom om det här, tänkte hon. När alla de här händelserna har fått sin förklaring och allt är över måste vi tala om att han valde bort Mona och mig.

Efteråt, när mötet som tagit nästan två timmar var över, stannade Linda kvar i rummet. Hon öppnade ett fönster och tänkte igenom vad som sagts. Hennes far hade haft en utgångspunkt när han ställde ifrån sig flaskan och började göra en sammanfattning av det mycket oklara läge de stod inför. ”*Två kvinnor har blivit mördade. Allt det här börjar med två kvinnor. Kanske är det alltför djärvt det jag gör nu, att helt enkelt utesluta alla andra tänkbara förklaringar än att det är samma gärningsman bakom de här två kvinnornas död. Det finns inga givna samband, det finns inga motiv, det finns inte ens likheter. Birgitta Medberg dödades i en koja i en ravin djupt inne i Rannesholmsskogen, och nu finner vi en annan kvinna, sannolikt med utländsk identitet, strypt med ett grovt rep i en brinnande kyrka. De samband vi hittills hittat är dunkla, tillfälliga, det är till och med tveksamt om det överhuvudtaget kan kallas samband.*

I utkanterna av det här finns också en annan oklar händelse. Det är därför Linda sitter här."

Långsamt, sökande, som om han hade alla sina antenner ute åt olika håll samtidigt, trevade han sig fram genom den terräng som utgjordes av allt från brinnande svanar till avhuggna händer. Det tog honom en timme och tolv minuter, utan paus, utan omtagningar, att nå fram till en slutsats som egentligen bara var ett sätt att säga: "*Vi vet inte alls vad det är som har hänt. Bakom de två döda kvinnorna, de brinnande djuren och de brinnande kyrkorna finns nånting som vi inte kan sätta fingret på. Vi vet inte heller om det vi ser är något som nu är över eller som bara är en början.*"

Där, vid de orden, "som bara är en början", hade det alltså gått en timme och tolv minuter. Han hade stått och talat. Nu satte han sig ner innan han fortsatte.

– Vi väntar fortfarande på att det ska komma in uppgifter om den person vi tror heter Harriet Bolson. Medan vi gör det lämnar jag ordet fritt. Låt mig bara göra en sista kommentar. Det finns nånting som går igen i det som har skett. Jag har en känsla av att de brinnande djuren kanske inte dör för att en sadistisk person ska få utlopp för sina lustar. Kanske det är någon form av offer, med en vansinnig logik bakom. Vi har Birgitta Medbergs avhuggna händer, och dessutom en bibel som någon suttit och skrivit om. Och nu något som kan verka vara ett ritualmord i en kyrka. Vi har uppgifter om att den man som satte eld på den zoologiska affären ska ha ropat "Gud kräver" eller något liknande. Allt det här sammantaget kan tyda på något religiöst budskap. Kanske en sekt, kanske några ensamma galningar. Men jag tvivlar på det. Det finns en sorts administration av brutaliteten. Det verkar på mig som om det inte är en ensam person som ligger bakom allt detta. Men är det två eller tusen? Det vet vi inte. Därför vill jag också att vi ger oss tid till en förutsättningslös diskussion innan vi går vidare med arbetet. Jag tror att vi just nu rör oss snabbast om vi tillåter oss att stå alldeles stilla ett ögonblick.

Men diskussionen kom aldrig igång. Dörren till mötesrummet öppnades och en flicka sa att det hade börjat komma fax från den amerikanska polisen om Harriet Bolson. Martinsson försvann och återvände strax med några papper i handen. Där fanns också ett oskarpt porträtt av en kvinna. Kurt Wallander höll upp sina trasiga glasögon framför ansiktet och nickade, det var hon. Den döda kvinnan var verkligen Harriet Bolson.

– Min engelska är inte vad den borde vara, sa Martinsson och lämnade pappren till Ann-Britt Höglund som började läsa.

Linda hade nappat åt sig ett block när hon kom in i rummet. Nu började hon anteckna utan att hon visste varför. Hon var med i nånting utan att egentligen vara med. Men hon anade att hennes far hade en uppgift åt henne som han av olika skäl väntade med att presentera.

Ann-Britt Höglund konstaterade att den amerikanska polisen hade gjort ett grundligt arbete. Men det hade kanske inte varit så svårt eftersom Harriet Bolson – eller Harriet Jane Bolson som hon egentligen hette – fanns i polisregistret som *Missing Person* sen den 12 januari 1997. Då hade hennes syster, Mary Jane Bolson, anmält henne som saknad hos polisen i centrala Tulsa. Hon hade försökt få telefonkontakt med sin syster i över en vecka utan att lyckas. Mary Jane hade då satt sig i sin bil och farit trehundra kilometer från sitt hem till Tulsa där hennes syster bodde och arbetade som bibliotekarie och sekreterare åt en privat konstsamlare. Mary Jane hade funnit sin systers bostad övergiven. Systern var inte heller på sin arbetsplats. Hon tycktes ha försvunnit spårlöst. Mary Jane och alla Harriet Janes vänner hade beskrivit henne som en inbunden men plikttrogen och vänlig person som inte tycktes ha haft vare sig några missbruksproblem eller andra mörka sidor som kunde förklara hennes försvinnande. Polisen i Tulsa hade gjort en efterforskning och bevakat ärendet. Men faktum var att under de fyra år som gått hade ingenting framkommit om vad som hänt. Inga spår, inga livstecken, ingenting.

– En polisintendent som heter Clark Richardson väntar ivrigt på besked från oss om vi kan bekräfta att den kvinna vi hittat verkligen är Harriet Jane. Han vill naturligtvis ha information om vad som sker.

– Det kan vi ge honom direkt, sa Kurt Wallander. Det är hon. Därom råder inga tvivel. Fanns det verkligen ingen teori om varför hon försvann?

Ann-Britt Höglund fortsatte att studera pappren.

– Harriet Jane var ogift, sa hon. Hon var tjugosex år när hon försvann. Hon och hennes syster var döttrar till en metodistpastor i Cleveland, Ohio – *framstående*, beskrivs han som i den ursprungliga anmälan. Lycklig uppväxt, inga snedsteg, studier vid olika universitet, anställning i Tulsa med hög lön hos den private konstsamlaren. Hon levde enkelt, följde rutiner, arbete vardagar och kyrkan på söndagarna.

Ann-Britt Höglund tystnade.

– Var det allt? frågade Kurt Wallander förvånat.

– Det var allt.

Han skakade på huvudet.

– Det måste finnas mer, sa han. Vi behöver veta allt om henne. Det blir din uppgift. Clark Richardson ska uppvaktas på bästa tänkbara sätt. Försök ge honom en känsla av att det här för närvarande är den viktigaste brottsutredningen som pågår i Sverige. Vilket det kanske också är, tillade han.

Nu följde en öppen diskussion. Linda lyssnade spänt. Efter en halvtimme knackade hennes far med en penna i bordet och avslutade mötet. Alla lämnade rummet, och till sist var bara Linda och hennes far kvar.

– Jag vill att du gör mig en tjänst, sa han. Tala med Anna, umgås med henne, men ställ inga frågor. Försök bara lista ut varför Birgitta Medbergs namn egentligen står i hennes dagbok. Och den där Vigsten i Köpenhamn. Jag har bett kollegorna där undersöka honom lite närmare.

– Inte han, sa Linda. Han är bara gammal och virrig. Men det fanns en person till där. Som inte visade sig.

– Det vet vi inte, sa han irriterat. Förstår du vad det är jag ber dig om?

– Att låtsas som ingenting, svarade Linda. Och samtidigt försöka få svar på viktiga frågor.

Han nickade och reste sig.

– Jag är orolig, sa han. Jag förstår inte vad som händer. Och jag fruktar det som ska komma.

Sen såg han på henne, strök henne hastigt, nästan blygt över kinden och lämnade rummet.

Samma dag bjöd Linda Anna och Zebran på caféet nere i hamnen. Just när de satt sig ner började det regna.

39

Pojken lekte tyst på golvet med en leksaksbil som gnisslade svårt eftersom den saknade två hjul. Linda såg på honom. Ibland kunde han vara nästan outhärdligt skrikig och pockande på uppmärksamhet, ibland, som nu, alldeles stilla, försjunken i de hemlighetsfullt osynliga vägar där han körde sin lilla gula bil över golvet.

Caféet var nästan tomt vid den här tiden på dagen. Ett par danska seglare satt i ett hörn och studerade ett sjökort, flickan bakom disken gäspade.

– Tjejsnack, sa Zebran plötsligt. Varför har vi aldrig tid med det?

– Prata på, sa Linda. Jag lyssnar.

– Och du, sa Zebran, vänd mot Anna. Lyssnar du?

– Självklart.

Det blev tyst. Anna rörde i sin tekopp, Zebran stoppade en pris snus innanför överläppen och Linda smuttade på sitt kaffe.

– Är det bara det här? sa Zebran. Det här och inget mer? Livet.

– Vad menar du? sa Linda.

– Det jag säger. Allt det man drömde om, vad blev det av det?

– Jag kan inte minnas att du har drömt om annat än att få barn, sa Anna. I alla fall som den viktigaste drömmen.

– Rätt. Men allt det andra. Jag har alltid varit en omåttlig drömmare. Jag var aldrig särskilt ofta så där aspackad man kan bli som tonåring. Så att man låg och spydde i nån rabatt och fick slå sig fri från killar som skulle försöka passa på och ta för sig. Men jag smuttade aldrig på mina drömmar. Jag söp upp dom, kan man säga. Herregud, vad skulle det inte bli av mig! Modedesigner, rockstjärna, kapten på dom största jetflygen.

– Det är inte för sent än, sa Linda.

Zebran lutade huvudet i händerna och såg på henne.

– Det är klart att det är för sent. Drömde du verkligen om att bli polis?

– Aldrig. Jag skulle bli möbeltapetserare. Vilket knappast var nån särskilt upphetsande dröm.

Zebran vred huvudet mot Anna.

– Och du?

– Jag tänkte att jag skulle hitta en mening.

– Har du hittat den?

– Ja.

– Vilken då?

Anna skakade avvärjande på huvudet.

– Det kan man inte berätta. Det är nånting som finns inom en. Eller inte.

Linda tänkte att Anna verkade vara på sin vakt. Då och då såg hon på Linda som om hon ville säga: ”Jag vet att du försöker se igenom mig.” Jag kan inte vara säker, tänkte Linda.

De två danska seglarna reste sig och gick. En av dem klappade pojken på huvudet.

– Det var nära att inte heller han hade funnits, sa Zebran.

Linda skakade oförstående på huvudet.

– Hur menar du?

– Det var nära att jag gjorde abort. Jag kan ibland vakna alldeles kallsvettig på natten. Jag har drömt att jag gjort abort, pojken finns inte längre.

– Jag trodde att du ville ha det där barnet.

– Det ville jag också. Men jag var så rädd. Jag trodde inte jag skulle klara det.

– Det var tur att du inte gjorde det, sa Anna.

Både Zebran och Linda reagerade på hennes tonfall. Hon lät sträng, kanske arg. Zebran högg genast tillbaka som försvar.

– Jag vet inte om ordet ”tur” är rätt. Det kanske du begriper själv när du blir gravid.

– Jag är emot aborter, sa Anna. Det är bara så.

– Att göra en abort innebär inte att man är ”för” det, sa Zebran lugnt. Det kan finnas andra skäl.

– Vilka?

– Att man är för ung, att man är sjuk.

– Jag är emot aborter, upprepade Anna.

– Jag är glad över pojken, sa Zebran. Men jag ångrar inte den abort jag gjorde när jag var femton år.

Linda blev överraskad. Också Anna, kunde hon se. Det var som om hon stelnade. Hon stirrade på Zebran.

– Herregud, sa Zebran. Varför stirrar ni? Jag var femton år. Vad hade ni gjort?

– Förmodligen samma sak, svarade Linda.

– Inte jag, sa Anna. Abort är synd.

– Nu låter du som en präst.

– Jag säger bara vad jag menar.

Zebran ryckte på axlarna.

– Jag trodde att det här var ett tjejsnack. Om man inte kan tala om abort med sina väninnor, vem ska man då tala med?

Anna reste sig med ens.

– Jag måste gå, sa hon. Jag har glömt en sak.

Hon försvann ut genom dörren. Linda tyckte att det var konstigt att hon inte ens sa hej till pojken som satt på golvet.

– Vad tog det åt henne? sa Zebran. Man kan tro att hon har gjort en abort själv men inte vill tala om det.

– Kanske har hon det, sa Linda. Vad vet man egentligen om människor? Man tror att man vet. Men sanningen är ofta en överraskning.

Zebran och Linda stannade kvar längre än de tänkt. Stämningen blev annorlunda när Anna gått. De fnittrade och fnissade som om de blivit tonåringar igen. Linda följde Zebran hem. De skildes utanför hennes hus.

– Vad tror du Anna kommer att göra? frågade Zebran. Säga upp bekantskapen?

– Hon inser nog att hon reagerade konstigt.

– Jag är inte säker, sa Zebran. Men jag hoppas du har rätt.

Linda gick hem. Hon la sig på sängen och blundade. Långsamt började hon dåsa bort. Tankarna vandrade. Nu var hon på väg mot sjön igen där någon tyckte sig ha sett brinnande svanar och ringt till polishuset. Plötsligt ryckte hon till. Hon hade hört Martinsson säga att de skulle kontrollera ett telefonsamtal som kommit till larmcentralen. Allting bandades. Det betydde att samtalet om de brinnande svanarna borde finnas kvar på ett band. Linda kunde inte påminna sig ha hört att någon kommenterat hur den mannen hade talat. *Det fanns en norrman som hette Torgeir Langaas.* Amy Lindberg hade också hört någon som talade danska eller kanske norska. Hon steg upp från sängen. Om mannen som ringde talar med brytning vet vi att det finns en länk mellan de brinnande djuren och den man som köpte huset bakom kyrkan i Lestarp.

Hon gick ut på balkongen. Klockan var tio. Luften kändes kylig. Snart höst, tänkte hon, snart frost. Då kommer det att klirra under mina fötter när jag äntligen blivit polis.

Telefonen ringde. Det var hennes far.

– Jag tänkte bara säga att jag inte kommer hem och äter.

– Klockan är tio! Jag har ätit middag för länge sen.

– Jag blir nog här några timmar till.

– Har du tid med mig?

– Vad menar du med det?

– Jag hade tänkt ta en promenad upp till polishuset.

– Är det viktigt?

– Kanske.

– Fem minuter. Inte mer.

– Jag behöver två minuter. Visst är det så att alla samtal som kommer in till larmcentralen bandas?

– Ja?

– Hur länge sparas banden?

– Ett år. Varför undrar du?

– Det säger jag när jag kommer.

Linda steg in på polishuset när klockan blivit tjugo i elva. Hennes far kom ut i den ödsliga receptionen och hämtade henne. Hans rum var fyllt av tobaksrök.

– Vem har varit här?

– Boman.

– Vem är det?

– Åklagaren.

Linda kom plötsligt ihåg en annan åklagare.

– Vart tog hon vägen?

– Vem?

– Hon som du var kär i? Åklagerskan, eller hur man säger?

– Det är länge sen. Jag gjorde bort mig.

– Berätta.

– Sina värsta pinsamheter ska man hålla för sig själv. Det är andra åklagare nu, Boman är en av dom. Jag är den ende som låter honom röka i mitt rum.

– Det går ju inte att andas här!

Hon öppnade fönstret. En liten porslinsskulptur som stod i fönstret ramlade ner på golvet och gick sönder.

– Det var inte meningen.

Hon plockade upp skärvorna. Hon tyckte sig ha sett den lilla skulpturen nån gång för länge sen. Den föreställde en svart tjur beredd att gå till angrepp.

– Den kanske kan lagas?

– Jag har ofta tänkt att jag skulle slänga den. Den väcker inga angenäma minnen.

– Vilka då?

Han skakade avvisande på huvudet.

– Inte nu. Vad var det du ville?

Linda förklarade varför hon kommit. Porslinsskärvorna la hon på hans skrivbord.

– Du har rätt, sa han när hon slutat.

Han reste sig och gav tecken åt henne att följa med. I korridoren stötte de ihop med Stefan Lindman som kom bärande på en hög pärmar.

– Lägg bort pärmarna och kom med, sa Kurt Wallander.

De gick in i arkivet där banden förvarades. Kurt Wallander kallade till sig en av de poliser som tog emot inkommande samtal.

– Den 21 augusti, sa han. På kvällen. En man ringer hit och meddelar att han sett brinnande svanar över Marebosjön.

– Jag arbetade inte då, sa polismannen efter att ha studerat en loggbok som låg på en hylla. Det var Undersköld och Sundin den kvällen.

– Ring dom.

Polismannen skakade på huvudet.

– Undersköld är i Thailand, sa han. Och Sundin är på kurs i satellitspaning i Tyskland. Det blir svårt att få tag på dom.

– Bandet då?

– Det kan jag leta fram.

De samlades runt bandspelaren. Mellan en rapport om en misstänkt biltjuv och en berusad man som undrade om han kunde få hjälp med att "leta reda på morsan" fanns samtalet om de brinnande svanarna. Linda ryckte till när hon hörde rösten. Han försökte tala svenska utan brytning. Men han lyckades inte. De spelade bandet om och om igen.

Larmcentralen: Polisen.

Mannen: Jag vill bara meddela att brennende svanar flyger över Marebosjön.

Larmcentralen: Brinnande svanar?

Mannen: Ja.

Larmcentralen: Vad är det som brinner?

Mannen: Brennende svanar flyger över Marebosjön.

Så var samtalet över. Kurt Wallander hade fått ett par hörlurar. Han gav lurarna vidare till Stefan Lindman.

– Den här mannen bryter. Ingen tvekan om det. Jag tycker det låter som danska.

Eller norska, tänkte Linda. Vad är egentligen skillnaden?

– Jag kan inte säga om det är danska, sa Stefan Lindman när han gav lurarna vidare till Linda.

– Han säger ”brennende”, sa hon när hon tagit av lurarna. Är det danska eller norska? Eller både och?

– Vi får ta reda på det, sa Kurt Wallander. Men det är oerhört pinsamt att en polisaspirant ska behöva påminna oss om det här.

De lämnade rummet sedan Kurt Wallander gett besked om att bandet skulle finnas tillgängligt. Han styrde stegen mot kafferummet med de andra i släptåg. Vid ett av borden hukade några trafikpoliser, vid ett annat Nyberg tillsammans med ett par av sina kriminaltekniker. Kurt Wallander tog en kopp kaffe och satte sig vid en telefon.

– Av någon anledning minns jag det här telefonnumret, sa han.

Han väntade med luren mot örat. Någon svarade. Samtalet var kort. Han bad den han talade med att genast komma till polishuset. Linda förstod att vederbörande inte alls hade lust att göra som han blev ombedd.

– Då skickar jag en bil med påslagna sirener, sa Kurt Wallander. Och sätter på dig handbojor så dina grannar undrar vad du har gjort.

Han la på luren.

– Christian Thomassen, styrman på en av Polenfärjorna, sa han.

Han är periodsupare. Men nu hade vi tur, han går på antabus. Han är norrman och bör kunna svara på vad det är för brytning.

Efter sjutton minuter steg en av de största män Linda nånsin sett in genom dörrarna till polishuset. Han hade enorma fötter, nerstuckna i jättelika gummistövlar. Han var närmare två meter lång, hade skägg långt ner på bröstet och en tatuering på den kala flinten. När han satte sig ner reste sig Linda för att se vad tatueringen föreställde. Hon såg att det var en kompassros. Christian Thomassen log mot henne.

– Nålen visar rakt sydsydvästlig riktning, sa han. Då seglar man rätt in i solnedgången. När döden kommer ikapp mig ska han inte behöva tveka om riktningen.

– Det här är min dotter, sa Kurt Wallander. Kommer du ihåg henne?

– Kanske. Jag minns inte så många människor. Även om jag inte har drunknat i spriten har dom flesta av mina minnen gått under.

Han sträckte fram handen och hälsade. Linda var rädd för att han skulle krama sönder hennes hand. Samtidigt tänkte hon att hans sätt att tala påminde om mannen på bandet.

– Då går vi, sa Kurt Wallander. Jag vill att du ska höra på ett band.

Christian Thomassen lyssnade uppmärksamt. Fyra gånger bad han att få höra rösten. När Stefan Lindman skulle spola tillbaka bandet för femte gången lyfte han handen. Det behövdes inte.

– Den som talar på bandet är norrman, sa han. Inte dansk. Jag försökte höra varifrån i Norge han kunde tänkas komma. Men det kan jag inte. Förmodligen har han varit borta länge från Norge.

– Betyder det att han har varit länge i Sverige?

– Inte nödvändigtvis.

– Men du är säker? Det är en norrman?

– Även om jag har bott i Ystad i nitton år och supit ungefär åtta av dom, har jag inte alldeles glömt mitt ursprung.

– Då tackar vi, sa Kurt Wallander. Vill du ha skjuts hem?

– Jag cyklar, svarade Christian Thomassen och log. Det kan jag inte när jag super. Då cyklar jag omkull och slår mig.

– En märklig man, sa Lindas far när de blivit ensamma. Christian Thomassen har en mycket vacker basröst. Hade han inte varit så lat och supit så mycket kunde han ha gjort operakarriär. Jag misstänker att han kunde ha blivit känd som världens största bas, åtminstone kroppsligt.

De gick in på Kurt Wallanders arbetsrum. Stefan Lindman såg på porslinsskärvorna utan att kommentera dem.

– En norrman, sa Kurt Wallander. Då vet vi att det är samma man som brände svanarna som satte eld på affären. Även om vi väl visste det redan innan. Det lär inte heller råda något tvivel om att det också var han som dödade tjurkalven. Frågan är bara om det var han som satt gömd i en koja när Birgitta Medberg kom gående.

– Bibeln, sa Stefan Lindman.

Kurt Wallander skakade på huvudet.

– Den är svensk. Dessutom har dom lyckats tyda en del av det som är skrivet mellan raderna. Det är på svenska.

Det blev tyst i rummet. Linda väntade. Stefan Lindman skakade på huvudet.

– Jag måste sova, sa han. Jag klarar inte att tänka längre.

– Klockan åtta i morron, sa Kurt Wallander.

Stegen tonade bort i korridoren. Lindas far gäspade.

– Du måste också sova, sa hon.

Han nickade. Sen sträckte han sig efter några av porslinsskärvorna.

– Kanske är det rätt att den här gått sönder, sa han trevande. Det är mer än tretti år sen jag köpte den. Det var en sommar när jag och en kamrat gav oss iväg till Spanien. Jag hade träffat Mona då, och det var som en sista sommar av frihet. Vi köpte en gammal bil och reste till

Spanien för att jaga vackra carmencitas. Vi hade tänkt oss ner till södra Spanien. Men i närheten av Barcelona tog bilen slut. Jag tror att vi hade betalat femhundra kronor för den. Vi lämnade den i nån dammig by och tog en buss till Barcelona. Sen har jag mycket vaga minnen av dom fjorton dagar som följde. Jag har frågat min kamrat, men han minns om möjligt ännu mindre än jag. Vi söp oavbrutet, från morgon till kväll. Frånsett några horor kan jag inte minnas att vi var i närheten av dom där vackra carmencitas vi drömt om. När pengarna började ta slut tog vi oss tillbaka till Sverige genom att lifta. Den där tjuren, den köpte jag just innan vi lämnade Spanien. Jag tänkte jag skulle ge den till Mona när jag kom hem. Men hon var så förbannad så jag gav den aldrig till henne. Jag hittade den i en låda när vi hade skilt oss. Då tog jag hit den. Och så gick den sönder. Kanske var det rätt.

Han tystnade. Men Linda kände på sig att historien ännu inte var slut.

– Den kamrat jag reste med var Sten Widén, sa han. Nu dör han i cancer och den svarta tjuren går sönder.

Linda visste inte vad hon skulle säga. De satt tysta. Hon försökte föreställa sig honom trettio år tidigare, just innan hon själv föddes. Han skrattade nog mer då, tänkte hon. Tack och lov att jag inte har blivit så dyster som han.

Kurt Wallander reste sig.

– Du har rätt. Vi behöver sova. Jag behöver sova. Det är redan midnatt.

Det knackade på dörren. En av poliserna från larmcentralen kom in.

– Det här kom just, sa han.

Han räckte ett fax till Kurt Wallander.

– Från Köpenhamn. Nån som heter Knud Pedersen.

– Jag vet vem det är.

Polismannen gick. Lindas far ögnade igenom faxet men satte sig sen på skrivbordet och läste det grundligt. Linda kunde se på honom att det var viktigt.

– Egendomligt, sa han. Knud Pedersen som jag känner sen gammalt är en vaken polisman. Dom har haft ett mord där, en prostituerad, Sylvi Rasmussen, som fått nacken knäckt. Det märkliga är att hon hade händerna knäppta som i bön. Dom var inte avhuggna. Men Pedersen som läst om det vi håller på med här tyckte ändå att jag skulle veta om det.

Han lät faxet falla mot skrivbordet.

– Köpenhamn igen, sa han.

Linda skulle just ställa en fråga. Han lyfte handen.

– Vi måste sova, sa han. Trötta poliser ger alltid onödiga försprång till dom som dom jagar.

De lämnade polishuset. Kurt Wallander föreslog en promenad.

– Låt oss prata om nåt helt annat, sa han. Nåt som rensar tankarna.

De gick hem till Mariagatan utan att säga ett enda ord till varandra.

40

Varje gång han såg sin dotter var det som om marken plötsligt försvann under hans fötter, han började falla och det kunde ta flera minuter innan han återvann jämvikten igen.

Bilder från hans tidigare liv flimrade förbi i hans hjärna. Han hade redan i Cleveland bestämt sig för att betrakta sitt liv uppdelat i tre olika faser, eller kanske rum, som var avskilda från varandra. Det första livet var tiden innan han bröt upp, lämnade allt bakom sig. Han kallade det själv för Tomhetens tid, det var innan hans möte med den fallna ängel han trott vara Gud. Det andra livet, den Fallna ängelns tid, var de år han följde Jim Jones under utvandringen till paradiset som väntade i Guyanas djungel. Då hade tomheten ersatts av en lögn förklädd till sanning. Sedan kom den tid som han nu befann sig mitt i, den Sanna tiden, som snart skulle fullbordas. Gud hade prövat honom och funnit honom värdig att återupprätta sanningen.

I vanliga fall bar han minnet av allt det som varit med ett stort lugn. Han kontrollerade ofta sin puls och den var alltid densamma, oavsett hur upprörd han än kunde bli. "Liksom det fjäderklädda djuret ska du kunna skaka hatet och lögnen och vreden av din kropp", hade Gud sagt till honom i en dröm. Det var bara när han mötte sin dotter som han drabbades av svaghet. När han såg henne framför sig såg han också de andra ansiktena. Först och främst Maria och barnet som hade blivit kvar och ruttnat i de ångande träsk som den galne Jim Jones hade utvalt till paradis. Han kunde känna en brinnande längtan efter dem som dött, och dessutom en skuld för att han inte kunnat rädda dem.

Gud hade krävt detta offer för att pröva mig, tänkte han. I sin dotters ansikte såg han också Sue-Mary i Cleveland, han såg den gamle mannen i Caracas som vakat över hans papper. Han såg de två liv han passerat, och han kunde känna marken återvända under sina fötter först när alla dessa bilder passerat förbi. "Dina minnen ska vara som ett fågelsträck som flyger med tysta vingar över himlen", hade Gud sagt. "Du ser dem komma och du ser dem försvinna. Ingenting mer är minnet."

Han mötte sin dotter på olika tider och olika platser. Sedan den dag han stigit ut ur sin osynlighet och visat sig för henne hade han hela tiden vakat över att hon inte försvann från honom. Ofta hade han försökt överraska henne. En gång, just när de återfunnit varandra, hade han tvättat hennes bil. Han hade skrivit brev till hennes adress i Lund när han velat möta henne i gömstället bakom kyrkan i Lestarp. Ibland hade han använt hennes lägenhet för att ringa viktiga telefonsamtal, och han hade till och med sovit över där.

En gång lämnade jag henne, hade han tänkt. Nu måste jag vara den starkare, så att hon inte lämnar mig. Han hade till en början räknat med möjligheten att hon kanske inte skulle vilja följa honom. Då skulle han göra sig osynlig igen. Men redan efter de tre första dagarna hade han förstått att han skulle kunna göra henne till en av de utvalda. Det som framförallt övertygade honom var den egendomliga tillfällighet att hans dotter kände kvinnan som Torgeir dödade när hon upptäckt ett av de hemliga gömställena. Då hade han förstått att hon hade väntat på honom under alla de år som han hade varit borta.

Nu mötte han henne igen, den här gången i hennes lägenhet. Flera gånger hade han besökt den utan att hon visste om det. En gång hade han också sovit där. Hon ställde en blomkruka i köksfönstret till tecken på att han kunde stiga på. Men några gånger hade han låst upp dörren med de nycklar hon gett honom, utan att bry sig om blomkrukan. Gud talade om för honom när han utan risk kunde besöka sin dotters värld. Han hade förklarat att det var viktigt att hon betedde sig som vanligt mot sina vänner. På ytan har inget skett, sa han. Tron växer inom dig fram till den dag då jag kan säga att den ska komma ut ur din kropp.

Varje gång han träffade henne gjorde han som Jim Jones hade lärt honom – det enda som i hans minne inte var solkat av svek och hat. Man skulle alltid lyssna på en människas andning. Framförallt skulle man lyssna på dem som var nya och som kanske ännu inte helt hade böjt sig i ödmjukhet och lagt sitt liv i ledarens händer.

Han steg in i lägenheten, hon föll på knä i tamburen och han la sin hand på hennes panna och viskade de ord som Gud krävde att hon skulle höra. Samtidigt trevade han försiktigt med fingertopparna efter en åder där han kunde känna hennes puls. Hon darrade, men var mindre rädd nu. Det började bli naturligt för henne, allt det som förändrade hennes liv. Han ställde sig på knä mitt emot henne.

– Jag är här, viskade han.

– Jag är här, svarade hon.

– Vad säger Herren?

– Han kräver min närvaro.

Han strök henne över kinden. De reste sig och gick ut i köket. Hon hade ställt fram den mat han ville ha, sallad, hårt bröd, två köttbitar. Han åt långsamt under tystnad. När han var klar bar hon fram skålen med vatten, tvättade hans händer och gav honom en kopp te. Han såg på henne och frågade hur det varit sen de sist talats vid. Särskilt var han intresserad av hennes väninnor, framförallt den flicka som letade efter henne.

Han hade bara smakat på teet och lyssnat på hennes första ord när han märkte att hon var nervös. Han såg på henne och log.

– Vad är det som plågar dig?

– Ingenting.

Han grep hennes hand och tryckte ner två av hennes fingrar i det heta teet. Hon ryckte till, men han höll kvar hennes hand tills han var säker på att hon skulle få brännblåsor. Hon började gråta. Han lyfte handen.

– Gud kräver sanning, sa han. Du vet att jag har rätt när jag säger att det är nånting som oroar dig. Jag måste få veta vad det är.

Då berättade hon vad Zebran hade sagt när de satt på caféet och pojken lekte på golvet. Han märkte att hon inte var säker på att hon gjorde rätt, svagheten fanns kvar, hennes vänner var fortfarande viktiga. Han tänkte att det inte var så märkligt, snarast var det förvånansvärt att det hade gått så fort att förändra henne.

– Det är rätt av dig att berätta, sa han när hon tystnat, och det är samtidigt rätt att visa att du tvekar. Att tveka är att göra sig beredd att kämpa för sanningen, inte ta den som något givet. Förstår du vad jag säger till dig?

– Ja.

Han såg på henne, länge, granskande. Hon är min dotter, tänkte han, hon har ärvt allvaret från mig.

Han stannade ännu en stund och berättade för henne om sitt liv. Han ville fylla i den stora luckan, alla de år han varit borta. Han skulle aldrig lyckas övertala henne att följa honom om hon inte förstod att hans frånvaro varit beslutad av Gud. *Det var min öken*, sa han upprepade gånger. *Jag sändes inte ut i trettio dagar utan i tjugofyra år.*

När han lämnade hennes lägenhet var han säker på att hon skulle följa honom. Dessutom hade hon gett honom det viktigaste av allt, en möjlighet att straffa en syndare. Han vände sig om när han kommit ner på gatan. Han skymtade hennes ansikte bakom köksfönstret.

Torgeir väntade som avtalat på postkontoret. De hade för vana att alltid välja offentliga platser för sina möten. Samtalet blev kort. Just innan de skildes böjde Torgeir fram sin panna mot honom. Han kände med fingertopparna att pulsen var normal. Det förvånade honom alltid, även om han visste att det var ett mirakel från Guds hand, att Torgeir hade gått att rädda. Den skakande, nedbrutne man han hade hämtat upp ur Clevelands rännstenar hade blivit hans bäste organisatör, hans förste lärjunge.

De möttes samma kväll på parkeringsplatsen. Kvällen var mild, molnig, det kanske skulle bli regn mot natten. Lastbilen var utbytt mot en buss som Torgeir hade stulit på ett företag i Malmö och skyltat om. De körde österut, passerade Ystad och fortsatte på småvägar mot Klavestrand där de stannade vid kyrkan. Den låg på en kulle. Närmaste bostadshus låg fyrahundra meter därifrån, på andra sidan vägen mot Tomelilla. Ingen skulle lägga märke till bussen där den stod parkerad. Torgeir låste upp kyrkporten med den nyckel han skaffat. De använde avskärmade ficklampor då de ställde upp trappstegar och täckte för de fönster som vette mot vägen med uppklippta svarta plastsäckar. Efteråt tände de ljusen vid altaret. Deras steg var ljudlösa, tystnaden total.

Torgeir kom in till honom i sakristian där han höll på att förbereda sig. Torgeir sa att allt var klart.

– Jag låter dom vänta i natt, sa Erik.

Han räckte trossen till Torgeir.

– Lägg den vid altarringen. Trossen inger fruktan, fruktan inger trohet.

Torgeir lämnade honom ensam. Han satt vid prästens bord med ett tänt ljus framför sig. När han slöt ögonen tyckte han sig vara tillbaka i djungeln igen. Jim Jones kom gående från sin hydda, den enda där det fanns en generator som producerade elektricitet. Jim var alltid välkammad. Tänderna vita, leendet som en utskuren öppning i hans ansikte. Jim var en vacker ängel, tänkte han. Även om han var en fallen ängel, en svart ängel. Jag kan inte förneka att det fanns ögonblick tillsammans med honom när jag var helt lycklig. Jag kan heller inte förneka att det jag fick av Jim, eller det jag drömde om att han skulle ge mig, vill jag nu ge de människor som följer mig. Jag har sett den fallna ängeln, jag vet vad jag ska göra.

Han la armarna på bordet och lät huvudet vila mot dem. De skulle sitta därute och vänta på honom. Trossen framför altarringen var en påminnelse om den fruktan de kände för honom. Om Guds vägar var outrannsakliga måste också den jordiska mästarens vara det. Han visste att Torgeir inte skulle komma in igen. Han började drömma, långsamt sänka sig ner i sömnen. Det var som att stiga ner i underjorden, en underjord där djungelns hetta trängde igenom den skånska kyrkans kalla stenväggar. Han tänkte på Maria och barnet; han sov.

Klockan var fyra på morgonen när han vaknade med ett ryck. Först visste han inte var han befann sig. Han reste sig och skakade liv i kroppen som stelnat till av den obekväma ställningen. Efter några minuters väntan gick han ut i kyrkan. De satt uppradade på de främsta bänkarna, stela, rädda, väntande. Han stannade och såg på dem innan de hade upptäckt honom. Jag skulle kunna döda dem alla, tänkte han. Jag skulle kunna få dem att hugga av sina händer och börja äta på sig själva. Fortfarande har jag också den svagheten, tänkte han. Min svaghet är inte bara mina minnen. Det är också att jag inte helt vågar lita på de människor som är mina följeslagare. Jag är rädd för de tankar jag tror de tänker, de tankar jag inte kan kontrollera. Han ställde sig framför altarringen. Den här natten skulle han tala om flyttfåglarna. Han skulle nu börja tala om det stora uppdrag som väntade dem, orsaken till att de hade gjort den långa resan till Sverige. Det var i natt han skulle uttala de första orden i det som skulle bli det femte evangeliet.

Han nickade åt Torgeir som öppnade den bruna, heliga kofferten som stod på golvet intill den hoprullade trossen. Kofferten var gammal, med utsirade järnbeslag. Torgeir gick längs raden av människor och delade ut dödsmaskerna. De var vita, som pantomimens masker, helt befriade från uttryck av glädje eller sorg.

Idén med maskerna hade kommit till honom i en uppenbarelse en eftermiddag när han suttit och vakat vid Sue-Marys dödsbädd. Han hade sett på hennes ansikte. Hon sov, huvudet hade sjunkit ner i kudden. Plötsligt var det som om det förvandlades till en mask, ett vitt, stelnat ansikte. Gud skapade människan till sin avbild, tänkte han, men ingen känner Guds ansikte. Våra liv är hans andedräkt, den luft vi andas. Men ingen känner hans ansikte. Den vita masken måste vi bära för att utplåna oss själva och uppgå i honom som har skapat oss.

Han såg hur de satte på sig maskerna. Han uppfylldes alltid av samma känsla av kraft, av makt, när han såg hur de dolde sina ansikten.

Sist av alla satte Torgeir på sig masken. Den ende som var utan var han själv.

Också det hade han lärt sig av Jim. Under den första tiden kunde någon av kvinnorna som levde med Jim, som var hans tjänarinna, komma till hyddan mitt i natten, väcka honom och säga att Jim ville tala med honom. Han rusade upp ur sängen, yrvaken, och även lite rädd. Han fruktade Jim, kände sig alltid liten och obetydlig i hans närvaro. Jim brukade sitta i en hammock på sin veranda som var täckt med myggnät. Det stod en stol intill där hans gäster tog plats. I mörkret började Jim tala om allt det som skulle hända. Ingen vågade avbryta hans monologer som ofta inte slutade förrän solen gick upp. Under en av dessa nätter, i början när han fortfarande älskade Jim och aldrig kunde tro annat än att det var Guds tjänare som satt där, hade Jim sagt att läraren alltid måste stå vid sidan av. Lärjungarna måste alltid veta var Mästaren befinner sig. Han är den ende som inte ska bära mask.

Han ställde sig framför dem. Ögonblicket som han så länge väntat på var inne. Han knäppte händerna och tryckte högra tummen mot ådrorna på den vänstra handleden. Pulsen var normal. Allt var under kontroll. En gång kommer den här kyrkan att bli en vallfartsort, tänkte han. De första kristna som dog i Roms katakomber har återvänt. De fallna änglarnas tid är äntligen över. En religion som länge sovit, bedövad av all förgiftad tro som sprutats in i människornas ådror, har väckts till liv igen.

Han talade om flyttfåglarna. Människan hade inga vingar. Ändå kunde hon röra sig över stora avstånd, som om hon flög. Nu hade de varit borta länge. De hade tvingats övervintra i det stora mörker som legat över jorden. Men ljuset hade aldrig slocknat helt. De hade lyckats hålla det vid liv i mörkret, de hade sett att det var där, långt inne i de djupaste och mörkaste grottorna, som sanningen väntade. Nu hade de återvänt. De var den första flocken av fåglar som kom hem. Snart skulle de följas av andra. Himlen skulle fyllas av fågelsträck, och nu fanns inte längre något som kunde hindra dem. Guds rike skulle återupprättas på jorden. De hade framför sig en tid av långa heliga krig. Guds rike skulle byggas inifrån. Det första steget var att avslöja förrädarna som samlats i templen. De skulle riva de ogudaktiga husen och börja om från början. Senare skulle krigen börja mot de falska gudar som besudlade världen. Tiden var mogen, de skulle nu ta det första steget.

De väntade in gryningen i kyrkan. Torgeir stod utanför den, en ensam vaktpost i denna den sista stunden av den gamla tiden, tänkte han. När den första strimman grått ljus visade sig vid horisonten kom Torgeir in i kyrkan igen. Han samlade ihop maskerna och la dem i kofferten.

Den åttonde september var den dag som han hade utsett. Också det var en dröm. Han hade befunnit sig i en övergiven fabrik, det hade legat regnvatten och döda löv på golvet. På en vägg hängde en almanacka. När han vaknade kunde han minnas att det datum som gällt i drömmen var den åttonde september. Den dagen allt tar slut och allt börjar om på nytt.

I gryningsljuset betraktade han deras bleka, sammanbitna ansikten. Jag ser ögon som ser mig, tänkte han. I mig ser dom det jag trodde mig se när jag stod inför Jim Jones. Skillnaden är bara att jag verkligen är den jag utger mig för att vara. Jag är den utsedde härföraren. Han letade efter tecken men kunde inte upptäcka att någon av dem tycktes tveka.

Han tog ett steg närmare och började tala.

– Tiden är inne att bryta upp. Flyttfåglarna har landat. Jag hade inte tänkt att vi skulle ses innan den dag ni ska utföra ert stora uppdrag.

Men i natt har Gud talat till mig och sagt att ännu ett offer är nödvändigt. Nästa gång vi möts kommer ännu en syndare att dö.

Han tog upp trossen och lyfte den över sitt huvud.

– Vi vet vad som krävs av oss, fortsatte han. Dom gamla böckerna lär oss att straffet ska vara öga för öga och tand för tand. Den som dödar måste själv dö. Hos oss får inte finnas någon tvekan. Guds andedräkt är av stål, han kräver hårdhet av oss. Vi är som ormarna som tinat upp efter den långa vinterns dvala. Vi är som ödlorna som hastigt rör sig i klippskrevorna och byter färg när dom är hotade. På inget annat sätt än genom hängivenhet och hårdhet kommer vi att kunna besegra den tomhet som fyller människorna. Det stora mörkret, den långa tiden av förfall och vanmakt, är äntligen över.

Han tystnade och såg att de förstod. Han gick längs raden och strök med handen över deras framåtböjda pannor. Han gav tecken att de skulle resa sig. Tillsammans sa de de heliga orden. Han hade berättat att de kommit till honom i en uppenbarelse. De behövde inte känna till sanningen, att det var något han läst i sin ungdom. Eller kanske orden trots allt kommit till honom i en dröm? Han visste inte, och det var heller inte viktigt.

Och befriade lyftas vi uppåt på de väldiga vingarnas brus
För att smälta tillsammans med honom och bli ljus av hans heliga ljus.

Efteråt lämnade de kyrkan, låste och försvann i bussen. En kvinna som kom dit och städade på eftermiddagen kunde inte märka att någon hade varit där.

Del 4

Det trettonde tornet

41

Linda vaknade av att telefonen ringde. Hon såg på väckarklockan. Kvart i sex.

Det slamrade i badrummet. Hennes far hade redan stigit upp, men hörde inte telefonen. Hon sprang ut i köket och svarade. Det var en kvinnoröst hon inte kände igen.

– Träffas en polisman Wallander på det här numret?

– Vem är det som frågar?

– Träffas han eller inte?

Kvinnan talade förnäm och skorrande skånska. Det är knappast en städerska på polishuset, tänkte Linda.

– Han är upptagen just nu. Vem kan jag hälsa ifrån?

– Anita Tademan på Rannesholms slott.

– Vi har träffats. Jag är hans dotter.

Anita Tademan bortsåg helt från hennes kommentar.

– När kan jag tala med honom?

– Så fort han kommer ut från badrummet.

– Det är angeläget.

Linda skrev upp hennes telefonnummer och satte på kaffe. Vattnet hade precis kokat upp när han kom ut i köket. Han var så inne i sina egna tankar att han inte ens blev förvånad över att se henne uppe.

– Anita Tademan ringde. Hon sa att det var viktigt.

Han kastade en blick på klockan.

– Det måste det vara. Vid den här tiden.

Hon slog numret och gav honom luren.

Medan han pratade med Anita Tademan letade Linda igenom köksskåpen och insåg att det inte fanns något kaffe kvar.

Hennes far la på luren. Linda hade hört en tid avtalas.

– Vad ville hon?

– Träffa mig.

– Varför?

– För att berätta nåt som hon hört av en släkting som bor i ett hus på Rannesholms ägor. Hon ville inte tala om det i telefon, utan jag skulle komma ut till slottet. Hon anser sig nog för fin för att inställa sig på polishuset. Men då sa jag ifrån. Det kanske du hörde?

– Nej?

Han muttrade något ohörbart och började leta efter kaffe i skåpen.

– Det finns inget, sa Linda.

– Är det bara jag som ska hålla reda på om det finns kaffe kvar här i huset?

Linda blev genast arg.

– Jag tror inte du fattar hur skönt det ska bli för mig att flytta härifrån. Jag skulle aldrig ha kommit tillbaka hit.

Han slog ursäktande ut med armarna.

– Det är kanske bäst, sa han. Föräldrar och barn ska inte trängas alltför mycket med varandra. Men vi har inte tid att bråka nu. Ingen av oss har tid.

De drack te och bläddrade igenom var sin del av morgontidningen. Ingen av dem kunde koncentrera sig.

– Jag vill att du följer med, sa han. Klä dig. Jag vill ha dig i närheten.

Linda duschade och klädde sig så fort hon kunde. Men när hon var klar hade han redan gått. Ett meddelande fanns nerkrafsat på tidningen. Hon tydde det till att han hade bråttom. Han är lika otålig som jag, tänkte hon.

Hon såg ut genom fönstret. Termometern visade fortfarande på rötmånadsvärme, plus 22 grader. Det regnade. Hon halvsprang till polishuset. Det var som när hon var på väg till skolan, tänkte hon. Samma oro att komma för sent.

Hennes far talade i telefon. Han vinkade in henne på sitt kontor. Linda satte sig i besöksstolen. Porslinsskärvorna låg kvar på bordet. Han la på telefonluren och reste sig.

– Kom med.

De gick in till Stefan Lindman. Ann-Britt Höglund stod lutad mot väggen med en kaffemugg i handen. För en gångs skull tycktes hon märka att Linda var med. Någon har sagt åt henne, tänkte Linda. Knappast min far. Kanske Stefan Lindman.

– Var är Martinsson? frågade Ann-Britt Höglund.

– Han ringde just, svarade Kurt Wallander. Han har sjukt barn och kommer lite senare. Men han skulle ringa hemifrån och försöka ta reda på mer om den där Sylvi Rasmussen.

– Vem? undrade Ann-Britt Höglund.

– Varför ska vi trängas här? sa Kurt Wallander. Vi sätter oss i mötesrummet. Är det nån som vet var Nyberg är?

– Han håller fortfarande på med kyrkorna.

– Vad tror han att han ska hitta där nu?

Den sista kommentaren var Ann-Britt Höglunds. Linda anade att hon tillhörde dem som såg fram mot den dag Nyberg skulle gå i pension.

De började en genomgång som höll på i tre timmar och tio minuter, ända tills någon knackade på dörren och sa att Kurt Wallander hade besök av Anita Tademan. Linda undrade om mötet egentligen hade nått sitt naturliga slut. Men ingen visade missnöje eller förvåning när hennes far reste sig. På vägen ut stannade han vid hennes stol.

– Anna, sa han. Fortsätt att tala med henne, träffa henne, lyssna på henne.

– Jag vet inte vad jag ska tala om, vad jag ska göra. Hon kommer att genomskåda mig, att jag bevakar henne.

– Du ska bara vara som vanligt.

– Är det inte bättre att du talar med henne en gång till?

– Jo, men inte just nu.

Linda lämnade polishuset. Det regnade mindre nu. En bil tutade bakom henne, så nära att hon ryckte till. Stefan Lindman bromsade in och öppnade dörren.

– Jag kör dig hem.

– Tack.

Han hade musik i stereon. Jazzmusik.

– Tycker du om musiken?

– Mycket.

– Jazz?

– Lars Gullin. Saxofonist. En av Sveriges största jazzmusiker genom tiderna. Död alldeles för tidigt.

– Jag har aldrig hört hans namn. Dessutom tycker jag inte om sån musik.

– I min bil bestämmer jag vad som spelas.

Han verkade sårad. Linda ångrade vad hon sagt. Också det har jag ärvt av min far, tänkte hon. Förmågan att göra klumpiga och okänsliga kommentarer.

– Vart är du på väg? frågade hon för att försöka släta över.

Han svarade kort, fortfarande sårad.

– Sjöbo. En låssmed.

– Tar det lång tid?

– Jag vet inte. Hur så?

– Jag tänkte att jag kanske kunde åka med. Om jag får?

– Om du står ut med musiken.

– Från och med nu älskar jag jazz.

Spänningen var över. Stefan Lindman skrattade till och körde norrut. Han körde fort. Linda fick lust att röra honom, stryka med fingrarna över hans axel eller hans kind. Hon kände en lust som hon inte gjort på länge. En idiotisk tanke flög genom hennes huvud, att de skulle ta in på ett hotell i Sjöbo. Men där fanns säkert inget hotell. Hon försökte bli kvitt tanken, men den höll sig kvar. Regnet stänkte mot vindrutan. Saxofonisten spelade nu höga, gälla och snabba toner. Linda försökte hitta en melodi utan att lyckas.

– Om du åker till Sjöbo för att tala med en låssmed måste det ha med utredningen att göra. Nån av dom. Hur många pågår egentligen?

– Birgitta Medberg en, Harriet Bolson en, dom brända djuren en, och därtill dom nerbrända kyrkorna. Din pappa vill ha det samordnat. Och åklagaren har sagt ja. Tills vidare.

– Och låssmeden?

– Han heter Håkan Holmberg. Han är ingen vanlig låssmed som gör dubblettnycklar i största allmänhet utan kopior av gamla nycklar. När han hörde att polisen undrar över hur dom nerbrända kyrkorna öppnats, påminde han sig att han för några månader sen hade tillverkat två nycklar som mycket väl kunde ha varit till kyrkportar. Jag ska ta reda på vad han minns mer. Han har sin verkstad inne i Sjöbo centrum. Martinsson har hört talas om honom. Han har vunnit pris för vackra nyckelsmiden. Dessutom är han tydligen mycket beläst och håller sommarkurser i filosofi.

– I verkstan?

– Där finns visst en gård. Martinsson hade själv nån gång funderat på att vara med. Eleverna får halva tiden lära sig arbeta i en smedja och halva tiden diskuterar man filosofiska frågor.

– Knappast nåt för mig, sa Linda.

– Men kanske för din pappa?

– Ännu mindre.

Musiken hade ändrat karaktär. Det var en långsam ballad nu. Linda hittade plötsligt den melodi hon saknat. Hon lyssnade och fortsatte att tänka på det där hotellet de inte skulle ta in på.

De kom fram till Sjöbo och stannade utanför ett rött tegelhus där en stor nyckel av järn hängde ut som skylt från ena gaveln.

– Jag kanske inte ska följa med in?

– Om jag förstod rätt har du börjat arbeta.

De gick in. En man stod framför en ässja och nickade åt dem. Det var varmt i smedjan. Han tog ut ett glödande järn och började bearbeta det.

– Jag ska bara göra den här nyckeln klar, sa han. Man kan inte avbryta nyckelarbeten. Då bygger man in en tveksamhet i järnet. Nyckeln kommer aldrig att bli lycklig i sitt lås.

De betraktade fascinerat hans arbete. Till sist låg nyckeln där på städet. Håkan Holmberg torkade svetten ur pannan och tvättade händerna. De gick ut på en inbyggd gård där det fanns stolar och bord, en termos och koppar. De tog i hand. Linda kände sig fånigt smickrad när Stefan Lindman presenterade henne som en kollega. Håkan Holmberg serverade kaffe och satte en gammal halmhatt på huvudet. Han såg att Linda nyfiket betraktade den trasiga huvudbonaden.

– Det är en av dom få stölder jag har begått, sa han. Jag reser utomlands varje vår. För några år sen var jag i Lombardiet. En eftermiddag befann jag mig nånstans i närheten av Mantua där jag tillbringat några dagar för att hedra minnet av den store Vergilius som föddes där. På en åker fick jag se en fågelskrämma. Vilka bär eller växter den skulle skydda mot fåglar vet jag inte. Jag stannade och tänkte att jag för första gången i mitt liv fick lust att begå ett brott. Jag ville kort och gott förvandla mig till en tjuvaktig smed. Så jag smög ut på den där åkern och stal halmhatten från fågelskrämman. Jag kan ibland om nätterna drömma att det inte var en fågelskrämma utan en levande människa som stod orörlig därute på åkern. Han måste ha uppfattat att jag var en menlös och harig person som aldrig mer i mitt liv skulle stjäla något från en medmänniska. Därför lät han sig av förbarmande bli bestulen. Kanske var det en kvarlämnad franciskanermunk som stod därute på åkern i en desperat förhoppning om att kunna göra en god gärning? Det var hur som helst en stor och omtumlande upplevelse att begå detta brott.

Linda sneglade på Stefan Lindman och undrade om han visste vem Vergilius var. Och Mantua? Var låg det? Var det ett landskap eller en stad? Det måste vara Italien. Hade Zebran varit i närheten hade hon vetat svaret. Hon kunde ägna timmar åt att frossa i sina kartböcker.

– Nycklarna, sa Stefan Lindman. Berätta.

– Det är inte så mycket att säga annat än att det var en tillfällighet att jag överhuvudtaget uppmärksammade dom här nerbrunna kyrkorna.

– Hur skulle det vara möjligt att inte bli uppmärksam på det? sa Stefan Lindman förvånat. Det har ju varit huvudnyheterna i media?

Håkan Holmberg gungade på stolen och plockade fram en pipa ur bröstfickan på den blå overallen.

– Genom att varken se på teve, höra på radio eller läsa tidningar, svarade han när han tänt pipan. Vissa människor ger sig själv ett antal vita veckor varje år när dom inte smakar alkohol. Det är säkert förnuftigt. Själv har jag ett antal veckor per år, kalla dom vita, kalla dom svarta, när jag inte ägnar omvärlden något intresse. Efteråt, när jag stiger ur detta nyhetsmässiga celibat, visar det sig alltid att jag inte missat något av vikt. Vi lever i ett slagregn av desinformation, rykten och mycket få avgörande nyheter. Under mina frånvarande veckor söker jag upp en annan sorts information, den jag har inom mig.

Linda undrade om Håkan Holmberg tänkte förvandla alla sina svar till föreläsningar. Samtidigt kunde hon inte låta bli att erkänna att han talade väl, han hade ett språk som hon avundades honom, alla dessa ord som alldeles självklart fanns till hands när han behövde dem. Stefan Lindman verkade inte otålig.

– Det var alltså en tillfällighet, sa han.

– En av mina kunder kom för att hämta en nyckel till en gammal sjömanskista som en gång tillhört ett amiralitetsfartyg i den brittiska artonhundratalsflottan. Han berättade om bränderna och polisens misstanke om dubblettnycklar. Jag påminde mig då att jag för några månader sen gjorde två nycklar efter förlagor som kan ha varit till kyrkportar. Jag säger inte att det måste ha varit så. Men min misstanke fanns där.

– Varför?

– Erfarenhet. Kyrknycklar har ofta ett visst utseende. Dessutom är det inte så många andra portar idag som fortfarande betjänas av dom gamla mästarnas lås och nycklar. Jag bestämde mig alltså för att ringa till polisen.

– Vem var det som beställde nycklarna?

– Han presenterade sig som Lukas.

– Bara det?

– Ja. Herr Lukas. Han var mycket vänlig. Det var bråttom och han betalade ett rejält förskott.

Stefan Lindman tog fram ett paket ur fickan. När han vecklade upp det fanns där två nycklar. Håkan Holmberg kände genast igen dem.

– Det är dom jag gjorde dubbletter av.

Han reste sig och försvann in i smedjan.

– Det här kan vara något, sa Stefan Lindman. En märklig man. Men han verkar ha gott minne och bra iakttagelseförmåga.

Håkan Holmberg kom tillbaka. Han hade en gammaldags liggare i handen och bläddrade fram till den rätta sidan.

– Den 12 juni. Herr Lukas lämnar två nycklar. Han ber om dubbletter senast den 25. Det är kort tid eftersom jag har mycket annat att göra. Men han betalar bra. Även jag måste ha pengar, både för att kunna driva smedjan och ha råd att resa bort en gång om året.

– Vad uppgav han för adress?

– Ingen alls.

– Telefonnummer?

Håkan Holmberg vände liggaren mot honom. Stefan Lindman tog fram sin mobiltelefon och slog ett nummer. Han lyssnade och stängde av.

– En blomsterhandel i Bjärred, sa han. Vi kan utgå från att herr Lukas inte har med den att göra. Vad hände sen?

Håkan Holmberg bläddrade framåt i liggaren.

– Jag för den som en loggbok, sa han. Den här smedjan är inget fartyg. Men hammarslagen mot städet klingar ändå som ljud från en motor. Den 25 juni hämtade han nycklarna och försvann.

– Hur betalade han?

– Kontant.

– Vad skrev du för kvitto till honom?

– Inget alls. Bara för min egen bokföring. Jag har som regel att betala mina skatter. Även om den här situationen var idealisk för att undgå skatt på ett arbete.

– Beskriv honom.

– Lång, ljus, lite tunnhårig i pannan. Vänlig, mycket vänlig. När han lämnade nycklarna var han klädd i kostym, liksom när han hämtade dom, men då i en annan kostym.

– Hur kom han hit?

– Jag kan inte se gatan inifrån verkstan. Jag antar att han kom med bil.

Linda såg att Stefan Lindman tog sats för nästa fråga. Hon anade vilken det var.

– Kan du beskriva hur han talade?

– Han bröt.

– Hur då?

– Skandinaviska. Inte finska, knappast isländska. Alltså danska eller norska.

– Hur kan du vara säker på att det inte är isländska? Finskan kan jag förstå, men isländska? Jag vet inte ens hur det låter.

– Det vet jag. Jag har i min ägo en underbar inspelning av en isländsk skådespelare, Pitur Einarson, som läser dom isländska sagorna på originalspråket.

– Kan du säga något mer om den här mannen?

– Nej.

– Sa han att det var kyrknycklar?

– Han sa att det var nycklar till ett slottsförråd.

– Till vilket slott?

Håkan Holmberg knackade ur pipan och rynkade pannan.

– Jag tror han sa namnet. Men jag kommer inte ihåg det.

De väntade. Håkan Holmberg skakade på huvudet.

– Kan det ha varit Rannesholm? frågade Linda.

Nu hände det igen, frågan bara hoppade ur henne.

– Rätt, sa Håkan Holmberg. Ett gammalt bränneri på Rannesholm. Nu minns jag. Det var vad han sa.

Stefan Lindman fick plötsligt bråttom. Han drack ur kaffekoppen och reste sig.

– Då får vi tacka, sa han. Det här har varit värdefullt.

– Om man arbetar med nycklar kan livet aldrig bli innehållslöst, sa Håkan Holmberg och log. Att låsa och att öppna är människans egentliga uppgift på jorden. Genom historiens lopp klirrar nyckelknippor. Varje nyckel, varje lås har sin historia. Och nu har vi ytterligare en att berätta för varandra.

Han följde dem ut på vägen.

– Vem var Vergilius? frågade Linda.

– Dantes följeslagare, svarade han. Dessutom en stor poet.

Han lyfte på sin trasiga hatt till farväl och försvann in genom porten. De satte sig i bilen.

– Oftast möter man rädda, skakade, arga människor, sa Stefan Lindman. Ibland kommer ljuspunkter. Som den här mannen. Jag stoppar in honom i mitt arkiv på personer jag ska minnas när jag blir gammal.

De lämnade Sjöbo. Linda såg en skylt till ett litet hotell. Hon fnissade. Han såg på henne men frågade inget. Mobilen ringde. Han svarade, lyssnade, stängde av och ökade farten.

– Din far har talat med Anita Tademan, sa han. Tydligen har det framkommit något som kan vara viktigt.

– Det är kanske bäst att du inte säger att jag har varit med, sa Linda. Han hade nog tänkt sig att jag skulle göra nåt annat idag.

– Vad?

– Tala med Anna.

– Du hinner båda delarna.

Stefan Lindman släppte av henne i centrala Ystad. När hon kom hem till Anna såg hon genast att något hade hänt. Anna hade tårar i ögonen.

– Zebran är försvunnen, sa hon. Pojken skrek så grannarna undrade. Han var ensam hemma. Och Zebran var borta.

Linda höll andan. Rädslan kom som en plötslig smärta. Nu visste hon att hon var mycket nära en ohygglig sanning som hon redan borde ha förstått.

Hon såg in i Annas ögon. Där såg hon sin egen rädsla.

42

För Linda var situationen både glasklar och förvirrande. Zebran skulle aldrig lämna sin son frivilligt eller av slarv eller glömska. Alltså hade något hänt. Men vad kunde hända? Det var något hon borde förstå, något som fanns alldeles intill henne utan att hon kunde få grepp om det. Ett sammanhang. Det som pappa alltid talar om, att man måste söka sammanhanget. Hon hittade ingenting.

Eftersom Anna verkade vara om möjligt än mer förvirrad än hon själv tog Linda kommandot. Hon föste in Anna i köket, tryckte ner henne på en stol och sa åt henne att berätta. Trots att Anna talade ryckigt och osammanhängande tog det inte Linda många minuter att förstå vad som hade hänt.

Grannfrun som ofta passade pojken hade genom de tunna väggarna hört honom gråta ovanligt länge utan att Zebran grep in. Hon ringde in till Zebran utan att få svar och ringde sedan på dörren, men bara en signal eftersom hon var säker på att Zebran inte fanns i lägenheten. Hon hade reservnyckel, öppnade och hittade pojken ensam. Han slutade gråta när han fick syn på henne.

Grannfrun, som hette Aina Rosberg, hade inte kunnat märka något ovanligt i lägenheten. Den var ostädad som vanligt. Men inget tumult, sa Anna. Det var de ord grannfrun hade använt, "inget tumult". Efter det hade Aina Rosberg ringt till en av Zebrans kusiner, Titchka, som inte var hemma, och sen till Anna. Det var så hon och Zebran hade avtalat; om något hände, först kusinen och sen Anna.

– Hur länge sen är det? frågade Linda när Anna hade tystnat.

– Två timmar sen.

– Har Aina Rosberg inte ringt igen?

– Jag ringde henne. Men Zebran är fortfarande borta.

Linda tänkte efter. Helst av allt hade hon velat tala med sin far. Samtidigt visste hon vad han skulle säga: två timmar var för lite. Det fanns med all säkerhet en naturlig förklaring. Men varför skulle Zebran försvinna?

– Vi åker dit, sa Linda. Jag vill se hennes lägenhet.

Anna gjorde inga invändningar. Tio minuter senare låste Aina Rosberg upp dörren till Zebrans lägenhet.

– Vart kan hon ha tagit vägen? sa Aina Rosberg upprört. Det är inte likt henne. Ingen gör så, ingen mor lämnar sitt barn. Vad hade hänt om jag inte hört honom?

– Hon kommer säkert snart tillbaka, sa Linda. Det vore bäst om pojken kunde stanna hos dig så länge.

– Det är klart han ska vara hos mig, sa Aina Rosberg och försvann in till sig.

När Linda steg in i lägenheten kände hon en egendomlig lukt. En kall hand la sig runt hennes hjärta; hon förstod att någonting allvarligt hade hänt. Zebran hade inte försvunnit frivilligt.

– Känner du vad det luktar? sa Linda.

Anna skakade på huvudet.

– Starkt, fränt, som ättika.

– Jag märker ingenting.

Linda satte sig i köket, Anna inne i vardagsrummet. Linda kunde se henne genom den öppna dörren. Hon var orolig och satt och nöp sig i armarna. Linda försökte tänka lugnt och klart. Hon ställde sig vid fönstret och såg ut på gatan. Hon försökte se Zebran framför sig när hon kom ut ur porten därnere. Vilket håll gick hon åt, höger eller vänster? Var hon ensam? Linda betraktade tobaksaffären som låg snett över gatan. En kraftig man stod i den öppna dörren och rökte. När det kom en kund följde han med in och kom sedan ut igen. Linda tänkte att det kunde vara värt ett försök.

Anna satt fortfarande orörlig på soffan. Linda klappade henne på armen.

– Zebran kommer säkert tillbaka, sa hon. Ingenting har nog hänt. Jag går bara ner till tobaksaffären några minuter. Jag är strax tillbaka.

En text på kassaapparaten önskade alla välkomna till Jassars affär. Linda köpte ett tuggummi.

– Det bor en flicka mitt emot, sa hon. Zeba, känner du henne?

– Zebran? Visst. Jag brukar ge hennes grabb nåt när jag ser dom.

– Har du sett Zebran idag?

Hans svar kom utan att tveka.

– För några timmar sen. Vid tio ungefär. Jag höll på att sätta upp en av flaggorna som blåst ner. Jag förstår inte hur en flagga kan blåsa ner när det inte är nån vind...

– Var hon ensam? avbröt Linda.

– Hon hade sällskap med en man.

Lindas hjärta slog fortare.

– Har du sett honom tidigare?

Jassar blev plötsligt bekymrad. I stället för att svara började han själv ställa frågor.

– Varför undrar du? Vem är du?

– Du måste ha sett mig. Jag är en vän till Zebran.

– Varför ställer du alla dessa frågor?

– Jag måste få veta.

– Har nånting hänt?

– Ingenting har hänt. Har du sett den där mannen tidigare?

– Nej. Han hade en liten grå bil, han var lång, och jag tänkte efteråt på att Zebran hade lutat sig mot honom.

– Vad menar du?

– Det jag säger. Hon lutade sig mot honom, klängde på honom.

Som om hon behövde stöd.

– Kan du beskriva den där mannen?

– Han var lång. Inget mer. Han hade hatt, lång rock.

– Hatt?

– Grå hatt. Eller blå. Lång rock, grå. Eller blå. Allt hos honom var grått eller blått.

– Bilnumret?

– Vet inte.

– Märket?

– Vet inte. Varför ställer du alla dom här frågorna? Du kommer in i min affär och gör mig orolig som om du hade varit polis.

– Jag är polis, sa Linda och lämnade affären.

När hon kom upp i lägenheten satt Anna fortfarande orörlig på soffan. Linda fick återigen känslan av att det var något hon borde se, inse, se igenom, hon kunde inte bestämma sig för vilket. Hon satte sig bredvid Anna.

– Du måste vara hemma hos dig. Om Zebran ringer. Jag åker upp till polishuset och pratar med min far. Du får köra mig dit.

Anna högg tag i Lindas arm, så hårt att Linda ryckte till. Lika hastigt som hon huggit tag, lika hastigt släppte hon greppet igen. Linda tänkte att Annas reaktion var egendomlig. Kanske inte reaktionen i sig men att den var så häftig.

När Linda kom in i receptionen ropade någon till henne att hennes far var hos åklagarmyndigheten, på andra sidan. Hon gick dit. Dörren var låst. En kontorist som kände igen henne släppte in henne.

– Jag antar att det är din pappa du söker? Han är inne i lilla konferensen.

Hon pekade längs korridoren. Det lyste rött utanför en dörr. Linda satte sig i ett litet väntrum intill. Tankarna rusade runt i hennes huvud.

Hon förmådde inte tänka långsamt och systematiskt, foga ihop alla fragment till en hållbar kedja.

Hon väntade i drygt tio minuter. Då kom Ann-Britt Höglund ut och såg förvånat på henne. Så vände hon sig inåt rummet.

– Du har viktigt besök, sa hon och gick.

Hennes far kom ut tillsammans med en mycket ung åklagare. Kurt Wallander presenterade sin dotter. Åklagaren gick. Linda pekade på en stol i väntrummet. Han satte sig. Hon berättade vad som hade hänt och försökte inte ens göra det systematiskt och med alla detaljer i rätt ordning. Han satt länge tyst när hon slutat. Sedan ställde han några frågor, framförallt om Jassars iakttagelser. Han återvände flera gånger till att Jassar sagt att Zebran hade ”klängt” på mannen.

– Är Zebran en person som klänger? frågade han.

– Snarare är det pojkar som klänger på henne. Hon är tuff och undviker att visa sina svagheter, även om hon har ganska många.

– Vad är din förklaring till det som hänt?

– Precis vad du säger. Att nånting har hänt.

– Mannen som kom ut ur porten i hennes sällskap skulle alltså ha fört bort henne mot hennes vilja?

– Jag vet inte. Kanske.

– Varför ropade hon inte på hjälp?

Linda skakade på huvudet. Kurt Wallander svarade själv på frågan samtidigt som han reste sig.

– Hon kanske inte kunde ropa.

– Du menar att hon inte klängde? Att hon blivit drogad? Att hon skulle ha ramlat ihop om han inte hållit i henne? ”Klänga” ska bytas mot ”hänga”?

– Det är så jag tänker.

Han gick fort mot sitt kontor, Linda hade svårt att hålla jämna steg. På vägen knackade han på Stefan Lindmans halvöppna dörr och sköt upp den. Kontoret var tomt. Martinsson kom i korridoren, bärande på en stor teddybjörn.

– Vad är det där? frågade Kurt Wallander irriterat.

– En björn tillverkad på Taiwan. Den har ett amfetaminparti i magen.

– Det får nån annan ta hand om.

– Jag är just på väg att lämna den till Svartman, svarade Martinsson och dolde inte att också han blivit irriterad.

– Försök samla ihop så många som möjligt till ett möte om en halvtimme.

Martinsson försvann. Porslinsskärvorna låg fortfarande kvar på bordet, det var det första hon såg när de steg in på kontoret.

– Jag tänker inte laga tjuren, sa han. Men jag har tänkt låta skärvorna ligga kvar tills allt det här har fått en lösning.

Han lutade sig emot henne över bordet.

– Du frågade inte Jassar om han hörde den där mannen säga nånting?

– Det glömde jag.

Han räckte henne telefonluren.

– Ring honom.

– Jag vet inte vad tobaksaffären har för nummer.

Han slog de sex siffrorna till nummerbyrån. Linda bad att få bli kopplad. Jassar svarade. Han hade inte hört mannen säga nånting.

– Jag börjar bli mycket bekymrad, sa han. Vad är det egentligen som har hänt?

– Ingenting, svarade Linda. Tack för hjälpen.

Hon gav tillbaka telefonluren.

– Inte ett ord.

Hennes far satt tyst, vaggade på stolen och såg på sina händer. Röster hördes ute i korridoren och försvann.

– Jag tycker inte om det, sa han till sist. Grannfrun har naturligtvis rätt. Ingen lämnar ett så litet barn ensamt i en lägenhet.

– Det är nånting jag känner, sa Linda. Nånting jag borde komma på, nånting som finns alldeles intill mig. Jag borde se ett samband, det du alltid talar om, men jag ser ingenting.

Han betraktade henne uppmärksamt.

– Som om du egentligen redan förstår vad som har hänt? Och varför?

Hon skakade tveksamt på huvudet.

– Snarare som att jag på nåt sätt har väntat på det. Jag vet inte hur jag ska förklara. Men det är som om det inte är Zebran som försvunnit. Utan Anna, en gång till.

Han såg länge på henne innan han talade.

– Kan du förklara vad du menar?

– Nej.

– Vi ger både dig och Zebran några timmar, sa han. Om hon inte kommer tillbaka och du inte kommer på vad det är du vet utan att förstå det, måste vi agera. Till dess vill jag att du stannar här.

Hon följde honom till mötesrummet. När alla samlats och dörren stängts började han med att berätta om Zebran. Stämningen i rummet blev spänd.

– Det är för många som försvinner, slutade Kurt Wallander. Försvinner, kommer tillbaka, försvinner igen. Av en tillfällighet eller på grund av orsaker vi ännu inte begriper oss på, råkar det här rotera runt min dotter. Vilket naturligtvis gör att jag tycker ännu mindre om det som sker.

Han studsade en penna i bordet och berättade om sitt samtal med Anita Tademan. Linda försökte koncentrera sig men lyckades inte. Hon ruskade på sig. Stefan Lindman såg på henne med ett svagt leende. Hon log tillbaka och lyssnade på sin far igen.

– Anita Tademan är knappast vad man kallar en vänlig kvinna. Snarare kan hon tjäna som gott exempel på den mest arroganta och inbilska skånska överklass som fortfarande sitter på slott och förmögenheter här i trakterna. Men hon gjorde rätt i att komma hit eftersom hon hade viktiga saker att förmedla. En av hennes släktingar som bor på Rannesholms ägor har sett människor röra sig i närheten av skogen. Ett sällskap på minst tjugo personer. Plötsligt har dom dykt upp och sedan försvunnit igen. Det kan ha varit en turistgrupp, men deras beteende, framförallt att dom varit mycket skygga, tyder på att dom också kan ha varit något annat.

– Vad? avbröt Ann-Britt Höglund.

– Det vet vi inte. Men det fanns ett gömställe i skogen och en kvinna blev mördad där.

– Kojan är knappast så stor att tjugo personer kan ha sovit där?

– Jag är medveten om det. Ändå är den här upplysningen viktig. Vi har varit säkra på, åtminstone efter mordet i Frennestads kyrka, att förövarna är mer än en. Nu kan det alltså finnas tecken på att dom är ännu fler.

– Det låter inte rimligt, sa Martinsson. Har vi med ett mördarband att göra?

– Det kan vara en sekt, sa Stefan Lindman.

– Eller båda delarna, sa Kurt Wallander. Eller nåt vi ännu inte har listat ut. Det kan till och med vara ett spår som leder fel. Men vi drar inga slutsatser. Inte än, inte ens några provisoriska. Vi fortsätter och lämnar fru Tademan tills vidare.

Stefan Lindman berättade om mötet med Håkan Holmberg och hans nycklar. Han nämnde inte att Linda varit med.

– Mannen som bryter, sa Kurt Wallander. Vår norska länk. Eller vår norskdanska länk. Här dyker han upp igen. Vi kan utgå från att det var kyrknycklarna till Hurup och Frennestad.

– Det vet vi redan, sa Nyberg. Vi har jämfört.

Det blev tyst i rummet.

– En norrman beställer kyrknycklar, sa Kurt Wallander. En amerikansk kvinna blir strypt i kyrkan. Av vem och varför? Det är vad vi ska ha svar på.

Han vände sig mot Ann-Britt Höglund.

– Vad säger våra danska kollegor om den man som heter Vigsten?

– Han är pianolärare. Han har tidigare arbetat som repetitör på Det Kongelige och var tydligen mycket skicklig och populär. Nu lever han uppenbarligen i ett tilltagande skymningsland där han får allt svårare att ta hand om sig själv. Men ingen känner till att det skulle bo någon i hans lägenhet, minst av allt han själv.

– Och Larsen?

– Han står fast vid sin bekännelse.

Kurt Wallander kastade en hastig blick på sin dotter innan han fortsatte.

– Vi stannar i Danmark, sa han. Den här kvinnan, Sylvi Rasmussen, vad har vi om henne?

Martinsson letade bland sina papper.

– Hon hette nåt annat när hon kom som flykting till Danmark efter sammanbrottet i öst, narkotikamissbrukare, gatan, den vanliga höga visan om hur man blir prostituerad. Hon var tydligen omtyckt av kunder och vänner. Ingen hade något ont att säga om henne. Det finns inget anmärkningsvärt i hennes liv, annat än att det är en förtvivlad tragedi.

Martinsson ögnade igenom pappren innan han la ifrån sig dem.

– Ingen vet vem som var hennes sista kund. Men vi kan utgå från att det var han som dödade henne.

– Hade hon ingen almanacka?

– Nej. Man har hittat fingeravtryck från tolv olika personer i hennes lägenhet. Man undersöker dom nu och hör av sig om nåt är av intresse.

Linda märkte att hennes far drev på. Han försökte hela tiden tolka och tyda de uppgifter som kom fram. Han mottog ingenting passivt, han sökte medvetet efter dolda budskap som inte genast blivit synliga.

– Kvinnan i kyrkan, sa han. Det har kommit in kompletterande uppgifter från våra mycket hjälpsamma kollegor i Tulsa. Herr Richardson fortsätter att överträffa sig själv. Det har kommit in högar med fax och mail. Synd bara att det inte är nåt som leder nånstans. Hur och varför hon har hamnat i en av våra kyrkor och där blivit strypt kan vi inte svara på.

Han lämnade ordet fritt. Linda var den enda som inte yttrade sig. Efter en halvtimme tog de en kort paus för att vädra och hämta kaffe. Linda utnämndes raskt till fönstervakt.

Det kom en vindby som blåste ner några av Martinssons danska papper på golvet. Hon samlade ihop dem och upptäckte ett fotografi på Sylvi Rasmussen. Linda betraktade ingående hennes ansikte. Det fanns något skrämt i hennes ögon. Linda rös när hon tänkte på hennes tragiska livsöde.

Hon skulle just lägga pappren ifrån sig när hon upptäckte något som stod på en av sidorna. Sylvi Rasmussen hade enligt rättsläkaren gjort två eller tre aborter. Linda stirrade på pappret. Hon tänkte på två danska seglare vid ett hörnbord, pojken som lekte på golvet, och Zebran som plötsligt började tala om sin abort. Hon tänkte också på Annas häftiga reaktion. Hon stod alldeles stilla vid bordet, höll andan och stirrade på Sylvi Rasmussens fotografi.

Hennes far kom in i rummet.

– Jag tror jag förstår, sa hon.

– Vad är det du förstår?

– Jag har en fråga. Den där kvinnan från Tulsa.

– Vad är det med henne?

Hon skakade på huvudet och pekade mot dörren.

– Jag vill att du stänger den.

– Vi befinner oss mitt uppe i ett möte.

– Jag klarar inte att tänka om alla är här. Men jag tror jag har nånting viktigt att säga.

Han såg på henne och förstod att hon menade allvar. Han stängde dörren bakom sig.

43

Linda tänkte att det var första gången han alldeles utan att tveka, alldeles reservationslöst, tog henne på allvar. Åtminstone efter det hon blivit vuxen. När hon var barn, under de svåraste perioderna av föräldrarnas äktenskap, hade hon märkt på barnets omedvetna men ändå absolut säkra vis att han tog henne på allvar. Sedan kom en period där han mer hade förvandlat sig till den retsamme bror hon kanske innerst inne längtade efter. Efter det hade kommit andra, skarpt avskilda, mycket olika men alltid svårartade förhållningssätt. Hon kunde fortfarande med en rysning minnas de gånger han varit svartsjuk på hennes pojkvänner.

Vid minst två tillfällen hade han handgripligen kastat ut hennes oskyldiga friare, vid ett annat tillfälle spionerat på henne en sen kväll i småbåtshamnen i Ystad.

Tankarna rusade genom hennes huvud. Hennes far förstod att hon menade allvar och stack nu ut huvudet genom dörren och sa till någon i korridoren att mötet skjutits upp en stund. Någon protesterade, men han stängde bara dörren.

De satte sig mitt emot varandra vid bordet.

– Vad var det du ville fråga?

– Har den här kvinnan som heter Harriet Bolson gjort nån abort? Har Birgitta Medberg gjort det? Om det är som jag tror är svaret "ja" för kvinnan från Tulsa men negativt för Birgitta Medberg.

Han rynkade pannan, först oförstående, sen otåligt. Sen drog han till sig sina papper och bläddrade igenom dem med växande irritation. Han slängde undan pärmen.

– Inte ett ord om nån abort.

– Står allting om henne där?

– Naturligtvis inte. Beskrivningen av en människas liv, hur obetydligt eller ointressant det än har varit, fyller betydligt fler papper än vad som ryms i den där pärmen. Harriet Bolson verkar inte ha varit världens mest spännande människa. Men om hon begått en så dramatisk handling som en abort kan jag inte utläsa av det material Clark Richardson hittills har skickat över från USA.

– Och Birgitta Medberg?

– Det vet jag inte. Men det kan inte vara svårt att ta reda på. Det är väl bara att ringa till hennes obehagliga dotter. Men man kanske inte berättar sånt för sina barn? Mona gjorde aldrig nån abort så vitt jag vet. Vet du?

– Nej.

– Betyder det att du inte vet eller att hon aldrig gjorde det?

– Mamma har aldrig gjort abort. Det skulle jag känna till.

– Jag begriper inte det här, jag förstår inte vad som är så viktigt.

Linda försökte tänka. Hon kunde naturligtvis missta sig, men samtidigt var hon övertygad om att hon hade rätt.

– Kan man försöka ta reda på om dom gjort abort eller inte?

– Jag ska göra det när du har förklarat varför det är viktigt.

Linda kände att nånting brast. Hon började gråta och slog nävarna hårt i bordet. Hon hatade att gråta inför sin far. Inte bara inför honom, alla. Den ende hon kunnat gråta inför utan att plågas hade varit farfadern.

– Jag ber dom ta reda på det, sa han och reste sig. Men när jag kommer tillbaka måste du förklara varför det var så viktigt att jag skulle skjuta på mötet. Vi talar om döda människor här, inga övningar på Polishögskolan.

Linda tog ett glasfat som stod på bordet och slängde mot honom. Fatet träffade honom i pannan och slog upp ögonbrynet. Blodet började genast rinna. Det droppade ner på pärmen med Harriet Bolsons namn på ryggen.

– Det var inte meningen.

Han tryckte pappersservetter mot ögonbrynet.

– Jag tål inte att du retar mig.

Han lämnade rummet. Linda plockade upp glasskärvorna. Hon var så upprörd att hon skakade. Han var rasande, det visste hon. Ingen av dem tålde förödmjukelser. Men hon ångrade ingenting.

Det tog en kvart innan han kom tillbaka. Han hade ett provisoriskt bandage fasttejpat i pannan och intorkat blod på kinden. Linda var beredd på att han skulle börja ryta åt henne. Men han satte sig bara på sin stol igen.

– Hur är det? frågade hon.

Han bortsåg från hennes fråga.

– Ann-Britt Höglund ringde Vanja Jorner, Birgitta Medbergs dotter. Hon blev ursinnig över frågan och hotade med att ringa kvällspressen och berätta att vi usla poliser inte gjorde vårt arbete. Men Ann-Britt lyckades pressa ur henne att Birgitta Medberg med största sannolikhet aldrig medvetet framkallat någon abort.

– Det var som jag trodde, mumlade Linda. Och den andra? Hon från Tulsa?

– Ann-Britt Höglund håller på att ringa till USA, sa han. Vi är inte riktigt överens om vad klockan är där. Men för att det inte ska ta för lång tid ringer hon i stället för att faxa.

Han kände med fingrarna på bandaget.

– Det är din tur nu.

Linda talade långsamt, för att hålla styr på sin röst men också för att inte hoppa över något som kunde vara viktigt.

– Jag ser fem kvinnor framför mig. Tre av dom är döda, en av dom har försvunnit och den sista har varit försvunnen men har återkommit. Plötsligt anar jag ett sammanhang. Ni har hela tiden trott att Birgitta Medberg blev dödad för att hon gick fel. Hon hör inte till det som jag tror är åtminstone en del av förklaringen till det som händer. Sylvi Rasmussen blir mördad. Av papper som kommit från Köpenhamn framgår att hon gjort aborter. Låt oss anta att svaret från USA kommer att visa att också Harriet Bolson har gjort en abort eller fler. Det gäller också den fjärde personen, hon som nu är försvunnen, Zebran. För bara nån dag sen berättade hon för mig att hon varit med om en abort. Det kanske är det som länkar ihop dom här kvinnorna.

Hon tystnade och drack vatten. Hennes far trummade med fingrarna på bordet och såg in i väggen.

– Jag förstår ändå inte?

– Jag är inte färdig än. Zebran berättade inte bara för mig om sin abort. Anna Westin hörde samma ord som jag, men hennes reaktion var egendomlig. Hon blev upprörd på ett sätt som jag inte förstod. Inte Zebran heller. Anna tog avstånd, nästan som i vrede, från kvinnor som gör abort. Hon reste sig och gick. Och när Anna förstod att Zebran var borta grät hon, skakade och klöste mig på armen. Men det var som om hon egentligen inte var rädd för Zebrans skull. Utan för sin egen.

Linda tystnade. Hennes far fingrade på den bandagerade pannan.

– Vad menar du med att Anna verkade mest rädd för sin egen skull?

– Jag vet inte.

– Du måste försöka förklara.

– Jag säger som det är. Jag är både säker och inte säker, på en och samma gång.

– Hur kan du vara det?

– Jag vet inte.

Han såg frånvarande in i väggen ovanför hennes huvud. Linda visste att hans blick mot en tom yta alltid tydde på stor koncentration.

– Jag vill att du berättar för dom andra, sa han.

– Det kan jag inte.

– Varför inte?

– Jag blir nervös. Jag kan ha fel. Kanske kvinnan från Tulsa inte alls har gjort nån abort?

– Du får en timme på dig att förbereda dig, sa han och reste sig. Inte mer. Jag säger till dom andra.

Han gick ut och slog igen dörren. Linda fick en känsla av att hon inte skulle kunna ta sig ut ur rummet. Han hade låst in henne, inte med en nyckel utan med den förberedelsetid han gett henne, en timme, inte mer. Hon försökte skriva ner det hon tänkte i ett block. Hon drog till sig ett som låg övergivet på bordet. När hon slog upp det stirrade hon på en dålig teckning av en naken kvinna som bjöd ut sig i en frestande pose. Till sin förvåning upptäckte hon att det var Martinssons block. Men varför förvånar det mig, tänkte hon. Alla män jag känner ägnar en ofantlig tid åt att klä av kvinnor i sina drömmar.

Hon hämtade ett oanvänt block som låg bredvid en overheadapparat, skrev de fem kvinnornas namn och ritade en cirkel kring Zebran.

Det hade gått fyrtiofem minuter när dörren slogs upp och Linda blev frigiven ur sitt fängelse. Det var som om en hel delegation kom inmarscherande, anförd av hennes far. Han viftade med ett papper i handen.

– Harriet Bolson har gjort två aborter.

Med glasögonen i handen, det par som saknade ena skalmen, läste han högt:

We do not talk easily and openly about these matters over here. I had to rise my voice, and it helped. Yes, Sir, indeed that woman did twice what you thought. I guess it is important. Why?

Han satte sig ner, de andra följde efter.

– Clark Richardsons fråga är naturligtvis avgörande. *Varför?* Det är vad vi ska ta reda på. Varsågod Linda och berätta om din teori.

Linda tog ett djupt andetag och lyckades utan att komma av sig en enda gång berätta om sina misstankar. Hennes far tog över.

– Uppenbart är att Linda kommit nånting på spåren som kan vara viktigt. Vi vet inte alldeles säkert än, vi fortsätter att röra oss försiktigt eftersom terrängen är undanglidande. Men nog är det substans i det här, det kan vi inte bortse från, mer substans än vi hittills lyckats gräva fram.

Dörren öppnades. Lisa Holgersson gled in och satte sig vid bordet. Kurt Wallander lät pappret falla och lyfte händerna som om han alldeles strax skulle slå igång en orkester.

– Jag tror vi ser nånting som vi inte riktigt vet vad det föreställer, men som ändå finns där.

Han reste sig, drog fram ett stativ med ett blädderblock där nån skrivit ”Högre lön för fan”. Det utbröt viss munterhet i rummet, till och med Lisa Holgersson skrattade. Kurt Wallander bläddrade fram ett tomt blad. Han log vänligt.

– Som ni vet blir jag inte gärna avbruten. Buropen kan komma efteråt.

– Jag har tomater med, sa Martinsson glatt. Ann-Britt har ruttna ägg, dom övriga kommer att skjuta skarpt på pianisten. Din dotter verkar redan ha siktat in sig. Det har för övrigt blött igenom ditt bandage. Du ser ut som Döbeln vid Jutas.

– Vem är det? frågade Stefan Lindman.

– En man som bevakade en bro i Finland, sa Martinsson. Lärde du dig ingenting i skolan?

– Han som vaktade bron hette nånting annat, sa Ann-Britt Höglund. Vi läste det där i skolan, det var en rysk författare.

– Finsk, sa Linda till sin egen förvåning. Han hette Sibelius.

– För fan, sa Kurt Wallander.

Martinsson reste sig.

– Det här ska redas ut. Jag ringer Albin, min bror, som är lärare.

Martinsson lämnade rummet.

– Jag tror inte han hette Sibelius, sa Lisa Holgersson. Men nånting liknande.

Martinsson kom tillbaka efter några tysta minuter.

– Topelius, sa han. Döbeln vid Jutas hade dock ett stort bandage. Däri hade jag rätt.

– Men han vaktade ingen bro, mumlade Ann-Britt Höglund.

Det blev tyst i rummet.

– Jag gör ett försök att sammanfatta, sa Kurt Wallander och gick igenom allt de visste.

Efter sin långa genomgång satte han sig ner och sa:

– Vi har gjort ett misstag. Varför har vi inte låtit mäklaren i Skurup, han som sålde huset i Lestarp, höra på bandet med det inkommande larmet om dom brinnande svanarna? Han ska komma hit så fort som möjligt. Ordna det.

Martinsson reste sig och lämnade rummet. Stefan Lindman ställde ett fönster på glänt.

– Har vi frågat Norge om dom har nån Torgeir Langaas? undrade Lisa Holgersson.

Kurt Wallander såg på Ann-Britt Höglund.

– Ännu inget svar, sa hon.

– Slutsatser, fortsatte Kurt Wallander och klargjorde med en blick på sitt armbandsur att mötet var på väg att ta slut. För tidigt, men det är nödvändigt att vi slår åt två håll samtidigt. Dels att allt hänger ihop, dels att det inte gör det. Men utgångspunkten är första alternativet. Vi har att göra med människor som planerar och utför nåt som på ytan kan verka rena galenskapen men som kanske inte är det för dom som är gärningsmän. Offer, bränder, ritualmord. Jag tänker på den där bibeln där nån sitter och ändrar i texten. Det är lätt att vi ropar: Det är en dåre. Det kanske inte är så. En medveten plan, medvetna människor, men med förvridna och obegripligt brutala sätt att förhålla sig till medmänniskor. Jag har dessutom en tilltagande känsla av att det är bråttom. Det finns en sorts tempoökning i det som sker. Nånting accelererar. Nu gäller det att hitta Zebran. Och tala med Anna Westin.

Han vände sig mot Linda.

– Jag tänkte att du kunde hämta upp henne. För ett vänligt men nödvändigt samtal. Eftersom vi alla är oroade över att Zebran har försvunnit.

– Vem tar hand om pojken?

Ann-Britt Höglund riktade frågan rakt mot Linda. För en gångs skull verkade hon inte snorkig.

– En grannfru som brukar passa honom.

Kurt Wallander dängde en handflata i bordet som tecken till uppbrott.

– Torgeir Langaas, sa han när han rest sig. Jaga på dom norska kollegorna. Och vi andra ska leta efter Zebran.

Tillsammans med sin far gick Linda och drack kaffe. Efter en kvart hade de inte sagt ett enda ord till varandra. Tystnaden bröts av att Svartman satte sig vid bordet.

– Västerås har hittat fingeravtryck som stämmer överens med Eslöv. Det kan möjligen också vara så att det finns bilspår som kan vara samma. Inte mellan Västerås och Eslöv alltså, men mellan Sölvesborg och Trelleborg. Jag tänkte du ville veta det.

– Det vill jag inte alls. Jag vet inte ens vad du talar om.

Svartman såg olycklig ut. Linda kunde mycket väl förstå att hennes far kunde bete sig illa när han var på dåligt humör.

– Dynamiten, sa Svartman. Stölderna.

– Jag har inte tid. Finns det ingen annan som kan hålla i det här?

– Jag håller i det. Det var du som sa att du ville vara informerad.

– Sa jag? Det har jag glömt. Men då vet jag att nånting händer.

Svartman reste sig och gick.

– Vad var det han talade om?

– Vi hade ett antal som det verkade samordnade stölder av dynamit för nån månad sen. Det har aldrig tidigare stulits så mycket sprängmedel i Sverige vid ett enskilt tillfälle. Det var bara det.

De gick in på hans kontor. Efter tjugo minuter knackade Martinsson på dörren samtidigt som han ryckte upp den. Han hajade till när han upptäckte att Linda var där.

– Förlåt.

– Vad är det?

– Ture Magnusson är här för att lyssna på bandet.

Linda såg hur hennes far studsade upp ur stolen. Han tog henne i armen och drog henne med sig. Ture Magnusson verkade nervös. Martinsson gick för att hämta bandet. Eftersom hennes far fick ett telefonsamtal från Nyberg och genast hamnade i gräl med honom om "borttappade bromsspår", var det Linda som fick ta hand om den nervöse fastighetsmäklaren.

– Har du hittat den där norrmannen?

– Nej.

– Jag är inte alls säker på att jag kommer att känna igen rösten.

– Det är ingen som begär det heller. Vi kan bara hoppas.

Telefonsamtalet tog slut. Samtidigt kom Martinsson tillbaka. Han verkade bekymrad.

– Bandet måste vara kvar här, sa han. Det finns inte i arkivet.

– Var det ingen som la tillbaka det? frågade Kurt Wallander irriterat.

– Inte jag, sa Martinsson.

Han letade på hyllan bakom bandspelarna. Linda såg hur hennes far stack in huvudet i larmrummet.

– Vi saknar ett band, röt han. Kan vi få lite hjälp här?

Ann-Britt Höglund anslöt sig. Men ingen hittade något band. Linda såg hur hennes far blev rödare och rödare i ansiktet. Men det var inte han som till slut exploderade, det var Martinsson.

– Hur i helvete ska det vara möjligt att bedriva polisarbete när arkivband kan försvinna hur som helst?

Han stod och höll i en bruksanvisning för bandspelare. Den slängde han i väggen som punkt när han talat färdigt. De fortsatte att leta efter bandet. Linda fick till sist en känsla av att hela Ystads polisdistrikt var sysselsatt med att leta efter bandet. Men det förblev försvunnet. Linda såg på sin far. Han verkade trött, kanske uppgiven. Men hon visste att det snart skulle gå över.

– Vi kan bara beklaga, sa Kurt Wallander till Ture Magnusson. Bandet tycks vara borta. Vi har ingen röst att be dig ta ställning till.

– Får jag föreslå en sak, sa Linda.

Hon hade tvekat in i det sista. Men nu vågade hon.

– Jag tror jag kan imitera rösten, sa hon. Det är visserligen en man som talar. Men jag kan försöka.

Ann-Britt Höglund såg ogillande på henne.

– Varför tror du att du skulle kunna det?

Linda kunde ha gett henne ett långt svar. Om hur hon av en tillfällighet, någon av de första månaderna på Polishögskolan, under en festkväll tillsammans med de andra kvinnliga kurskamraterna hade imiterat en av de mest kända programledarna i teve. Hon hade inte förberett sig, men varit så bra att hennes kamrater blivit imponerade. Hon hade tänkt att det var nybörjartur. Men när hon sedan, bara för sig själv, försökte imitera andra röster hade det snart visat sig att hon hade en oväntat stor förmåga att träffa rätt. Ibland misslyckades hon helt. Det fanns röster hon inte alls kunde imitera. Men oftast lyckades hon.

– Jag kan försöka, sa hon bara. Vi har knappast nåt att förlora på det.

Stefan Lindman hade kommit in i rummet. Han nickade uppmuntrande.

– Vi är ju ändå här, sa Kurt Wallander tveksamt.

Han pekade på Ture Magnusson.

– Vänd dig om. Du ska inte se, bara lyssna. Är du det minsta osäker ska du säga det.

Linda gjorde upp en plan. Hon skulle inte gå direkt på målet, först följa en omväg.

– Vem kommer ihåg vad som sas? frågade Stefan Lindman.

Martinsson hade det bästa minnet. Han repeterade texten. Linda visste hur hon skulle göra det nu; det var en övning inte bara för Ture Magnusson utan för alla som fanns i rummet.

Hon gjorde rösten mörk och letade rätt på brytningen.

Ture Magnusson skakade på huvudet.

– Jag är osäker. Det är nästan så att jag känner igen det. Men bara nästan.

– Jag vill gärna göra det igen, sa Linda. Det blev inte riktigt bra.

Ingen hade något att invända. Fortfarande höll sig Linda alldeles i utkanten av det riktiga tonfallet. Ture Magnusson skakade återigen på huvudet.

– Jag vet inte, sa han. Jag kan inte svära på det.

– En sista gång, sa Linda.

Det var nu det gällde. Hon tog ett djupt andetag och upprepade texten. Nu gick hon in för att göra allting rätt. När hon tystnat hade Ture Magnusson redan vänt sig om.

– Ja, sa han. Så lät han. Det var han. Sån var hans röst.

– Först på tredje försöket, sa Ann-Britt Höglund. Vad är det värt?

Linda lyckades inte helt dölja hur belåten hon var. Hennes far som alltid var vaksam upptäckte det genast.

– Varför känner han igen det först tredje gången? frågade han.

– Därför att dom två första gångerna lät jag annorlunda, svarade Linda. Först tredje gången imiterade jag rösten på bandet.

– Jag hörde ingen skillnad, sa Ann-Britt Höglund misstänksamt.

– Allt i en röst man imiterar måste vara rätt, sa Linda.

– Det var värst, sa Kurt Wallander och reste sig upp. Stämmer det?

– Det stämmer.

Han spände ögonen i Ture Magnusson.

– Är du säker på din sak?

– Jag tror det.

– Då tackar vi dig.

Linda var den enda som tog Ture Magnusson i hand. Hon följde honom ut i receptionen.

– Du gjorde det bra, sa hon. Tack för att du kom.

– Hur kan man imitera en röst så skickligt som du? frågade han. Jag kunde nästan se honom framför mig igen.

Ture Magnusson försvann.

– Anna, sa Kurt Wallander. Jag tror det är dags att hämta henne nu.

Linda ringde på dörren till Annas lägenhet. Ingen öppnade. Anna var inte hemma. Linda blev stående orörlig i trappuppgången. Plötsligt började hon förstå varför Anna hade bestämt sig för att försvinna igen.

44

På natten hade han en dröm som han mindes när han vaknade i gryningen. Det hade börjat med en minnesbild från den tid då han fortfarande hade varit sandalmakare. En gång hade han besökt Malmö tillsammans med Henrietta och Anna. Medan Henrietta var hos sin tandläkare tog han med sig Anna och gick ner till hamnen. Där hade de skrivit en hälsning från Anna på en lapp, lagt den i en flaska och slängt den i havet. Nu hade han drömt att flaskposten kommit tillbaka. I drömmen hade han återvänt till sjön invid campingplatsen där han bott i sin husvagn. Han hade tagit upp flaskan ur sjön och läst den lapp han skrivit tillsammans med Anna många år tidigare. Men han hade inte kunnat tyda det som stod skrivet. Bokstäverna och orden var främmande för honom.

Sen hade drömmen plötsligt växlat skepnad. Nu satt han på stranden av en annan sjö och såg på brinnande svanar i en kikare. När svanarna försvunnit i vattnet som fräsande svartbrända klot hade han följt två människor i kikaren. Det hade förvånat honom eftersom det egentligen var Torgeir som sett Annas väninna Linda och hennes far vid stranden. I drömmen hade han bytt identitet med Torgeir.

Drömmen hade varit mycket tydlig. Mellan honom och Torgeir fanns inte längre några avstånd. När han ville kunde han överta Torgeirs identitet utan att denne märkte det.

Det var Torgeir som skulle hämta Anna utanför den igenbommade pizzerian i Sandskogen sent på eftermiddagen. Först hade Erik Westin tänkt hämta henne själv för att vara helt säker på att hon verkligen följde med. Men till sist hade han ändå gjort bedömningen att hon redan var så beroende av honom att hon inte skulle bjuda motstånd. Hon kunde inte veta vad han bestämt sig för. Eftersom hon heller inte visste vad som hade hänt Harriet Bolson – där hade han gett stränga besked till Torgeir att ingenting avslöja – hade hon ingen orsak att plötsligt bestämma sig för att fly. Det han var rädd för var hennes intuition. Han hade försökt avläsa den och kommit fram till att den var nästan lika stark som hans egen. Anna är min dotter, tänkte han. Hon är vaksam, uppmärksam, hela tiden mottagare av de budskap hennes intuition sänder till henne.

Torgeir skulle hämta henne i den blå Saaben som de stulit på långtidsparkeringen vid Sturup. Han hade några dagar tidigare antecknat tio registreringsnummer och ringt bilregistret för att få fram ägarna. Sen hade han ringt deras hemnummer och – som en grimas åt sitt eget förflutna – låtsats vara en redare på jakt efter svenskt kapital som skulle investeras i nya flytande charterhotell. Han hade valt att ta de två bilar vars ägare befann sig på de längsta tjänsteresorna, och en tredje som tillhörde en pensionerad gruvdirektör som just hade rest iväg på en tre veckors semester i Thailand.

Erik Westin gav Torgeir noggranna instruktioner. Även om det inte var troligt kunde Anna ha blivit rädd när Zebran försvann. Det fanns en risk att hon började tala med Linda, den som Erik bedömde var hennes närmaste förtrogna. Trots att han först varnat henne och sedan förbjudit henne att ha några nära samtal med andra människor än honom själv. Det kunde leda henne fel, hade han upprepat gång på gång, nu när hon äntligen hade hittat den rätta vägen. Även om det var han som varit borta i många år var det hon som var den förlorade sonen eller dottern som Bibeln berättade om. Det var hon som kommit hem, inte han. Det som skedde nu var nödvändigt, hon hade en far som skulle ställa människor till svars, alla de som övergivit Gud och byggt katedraler där de hyllade sig själva i högmod, inte Gud med den yttersta ödmjukheten. Han hade sett den förhäxade reflexen i hennes ögon och visste att han, om han hade tillräckligt med tid, skulle kunna radera ut alla tvivel som fortfarande gömde sig i hennes hjärna. Problemet var bara att han inte hade all den tid de behövde. Det var ett misstag han gjort, det erkände han för sig själv. Han skulle ha sökt upp sin dotter långt innan, gjort sig synlig för henne tidigare än där på gatan i Malmö. Men han hade alla de andra att ta sig an, alla de som skulle öppna portarna på den dag och de platser han bestämt.

En gång i framtiden skulle han berätta hur allt gått till, det var det arv han skulle lämna efter sig. Det skulle bli det femte evangeliet. En gång skulle han berätta hur han gjort upp en plan efter många långa timmar och dagar och månader av tankearbete. Han hade framställt den som en uppenbarelse, det hade varit nödvändigt för att de skulle vara beredda att följa honom. Guds röst och ande var den yttersta bekräftelsen på att det som nu skulle ske var ett oundgängligt offer som skulle bereda dem ett evigt liv i paradiset, vid Guds sida. ”Ni kommer att bo i hans annex”, hade han sagt. ”Gud bor i ett slott, inte av murade väggar men vävt av den yppersta ullen från de heliga fåren. Till detta slott finns en flygel och där ska ni bo.”

Han hade i sina predikningar, ”de gudomliga övertalningskampanjerna”, hela tiden talat om det som väntade dem. Offret var bara ett hastigt avsked, ingenting annat. Deras martyrskap var ett privilegium som alla människor skulle slåss om att få vara delaktiga i bara de kände till sanningen om den krigsförklaring mot ogudaktigheten han just hade utfärdat.

Harriet Bolsons död hade varit deras största prövosten hittills. Han hade instruerat Torgeir att vaka över deras reaktioner. Om det var någon som började svikta, falla ifrån eller bryta ihop. Själv hade han hållit sig på avstånd. Han hade förklarat för Torgeir att han måste genomgå en reningsprocess efter det som hade hänt. Han måste vara ensam, tvätta sig noga tre gånger varje dag och tre gånger varje natt, raka sig var sjätte timme och inte tala med någon, tills han helt hade befriat sig från de onda krafter som funnits i Harriet Bolson. Torgeir hade ringt honom på olika stulna mobiltelefoner två gånger om dagen. Det fanns inga tecken på att någon sviktade. Tvärtom tyckte sig Torgeir märka en tilltagande otålighet, som om de inte nog snart kunde få begå sitt yttersta offer.

Han hade talat noga med Torgeir innan han for iväg för att hämta Anna. Vid minsta tecken på att hon inte ville stiga in i bilen skulle Torgeir tvinga henne. Det var därför han valt den avsides belägna platsen vid pizzerian. Han hade noga iakttagit Torgeir när han sa att denne fick använda våld mot Anna. Torgeir hade också tvekat, det hade skymtat oro och osäkerhet i hans ögon. Erik Westin hade gjort rösten mild och lutat sig fram mot Torgeir samtidigt som han lagt handen på hans axel. Vad var det som oroade honom? Hade han nånsin gjort skillnad på människor? Hade han inte plockat upp Torgeir ur rännstenen? Varför skulle inte hans dotter behandlas på samma sätt som alla andra? Hade Gud inte skapat en värld där alla var lika, en värld som människorna hade förnekat och sedan förstört? Var det inte den världen de nu skulle tvinga människan att återvända till?

Han hade inte släppt iväg Torgeir förrän han var säker på att denne inte skulle tveka att använda våld mot Anna om det var nödvändigt. Hans dotter skulle, om allt gick som han hoppades, om hon visade sig värdig, bli hans arvtagare. Guds nya rike på jorden kunde aldrig överges som tidigare skett. Det måste alltid finnas en ledare, och Gud hade själv sagt att hans rike var ett arvrike.

Han hade också tänkt att Anna kanske inte var den rätta. I så fall skulle han se till att skaffa sig fler barn och bland dem välja den som en gång skulle efterträda honom.

Under dessa de sista dagarna innan den stora planen skulle sättas i verket hade de tre högkvarter. Erik hade åt sig själv valt ut en villa vid Sandhammaren som var ensligt belägen och tillhörde en pensionerad sjökapten som just nu låg på sjukhus efter ett lårbensbrott. Det andra var en övergiven gård strax utanför Tomelilla som var till salu, det tredje det hus Torgeir köpt bakom kyrkan i Lestarp och som de övergivit när polismannens dotter visat sig alltför intresserad.

Erik visste inte hur Torgeir letade sig fram till de hus som stod tomma och där ingen kunde tänkas komma på oväntat besök. Det var det förtroende han visade Torgeir, att lita på att han inte begick några misstag.

När Torgeir åkt för att hämta Anna gick Erik Westin ner i källaren. Han tänkte att Torgeir hade utvecklats till en mycket skicklig spårhund när det gällde att hitta de goda gömställena, de som fyllde alla hans växlande krav. Just det här huset hade ett väl ljudisolerat utrymme där en människa kunde hållas instängd några dygn. Den gamle sjökaptenen hade låtit bygga sitt hus med tjocka väggar, och i ett källarrum fanns en dörr med ett litet fönster. När Torgeir visade honom det hade de talat om att det var som om sjökaptenen hade en egen privat fängelsecell i sitt hus. De hade aldrig kommit fram till en vettig förklaring till varför sjökaptenen hade inrett cellen. Torgeir hade föreslagit att det kanske var ämnat som ett skyddsrum om kärnvapenkriget bröt ut. Men fönstret i dörren? Varför fanns det där?

Han stannade och lyssnade. I början när hon vaknat upp ur bedövningen hade hon skrikit och slagit i väggarna och sparkat omkull den hink som var avsedd som toalett. När hon hade varit tyst länge hade han försiktigt kikat in genom fönstret. Hon hade suttit hopkurad på sängen. På ett bord fanns vatten, bröd och pålägg. Han såg att hon inte hade rört det, vilket han heller inte hade väntat sig.

Det var tyst också nu när han återvände ner till källaren. Han gick med ljudlösa steg genom gången och tittade försiktigt in genom fönstret. Hon låg på sängen med ryggen vänd mot honom och sov. Han betraktade henne länge tills han var säker på att hon andades. Då gick han upp igen och satte sig på verandan i väntan på att Torgeir skulle komma med Anna. Det fanns fortfarande ett problem han ännu inte hade löst. Snart, mycket snart, skulle han bli tvungen att fatta ett beslut om vad som skulle hända med Henrietta. Hittills hade Torgeir och Anna lyckats övertyga henne om att allt var som det skulle. Men Henrietta var opålitlig och lynnig. Det hade hon alltid varit. Kunde han så ville han spara hennes liv. Men om så blev nödvändigt skulle han heller inte tveka att låta henne försvinna.

Han satt på verandan och såg ut mot havet. En gång hade han älskat Henrietta. Även om det låg inbäddat i ett overkligt skimmer och så långt tillbaka i tiden att det kändes som något han inte upplevt utan bara hört berättas, hade kärleken aldrig helt utplånats. Först när Anna hade blivit född hade han känt den stora kärleken, men trots att han hade älskat sin dotter från första stund, aldrig tröttnat på att hålla henne, se på henne när hon sov eller lekte, hade kärleken också innehållit ett stort tomrum, det som till sist gjorde att han bröt upp och övergav dem båda. När han gav sig av hade han tänkt att han snart skulle komma tillbaka, kanske bara vara borta några veckor, högst en månad. Men redan när han kommit till Malmö hade han insett att den resa han påbörjat skulle vara mycket länge, kanske för alltid. Det hade funnits ett kort ögonblick på järnvägsstationen då han nästan hade bestämt sig för att vända om. Men han kunde inte, livet måste vara något mer, något annat än det han dittills hade upplevt.

Han tänkte tillbaka på den tid som varit som en vandring rakt ut i öknen. Det första steget var flykten, den förvirrade pilgrimsfärden som saknade mål. Just i det ögonblick han bestämt sig för att släppa det sista fästet och ta sitt liv hade pastor Jim Jones kommit i hans väg. Det hade varit oasen i öknen. Först hade han trott det vara en hägring, sedan hade han känt att det var äkta källvatten som rann genom hans strupe. Jim hade alltid talat om vattnet, det var den heligaste av alla drycker, heligare än vinet. Och sedan hade det trots allt visat sig vara en hägring.

Det gick några människor nere på stranden. En av dem hade en hund, en annan bar ett litet barn på sina axlar. Det är för er jag gör det här, tänkte han. Det är för er skull jag har samlat dem som är beredda att bli martyrer, för er frihets skull, för att fylla den tomhet ni kanske inte ens anar att ni bär djupast inom er själva.

Människorna på stranden försvann. Han såg på vattnet. Vågorna var nästan omärkliga, den svaga vinden kom från sydost. Han gick ut i köket och hämtade ett glas vatten. Ännu skulle det dröja minst en halvtimme innan Torgeir kom tillbaka med Anna. Han satte sig på verandan igen. Långt ute vid synranden tyckte han sig se ett fartyg. Den tid han hade innan Anna kom skulle han använda till att försöka lösa ett besvärligt problem som han inte helt kunde förutse vilka uttryck det skulle ta sig. De kristna martyrerna var så få att människor knappt längre visste att de fanns. Under andra världskriget hade präster dött för andra i koncentrationsläger, det fanns heliga män och heliga kvinnor. Men martyrskapet hade gått de kristna ur händerna, på samma sätt som allting annat. Nu var det muslimerna som inte tvekade att kalla ut människor för att begå den yttersta offerhandlingen. På video hade han studerat hur de förberedde sig, hur de dokumenterade sitt beslut att dö martyrdöden; han hade kort sagt lärt det som fanns att lära av dem som utövade den religion han hatade mest, den största fienden, som han inte tänkte bereda någon plats i det Gudsrike som skulle komma. Det fanns en fara här: människor i den kristna världen – eller den värld som en gång varit kristen och som skulle bli det igen – skulle se de dramatiska händelser som snart skulle ske som verk av muslimer. Det fanns både något gott och något dåligt med denna förvirring, det goda att ett förnyat hat mot muslimerna skulle blossa upp, det dåliga att det skulle ta tid för människor att förstå att de kristna martyrerna nu hade återvänt. Det var ingen liten väckelserörelse, inget Maranata, utan en stor omvändelse som skulle pågå tills Guds rike på jorden var återupprättat.

Han såg på sina händer. Ibland när han tänkte på vad som väntade honom kunde hans händer börja skaka. Men nu var de stilla. Man kommer under en kort period att se mig som en dåre, tänkte han. Men när martyrerna vandrar fram i oändliga rader kommer människorna att förstå att jag är den förnuftets apostel man har väntat på i tusentals år. Jag hade inte klarat det här utan Jim Jones, tänkte han. Hos honom lärde jag mig att behärska min svaghet, att inte frukta att mana andra att dö för de högre målen. Jag lärde mig att friheten och frälsningen bara kan ske i blod, i död, det finns inga andra vägar att gå, och någon måste alltid gå först.

Någon måste alltid gå först. Det hade Jesus gjort. Men Gud hade övergett honom eftersom han inte gått tillräckligt långt. Jesus hade en svaghet, tänkte han. Jesus saknade den styrka som jag har. Det han lämnade ofullbordat är vår sak att slutföra. Guds rike på jorden ska bli det rike där allt underordnas budorden. I Bibeln finns alla regler människor behöver för att leva. Vi kommer att gå in i tidevarv av heliga krig, men vi kommer att segra eftersom den kristna världen har den vapenmakt som ingen kan besegra.

Han kisade ut mot synranden. Fartyget gick mot väster. Vinden hade avtagit ytterligare. Han såg på klockan. Torgeir borde komma snart. Resten av denna dag och den natt som följde skulle han ägna all sin tid åt henne. Han hade fortfarande inte vunnit kampen om hennes vilja. Ännu bjöd hon motstånd. Det hade varit ett stort steg framåt när hon accepterade att ljuga om sitt förhållande till den man, Vigsten, som var Torgeirs värddjur i Köpenhamn. Anna hade aldrig tagit en enda pianolektion, men det verkade som om hon övertygat poliserna som talat med henne. Han irriterade sig åter på att han gjort en felaktig bedömning av hur mycket tid han behövde. Men det var för sent nu. Allt kunde inte gå precis som han tänkt sig. Det viktigaste var att inte den stora planen rubbades.

Ytterdörren öppnades. Han lyssnade. Under de svåra åren hade han ägnat mycket tid åt att öva upp känsligheten hos alla sina sinnen. Det var som om han vässat eggen på hörseln, synen, lukten. Ibland tänkte han sig dem som skarpa knivar som hängde osynliga i hans bälte. Han lyssnade på fotstegen, Torgeirs tyngre, och de lättare, Anna var med. Torgeir släpade henne inte, hon rörde sig i sitt eget tempo, alltså hade han inte behövt använda våld.

De kom ut på verandan. Han reste sig upp och omfamnade Anna. Hon var orolig, det såg han, men inte värre än att han skulle klara av att lugna henne. I detta lugn skulle han också besegra de sista resterna av hennes vilja som spjärnade emot. Han bad henne sätta sig medan han följde Torgeir till dörren. De samtalade lågt med varandra. De besked Torgeir gav gjorde honom lugn. Utrustningen låg i tryggt förvar, människorna väntade i de två husen. Ingen hade visat tecken på annat än otålighet.

– Det är hungern, sa Torgeir. Hunger och åtrå.

– Vi närmar oss snart den femtionde timmen. Två dygn och två timmar tills vi lämnar våra gömställen och går till det första angreppet.

– Hon var alldeles lugn när jag hämtade henne. Jag kände på hennes panna, pulsen var normal.

Vreden kom från ingenstans.

– Det är endast jag, enbart jag, som har rätten att trycka fingret mot någons panna och någons puls. Inte du, aldrig någonsin.

Torgeir bleknade.

– Jag borde inte ha gjort det.

– Nej. Men det kan finnas något du kan göra för mig. Så att jag glömmer det.

– Vad?

– Annas väninna. Hon som visar sig alltför nyfiken, alltför intresserad. Jag ska tala med Anna nu. Om det är så att den där flickan misstänker något måste hon försvinna.

Torgeir nickade.

– Jag antar att du förstår vem det är jag menar?

– Flickan som är dotter till en polis, sa Torgeir. Hon som heter Linda.

Han gav tecken till Torgeir att försvinna och gick tyst tillbaka genom vardagsrummet mot verandan. Anna hade satt sig på en stol intill väggen. Hon är som jag, tänkte han. Hon sätter sig alltid där hon har ryggen fri. Han fortsatte att betrakta henne. Hon verkade lugn. Men någonstans inom honom gnagde ett tvivel. Det var förnuftigt – bara de som inte tänkte sig för bortsåg från sina egna tvivel. De viktigaste vaktposterna har man alltid inom sig, likt skyddsänglar och olika alarm som varslar om faror. Han fortsatte att betrakta henne. Plötsligt vände hon ansiktet mot den plats där han stod. Han drog sig undan bakom dörren. Hade hon sett honom? Det oroade honom att hans dotter kunde göra honom osäker på så många olika sätt. Det finns ett offer jag inte vill göra, tänkte han. Ett offer jag fruktar. Men jag måste vara beredd på att det kan bli nödvändigt. Inte ens min dotter kan begära att alltid gå fri. Ingen kan göra det, ingen utom jag.

Han gick ut på verandan och satte sig mitt emot Anna. Han skulle just börja tala när det oväntade hände. Egentligen var det sjökaptenens fel, det var mot honom han riktade sin tysta förbannelse. Väggarna var inte så tjocka som han trott. Det steg ett tjut upp från källaren, genom golvet. Anna stelnade till. Tjutet övergick i ett vrål som om ett vilddjur i nöd höll på att tugga sig igenom cementen för att återfå friheten.

Zebrans röst, Zebrans tjut. Anna stirrade på honom, han som var hennes far men också så mycket mer. Han såg att hon bet sig så hårt i underläppen att hon började blöda.

Det skulle bli en lång och besvärlig kväll och natt, det förstod han. Plötsligt var han inte säker på om Anna hade övergett honom, eller om Zebrans tjut bara för ett ögonblick hade fört henne vilse.

45

Linda stod utanför Annas dörr och tänkte att hon borde sparka in den. Men varför, vad var det hon trodde att hon skulle kunna hitta därinne? Minst av allt Zebran. Som var den enda hon just nu brydde sig om. När hon stod där utanför dörren var det som om hon insåg vad som hade hänt utan att hon kunde formulera insikten i ord. Hon började kallsvettas. Hon kände i fickorna trots att hon visste att hon lämnat igen reservnycklarna, utom till bilen. Men vad ska jag med dom till, tänkte Linda. Vart ska jag åka? Finns bilen överhuvudtaget kvar? Hon gick ner på gården och såg att bilen stod där. Hon försökte tänka men rädslan blockerade henne. Först var det Anna hon oroat sig för. Så kom hon tillbaka. Nu hade Zebran försvunnit, och oron hade övergått till att handla om henne. Hon insåg plötsligt vad det var som gjorde henne förvirrad. Det handlade om Anna. Först hade hon varit rädd för att något hade hänt henne, och nu handlade rädslan om vad Anna kunde göra.

Hon sparkade till en sten så hårt att det smärtade i tån. Jag inbillar mig, tänkte hon. Vad är det jag tror att Anna skulle kunna göra? Hon började gå mot det hus där Zebran bodde. Hon tvärstannade efter några meter, vände om och hämtade Annas bil. I vanliga fall brukade hon skriva en lapp, nu var det som om tiden var för knapp. Hon for raka vägen hem till Zebran i alldeles för hög fart. Grannfrun var ute med pojken, men det fanns en halvvuxen dotter hemma som kände igen Linda och gav henne nyckeln till Zebrans lägenhet. Linda gick in, stängde bakom sig och drog återigen in den konstiga lukten i näsan. Varför är det ingen som undersöker den? tänkte hon. Kan det vara ett bedövningsmedel?

Linda befann sig mitt på golvet i vardagsrummet. Hon rörde sig ljudlöst, andades försiktigt, som om hon ville lura lägenheten att tro att den var tom. Hon tänkte: *Här kommer nån in. Zebran låser sällan dörren, nån öppnar och går in. Pojken finns här. Men han kan inte berätta vad som hänt. Zebran bedövas och förs bort, pojken skriker och grannfrun träder in i bilden.*

Linda såg sig omkring. Hur hittar man några spår? tänkte hon. Jag ser bara en lägenhet som är tom och jag kan inte genomskåda den tomheten. Hon tvingade sig att försöka tänka. Åtminstone lyckades hon formulera det som borde vara den viktigaste frågan: Vem kan veta nånting? Pojken har sett men han kan inte berätta. I Zebrans närhet fanns ingen som kunde bidra med informationer. Alltså måste hon övergå till Anna. Vem fanns där? Svaret var givet, hennes mor Henrietta som hon redan tidigare börjat misstro. Vad var det hon hade tänkt första gången hon besökte henne? Att hon inte talade sanning, att hon visste varför Anna var borta, att det var därför hon inte oroade sig.

Hon sparkade till en stol i ilska över att hon inte redan då försökt gräva djupare i det hon anat. Smärtan i tån förstärktes av den sten hon redan sparkat till. Hon lämnade lägenheten. Jassar höll på att sopa utanför sin butik.

– Har du hittat henne? frågade han.

– Nej. Har du kommit på nåt mer?

Jassar suckade.

– Ingenting mer. Mitt minne är dåligt, men jag är säker på att Zebran klängde på den där mannen.

– Nej, svarade Linda, och kände ett behov av att försvara Zebran. Hon klängde inte, hon var bedövad. Det du tyckte såg ut som en tjej som klängde var en tjej som var drogad.

Jassar såg bekymrad ut.

– Du kan ha rätt, sa han. Men händer såna saker? I en stad som Ystad?

Linda hörde bara delar av vad Jassar sa. Hon var redan på väg över gatan för att hämta bilen och åka ut till Henriettas hus. Hon hade just startat motorn när hennes mobil ringde. Det var från polishuset men inte hennes fars direktnummer. Hon tvekade men svarade. Det var Stefan Lindman. Hon blev glad över att höra hans röst.

– Var är du?

– I en bil.

– Det var din far som bad mig ringa. Han undrar var du håller hus. Och var är Anna Westin?

– Jag har inte hittat henne.

– Vad menar du med det?

– Kan jag mena så många olika saker? Jag gick hem till henne, hon var inte där. Jag försöker lista ut var hon befinner sig. När jag har hittat henne tar jag med henne upp till er.

Varför säger jag inte som det är? tänkte hon. Har jag lärt mig det hemifrån, av två föräldrar som aldrig sa som det var, alltid valde omvägar?

Det var som om han genomskådade henne.

– Är allting som det ska?

– Frånsett att jag inte hittat Anna; ja.

– Behöver du hjälp?

– Nej.

– Det lät inte övertygande. Tänk på att du inte är polis än.

Linda blev arg.

– Hur ska jag kunna glömma det när alla påminner mig om det?

Hon avslutade samtalet, stängde av mobilen och slängde den på sätet. Efter att ha kört runt gathörnet bromsade hon och slog på den igen. Hon for ut till Henriettas hus. Det hade börjat blåsa, vinden kändes kylig när hon steg ur bilen och gick mot huset. Hon såg bort mot det ställe där hon trampat i rävsaxen. Längre bort, på en av de kärrvägar som ringlade mellan de skånska fälten och åkrarna, stod en man och eldade skräp bredvid sin parkerade bil. Röken slets sönder av vindbyarna.

Linda fick en känsla av att hösten var nära. Nu väntade frosten. Hon gick in på gården och ringde på dörren. Hunden började skälla. Hon drog djupt efter andan och skakade armarna som om hon förberedde sig för att gå ner i ett par startblock. Henrietta öppnade. Hon log. Linda blev genast vaksam; det verkade som om Henrietta hade väntat henne, åtminstone var hon inte alls förvånad. Linda la också märke till att hon var sminkad, som om hon gjort sig fin för någon, eller försökt dölja att hon var blek.

– Det var oväntat, sa Henrietta och steg åt sidan.

Inte alls sant, tänkte Linda.

– Du är alltid välkommen. Kom in och sätt dig.

Hunden nosade och la sig sen i sin korg. Linda hörde att någon suckade. Hon såg sig omkring, men det fanns ingen där. Suckarna tycktes komma rakt ur de tjocka stenväggarna. Henrietta ställde fram en termos och två koppar.

– Vad är det som låter? frågade Linda. Människorna som suckar?

– Jag lyssnar just på en av mina äldsta kompositioner. Den är från 1987, en konsert för fyra suckande röster och slagverk. Lyssna nu!

Hon hade ställt ner brickan och höjt handen.

Linda lyssnade. Det var en ensam röst som suckade, en kvinnoröst.

– Det är Anna, sa Henrietta. Jag lyckades få henne att medverka. Hon suckar mycket melodiskt. Man kan tro på hennes sorg och bräcklighet. När hon talar finns alltid en tveksamhet i hennes röst. Det gör det aldrig när hon suckar.

Linda fortsatte att lyssna. Det var något spöklikt över tanken att spela in suckande röster och sammanfoga dem till något som kunde kallas musik.

En dundrande trumma bröt hennes tanke. Henrietta gick bort till bandspelaren och stängde den. De satte sig ner. Hunden hade börjat snarka. Det var som om ljudet återkallade Linda till verkligheten.

– Vet du var Anna är?

Henrietta såg på sina naglar, sedan på Lindas ansikte. Linda anade en osäkerhet i hennes blick. Hon vet, tänkte Linda. Hon vet och hon är beredd att förneka det hon vet.

– Det är egendomligt, sa Henrietta. Varje gång gör du mig besviken. Jag tror att du kommer hit för att hälsa på mig. Men allt du begär är att jag ska veta var min dotter befinner sig.

– Vet du var hon är?

– Nej.

– När talade du med henne senast?

– Hon ringde mig igår.

– Varifrån?

– Hemifrån.

– Inte från någon mobiltelefon?

– Hon har ingen, som du säkert vet. Hon tillhör dom som står emot frestelsen att alltid vara tillgänglig.

– Hon var alltså hemma?

– Är det här ett förhör?

– Jag vill veta var Anna är. Jag vill veta vad hon gör.

– Jag vet inte var min dotter befinner sig. Kanske hon är i Lund? Hon studerar till läkare, som du kanske vet.

Inte för tillfället, tänkte Linda. Det kan vara så att Henrietta inte känner till att Anna med all säkerhet har lämnat sina medicinstudier ofullbordade. Det kan vara en trumf jag kan dänga i bordet. Men senare, inte än.

Linda valde en annan väg att gå.

– Zebran, känner du henne?

– Lilla Zeba menar du?

– Vi kallar henne Zebran. Hon är borta. På samma sätt som Anna försvann.

Inte en ryckning, inte en min avslöjade om Henrietta kände till något. Linda kände sig som om hon var på offensiven i ringen och plötsligt blivit golvad av ett slumpslag. Det hade hänt en gång under tiden på Polishögskolan, de hade boxats och Linda hade plötsligt suttit på golvet och inte vetat hur hon hamnat där.

– Kanske hon kommer tillbaka på samma sätt som Anna gjorde?

Linda mer anade än såg blottan klart framför sig. Hon rusade rakt igenom med nävarna höjda.

– Varför sa du aldrig som det var? Att du visste var Anna befann sig?

Slaget tog hårt. Från ingenstans dök svettdroppar upp i Henriettas panna.

– Påstår du att jag ljuger? Då vill jag att du går. Jag vill inte ha såna människor i mitt hem. Du förgiftar mig, jag kan inte arbeta, musiken dör.

– Jag påstår att du ljuger. Och jag går inte förrän jag har fått svar på mina frågor. Jag måste få veta var Zebran är. Jag tror hon är i fara. På nåt sätt är Anna inblandad i det som händer. Kanske också du. En sak är säker. Du vet mycket mer än du låtsas om.

Henrietta skrek. Hunden reste sig i korgen och började skälla.

– Gå härifrån. Jag vet ingenting.

Henrietta hade rest sig och gått fram till ett fönster. Frånvarande öppnade hon det, stängde det igen, för att till sist låta det stå på glänt. Linda visste inte hur hon skulle fortsätta, bara att hon inte fick släppa taget. Henrietta lugnade sig och vände sig om. All hennes vänlighet var borta.

– Jag beklagar att jag for ut. Men jag tycker inte om att bli beskylld för att ljuga. Jag vet inte var Zebran är. Jag förstår heller inte varför du påstår att Anna skulle ha något med det att göra.

Linda insåg att Henrietta verkligen var upprörd. Eller också spelade hon det skickligt. Hon talade högt, utan att skrika, men rösten var som ett rytande. Hon hade inte satt sig igen, hon stod kvar borta vid fönstret.

– Den där kvällen när jag trampade i rävsaxen, sa Linda. Vem var det du talade med då?

– Spionerade du?

– Kalla det vad du vill. Varför tror du annars att jag var här? Jag ville veta varför du inte talade sanning när jag kom för att fråga om Anna.

– Den man som var här hade kommit för att tala om ett musikverk vi ska skapa tillsammans.

– Nej, svarade Linda och tvingade sig att vara stadig på rösten. Det var nån annan.

– Du påstår igen att jag ljuger?

– Jag vet att du ljuger.

– Jag talar alltid sanning, sa Henrietta. Men ibland svarar jag undvikande eftersom jag vill bevara mina hemligheter.

– Kalla det undvikande, jag kallar det lögn. Jag vet vem som var här.

– Vet du vem som var här?

Henrietta röst hade blivit gäll igen.

– Antingen en man som heter Torgeir Langaas eller också Annas far.

Henrietta ryckte till.

– Torgeir Langaas, nästan skrek hon. Och Annas far. Varför skulle nån av dom ha varit här? Jag känner ingen Torgeir Langaas. Annas far har varit försvunnen i tjugofyra år. Han är död. Jag tror inte på spöken. Torgeir Langaas, vad är det för namn? Jag känner ingen med det namnet, och Annas far är död, han finns inte, hon bara inbillar sig. Anna är i Lund, och vart Zebran har tagit vägen vet jag inte.

Henrietta försvann ut i köket och kom tillbaka med ett glas vatten. Hon flyttade några kassettband som låg på en stol på andra sidan om Linda och satte sig. Linda vred på kroppen för att kunna se hennes ansikte. Henrietta log. När hon talade var rösten mjuk igen, lågmäld, nästan försiktig.

– Jag menade inte att brusa upp.

Linda såg på henne. En varningslampa hade börjat blinka inom henne. Det var nånting hon borde förstå. Hon kom inte på vad det var. Hon insåg samtidigt att samtalet hade misslyckats. Det enda hon hade åstadkommit var att göra Henrietta än mer onåbar. Det måste erfarna poliser till, tänkte hon och ångrade det hon gjort. Nu skulle hennes far eller vem det än var som nästa gång skulle tala med Henrietta få ännu svårare att dra ur henne det hon inte ville berätta.

– Är det nånting mer du menar att jag ljuger om?

– Jag tror nästan inte på nånting du säger. Men jag kan inte få dig att låta bli att ljuga. Jag bara önskar att du förstår att jag frågar eftersom jag är orolig. Jag är rädd för att något kan hända Zebran.

– Vad skulle kunna hända henne?

Linda bestämde sig för att säga precis som det var.

– Jag tror att någon, kanske fler än en person, håller på att döda kvinnor som har gjort abort. Zebran har gjort abort. Kvinnan som låg död i kyrkan hade gjort det. Du har väl hört om henne?

Henrietta satt orörlig. Linda tog det som en bekräftelse.

– Vad har Anna med det här att göra?

– Jag vet inte. Men jag är rädd.

– Rädd för vad?

– Att någon ska döda Zebran. Att något ska ske som Anna är inblandad i.

Någonting förändrades i Henriettas ansikte. Linda kunde inte säga vad. Det skymtade förbi, kort, hastigt, men Linda la märke till det. Hon tänkte att hon inte kom längre. Hon böjde sig efter jackan som låg på golvet. På bordet intill fanns en spegel. Hon kastade en blick i den och skymtade Henriettas ansikte. Hon såg inte på Linda utan förbi henne. Blicken var flyktig, sedan såg hon på Linda igen.

Linda tog upp jackan. Samtidigt insåg hon vart Henrietta hade tittat. *Mot fönstret, det som stod på glänt.*

Linda reste sig, började sätta på sig jackan och vände ansiktet mot fönstret. Ingen fanns där utanför. Men Linda var säker på att någon hade varit där. Hon blev stående med ena armen instucken i jackan. Henriettas höga röst, fönstret som öppnats som av en tillfällighet, upprepningarna av de namn som Linda nämnde och Henriettas bedyrande att hon inte kände dem. Linda satte på sig jackan. Hon vågade inte se på Henrietta eftersom hon befarade att det hon nu förstod kunde stå skrivet i hennes ansikte.

Linda gick snabbt mot ytterdörren och klappade hunden. Henrietta kom efter.

– Jag är ledsen att jag inte kan hjälpa dig.

– Du kan, svarade Linda. Men du väljer att inte göra det.

Linda öppnade dörren och gick. När hon kommit runt husknuten stannade hon och såg sig omkring. Jag ser ingen, tänkte hon. Men nån ser mig, nån såg mig, och framförallt var det nån som hörde vad Henrietta sa. Hon upprepade mina ord, och den som fanns utanför fönstret vet nu både vad jag vet och vad jag tror och vad jag befarar.

Hon skyndade till bilen. Hon var rädd. Samtidigt tänkte hon att hon återigen hade gjort fel. Det var då, när hon stod där i dörren och klappade hunden, som hon på allvar skulle ha börjat ställa sina frågor till Henrietta. Men istället hade hon gått.

Hon for därifrån och såg ofta i backspegeln. Efter tjugo minuter svängde hon in på parkeringsplatsen vid polishuset. Vinden hade blivit kraftigare. Hon hukade sig när hon skyndade mot polishusets port.

46

Just innanför porten snubblade Linda och spräckte läppen när hon slog ansiktet mot stengolvet. Under ett kort ögonblick var hon vimmelkantig, sedan lyckades hon resa sig och vinkade avvärjande mot receptionisten som var på väg för att hjälpa henne. Hon såg på sin hand att hon blödde och gick mot kapprummet med toaletterna. Hon torkade rent ansiktet och väntade tills läppen slutat blöda. När hon kom ut i receptionen mötte hon Stefan Lindman som just klivit in genom ytterdörren. Han såg roat på henne.

– Blåslagna familjen, sa han. Din far påstår sig ha gått på en dörr. Vad har hänt med dig? Samma dörr? Vad ska vi kalla er när efternamnet förvirrar och vi inte kan sära på er? Blåtiran och Fläskläppen?

Linda brast i skratt. Genast sprack såret på läppen upp igen. Hon återvände till toaletten och hämtade papper. De gick in genom dörrarna till kontorskorridoren.

– Jag slängde ett askfat i ansiktet på honom. Det var ingen dörr.

– Man brukar tala om fiskehistorier, sa Stefan Lindman. Fiskar som växer och växer för varje gång man berättar sin historia. Men frågan är om det inte är samma sak med blessyrer. Det kanske var en dörr i utgångspunkten, men det kan förvandlas till ett slagsmål man ärorikt tagit hem segern i. På samma sätt kan ett askfat som på ett inte alltför hedersamt sätt kastats av en kvinna förvandlas, eller kamoufleras, till en dörr.

De stannade utanför hennes fars rum.

– Var är Anna?

– Det verkar som om hon har försvunnit igen. Jag har inte lyckats hitta henne.

Han knackade på dörren.

– Bäst du går in och berättar.

Hennes far satt med fötterna på bordet och tuggade på en blyertspenna. Han såg frågande på henne.

– Jag trodde du skulle hämta Anna?

– Det trodde jag också. Men jag hittar henne inte.

– Vad menar du med det?

– Det jag säger. Hon är inte hemma.

Han lyckades inte dölja sin otålighet. Linda gjorde sig beredd att bjuda motstånd. Han upptäckte att hennes läpp höll på att svullna.

– Vad har du gjort?

– Jag snubblade när jag kom hit.

Han skakade på huvudet. Sen började han skratta. Hans normalt dystra sinnelag fick ofta Linda att undvika hans sällskap. Men lika mycket som hon gladdes när han var på gott humör, lika svårt hade hon för hans skratt; det lät som ett gnäggande som dessutom var alldeles för högt. Var de ute nånstans och han började skratta vände sig alltid människor om för att se vem det var som frambringade sådana läten.

– Vad är det som är så roligt?

– Din farfar var en snubblande människa. Jag vet inte hur många gånger jag såg honom snava på färgburkar, gamla ramar och all den bråte han omgav sig med. Jag vet att Gertrud försökte snitsla upp vägar åt honom i ateljén. Men det dröjde bara nån dag innan han ramlade omkull på nytt.

– Alltså har jag ärvt det av honom.

Han slängde blyertspennan på bordet och tog ner fötterna.

– Har du ringt till Lund? Hennes vänner? Nånstans måste hon vara.

– Ingenstans där vi hittar henne. Jag behöver inte jaga henne på telefon.

– Du har väl i alla fall ringt hennes mobiltelefon?

– Hon har ingen.

Han blev genast intresserad.

– Varför har hon inte det?

– Hon vill inte.

– Finns det nåt annat skäl?

Linda insåg att det fanns en mening med hans frågor, som inte bara var uttryck för en allmän nyfikenhet. De hade talat om det några veckor tidigare när de ätit middag tillsammans och suttit på balkongen till sent. De hade jämfört nutiden med tio och tjugo år bakåt. Han hade hävdat att de två största skillnaderna var något som tillkommit och något som försvunnit. Han bad henne gissa. Att det som tillkommit var mobiltelefonen kunde hon lätt lista ut. Men svårare för henne var att komma på att så mycket färre människor rökte idag än tidigare.

– Alla har mobiltelefon, sa han. Särskilt dom unga. Men inte Anna

Westin. Hur förklarar du det? Hur förklarar hon det?

– Jag vet inte. Enligt Henrietta säger hon bara att hon inte alltid vill vara tillgänglig.

Han tänkte efter.

– Är du säker på att det är sant? Att hon inte har en telefon som du inte känner till?

– Hur ska jag kunna vara säker på det?

– Just det.

Han lutade sig över snabbtelefonen och kopplade in sig till Ann-Britt Höglund. Han bad henne komma. En halv minut senare stod hon i dörren. Linda tyckte hon såg trött och ovårdad ut, håret var okammat och blusen solkig. Hon kom att tänka på Vanja Jorner. Den enda skillnaden var att Ann-Britt Höglund inte var så tjock som Birgitta Medbergs dotter.

Linda hörde hur hennes far bad henne undersöka om det fanns någon mobil på Anna Westins namn och irriterade sig över att hon inte hade tänkt på det själv.

Ann-Britt Höglund försvann. Hon gav Linda ett leende som mer var som en grimas när hon lämnade rummet.

– Hon tycker inte om mig, sa Linda.

– Om jag inte minns fel var du inte särskilt förtjust i henne tidigare. Det jämnar nog ut sig. Även på ett litet polishus som det här tycker inte alla om varandra.

Han reste sig.

– Kaffe? frågade han.

De gick ut i kafferummet där han genast hamnade i ett irriterat samtal med Nyberg. Linda förstod inte helt vad de var oeniga om. Martinsson kom in och viftade med ett papper i handen.

– Ulrik Larsen, sa han. Han som ville råna dig och överföll dig i Köpenhamn.

– Nej, svarade Linda. Jag har aldrig blivit överfallen av nån som försökt råna mig. Däremot av en man som hotade mig och sa att det inte var så lämpligt att jag gick runt och frågade efter nån som hette Torgeir Langaas.

– Det var just det jag skulle säga, sa Martinsson. Ulrik Larsen har tagit tillbaka sin historia. Problemet är bara att han inte kommit med nån ny. Han vägrar erkänna att han hotat dig. Han påstår att han inte känner nån med namnet Langaas. Dom danska kollegorna är övertygade om att han ljuger. Men dom får inte ur honom nånting.

– Är det allt?

– Inte helt. Men slutet vill jag att Kurre ska höra.

– Kalla honom inte det när han hör, varnade Linda. Han hatar att kallas för Kurre.

– Tror du inte jag vet, sa Martinsson. Han tycker lika illa om det som jag om att kallas för Marta.

– Vem gör det?

– Min fru när hon är förbannad.

Det ilskna samtal som försiggått i ett hörn av rummet tog slut. Martinsson upprepade snabbt vad han sagt till Linda.

– Det finns en sak till, slutade han. Som förvisso är det mest anmärkningsvärda. Våra danska kollegor har naturligtvis gjort en grundlig slagning på Ulrik Larsen. Han finns inte i några brottsregister. En trettisjuårig man som tycks vara genomhederlig. Gift, tre barn och därtill sysselsatt med nåt som knappast är det första man tänker på när det gäller personer som kommit i klammeri med rättvisan.

– Vad? frågade Kurt Wallander.

– Han är präst.

Alla i rummet stirrade förvånat på Martinsson.

– Präst, sa Stefan Lindman. Vad för sorts präst? Jag trodde att han var narkotikamissbrukare?

Martinsson ögnade igenom pappren han hade i handen.

– Tydligen har han spelat rollen som missbrukare. Men han är präst i danska statskyrkan. Han är kyrkoherde i en församling i Gentofte. Det har vållat mycket rabalder i tidningarna att en präst misstänks för att vara rånare och våldsman.

Det blev tyst i rummet.

– Nu dyker det upp igen, sa Kurt Wallander sakta. Religionen, kyrkan. Den här mannen Ulrik Larsen är viktig. Nån måste åka över och bistå kollegorna. Jag vill veta hur han passar in i det här oklara mönstret.

– Om han passar in, sa Stefan Lindman.

Kurt Wallander insisterade.

– Han passar in. Vi måste få veta hur. Be Ann-Britt.

Martinssons telefon ringde. Han lyssnade och tömde sen sin kaffekopp.

– Nu har Norge vaknat, sa han. Det har kommit material om Torgeir Langaas.

– Vi tar det här, sa Kurt Wallander.

Martinsson hämtade pappren. Där fanns ett otydligt avtryck av ett fotografi.

– Taget för mer än tjugo år sen, sa Martinsson. Han är lång, över en och nitti.

De lutade sig över det suddiga fotografiet. Har jag sett den här mannen tidigare? tänkte Linda. Hon var osäker.

– Vad skriver dom? sa Kurt Wallander.

Linda märkte att hennes far blev mer och mer otålig. Precis som jag, tänkte hon. Oron och otåligheten hänger ihop.

– Dom hittade vår man Langaas så fort dom började söka. Det borde gått snabbare om inte nån ansvarig person hade förlagt vår prioriterade förfrågan. Med andra ord så har Oslopolisen samma problem som vi. Här försvinner inspelade band med inkommande larm, i Oslo vår hövliga förfrågan. Men där kom det alltså till sist till rätta. Torgeir Langaas finns som ett gammalt bevakningsärende, sammanfattade Martinsson.

– Vad hade han gjort? avbröt Kurt Wallander.

– Du kommer inte att tro mig när jag svarar på det.

– Försök!

– Torgeir Langaas försvann spårlöst från Norge för nitton år sen.

De såg på varandra. Linda tänkte att det var som om själva rummet höll andan. Hon såg på sin far som kröp ihop i sin stol, som om han var beredd att ta ett språng.

– Ännu en som försvinner, sa han. På något sätt handlar allt detta om försvinnanden.

– Och återkomster, sa Stefan Lindman.

– Eller återuppståndelser, sa Kurt Wallander.

Martinsson läste vidare, saktare nu, som om det kunde finnas minor bland orden: Torgeir Langaas var arvinge, bröstarvinge till och med, till en förmögen redare. Så försvann han plötsligt. Något brott befarades inte till en början eftersom han lämnat ett brev efter sig till sin mor, Maigrim Langaas, där han bedyrade att han inte var deprimerad, inte hade för avsikt att begå självmord, men att han gav sig av eftersom han, och nu citerar jag direkt, ursäkta min norska, ”ettersom jeg ikke holder det ut lenger”.

– Vad var det han inte stod ut med?

Kurt Wallander avbröt igen. Linda tyckte hans otålighet och oro stod som en osynlig rök ur näsborrarna på honom.

– Det framgår inte. Men han gav sig av, hade ganska gott om pengar, konton lite här och var. Föräldrarna tänkte att det lilla upproret snart nog skulle gå över. Vem är egentligen skapt för att säga nej tack till en jättelik förmögenhet? Han hade varit borta i två år när föräldrarna anmälde honom som försvunnen. Orsaken anger dom här, den 12 januari 1984, när dom gör sin anmälan, att han slutat skriva brev, att dom inte mottagit ett enda livstecken från honom på fyra månader och att han tömt sina bankkonton. Det är det sista spåret efter Torgeir Langaas. Fram till nu. Det finns en bifogad kommentar från en polisintendent Hovard Midtstuen som meddelar att Torgeir Langaas mor Maigrim avled förra året men att hans far fortfarande lever. Han har dock, nu citerar jag igen, "sterkt svekkede krefter og sjelsevner, etter en stroke i mai i år".

Martinsson lät pappren falla mot bordet.

– Det står mer, sa han. Men detta är det viktigaste.

Kurt Wallander höjde handen.

– Står det var han befann sig när det sista brevet sändes? När tömdes bankkontona för gott?

Martinsson bläddrade igenom pappersbunten på nytt med negativt resultat. Kurt Wallander grep telefonen.

– Vad har den där Midtstuen för telefonnummer?

Han slog numret medan Martinsson högläste siffrorna. Alla i rummet väntade. Efter några minuter hade samtalet via den norska växeln vidarekopplats till Hovard Midtstuen. Kurt Wallander ställde sina två frågor, uppgav sitt telefonnummer och la på.

– Det skulle bara ta några minuter, sa han. Vi väntar.

Hovard Midtstuen kom tillbaka i telefonen efter nitton minuter. Under väntetiden hade ingen yttrat ett enda ord. När Kurt Wallanders mobil ringde såg han efter vilket nummer det var och brydde sig sedan inte om att svara. Linda hade en bestämd känsla av att det varit Nyberg. Varför visste hon inte.

När telefonsamtalet kom högg Kurt Wallander luren och krafsade ner några anteckningar på ett block. Han tackade sin norske kollega och slog luren hårt som i triumf i klykan.

– Nu, sa han, kan det tänkas att nånting börjar hänga ihop.

Han läste från blocket: Det sista brevet från Torgeir Langaas var avstämplat i Cleveland, Ohio, USA. Det var också där som bankkontona tömdes och avslutades.

Han lät blocket falla mot bordet. Flera av de närvarande i rummet var fortfarande oförstående. Vad var det som hängde ihop? Men Linda förstod.

– Kvinnan som låg död i Frennestads kyrka kom från Tulsa, sa han. Men hon var född i Cleveland, Ohio.

De satt tysta runt bordet.

– Jag vet fortfarande inte vad som händer, sa Kurt Wallander. Men en sak vet jag bestämt. Det är att den flicka som är Lindas väninna, Zeba, eller Zebran som hon kallas, befinner sig i stor fara. Det kan också hända att hennes andra väninna, Anna Westin, befinner sig i fara.

Han gjorde en paus innan han fortsatte.

– Det kan också hända att det är Anna Westin som är faran. Därför är det dom det handlar om. Från och med nu ingenting annat.

Klockan hade blivit tre på eftermiddagen. Linda var rädd. Hela hennes uppmärksamhet var inriktad på Zebran och Anna. En hastig tanke letade sig igenom hennes hjärna och försvann. Om tre dagar skulle hon börja arbeta som polis. Men skulle hon klara det om nånting hände Zebran eller Anna? På den frågan hade hon inget svar.

47

Den eftermiddagen, när Torgeir hämtade Anna och förde henne med förbundna ögon och hörselskydd till gömstället vid Sandhammaren, hade Erik Westin tänkt på den uppmaning som Gud hade givit Abraham.

Han hade inrättat sig i sjökaptenens arbetsrum, ett litet rum innanför köket som liknade en kajuta. Där fanns ett stort runt fönster infällt i mässing. Han hade satt det på glänt med haspen avhakad för att snabbt kunna ta sig ut om något oväntat skulle ske. Det oväntade hade alltid med Djävulen att göra. Djävulen var lika verklig som Gud; det hade tagit honom mer än femton år av grubblande för att förstå att Gud inte var tänkbar utan sin motsats. *Djävulen är Guds skugga*, hade han tänkt när han till sist insett sanningen. Han hade i sina drömmar många gånger förgäves försökt provocera Djävulen att visa sig. Så småningom insåg han att Djävulens utseende alltid växlade. Han var den skicklige maskläggaren som kunde anta alla skepnader. Det var ett av de misstag som Bibelns krönikörer och illustratörer hade gjort, att framställa Djävulen som ett djur, hornprydd och med svans. Djävulen var en ängel som fallit. Han hade slitit av sig vingarna, det hade växt ut armar och han hade antagit människans skepnad.

Erik Westin hade letat bland sina minnen och insett att Djävulen många gånger visat sig för honom utan att han förstått vem det var som smög förbi i drömmen. Då hade han också förstått varför Gud aldrig hade velat tala med honom om detta. Han skulle själv upptäcka att Djävulen var skådespelaren som behärskade alla roller. Därför skulle han aldrig helt kunna skydda sig mot att det oväntade inte skedde. Nu begrep han varför Jim varit så misstänksam under den sista tiden i Guyana. Jim hade inte varit stark nog. Han hade aldrig kunnat omvandla sin rädsla till förmågan att bygga upp ett försvar. Det halvöppna fönstret i sjökapten Stenhammars kajuta var en påminnelse om den fallna ängelns närvaro.

Han slog upp en bibel som han hittat i sjökaptenens bibliotek. Hans första bibel hade Torgeir förlorat. Den hade legat i kojan där den ensamma kvinnan plötsligt dykt upp. Erik hade varit ursinnig när han förstått att den bibel han med yttersta tveksamhet lånat ut till Torgeir hade blivit beslagtagen av polisen. Han hade övervägt om det fanns någon möjlighet att ta sig in hos polisen och få den tillbaka. Men han hade bestämt sig för att riskerna var för stora.

Vreden han kände över att ha förlorat den bibeln hade varit svår att kontrollera. Men han behövde Torgeir för den stora uppgift som väntade honom. Torgeir var den ende i hans armé han inte kunde ersätta. Han förklarade för Torgeir att den kvinna som kommit genom skogen var den onda makten förklädd. *Djävulen är Guds skugga, och ibland sliter sig denna skugga loss och går sina egna vägar, förklädd till människa, till man eller kvinna, till barn eller åldring.* Torgeir hade gjort rätt som dödat kvinnan. Djävulen dog inte, han hade alltid möjlighet att försvinna ur en kropp innan den dog.

Han la bibeln på det vackra skrivbordet av rött sandelträ, eller kanske det var mahogny, och läste texten om Gud som uppmanat Abraham att döda sin son Isak, och hur han senare, när Abraham gjort sig beredd att göra det, gett honom lov att slippa offra sin son. Nu befann han sig i samma situation som Abraham. Vad skulle han göra med sin dotter om det visade sig att hon inte var i besittning av den styrka han förväntade sig? Det hade tagit lång tid innan hans inre röster visade vilken väg han måste gå. Han måste vara beredd att genomföra även det största offret, och bara Gud själv kunde ge honom uppskov eller låta honom slippa.

När Anna kände igen Zebrans röst förstod han att det var Gud som begärt av honom att förbereda sig för just denna händelse. Han kunde följa alla hennes reaktioner, trots att hennes ansikte bara ryckt till och sedan förblev uttryckslöst. Först tvivel, hade hon hört fel, var det ett djur, eller var det verkligen Zebran? Hon letade efter ett svar som kunde övertyga henne, och samtidigt väntade hon på att skriket skulle upprepas. Vad Erik inte förstod var varför hon inte ställde en fråga till honom. En enkel fråga, inte alls olämplig eller onödig. Man kommer in i ett främmande hus efter att ha färdats med förbundna ögon och hörselskydd som gjort det omöjligt att uppfatta något av omgivningen. Man kommer ut på en veranda, och plötsligt tränger ett skrik upp genom golvet. Men Anna ställde ingen fråga, och han tänkte att det kanske var lika bra att Zebran skrikit till. Nu fanns ingen återvändo längre. Det skulle snart visa sig om Anna var värdig att vara hans dotter. Idag var det den 7 september. Snart, mycket snart skulle det ske som han förberett i mer än fem år. Jag ska inte tala med henne, tänkte han. Jag måste predika för henne, på samma sätt som för mina följeslagare.

– Tänk dig ett altare, sa han. Det kan vara det här bordet. Tänk dig ett kyrkorum, det är den här verandan.

– Var är vi?

– I ett hus men också i en kyrka.

– Varför fick jag inte se när jag kom hit?

– Att inte veta kan vara en frihet.

Hon ville fråga honom mer, men han höjde handen. Hon ryckte till, som om han varit på väg att slå henne. Han började berätta om det som väntade och om det som hade skett. Han talade som han brukade, först nästan tveksamt, med långa pauser, sedan med en alltmer ökad intensitet.

– Den armé jag har skapat växer i storlek för varje dag. De från början odisciplinerade skarorna kommer att växa till bataljoner, bataljonerna till regementen, och alla de gamla fanorna, kristenhetens verkliga ansikte, ska åter fladdra i täten för mänskligheten. Vi söker en försoning som måste komma till stånd mellan människorna och Gud, och tiden är nu inne. Jag har blivit kallad av Gud, ingen har rätt att avslå en kallelse som kommer direkt från Gud. Han begär att jag ska leda dessa växande regementen, vi som ska krossa stenväggarna till det tomrum som finns inom människorna. En gång trodde jag att jag skulle bli tvungen att fylla detta tomrum med mitt eget blod. Nu vet jag att Gud har gett oss släggor med vilka vi ska krossa stenväggarna i våra själar. Nu är dagen och timmen snart inne för det som den här rörelsen har skapats. Det ögonblick då kristenheten och Guds ande äntligen kommer att uppfylla jorden. Det är från oss frälsningen utgår, inte från någon annan, och vi kommer att med största beslutsamhet krossa allt motstånd, stenväggarna inom oss och alla de förledda, alla irrläror som smutsar ner jorden. Det finns en enda Gud och han har utvalt oss att vara de första att bestiga barrikaderna och bli martyrer om så behövs. Vi måste visa oss starka på mänsklighetens vägnar, vi måste skrämma de mörka krafterna till tystnad. Om någon av dessa onda krafter förklär sig till människa eller till en falsk profet och kommer till mig och vill ställa villkor, då svarar jag: ”Vänta först och se vilka villkor jag ställer.” Det måste vara så, mitt ansvar som jag fått direkt av Gud kan inte ifrågasättas. Jag har alltid drömt om att leva ett lugnt liv, i anspråkslöshet och enkelhet. Men så var det inte ämnat. Och nu är tiden äntligen mogen för att öppna dammluckorna och låta vattnet rena jorden.

Han tystnade, och gjorde det abrupt för att se hur hon reagerade. Han visste att det var ur skyddslösheten han bäst kunde tolka och avläsa människor.

– En gång gjorde du sandaler, var min far och levde ett enkelt och anspråkslöst liv.

– Jag var tvungen att följa min kallelse.

– Du övergav mig, jag som är din dotter.

– Jag var tvungen. Men jag övergav dig aldrig i mitt hjärta. Och jag kom tillbaka.

Han märkte att hon var spänd. Ändå kom hennes reaktion överraskande. Hon skrek åt honom:

– Jag hörde Zebran. Hon finns här under golvet. Det var hon som skrek. Hon har inte gjort nånting.

– Du vet vad hon har gjort. Det var du själv som berättade det.

– Jag ångrar att jag sa det.

– Den som begår en synd och dödar en annan människa måste ta sitt straff. Det finns bara en rättvisa och den finner vi i Bibeln.

– Zebran har inte dödat nån. Hon var bara femton år. Hur skulle hon ha klarat att ta hand om ett barn?

– Hon skulle aldrig ha utsatt sig för frestelsen.

Han lyckades inte lugna henne. En våg av otålighet strömmade igenom honom. Det är Henrietta, tänkte han. Hon liknar henne alltför mycket, hon har ärvt alla hennes svagheter.

Han bestämde sig för att öka pressen på henne. Hon hade uppfattat allt han sagt i sin predikan. Nu måste han förklara för henne vilka val hon hade. Ingenting var utan mening. Inte heller den oro han kände för Annas väninna, polismannens dotter. Nu skulle den ge honom möjlighet att pröva Annas styrka, hennes förmåga att fatta beslut och utföra de handlingar han ålade henne.

– Ingenting kommer att hända Zebran, sa han.

– Vad gör hon då nere i källaren?

– Hon väntar på ditt avgörande. Ditt beslut.

Han såg på henne att hon blev förvirrad. Han tackade tyst den försyn som lett honom att studera krigets teori och praktik under åren i Cleveland. Ständigt hade böcker om krigshistoria legat på hans skrivbord. Han hade insett att där fanns lärdomar som passade även för en predikant. Han kunde i samtalet med sin dotter förvandla ett neutralt eller till och med defensivt läge till en blixtoffensiv. Nu var det hon som befann sig under belägring; det var inte hans utan hennes beslut som var det avgörande.

– Jag förstår inte vad du menar. Jag är rädd.

Anna började gråta häftigt, kroppen skakade. Han kände att han fick en klump i halsen. Han mindes hur hon gråtit som barn och hur han tröstat henne. Men han tvingade undan känslan och sa åt henne att sluta gråta.

– Vad är du rädd för?

– Dig.

– Du vet att jag älskar dig. Jag älskar också Zebran. Jag har kommit för att lägga grunden för den mänskliga och den gudomliga kärlekens uppgång i varandra.

Hon skrek igen:

– Jag förstår inte vad du säger!

Innan han hann säga något kom ett svar från källaren, ett nytt rop på hjälp från Zebran. Anna flög upp från stolen och ropade "Jag kommer". Men innan hon lämnat verandan hade han gripit tag i henne. Hon försökte bryta sig loss men han var stark, sina kroppskrafter hade han tränat upp under de många åren i Cleveland. När hon vägrade ge upp slog han till henne, hårt, med öppen hand. En gång, så en gång till och ytterligare en. Hon föll omkull när han träffade henne för tredje gången. Näsan blödde. Torgeir öppnade försiktigt dörren. Erik gav honom ett tecken att gå ner i källaren. Han förstod och försvann igen. Erik drog upp Anna och tvingade ner henne i stolen. Han strök med fingertopparna över hennes panna. Pulsen var hög. Han vände ryggen till och kände på sin egen puls. Något förhöjd, men bara märkbart för honom själv. Han satte sig i sin stol och väntade. Snart skulle han ha brutit hennes försvarsvilja. Det var hennes sista skansar som höll på att falla. Han hade ringat in henne och anföll från alla håll. Han väntade.

– Jag vill inte slå dig, sa han till sist. Jag gör bara det jag måste. Vi står inför ett krig mot tomheten. Ett krig i vilket det inte alltid kommer att vara möjligt att visa mildhet. Jag är omgiven av människor som är beredda att offra sina liv. Jag själv kanske måste offra mitt liv.

Hon svarade inte.

– Ingenting kommer att hända Zebran, upprepade han. Men ingenting kommer gratis i livet, allt har ett pris.

Nu såg hon på honom, med en blandning av skygghet och vrede. Blodet höll på att stelna under hennes näsa. Han förklarade vad han ville att hon skulle göra. Hon stirrade på honom, ögonen var uppspärrade. Han flyttade över till en stol som stod bredvid henne. Hon ryckte till när han la sin hand över hennes. Men hon drog inte undan den.

– Jag lämnar dig för en timme. Jag låser inte dörrarna, stänger inga fönster, låter heller ingen stå på vakt. Tänk över det jag har sagt, fatta ditt beslut. Jag vet att om du låter Gud styra över ditt hjärta och din hjärna kommer du att göra det som är rätt. Glöm inte att jag älskar dig.

Han tänkte att hon kanske trodde att tiden skulle ge henne en utväg. Också det var hon tvungen att lära sig. Det fanns bara en tid och den tillhörde Gud. Det var bara Han som kunde bestämma om en minut var lång eller kort. Sedan reste han sig, strök hastigt med fingertopparna över hennes panna, ristade ett osynligt kors på hennes hud och lämnade ljudlöst verandan.

Torgeir väntade ute i korridoren.

– Det räckte med att jag visade mig för att hon skulle tystna, sa han. Hon kommer inte att ropa igen.

De gick genom trädgården till en stor sjöbod som använts till att förvara fiskeredskap. De stannade utanför dörren.

– Är allting klart?

– Allt är klart, svarade Torgeir.

Han pekade på fyra tält som stod uppsatta intill sjöboden och öppnade ett av dem. Erik tittade in. Där fanns lådorna, staplade på varandra. Han nickade. Torgeir drog igen tältöppningen.

– Och bilarna?

– Dom som ska köra dom längsta sträckorna står här utanför på vägen. Dom andra är utplacerade som vi bestämt.

Erik Westin såg på sin klocka. Under de långa, ofta mörka åren, med de besvärliga och utdragna förberedelserna, hade tiden släpat sig fram. Nu gick allting plötsligt för fort. Från och med nu fick ingenting gå fel.

– Det är dags att börja nedräkningen, sa han.

Han kastade en blick upp mot himlen. Han hade alltid, när han drömde om det här ögonblicket, föreställt sig att vädret skulle understryka dramatiken i det som höll på att ske. Men över Sandhammaren den här dagen, den 7 september 2001, var himlen molnfri och vinden nästan stilla.

– Vad är det för temperatur? frågade han.

Torgeir såg på sin klocka som förutom stegräknare och kompass även hade en inbyggd termometer.

– Åtta grader.

De gick in i sjöboden där gammal doft av tjära fortfarande satt kvar i väggarna. De som väntade på honom satt på låga träbänkar som ställts i en halvcirkel. Han hade tänkt att han även denna dag skulle genomföra ceremonin med de vita maskerna. Men när han kom in bestämde han sig för att vänta. Fortfarande visste han inte om det var Zebran eller polismannens dotter som skulle dö. Då skulle de använda maskerna. Nu var tiden så knapp att han måste utnyttja den så effektivt som möjligt. Gud skulle inte acceptera att någon kom för sent till sitt uppdrag. Att inte förvalta den utmätta tiden var som att förneka att tiden var given av Gud och inte fick brytas, förlängas eller förkortas.

De som skulle resa längst måste snart ge sig av. De hade noga räknat ut och avvägt hur många timmar som behövdes. De hade följt de omsorgsfullt utarbetade manualerna med sina checklistor; de hade gjort allt, förberett allt och kunde inte göra mer. Men faran fanns alltid därute, de mörka krafterna som skulle göra allt för att hindra dem från att lyckas.

De följde ritualen till den ceremoni som han hade döpt till Bestämmelsen. De bad sina böner, mediterade i tystnad de heliga sju minuterna och samlades sedan i en cirkel hand i hand. Efteråt höll han en predikan som var en upprepning av det han timmen innan hade sagt till sin dotter. Det var bara avslutningen som var annorlunda. *Det som nu tar slut är den heliga förkrigstiden. Vi fortsätter där man slutade för nästan tvåtusen år sen. Vi tar vid där kyrkan blev kyrka, ett rum med väggar i stället för en tro som gav människor frihet. Tiden är inne att sluta spana mot de fyra väderstrecken efter tecken på att domedagen är nära. Vi spanar nu inåt och lyssnar till Guds röst som har valt ut oss att utföra hans uppdrag. Vi säger att vi är beredda, vi ropar ut att vi nu är redo att korsa floden mellan den gamla och den nya tiden. All denna falskhet, allt detta förräderi mot det som var Guds avsikt med våra liv, kommer nu att utrotas, förintas, bli till aska som faller död till marken. Det vi ser omkring oss är det snara sammanbrottet. Vi är utsedda av Gud att bereda vägen för framtiden. Vi fruktar intet, vi är beredda till det största av alla offer. Vi tvekar inte att med våld bekräfta att vi är de som utsänts av Gud och inte av några falska ombud. Vi kommer snart att skiljas. Flera av oss kommer inte att återvända. Vi kommer att mötas först när vi går till den andra världen, till evigheten, till Paradiset. Det viktiga just nu är att ingen känner fruktan, att vi alla vet vad som krävs och hela tiden ingjuter mod i varandra.*

Ceremonin var över. Erik tänkte att det var som om kyrkorummet nu förvandlades till en militärbas. Torgeir ställde fram ett bord där han la en hög med kuvert. Det var de sista instruktionerna, de sista förhållningsreglerna. De tre grupper som hade den längsta resvägen skulle ge sig iväg om en dryg timme. De skulle inte vara med om den sista ceremonin, det sista offret. En annan grupp som skulle använda båt behövde också ge sig av redan nu. Erik gav dem kuverten, strök med fingrarna över deras pannor och borrade sin blick så djupt in i dem som han kunde. De lämnade sjöboden utan ett ord. Därutanför väntade Torgeir med lådorna och all utrustning de skulle ha med sig. Precis på slaget kvart i fem eftermiddagen den 7 september gav sig de fyra första grupperna av. Tre skulle resa rakt norrut, den fjärde följa vägen österut från Sandhammaren.

När bilarna hade försvunnit och de övriga begett sig till sina olika gömställen stannade Erik kvar ensam i sjöboden. Han satt orörlig i dunklet med halsbandet i handen, den förgyllda sandalen som för honom nu var lika viktig som korset. Ångrade han något? Det vore detsamma som att förneka Gud. Han var bara ett instrument, men med en fri vilja att förstå, omfatta och sedan hänge sig åt att vara en utvald människa. Han tänkte på det som skilde honom från Jim. De första åren efter katastrofen i Guyanas djungel hade han inte förmått tränga igenom alla motstridiga känslor både gentemot Jim och sig själv. Det var en tid när allt inom honom roterade och gjorde det omöjligt att förklara vad som egentligen hade hänt. Han hade inte lyckats förstå sitt förhållande till Jim. Det var först med hjälp av Sue-Mary och hennes tålamod som han till sist insett att skillnaden mellan honom själv och Jim var mycket enkel men samtidigt upprörande. Sanningen var att pastor Jim Jones hade varit en bedragare, en av Djävulens skepnader, medan han själv var en man som sökte sanningen och som utvalts av Gud att vara den som drog ut i det nödvändiga kriget mot en värld från vilken Gud hade blivit förvisad till döda kyrkobyggnader, döda ceremonier, en tro som inte längre förmådde fylla människor med respekt och glädje inför livet.

Han slöt ögonen och andades in doften av tjära. Som barn hade han tillbringat en sommar på Öland hos en släkting som var fiskare. Minnet av den sommaren, en av de lyckligaste under uppväxten, hade varit insvept i doften av tjära. Han kunde minnas hur han om nätterna hade smugit sig ut och sprungit genom den ljusa sommarnatten till boden där det luktade starkt från fiskeredskapen och suttit där bara för att dra in tjärdoften i sina lungor. Han slog upp ögonen. Det fanns ingen återvändo längre och han begärde heller ingen. Tiden var mogen. Han lämnade sjöboden och gick en omväg till framsidan av huset. I skydd av ett träd såg han mot verandan. Anna satt i samma stol där han lämnat henne. Han försökte av hennes kroppshållning tolka vad hon hade bestämt sig för. Men avståndet var för långt.

Det knakade bakom honom. Han ryckte till. Det var Torgeir. Han blev rasande.

– Varför smyger du?

– Det var inte meningen.

Erik slog till honom hårt i ansiktet, strax under ena ögat. Torgeir tog emot slaget och böjde huvudet. Erik strök honom hastigt över håret och gick in i huset. Han rörde sig ljudlöst genom rummet tills han stod alldeles bakom henne. Hon märkte hans närvaro först när han böjde sig ner mot hennes huvud och hon kände hans andedräkt i nacken. Han satte sig mitt emot henne, drog stolen så nära att hans knän snuddade vid hennes.

– Har du kommit fram till ett beslut?

– Jag gör som du vill.

Han hade anat att detta skulle bli hennes beslut. Ändå kände han en lättnad.

Han reste sig och hämtade en liten axelväska som stod vid väggen.

Ur den tog han upp en kniv. Bladet var smalt och mycket vasst. Han la den försiktigt i hennes knä, som om det var en kattunge.

– I det ögonblick du förstår att hon känner till sammanhang hon inte borde veta något om ska du sticka henne, inte en gång, utan tre eller fyra. Stick mot bröstet och för kniven uppåt när du drar ut den. Sen ringer du till Torgeir och håller dig undan tills vi hämtar dig. Du har sex timmar på dig, inte mer. Du vet att jag litar på dig. Du vet att jag älskar dig. Vem älskar dig mer än jag?

Hon var på väg att säga något men hejdade sig. Han förstod att det var Henrietta hon tänkt säga.

– Gud, sa hon.

– Jag litar på dig, sa han. Guds kärlek och min kärlek är samma sak. Vi lever i en tid då en ny värld håller på att födas. Förstår du vad jag säger till dig?

– Jag förstår.

Han såg henne djupt in i ögonen. Ännu var han inte helt säker. Men han måste tro att han gjorde rätt.

Han följde med henne ut.

– Anna ska åka nu, sa han till Torgeir.

De satte sig i en av bilarna som stod på gården. Erik knöt själv bindeln för hennes ögon och kontrollerade att hon ingenting kunde se. Sen satte han hörselskydden över hennes öron.

– Kör en omväg, sa han lågt till Torgeir. Låt henne förvillas av avståndet.

Klockan var halv sex när bilen stannade. Torgeir tog av hennes hörselskydd och sa åt henne att fortsätta att blunda och räkna till femtio när han tagit av bindeln för hennes ögon.

– Gud ser dig, sa han. Han skulle inte bli glad om du smygtittade.

Han hjälpte henne ut på gatan. Anna räknade till femtio och slog upp ögonen. Först visste hon inte var hon befann sig. Sedan insåg hon att hon stod på Mariagatan, utanför Lindas port.

48

På eftermiddagen och kvällen den 7 september upplevde Linda än en gång hur hennes far försökte samla alla trådar till en helhet och därmed göra upp en plan för hur de skulle komma vidare och kanske åstadkomma ett genombrott i det låsta läget. Under de timmarna blev hon övertygad om att det beröm hennes far brukade få av kollegor, ibland också i massmedia – när de inte gick hårt åt honom för hans avvisande hållning under presskonferenser – inte var någon överdrift. Hon förstod att hon faktiskt hade en far som inte bara var kunnig och erfaren, han var också i besittning av en stark vilja och förmåga att inspirera sina kollegor. Hon påminde sig en händelse från Polishögskolan. En kurskamrat hade en far som tränade ett av topplagen i näst högsta ishockeydivisionen. Hon hade följt med sin kamrat, de hade till och med släppts in i omklädningsrummet före matchen, under pauserna och efteråt. Tränaren hade haft just den förmågan hon upptäckte hos sin far, att få folk med sig. Efter två perioder låg laget under med fyra mål. Men tränaren jagade på dem: inte ge upp, inte låta sig knäckas, och i den sista perioden gick de in och lyckades nästan vända matchen.

Kommer min far att vända den här matchen? tänkte hon. Kommer han att hitta Zebran innan nånting händer? Flera gånger under dagen var hon tvungen att lämna ett möte eller en presskonferens, där hon stod längst bak och lyssnade, för att rusa till närmaste toalett. Magen hade alltid varit hennes svaga punkt. Rädslan gav henne diarré. Hennes far däremot hade en mage av plåt. Han brukade ibland lite självironiskt skryta med att han hade magsyror som hyenan, de mest frätande som fanns i djurriket, utan att nånsin drabbas av obehag. Hans svaga punkt var huvudet; blev han hårt pressad fick han en spänningshuvudvärk som kunde vara i dagar och bara botas med receptbelagda, ytterst starka värktabletter.

Linda var rädd, och hon förstod att hon inte var ensam om det. Det fanns något overkligt över det lugn och den koncentration som härskade i polishuset. Hon försökte se in i hjärnorna på poliserna och teknikerna som omgav henne, men upptäckte inget annat än koncentration och målmedvetenhet. Hon förstod något som ingen hade lärt henne på Polishögskolan: det fanns situationer där den viktigaste uppgiften för en polis var att hålla sin egen rädsla under kontroll. Släpptes den lös kunde koncentrationen och målmedvetenheten förvandlas till kaos.

Strax efter klockan fyra såg Linda sin far gå omkring som ett retat vilddjur i korridoren just innan en presskonferens skulle börja. Han skickade ideligen in Martinsson för att se efter hur många journalister som kommit, hur många tevekameror som var uppställda. Då och då bad han Martinsson kontrollera om vissa namngivna journalister var närvarande. Av hans tonfall kunde Linda förstå att han innerligt hoppades att de inte hade infunnit sig. Hon såg på honom, hur han oroligt vankade av och an i korridoren. Han var i en bur, han väntade i en ryttargång och skulle snart skickas ut på arenan. När Lisa Holgersson kom och sa att det var dags störtade han in i rummet. Det enda som saknades var ett rytande.

Linda följde den halvtimmeslånga presskonferensen från en plats vid dörren. På den lilla estraden i andra änden av rummet satt Lisa Holgersson, Svartman och hennes far. Linda misstänkte att han skulle löpa amok om det kom nån fråga han inte ville svara på, så spänd verkade han vara. Hon förstod att det som pressade honom mest var att tiden kunde använts till något annat. Men Martinsson som stod bredvid henne i dörren sa att presskonferenser ändå kunde vara till stor nytta i en utredning. Det som spreds via massmedia kunde ge upphov till det nästan allra viktigaste: informationer från allmänheten.

Men Linda slapp se sin far förlora självbehärskningen. Han ledde presskonferensen med en sorts *dov* närvaro. Hon hittade inget bättre ord; hon såg honom uppträda på den lilla estraden med ett dovt allvar som ingen vågade gå emot.

Han talade enbart om Zebran. Fotografier delades ut, en ljusbild visades på väggen. Var fanns hon? Hade någon sett henne? Det var det viktiga. Han undvek skickligt att dras in i långa utförliga förklaringar. Han svarade kort, avvisade frågor som han inte ville besvara och sa bara det nödvändigaste. ”Det finns sammanhang vi ännu inte förstår”, slutade han. ”Kyrkbränderna, dom två döda kvinnorna, dom brända djuren. Vi vet inte ens om det verkligen existerar något samband. Men det vi är säkra på just nu är att den här flickan vi söker kan vara i fara.”

Vilken fara? Vem är farlig? Nånting mer måste kunna sägas? Journalisternas missnöjda frågor surrade i rummet. Linda såg hur han lyfte en osynlig sköld framför sig och lät frågorna studsa undan obesvarade. Lisa Holgersson sa ingenting under hela presskonferensen, hon styrde bara vem som skulle ha ordet. Svartman sufflerade honom med detaljer han i ögonblicket inte kunde påminna sig.

Plötsligt var det över. Han reste sig upp som om han inte stod ut längre, nickade och lämnade rummet. Journalisterna kastade frågor efter honom som han skakade av sig. Efteråt lämnade han polishuset utan att säga ett enda ord.

– Han brukar göra det, sa Martinsson. Han luftar sig som om han vore sin egen hund. Han går en vända. Sen kommer han tillbaka.

Tjugo minuter senare kom han stormande genom korridoren. I mötesrummet fanns pizzor som levererats med bud. Han jagade på alla att skynda sig, röt åt en kontorsflicka som inte fått fram några papper han begärt och slog igen dörren. Stefan Lindman satt bredvid Linda. Han lutade sig mot henne och viskade:

– En dag tror jag han kommer att låsa dörren och kasta bort nyckeln. Vi blir förvandlade till stenstoder härinne. Om tusen år gräver man fram oss igen.

Ann-Britt Höglund hade med andan i halsen kommit tillbaka från sin blixtutryckning till Köpenhamn.

– Jag träffade den här mannen som heter Ulrik Larsen, sa hon och sköt över ett fotografi till Linda.

Hon kände genast igen honom, det var han som förbjudit henne att söka efter Torgeir Langaas och sedan slagit ner henne.

– Han har alltså ändrat sig, fortsatte Ann-Britt Höglund. Nu är det inte längre tal om att han begått ett rån. Att han ska ha hotat Linda förnekar han helt. Men han vägrar ge nån alternativ förklaring. Tydligen är han en omdiskuterad präst. Hans predikningar har den senaste tiden blivit alltmer svavelosande.

Linda såg hur hennes fars arm sköt ut och avbröt henne.

– Detta är viktigt. Hur då svavelosande? Vad då sista tiden?

Ann-Britt Höglund bläddrade i ett anteckningsblock.

– Sista tiden tolkade jag som det här året. Med svavelosande menas att han börjat tala om domedagar, kristenhetens kris, ogudaktigheten och det straff som kommer att drabba alla syndare. Han har fått en anmärkning både av sin egen församling i Gentofte och av biskopen. Men han vägrar att ändra sina predikningar.

– Jag antar att du ställde den viktigaste frågan av alla?

Linda undrade vad han menade. När Ann-Britt Höglund svarade kände hon sig dum.

– Om hans syn på aborter? Jag fick faktiskt möjlighet att ställa den till honom direkt.

– Och svaret?

– Inget alls. Han vägrade tala med mig. Men han har i några av sina predikningar hävdat att abort är ett skamligt brott som kräver hårda straff.

Hon sammanfattade helt kort. Prästen Ulrik Larsen måste på något sätt vara inblandad. Men i vad, på vilket sätt? Det var det för tidigt att svara på.

Hon satte sig ner. Då öppnade Nyberg dörren.

– Teologen är här nu.

Linda såg sig omkring i rummet och förstod att bara hennes far visste vem Nyberg syftade på.

– Ta in honom, sa han.

Nyberg försvann. Kurt Wallander förklarade vem det var man väntade på.

– Nyberg och jag har försökt begripa oss på den där bibeln som var kvarlämnad eller kvarglömd i kojan där Birgitta Medberg blev dödad. Nån har suttit och skrivit in ändringar av bibeltexterna, framförallt i Uppenbarelseboken, Romarbreven och olika delar av Gamla testamentet. Men vad är det för ändringar? Finns det något system i det? Vi pratade med Rikskriminalen, men dom hade inga experter att erbjuda oss. Därför tog vi kontakt med teologiska institutionen vid universitetet i Lund och fick hjälp av en docent Hanke som kommer hit idag.

Docent Hanke visade sig till allas förvåning vara en ung kvinna med långt ljust hår, vackert ansikte och klädd i svarta läderbyxor och en djupt urringad tröja. Linda såg hur hennes far kom av sig. Hon gick runt bordet och tog i hand och satte sig sedan på en stol som kilades in bredvid Lisa Holgersson.

– Jag heter Sofia Hanke, sa hon. Jag är docent och har doktorerat på en avhandling om det kristna paradigmskiftet i Sverige efter andra världskriget.

Hon öppnade sin portfölj och tog fram bibeln som de hittat i kojan.

– Det har varit fascinerande, fortsatte hon. Jag har suttit lutad över den här boken med ett starkt förstoringsglas. Jag har lyckats tyda vad som står mellan raderna. Det första jag vill säga är att det är en enda människa som har skrivit det här. Inte för att stilen, om man nu kan tala om stil när det är så små bokstäver, är densamma, utan mer för innehållets skull. Jag kan naturligtvis inte svara på vem det är som har skrivit det eller varför. Men det finns en systematik, eller snarare en logik, i det som står här.

Hon slog upp ett anteckningsblock och fortsatte:

– Jag har valt ett exempel för att förklara vad jag menar, vad jag tror det här handlar om, Romarbrevets sjunde kapitel. Hon avbröt sig och såg sig runt i rummet. Hur många av er har kännedom om Bibelns texter? Det kanske inte ingår i poliskårens allmänna utbildning?

Allt som mötte hennes blick var skakningar på huvuden, utom Nyberg som överraskande svarade:

– Jag läser en stump i Bibeln varje kväll. Det är ett bra sätt att snabbt falla i sömn.

En viss munterhet bröt ut i rummet. Inte minst Sofia Hanke uppskattade hans kommentar.

– Jag kan förstå den upplevelsen, sa hon. Jag frågar mest av nyfikenhet. I Romarbrevets sjunde kapitel som handlar om människans hemfallenhet åt synden står det: "Ja, det goda som jag vill gör jag icke; men det onda som jag icke vill, det gör jag." Mellan raderna har den som gjort ändringarna kastat om det onda och det goda. I den versionen står det alltså: "Ja, det onda som jag vill, det gör jag; men det goda som jag icke vill gör jag icke." Som synes ställs nånting på huvudet. En av de grundläggande teserna i kristendomen är att människan vill göra det goda men hela tiden finner skäl till att hellre göra det onda. Men den ändrade versionen säger att människorna inte ens vill göra det goda. På samma sätt är det med nästan alla ändringarna i bibeltexterna. Den som skriver försöker kasta om, söka sig fram till nya betydelser. Det är naturligtvis lätt att tänka sig en galning. Det finns berättelser, troligtvis sanna, om människor som suttit inlåsta långa tider på mentalsjukhus och där ägnat sin tid åt att dikta om Bibelns böcker. Men jag tror inte det är en galning som har gjort det här. Det finns en sorts ansträngd logik i det som står. Man kan säga att det är som om den som skrivit texterna mellan raderna är på jakt efter någon dold sanning i Bibeln som inte genast kan utläsas av det som står i orden. Han eller hon letar mellan orden. Så tolkar jag det.

Sofia tystnade och såg sig omkring i rummet.

– Jag kan säga mer, sa hon. Men jag förstår att ni har ont om tid. Det är bättre att ni ställer frågor.

– Logik, sa Kurt Wallander. Vad kan det finnas för logik i nåt som är så absurt?

– Allt är inte absurt. Somligt är enkelt och tydligt.

Hon bläddrade i blocket.

– Det är inte bara ändringar mellan raderna, sa hon. Ibland står helt andra texter i marginalerna. Här är ett citat: ”All visdom som livet lärt mig är sammanfattat i orden ’den Gud älskar, lyckan får’.”

Linda såg hur hennes far började bli otålig.

– Varför gör en människa det här? Varför hittar vi en bibel i en hemlig koja där en kvinna blivit bestialiskt mördad?

– Det kan naturligtvis vara religiös fanatism, sa Sofia Hanke.

Han var genast på henne.

– Berätta mer!

– Jag brukar tala om Predikare-Lenas tradition. Det fanns för länge sen en piga i Östergötland som fick uppenbarelser och började predika. Så småningom spärrades hon in på dårhus. Men såna människor har alltid funnits, religiösa fanatiker som antingen valt att leva som ensamma predikanter eller som försökt samla skaror av lojala anhängare. Dom allra flesta har varit ärliga, dom har handlat i god tro och varit övertygade om att dom gått Guds ärenden. Naturligtvis har det också funnits bedragare, dom som spelat upp det man kan kalla "föreställande" religiös tro. Oftast har det handlat om människor som varit ute efter pengar eller sexuella privilegier. Där kan man verkligen tala om att religionen är redskapet, fällan, för att fånga bytet. Men bedragarna är i minoritet. Dom flesta, hur galna dom än varit, har predikat sin tro och startat sina sekter utifrån en god vilja och ett ärligt uppsåt. Om dom begått onda handlingar har dom alltid funnit nåt sätt att försvara det inför Gud, oftast genom tolkningar av bibeltexter.

– Kan man se något sådant motiv i den bibel du har framför dig?

– Det är det jag har försökt förklara.

Samtalet med Sofia Hanke fortsatte ytterligare en stund. Men Linda kunde se att hennes far redan hade börjat tänka på andra saker. Inte heller det som stod skrivet mellan raderna i bibeln från Rannesholmskojan hade gett honom något omedelbart uppslag. Eller hade det det? Hon försökte läsa hans tankar, som hon tränat på ända sen hon var barn. Men det var skillnad mellan att vara på tumanhand och, som nu, tillsammans med andra människor i ett mötesrum på polishuset.

Nyberg följde Sofia Hanke ut. Lisa Holgersson öppnade ett fönster. Pizzakartongerna började tömmas. Nyberg kom tillbaka. Folk gick ut och in, talade i telefon, hämtade kaffe. Det var bara Linda och hennes far som satt kvar vid bordet. Han såg frånvarande på henne och drog sig sen tillbaka till sina egna tankar.

Dov, tänkte hon igen. Det är det bästa ord jag nånsin hittat för att beskriva honom. Men hur skulle han beskriva mig? Om han själv är dov, vad är då jag? Hon hittade inget svar.

Folk började samlas igen, fönstret stängdes, liksom dörren. Linda tänkte att det var som när en konsert skulle börja. När hon var tonåring hade hennes far ibland dragit henne med på konserter i Köpenhamn. En gång hade de också rest till Helsingborg. Tystnaden sänker sig sakta i väntan på dirigenten. Här har han redan kommit, men tystnaden kommer ändå inte direkt, utan som en långsam rörelse mot stillheten.

Under det långa mötet sa Linda ingenting, och hon blev heller inte tillfrågad. Hon satt där som en tillfällig gäst vid bordet. Några få gånger såg hennes far på henne. Om Birgitta Medberg varit en människa som kartlagt gamla igenvuxna stigar var hennes far en man som letade efter framkomliga vägar. Han tycktes ha ett oändligt tålamod trots att han inom sig hade en klocka som tickade både högt och fort. Det hade han sagt en gång när han var i Stockholm och träffade Linda och några av hennes kurskamrater och berättade om sitt arbete. Under stark press, särskilt när han visste att en människa var i stor fara, hade han en känsla av att det på höger sida av bröstkorgen, ungefär i höjd med hjärtat, satt en klocka och tickade. Han visade alltså stort tålamod och blev irriterad bara om någon vek av från spåret: Var fanns Zebran? Mötet pågick kontinuerligt, men då och då var det någon som ringde eller tog emot ett samtal eller så var någon borta och kom tillbaka med papper eller bilder som omedelbart infogades i arbetet.

– Det är som forsränning, sa Stefan Lindman vid åttatiden när det råkade vara bara han och Linda och hennes far inne i rummet. Vi ska igenom den här forsen utan att slå runt. Tappar vi några på vägen måste vi dra ombord dom igen.

Det var det enda någon sa direkt till henne under hela kvällen. Sa hon nånting själv? Naturligtvis inte. Hon satt med vid bordet, men bara för att lyssna, inte för att själv yttra något.

Kvart över åtta stängde Lisa Holgersson dörren efter en paus. Nu fick ingenting störa dem. Linda såg sin far ta av sig jackan, kavla upp ärmarna på den mörkblå skjortan och ställa sig vid blädderblocket där han tog fram en tom sida. Han skrev Zebrans namn mitt på bladet och drog en cirkel runt bokstäverna.

– Låt oss för tillfället glömma Birgitta Medberg, sa han. Jag vet att det kan vara ödesdigert. Men det finns just nu ingen logisk bindning mellan henne och Harriet Bolson. Det kan vara samma gärningsman eller gärningsmän, det vet vi inte. Men min poäng är att motiven måste vara olika. Om vi lämnar Birgitta Medberg tills vidare så ser vi att det är betydligt lättare att hitta en likhet mellan Bolson och Zebran. Aborterna. Antag att vi har att göra med ett antal människor – hur många vet vi inte – som med någon religiös utgångspunkt utfärdar domar över kvinnor som gjort aborter. Jag använder ordet *antag* eftersom vi inte vet. Vi vet bara att människor dör, djur dör och kyrkor brinner. Alltsammans ger oss en bild av systematik och god planering. Harriet Bolson togs till kyrkan i Frennestad för att dödas och sedan brännas. Branden i Hurups kyrka var en avledningsbrand, för att skapa förvirring, vilket också lyckades. Det tog en lång stund innan jag själv begrep att det var två kyrkor som brann. Vem som än ligger bakom det här är en skicklig planerare.

Han såg på de andra och satte sig på sin stol.

– Låt oss anta att det hela är en ceremoni, fortsatte han. Elden är en symbol som går igen hela tiden. Djuren brann kanske som nån sorts offerhandling. Harriet Bolson avrättades framför altaret på ett sätt som kan tolkas som ritualmord. Vi hittar en sandal i smyckeform runt hennes hals.

Stefan Lindman lyfte handen och avbröt honom.

– Jag grubblar över den där lappen med hennes namn. Om den var ämnad till oss; varför?

– Jag vet inte.

– Kan det inte tyda på att det trots allt är en dåre som utmanar oss, som vill att vi ska jaga honom?

– Det kan vara så. Men just nu är det egentligen inte viktigt. Jag tror att dom här människorna avser att utsätta Zebran för samma sak som hände Harriet Bolson.

Det blev tyst i rummet.

– Det är här vi befinner oss, sa han till sist. Vi har ingen gärningsman, inget fastslaget motiv, ingen riktning att gå. Enligt min uppfattning har vi kört fast.

Ingen protesterade.

– Vi får fortsätta att arbeta, sa han. Förr eller senare hittar vi en riktning. Det måste vi.

Mötet bröts. Folk försvann åt olika håll. Linda kände sig i vägen men hade inga tankar på att lämna polishuset. Om tre dagar, måndagen den tionde, skulle hon äntligen kunna hämta ut sin uniform och börja arbeta på allvar. Men det enda som betydde något nu var Zebran. Hon gick till toaletten. När hon var på väg tillbaka ringde hennes mobil. Det var Anna.

– Var är du?

– På polishuset.

– Har Zebran kommit tillbaka än? Jag ringde hem till henne men ingen svarade.

Linda blev vaksam.

– Hon är fortfarande borta.

– Jag är så orolig.

– Det är jag med.

Anna lät alldeles äkta, tänkte Linda. Hon kan inte förställa sig så bra.

– Jag behöver prata med nån, sa Anna.

– Inte nu, sa Linda. Jag kan inte gå härifrån.

– En stund? Om jag kommer upp till polishuset?

– Du kan inte komma in här.

– Men kan du inte komma ut? Bara några minuter?

– Kan det inte vänta?

– Det är klart det kan.

Linda hörde att Anna lät nedslagen. Hon ångrade sig.

– En stund då.

– Tack. Jag är där om tio minuter.

Linda gick genom korridoren till sin fars kontor. Alla människor var plötsligt som försvunna. På en lapp som hon la på bordskanten rafsade hon ner: *Jag tar lite luft och pratar med Anna. Strax tillbaka. Linda.*

Hon hämtade sin jacka och gick. Korridoren låg tom. När hon passerade ut var den enda hon mötte en nattstäderska som kom dragande med sin vagn. Poliserna inne på larmcentralen var upptagna av telefonsamtal. Ingen såg när hon lämnade receptionen.

Städerskan som kom från Lettland och hette Lija brukade börja längst bort i den korridor där kriminalpoliserna höll till. Eftersom flera rum var upptagna av människor som arbetade började hon med att städa Kurt Wallanders. Nedanför hans stol låg lösa lappar som han inte lyckats kasta i papperskorgen. Hon städade undan allt som låg på golvet och lämnade sedan rummet.

49

Linda väntade utanför polishuset. Hon frös och drog jackan tätare kring kroppen. Hon gick ner till den dåligt upplysta parkeringsplatsen. Där stod hennes fars bil. Hon kände efter i jackfickan och märkte att hon fortfarande hade reservnyckeln med sig. Hon såg på klockan. Det hade gått mer än tio minuter nu. Gatan var öde. Ingen bil närmade sig. För att hålla sig varm ökade hon farten, sneddade över gatan till vattentornet och tillbaka igen, joggande. Varför kom inte Anna? Det hade gått nästan femton minuter nu.

Hon ställde sig framför polishusets ingång och såg sig omkring. Ingen var där. Bakom de upplysta fönstren skymtade skuggor. Hon gick tillbaka till parkeringsplatsen. Någonting fyllde henne plötsligt med obehag. Hon tvärstannade och såg sig om, lyssnade. Vinden prasslade i lövverket som för att störa henne. Hon vände sig hastigt om, samtidigt som hon hukade. Anna stod där.

– Varför smyger du?

– Det var inte min mening att skrämma dig.

– Var kom du ifrån?

Anna pekade svävande mot infarten till polishuset.

– Jag hörde inte din bil.

– Jag gick hit.

Linda blev mer och mer på sin vakt. Anna var spänd, hennes ansikte plågat.

– Vad är det som är så viktigt?

– Jag vill bara veta om Zebran.

– Vi talade ju om det i telefon?

Linda pekade mot polishusets många upplysta fönster.

– Vet du hur många som arbetar just nu? fortsatte hon. Som bara har en sak i huvudet, att hitta Zebran? Du får tro vad du vill, men jag är faktiskt med i det arbetet. Jag har inte tid att stå här och prata med dig.

– Förlåt. Jag ska gå.

Det här stämmer inte, tänkte Linda. Hela hennes inre alarmsystem reagerade. Anna verkade förvirrad, hennes smygande och hennes dåliga ursäkt för att störa stämde inte.

– Du ska inte gå, sa Linda skarpt. Om du nu har kommit hit så kan du i alla fall tala om varför.

– Det har jag redan sagt.

– Om du vet nånting om var Zebran befinner sig måste du tala om det. Hur många gånger ska jag behöva säga det?

– Jag vet inte var hon är. Jag kom ju för att fråga om ni har hittat henne, eller om ni har några spår.

– Du ljuger.

Annas reaktion kom så överraskande att Linda inte hann förbereda sig. Det var som om Anna genomgick en våldsam förvandling. Hon stötte till Linda i bröstet och skrek:

– Jag ljuger aldrig! Men du förstår inte vad som händer!

Hon vände sig om och gick därifrån. Linda sa ingenting, såg bara förstummad efter henne. Den ena handen höll Anna i fickan. Hon har nånting där, tänkte Linda. Nåt som hon klamrar sig fast vid. En livboj i miniatyr i kappfickan. Men varför är hon så upprörd? Linda tänkte att hon borde springa ikapp henne. Men Anna var redan långt borta.

Hon gick tillbaka upp mot polishusets port. Men nånting hejdade henne igen. Hon tänkte fort nu. Hon skulle inte ha släppt iväg Anna. Om det var som hon upplevde det, att Anna uppträdde obalanserat och konstigt, borde hon ha tagit med henne in på polishuset och bett nån annan tala med henne. Hon hade fått i uppdrag att hålla sig nära Anna. Nu hade hon gjort ett misstag, stött bort henne alldeles för fort.

Linda försökte fatta ett beslut. Hon vacklade mellan att gå in och att stoppa Anna. Hon valde det senare och beslöt sig för att låna bilen eftersom det skulle gå fortare. Hon körde den väg som Anna borde ha gått, men utan att hitta henne. Hon körde tillbaka samma väg med oförändrat resultat. Det fanns en alternativ väg. Inte heller där fanns Anna. Hade hon försvunnit igen? Linda körde till hennes hus och stannade. Det lyste i lägenheten. På väg till porten upptäckte hon att det stod en cykel där. Däcken var blöta, den nerstänkta ramen hade ännu inte torkat. Det regnade inte men gatorna var fulla med vattenpölar. Linda skakade på huvudet. Någonting varnade henne för att ringa på dörren. Istället satte hon sig i bilen och backade tills den hamnade i skuggan.

Hon kände att hon behövde rådfråga någon. Hon slog numret till sin fars mobiltelefon, men han svarade inte. Han har förlagt den igen, tänkte hon uppgivet. Hon slog numret till Stefan Lindmans telefon. Upptaget, precis som Martinssons som hon prövade därnäst. Linda skulle just börja om igen när en bil körde in på gatan och stannade utanför Annas port. Det var en mörkblå eller svart bil, kanske en Saab. Ljuset i Annas lägenhet slocknade. Linda satt på helspänn, händerna som höll mobilen blev svettiga. Anna kom ut och satte sig i baksätet. Så körde de därifrån. Linda följde efter. Hon försökte ringa sin far igen men han svarade inte. På Österleden blev hon omkörd av en lastbil som höll hög hastighet. Linda låg kvar bakom lastbilen men svängde då och då ut mot mittlinjen för att kontrollera att den mörka bilen inte försvann. Den svängde in på vägen till Kåseberga.

Linda höll så långt avstånd hon vågade mellan sig själv och den bil där Anna fanns. Hon försökte ringa igen, men tappade mobilen som ramlade ner mellan sätena. De passerade avtagsvägen mot Kåseberga hamn och fortsatte österut. Först vid Sandhammaren svängde bilen framför henne av. Det kom överraskande, den hade inte blinkat höger. Linda fortsatte förbi avtagsvägen och stannade först när hon passerat både ett backkrön och en vägkrök. Vid en busshållplats vände hon och började köra tillbaka. Men hon vågade inte köra ända fram.

En mindre avtagsväg ledde in till vänster. Linda körde in på den smala och gropiga vägen. Den tog slut vid en nerrasad grind och en rostig skördetröska. Linda klev ur bilen. Det blåste kraftigare här vid havet. Hon letade reda på ficklampan och sin fars svarta stickade mössa. När hon satte på sig den tänkte hon att den gjorde henne osynlig. Hon övervägde om hon skulle ringa igen. Men när hon upptäckte att mobilen snart behövde laddas stoppade hon den bara i fickan och började gå tillbaka längs den väg hon kommit. Det var några hundra meter till vägen mot Sandhammaren. Hon gick så fort att hon blev svettig. Vägen låg mörk. Hon stannade och lyssnade. Där fanns bara vinden och dånet från havet.

Hon letade i fyrtiofem minuter bland husen som låg utspridda i området och hade nästan gett upp när hon plötsligt upptäckte den mörkblå bilen som stod inkörd bland några träd. Det fanns inget hus i närheten. Hon lyssnade igen. Allt var stilla. Hon skärmade av ljuset från ficklampan med handen och lyste in i bilen. I baksätet låg en halsduk och ett hörselskydd. Det var där Anna hade suttit. Hon försökte förstå varför föremålen fanns där. Så riktade hon ficklampan mot marken. Det ledde stigar åt olika håll. Men en hade flest avtryck efter skor.

Linda tänkte ringa upp sin far, men ändrade sig när hon påminde sig att batteriet var på väg att ta slut. Istället skickade hon ett SMS-meddelande till honom. *Jag är med Anna. Jag ringer.* Hon släckte lampan och började följa sandstigen. Hon förvånades över att hon inte var rädd trots att hon bröt mot det ständiga mantrat under utbildningstiden: Gå inte ut ensam, arbeta aldrig ensam. Hon stannade och tvekade. Kanske hon borde vända. Jag är precis som pappa, tänkte hon och kände en gnagande misstanke om att det hon gjorde ytterst var ett försök att visa honom att hon dög.

Plötsligt uppfattade hon ett ljusskén mellan träden och sanddynerna. Hon lyssnade. Fortfarande bara vinden och havet. Hon tog några steg i riktning mot ljuset. Det var fönster, flera var upplysta. Det låg ett hus där, ensamt, utan nära grannar. Hon tände ficklampan igen, lät den lysa genom handen och närmade sig försiktigt. Där fanns ett staket och en grind. Hon släckte lampan igen när hon kommit så nära att ljuset från fönstren lyste upp marken framför henne. Trädgården var stor. Havet måste vara nära trots att hon inte kunde se det. Hon undrade vem som hade ett så stort hus nere vid stranden och vad Anna gjorde där, om det nu var hit hon hade kommit. Det surrade till i hennes telefon. Hon ryckte till och tappade ficklampan. Sen svarade hon hastigt. Det var en av hennes kurskamrater, Hans Rosqvist, som nu arbetade i Eskilstuna. De hade inte talats vid sedan avslutningsbalen.

– Ringer jag olämpligt? frågade han.

Linda kunde höra musik och slammer av glas och flaskor i bakgrunden.

– Lite, viskade hon. Ring tillbaka i morron. Jag arbetar.

– En stund kan du väl prata?

– Nej. Vi pratar i morron.

Hon bröt samtalet och höll mobilen i handen med fingret på avstängningsknappen om han skulle ringa igen. När hon väntat två minuter utan att något hände stoppade hon tillbaka telefonen i fickan. Hon klättrade försiktigt över staketet. Utanför huset stod flera bilar. Där var också några tält resta på gräsmattan.

Ett fönster öppnades bara några meter ifrån henne. Hon ryckte till och hukade. Hon såg en skugga bakom en gardin och hörde ljudet av röster. Hon väntade. Sen smög hon sig fram till fönstret. Rösterna hade tystnat. Känslan av att det fanns ögon i mörkret var mycket stark. Jag måste bort från det här, tänkte hon med dunkande hjärta. Jag borde inte vara här, i alla fall inte ensam. En dörr öppnades, hon kunde inte se var, bara en ljusgata ut i mörkret. Linda höll andan. Nu kände hon lukten av tobaksrök i vinden. Nån står i en öppen dörr och röker, tänkte hon. Samtidigt återkom rösterna i det fönster som stod på glänt.

Ljusgatan försvann, den osynliga dörren stängdes. Hon hörde rösterna tydligare nu. Det tog några minuter för henne att inse att det bara var en person som talade, en man. Men hans röstläge växlade så att hon till början trott att det var mer än en. Han talade i korta meningar, satte punkt och fortsatte igen. Hon ansträngde sig för att höra vilket språk han talade. Det var engelska.

Först förstod hon inte vad det var han sa. Det var som en osammanhängande ordmassa utan någon begriplig mening. Han räknade upp namn, på människor, på städer, Luleå, Västerås, Karlstad. Det var nån form av instruktioner förstod hon, något skulle hända på dessa platser, det fanns ett klockslag och ett datum som upprepades. Linda räknade efter i huvudet. Vad det än var som skulle hända var det bestämt att ske om tjugosex timmar. Rösten som talade var melodisk, dröjande, men kunde ibland bli skarp, nästan gäll, för att sen återta det milda tonläget igen.

Linda försökte se mannen framför sig. Frestelsen var stor att häva sig upp på tå och försöka se in i rummet utan att bli upptäckt. Men hon stannade i den obekväma ställningen intill husväggen. Plötsligt började rösten därinne tala om Gud. Linda kände hur det högg till i magen. Det hon hörde nu, det var det hennes far hade talat om, att allt det som hände hade en religiös dimension.

Linda behövde inte fundera över om hon hade något alternativ. Hon borde ge sig iväg och larma poliserna som kanske också hade börjat undra vart hon tagit vägen. Men hon kunde samtidigt inte försvinna nu, inte när rösten talade om Gud och det som skulle hända om tjugosex timmar. Vad var det för budskap som låg mellan raderna i hans ord? Han talade om en stor nåd som väntade martyrerna. Vilka martyrer? Vad var egentligen en martyr? Hon tänkte att frågorna var för många och hennes eget huvud för litet. Vad var det egentligen som höll på att hända? Och varför var hans röst så mild?

Hur länge lyssnade hon innan hon begrep vad det rörde sig om? Kanske gick det en halvtimme, eller bara några få minuter. Den förfärande sanningen smög sig sakta på henne. Då hade hon redan börjat svettas trots att det var kallt där vid husväggen. Här i ett hus vid Sandhammaren förbereddes en fasansfull attack, nej, inte en utan tretton attacker, och några av de människor som skulle utlösa katastrofen hade redan gett sig iväg.

Hon hörde orden som upprepades: *placering vid altare och torn. Det explosiva* talade han också om, *fundamenten och hörnen och det explosiva*, det kom igen gång på gång. Linda påminde sig plötsligt sin fars irriterade utbrott när någon kommit och försökt informera honom om en rekordstor stöld av dynamit. Kunde det hänga samman med det hon hörde här genom fönstret? Plötsligt började mannen därinne tala om hur viktigt det var att angripa de falska profeternas främsta symboler, att det var därför han valt ut de tretton domkyrkorna som mål.

Linda svettades men frös samtidigt, benen var stela, knäna värkte och hon insåg att hon genast måste ge sig av. Det hon hade hört, det som hon nu förstod var sant, var så skrämmande att hon inte riktigt kunde få in det i sitt huvud. Det händer inte här, tänkte hon. Det händer bara långt borta, bland människor med annan hudfärg än vår, med en annan tro.

Hon rätade försiktigt på ryggen. Det hade blivit tyst innanför fönstret. Hon skulle just gå när någon annan började tala. Hon stelnade. Mannen som talade nu sa att *allt är klart*, ingenting mer, *allt är klart*. Men det var inte ren svenska, det var som om hon hade hört rösten inom sig och på det band som försvunnit från larmcentralen. Hon rös till, väntade att Torgeir Langaas skulle säga något mer, men det var tyst igen. Linda trevade sig försiktigt bort mot staketet och klättrade över. Ficklampan vågade hon inte tända. Hon gick emot träd och snubblade över stenar.

Så småningom insåg hon att hon hade gått vilse. Hon hittade inte stigen. Hon hade kommit in bland några sanddyner. Vart hon än vände sig kunde hon inte upptäcka något annat ljus än från ett fartyg långt ute på havet. Hon tog av sig mössan och stoppade den i fickan, som om hennes bara huvud skulle hjälpa henne att hitta rätt. Hon försökte bestämma var hon befann sig i förhållande till havet och vindriktningen. Hon började gå och drog upp mössan igen ur fickan och satte på sig den.

Tiden var just nu viktigast av allt. Hon kunde inte irra omkring bland sanddynerna i mörkret längre. Hon måste ringa. Men telefonen fanns inte i fickan. Hon kände igenom alla sina fickor. Mössan, tänkte hon. Mobilen måste ha åkt ut när jag tog upp mössan. Den ramlade i sanden och det hördes inte. Hon började krypa i sina egna spår med ficklampan tänd. Men hon hittade ingen mobil. Jag duger inte, tänkte hon rasande. Jag kryper omkring här och vet inte ens var jag befinner mig. Hon tvingade sig att bli lugn. Återigen försökte hon bestämma riktningen. Med jämna mellanrum stannade hon och lät ficklampan hastigt skära igenom mörkret.

Till sist hittade hon rätt, där var stigen hon hade kommit. Till vänster hade hon huset med de upplysta fönstren. Hon drog sig så långt undan hon kunde och sprang mot den mörkblå bilen. Det var ett ögonblick som kändes som en stor befrielse. Hon såg på klockan igen: kvart över elva. Tiden hade rusat iväg.

Armen kom ur mörkret, bakifrån, och tog ett kraftigt tag runt hennes armar. Hon kunde inte röra sig, kraften som höll henne var för stor. Hon kände andedräkten mot sin kind. Armen vred henne ett varv runt. En ficklampa riktades mot hennes ansikte. Utan att han sa något visste hon att den man som såg på henne och andades så tungt var han som hette Torgeir Langaas.

50

Gryningen kom som en sakta växande gråton. Den bindel Linda hade för ögonen släppte in ljus. Hon förstod att den långa natten började ta slut. Men vad skulle hända då? Runt henne var det tyst. Konstigt nog hade hennes mage inte brutit samman. Det var en idiotisk tanke, men den hade hoppat fram som en liten vaktpost ur hennes inre när Torgeir Langaas hade lagt sin kraftiga arm runt henne. Vaktposten stod där och skrek: *Innan du slår ihjäl mig, innan jag förgås, måste jag få gå på toaletten. Och finns det ingen här i skogen så släpp mig bara för en minut. Jag sätter mig på huk i sanden, jag har alltid toapapper med mig i fickan och sen sparkar jag sand över skiten som en katt.*

Men hon hade naturligtvis inte sagt nånting. Torgeir Langaas hade andats på henne, ficklampan hade stuckit henne i ögonen. Sedan hade han knuffat henne åt sidan och lagt bindeln för hennes ögon och dragit åt. Hon hade slagit huvudet i bildörren när han knuffade in henne. Hon upplevde en rädsla som var så stark att den bara kunde jämföras med den skräck hon känt när hon balanserat på broräcket och kommit till den överraskande punkt när hon inte ville dö längre. Det hade varit tyst runt henne, bara vinden och dånet från havet.

Var Torgeir Langaas kvar vid bilen? Det visste hon inte. Hur lång tid som gått när dörrarna till framsätet öppnades visste hon inte. Men hon kände på rörelsen i bilen att två personer satte sig i den, en bakom ratten och en annan i sätet bredvid. Bilen ryckte igång, den som körde var vårdslös och nervös eller hade bråttom.

Hon försökte avgöra vart de var på väg. De kom ut på den asfalterade vägen och svängde vänster, mot Ystad. Hon tyckte också att hon uppfattade att de körde igenom Ystad. Men nånstans på vägen mot Malmö tappade hon kontrollen över den inre karta hon höll på att upprätta. Bilen svängde av, flera gånger byttes körriktningen, asfalten gick över i grus som blev till asfalt igen. Bilen stannade men inga dörrar öppnades. Det rådde fortfarande stillhet. Hur länge hon satt där visste hon inte. Men det var mot slutet av denna väntan som hon kände hur det grå morgonljuset började sila in genom bindeln.

Plötsligt bröts tystnaden av att bildörrarna rycktes upp, någon drog ut henne ur bilen och ledde henne längs en väg som först var av asfalt och sedan av sand. Hon gick uppför en stentrappa med fyra steg. Hon märkte att kanterna var ojämna och såg för sitt inre en gammal trappa. Sedan omgavs hon av kyla, en ekande kyla. Hon förstod genast att hon befann sig i en kyrka. Rädslan som domnat bort under den långa nattens väntan slog till med full kraft igen. Hon såg framför sig det hon inte hade sett, bara hört talas om, Harriet Bolson, strypt av en tross framför ett altare.

Stegen ekade mot stengolvet, en dörr öppnades och hon snubblade över en tröskel. Så togs bindeln bort. Hon blinkade mot det grå ljuset och såg ryggen på Torgeir Langaas när han gick ut och låste dörren efter sig. En lampa var tänd i rummet, en sakristia med porträtt i olja av bistra präster från svunna tider. Fönstren var täckta av fönsterluckor. Linda såg sig omkring efter en dörr till en toalett. Det fanns ingen. Magen och tarmarna höll sig fortfarande lugna, men hon var så kissnödig att det sprängde. Det stod några höga dryckeskärl på ett bord. Hon tänkte att Gud säkert skulle förlåta henne och använde en som potta. Hon såg på sitt armbandsur. Kvart i sju, lördagen den 8 september. Ovanför kyrkan hördes ljudet av ett flygplan som var på väg in för landning någonstans.

Hon förbannade den mobil hon hade tappat under natten. Här i sakristian fanns ingen telefon. Hon letade igenom skåp och lådor utan resultat. Sedan började hon bearbeta fönstren. De gick att öppna men fönsterluckorna slöt tätt och var reglade. Hon letade igenom sakristian ännu en gång för att försöka hitta några verktyg, men förgäves.

Dörren öppnades och en man kom in i rummet. Linda kände genast igen honom. Han var magrare än på fotografierna som Anna visat henne, bilderna som legat gömda i hennes byrålådor. Han var klädd i kostym, skjortan mörkblå, knäppt i halsen. Håret var bakåtkammat, långt i nacken. Ögonen var ljusblå, precis som Annas, och det var tydligare nu än på fotografierna hur lik Anna var sin far. Han stod i skuggan intill dörren och såg på henne. Han log.

– Du ska inte vara rädd, sa han vänligt och kom fram emot henne med händerna utsträckta, som om han ville visa att han var vapenlös och inte hyste några aggressiva avsikter.

En tanke for genom Lindas huvud när hon såg de utsträckta, öppna händerna: *Anna hade ett vapen i kappfickan. Det var därför hon kom till polishuset. För att döda mig. Men hon klarade inte av det.* Tanken gjorde Linda alldeles knäsvag. Hon vacklade till, och Erik Westin sträckte ut handen och hjälpte henne att sätta sig ner.

– Du ska inte vara rädd, upprepade han. Jag beklagar att jag var tvungen att låta dig vänta i en bil med förbundna ögon. Jag är också ledsen för att jag är tvungen att hålla dig kvar här ytterligare några timmar. Sen kommer du att kunna gå härifrån.

– Var är jag?

– Det kan jag inte svara på. Det enda som betyder nånting är att du inte är rädd. Och att du svarar på en fråga.

Hans röst var fortsatt vänlig, leendet verkade äkta. Linda kände sig förvirrad.

– Jag måste få veta vad du vet, sa Erik Westin.

– Om vad då?

Han betraktade henne, fortfarande leende.

– Det var inget bra svar, sa han sakta. Jag kunde ställa frågan tydligare. Men det behöver jag inte eftersom du förstår vad jag menar. Du följde efter Anna igår kväll, du hittade fram till ett hus vid havet.

Linda bestämde sig hastigt. Det mesta jag säger måste vara sant, annars genomskådar han mig. Det finns inget alternativ, tänkte hon och gav sig själv extra tid genom att snyta sig.

– Jag var aldrig framme vid något hus. Jag hittade en bil som stod parkerad i skogen. Men det är riktigt att jag sökte efter Anna.

Han verkade frånvarande, men Linda förstod att han begrundade hennes svar. Hon hade känt igen hans röst nu. Det var han som talat till en osynlig menighet i huset på stranden. Även om hans röst och hela hans väsen utstrålade ett stort och vänligt lugn fick hon inte glömma vad han sagt under natten.

Han såg på henne igen.

– Du var aldrig framme vid något hus?

– Nej.

– Varför följde du efter Anna?

Inga fler lögner, tänkte Linda.

– Jag är orolig för Zebran.

– Vem är det?

Nu var det han som ljög och hon som dolde att hon förstod.

– Zebran är en gemensam väninna. Hon har försvunnit.

– Varför skulle Anna veta något om var hon befinner sig?

– Hon har verkat så spänd.

Han nickade.

– Du kanske talar sanning, sa han. Tids nog kommer jag att få veta.

Han reste sig utan att ta blicken från hennes ögon.

– Tror du på Gud?

Nej, tänkte Linda. Men jag vet vilket svar du vill ha.

– Jag tror på Gud.

– Hur mycket den tron är värd får vi snart veta, sa han. Det är som det står i Bibeln: "Snart äro våra motståndare utrotade, och deras överflöd har elden förtärt."

Han gick fram till dörren och öppnade den.

– Du ska inte behöva vara ensam längre, sa han till Linda.

Zebran kom in, efter henne Anna. Dörren slog igen bakom Erik Westin, en nyckel vreds om på utsidan. Linda stirrade på Zebran, sen på Anna.

– Vad är det du gör?

– Bara det som måste göras.

Annas röst lät stadig, men ansträngd och fientlig.

– Hon är galen, sa Zebran som sjunkit ner på en stol. Fullständigt galen.

– Bara den som dödar ett oskyldigt barn kan vara galen. Det är ett brott man måste straffas för.

Zebran rusade upp från stolen och grep tag om Lindas arm.

– Hon är galen, skrek hon. Anna påstår att jag ska straffas för att jag en gång gjort en abort.

– Låt mig tala med Anna, sa Linda.

– Man kan inte tala med dårar, skrek Zebran.

– Jag tror inte hon är nån dåre, sa Linda så lugnt hon förmådde.

Hon ställde sig framför Anna och såg henne rakt in i ögonen. Hon försökte febrilt ordna sina tankar. Varför hade Erik Westin lämnat Anna i samma rum som henne själv och Zebran? Fanns det en plan *bakom* planen som hon inte förstod?

– Du menar inte att du är indragen i det här? sa Linda.

– Min far har kommit tillbaka. Han har återgett mig ett hopp jag hade förlorat.

– Vad för sorts hopp?

– Att det finns en mening med livet, att Gud har gett oss en mening.

Det är inte sant, tänkte Linda. Nu såg hon detsamma i Annas ögon som hon såg i Zebrans: rädsla. Anna hade vridit på kroppen och huvudet så att hon hade dörren i synfältet. Hon är rädd för att dörren ska öppnas, tänkte Linda. Hon är skräckslagen för sin far.

– Vad är det han hotar dig med? frågade hon med låg röst, nästan viskande.

– Han hotar mig inte.

Anna hade också börjat viska nu. Det kunde bara betyda att hon lyssnar, tänkte Linda. Det gav henne en möjlighet.

– Ljug inte mer nu. Vi kan klara oss ur det här allihop bara du inte ljuger.

– Jag ljuger inte.

Linda visste att tiden var knapp. Hon gav sig inte in i någon argumentering med Anna. Ville hon inte svara på en fråga eller var svaret en lögn, var det bara för Linda att gå vidare.

– Du kan tro på vad du vill, men du kan inte göra dig ansvarig för att människor mördas. Begriper du inte vad du håller på med?

– Min far har kommit tillbaka för att hämta mig. En stor uppgift väntar.

– Jag vet vad det är för uppgift du talar om. Vill du verkligen att det ska dö fler människor, att det ska brinna fler kyrkor?

Linda såg att Anna var nära bristningsgränsen. Nu måste hon fortsätta, inte släppa taget om henne.

– Och om Zebran avrättas, då kommer du alltid att ha hennes sons ansikte framför dig, en anklagelse som du aldrig kommer undan. Är det det du vill?

En nyckel rasslade till i dörren. Linda blev rädd. Nu var det för sent.

Men just innan dörren öppnades stack Anna handen i fickan och smög över en mobiltelefon till Linda. Erik Westin stod i dörren.

– Har du tagit farväl? frågade han.

– Ja, svarade Anna. Jag har tagit farväl.

Erik Westin strök med fingertopparna över hennes panna. Han vände sig mot Zebran och sedan till Linda.

– Ännu en stund, sa han. Ännu någon timme.

Zebran störtade plötsligt mot dörren. Linda tog tag i henne och tryckte ner henne på stolen. Hon höll henne där tills hon lugnat sig.

– Jag har en telefon nu, viskade Linda. Vi klarar det här om du bara sitter på stolen och väntar.

– Dom kommer att döda mig.

Linda tryckte handen över Zebrans mun.

– Om jag ska klara det här måste du hjälpa mig genom att vara tyst.

Zebran lydde. Linda skakade så våldsamt att hon slog fel nummer två gånger. Signal på signal gick fram utan att hennes far svarade. Hon skulle just avsluta när samtalet togs emot. Det var han. När han hörde hennes röst började han ryta. Var hade hon varit? Begrep hon inte vilken oro hon vållade?

– Vi har inte tid, väste hon. Lyssna.

– Var är du?

– Lyssna. Var tyst.

Hon berättade vad som hade hänt från det att hon gått ut ur polishuset efter att ha skrivit en lapp och lagt på hans bord. Han avbröt.

– Jag har inte sett nån lapp trots att jag har varit här hela natten och väntat på att du skulle ringa.

– Då har den väl kommit bort. Vi har inte tid, du måste lyssna.

Hon var på väg att gråta. Då avbröt han inte mer. Hon kunde tala till punkt. Han andades tungt, varje andetag var som en svår fråga han måste hitta ett svar på, ett viktigt beslut att fatta.

– Är allt detta sant? frågade han.

– Varje ord. Jag hörde vad som sas.

– Det är alltså fullständiga galningar, sa han upprört.

– Nej, protesterade Linda. Det är nånting annat. Dom tror på det dom gör. För dom är det ingen galenskap.

– Vad det än är så går vi ut med ett larm till alla stiftsstäder, svarade han skärrat. Jag tror vi har femton domkyrkor i landet.

– Dom talade hela tiden om tretton, sa Linda. Tretton torn. Det trettonde tornet var det sista och skulle betyda att den stora reningsprocessen har börjat. Vad det betyder vet jag inte.

– Du vet alltså inte var du är?

– Nej. Jag är ganska säker på att vi for igenom Ystad, det stämde med rondellerna. Vi kan inte ha åkt så långt som till Malmö.

– Vilket väderstreck?

– Jag vet inte.

– La du märke till nånting annat när du satt i bilen?

– Vägbeläggningarna var blandade, asfalt, grus, ibland rena kostigar.

– Körde ni över några broar?

Hon tänkte efter.

– Jag tror inte det.

– Hörde du några ljud?

Hon kom genast på det. *Flygplanen.* Flera gånger hade hon hört dem.

– Jag har hört flygplan. Ett var nära.

– Vad menar du med nära?

– Det lät som om det höll på att landa. Eller också just hade startat.

– Vänta, sa hennes far.

Han ropade något utanför telefonen.

– Vi plockar fram en karta, sa han när han återkom. Hör du nåt flygplan just nu?

– Nej.

– Lät dom som stora plan eller småflyg?

– Som jetplan. Stora plan.

– Då måste det vara Sturup.

Det prasslade av papper. Linda hörde hur hennes far sa åt någon att ringa upp flygledartornet på Sturup.

– Vi har en karta här nu. Hör du nånting?

– Flygplan? Nej, ingenting.

– Kan du beskriva mer i detalj hur du befinner dig i förhållande till flygplanen?

– Ligger ett kyrktorn i öster eller väster?

– Hur ska jag kunna veta det?

Han ropade på Martinsson som svarade.

– Tornet ligger i väster, koret i öster. Det har med uppståndelsen att göra.

– Flygplanen har kommit in söderifrån. Om jag står och ser i riktning österut, då har dom kommit söderifrån och flugit mot norr. Eller kanske mot nordväst. Dom har flugit nästan rakt över den här kyrkan.

Det mumlade och skrapade i andra änden av linjen. Linda kände att svetten dröp om henne. Zebran satt apatisk och vaggade med huvudet i händerna. Hennes far återkom.

– Nu ska du få tala med en flygledare på Sturup som heter Janne Lundwall. Jag hör allt ni säger och kanske avbryter. Förstår du vad jag säger?

– Jag hör. Jag är inte dum. Men ni måste skynda er.

Han darrade på rösten när han svarade.

– Jag vet. Men vi kan inte göra nånting om vi inte vet var ni är.

Janne Lundwall kom i telefonen.

– Vi ska se om vi kan lista ut var du befinner dig, sa han glatt. Hör du nåt flygplan just nu?

Linda undrade vad hennes far hade sagt. Flygledarens lättsamma tonfall förstärkte bara hennes ångest.

– Jag hör ingenting.

– Vi har en KLM-maskin på väg in om fem minuter. Så fort du hör den ropar du till.

Minuterna gick oändligt sakta. Till slut hörde hon ändå det svaga ljudet av ett flygplan som närmade sig.

– Jag hör det.

– Står du rakt mot öster?

– Ja. Planet kommer från höger.

– Det stämmer. Säg till när planet befinner sig mitt över ditt huvud eller precis framför dig.

Det rasslade i dörren. Linda bröt samtalet, stängde av mobilen och stoppade den i fickan. Det var Torgeir Langaas som kom in. Han stod stum och såg på dem. Sen gick han igen, utan att ha sagt ett enda ord. Zebran satt hopkrupen i sitt hörn. Först när han gått och slagit igen dörren insåg Linda att flygplanet redan hade passerat.

Hon slog numret till sin far igen. Han svarade med upprörd röst. Han är lika rädd som jag, tänkte Linda. Lika rädd, och han vet lika lite var jag är som jag själv. Vi kan tala med varandra men vi kan inte hitta varandra.

– Vad hände?

– Nån kom in. Han som heter Torgeir Langaas. Jag var tvungen att stänga av.

– Herregud. Tala med Lundwall igen.

Nästa flygplan kom efter fyra minuter. Enligt Janne Lundwall var det ett charterplan från Las Palmas som var fjorton timmar försenat.

– En massa sura och förbannade passagerare på väg för landning, sa han belåtet. Ibland är det skönt att sitta i ett torn och vara alldeles isolerad. Hör du nånting?

Linda ropade till när ljudet av planet dök upp i hennes öron.

– Samma sak gäller. Hojta när du har det över huvudet eller framför dig.

Flygplanet närmade sig. Samtidigt började mobilen pipa. Linda såg på displayen. Batteriet var på väg att ta slut.

– Mobilen håller på att lägga av, sa hon.

– Vi måste veta var du är, ropade hennes far.

Det är för sent, tänkte Linda. Hon röt och förbannade och besvor telefonen att inte dö ifrån henne riktigt än. Planet kom närmare och närmare, telefonen pep. Linda ropade till när flygplanets vinande motorer befann sig mitt emellan hennes öron.

– Då har vi dig rätt väl inprickad, sa Janne Lundwall. Bara en fråga till –

Vad det var han velat fråga om fick Linda aldrig veta. Mobilen dog bort. Linda stängde av den och la den inne i ett skåp där det hängde olika skrudar och mantlar. Hade det varit nog för att de skulle kunna identifiera kyrkan? Hon kunde bara hoppas. Zebran såg på henne.

– Det kommer att lösa sig, sa Linda. Dom vet var vi är.

Zebran svarade inte. Hennes blick var glasartad. Hon högg tag i Lindas handled så hårt att naglarna skar in i huden som började blöda. Vi är lika rädda, tänkte hon. Men jag måste åtminstone låtsas att jag inte är det. Jag måste hålla Zebran lugn. Om hon får panik kan det hända att väntetiden kortas. Väntetiden på vad? Hon visste inte. Men om sanningen nu var den att Anna hade berättat för sin far att Zebran en gång gjort en abort, och om en abort var orsaken till Harriet Bolsons död i Frennestads kyrka, då behövde ingen tveka om vad som skulle ske.

– Det kommer att lösa sig, viskade hon. Dom är på väg nu.

Hur länge de väntat kunde Linda inte avgöra. Det kunde ha varit en halvtimme, kanske mer. Sen kom det som en åskknall från ingenstans. Det var dörren som slogs upp. Tre män kom in och grep Zebran, två andra tog tag i Linda. De drogs ut ur rummet. Allt gick så fort att Linda aldrig kom sig för att göra motstånd. Armarna som höll henne var starka. Zebran skrek, det lät som ett utdraget ylande. Ute i kyrkorummet stod Erik tillsammans med Torgeir Langaas och väntade. I den främsta bänken satt två kvinnor och ytterligare en man. Anna fanns också där, hon satt lite längre bak. Linda försökte möta hennes blick men Annas ansikte var som en stelnad mask. Eller hade hon en riktig mask framför ansiktet? Det kunde Linda inte avgöra. De människor som satt längst fram hade något som liknade vita masker i sina händer.

Linda fylldes av en förlamande skräck när hon såg trossen som Erik Westin hade i handen. Han kommer att döda Zebran, tänkte hon desperat. Han kommer att döda henne och han kommer att döda mig eftersom jag ser det som sker och vet alldeles för mycket. Zebran kämpade som ett djur för att komma loss.

Då var det som om väggarna rasade samman. Kyrkporten slogs upp, fyra av de färgade fönstren, två på var långsida av kyrkorummet, krossades. Linda hörde en röst som ropade i en megafon och det var hennes far, ingen annan, han röt som om han misstrodde megafonens förmåga att förstärka hans röst. Det blev alldeles stilla inne i kyrkan.

Erik Westin ryckte till. Han grep fatt i Anna och använde henne som sköld. Hon försökte slita sig loss. Han skrek till henne att lugna sig, men hon lyssnade inte. Han drog med henne mot porten till kyrkan. Återigen försökte hon göra sig fri. Ett skott brann av. Anna ryckte till och föll ihop. Erik Westin hade vapnet i handen. Han stirrade vantroget på sin dotter. Sen rusade han ut ur kyrkan. Ingen vågade stoppa honom.

Lindas far hade tillsammans med ett stort antal beväpnade poliser – de flesta kände Linda inte igen – stormat in i kyrkan via sidodörrarna. Nu började Torgeir Langaas skjuta. Linda drog med sig Zebran in i en bänkrad och de tryckte sig mot golvet. Skottväxlingen fortsatte. Vad som hände kunde Linda inte se. Sedan blev det tyst. Hon hörde Martinssons röst, han ropade att en man hade tagit sig ut genom porten. Det måste vara Torgeir Langaas, tänkte hon.

Hon kände en hand på sin axel och ryckte till, kanske hon också skrek utan att märka det. Det var hennes far.

– Ni måste ta er ut, sa han.

– Hur är det med Anna?

Han svarade inte. Linda förstod att hon var död. De sprang hukande ut genom porten. På avstånd såg de den mörkblå bilen försvinna längs vägen. Strax efter följde två polisbilar. Linda och Zebran satte sig på marken på andra sidan kyrkogårdsmuren.

– Det är över nu, sa Linda.

– Ingenting är över, viskade Zebran. Jag ska leva med det här resten av mitt liv. Jag kommer alltid att känna nånting som trycker runt min hals.

Plötsligt small det igen, ett skott, strax därefter två till. Linda och Zebran hukade bakom muren. Det hördes röster, kommandon, bilar som rivstartade med påslagna sirener. Sedan tystnad.

Linda sa åt Zebran att sitta kvar. Hon reste sig försiktigt och kikade fram över muren. Det fanns många poliser runt kyrkan. Men alla stod stilla. Linda tänkte att det var som om hon betraktade en tavla. Hon fick syn på sin far och gick fram till honom. Han var blek och tog henne hårt i armen.

– Båda kom undan, sa han. Både Westin och Langaas. Vi måste ta dom.

Han blev avbruten av någon som gav honom en mobiltelefon. Han lyssnade och lämnade sen tillbaka den utan ett ord.

– En bil fullastad med dynamit har just kört rakt in i Lunds domkyrka. Den mejade ner stolparna med järnkedjor och brakade sen in i det vänstra tornet. Det är kaos på platsen. Ingen vet hur många som är döda. Men vi tycks ha lyckats stoppa attackerna mot dom andra domkyrkorna. Tjugo personer är hittills gripna.

– Varför gjorde dom det här? frågade Linda.

Han tänkte efter länge innan han svarade.

– Därför att dom trodde på Gud och älskade honom, svarade han. Men jag tror inte den kärleken var besvarad.

De stod tysta igen.

– Var det svårt att hitta oss? frågade Linda. Kyrkorna är många i Skåne.

– Egentligen inte, svarade han. Lundwall i tornet kunde pricka in nästan exakt var du befann dig. Vi hade två kyrkor att välja på. Vi kikade in genom ett fönster.

Tystnad igen. Linda visste att de tänkte samma tanke. Vad hade hänt om hon inte hade kunnat lotsa dem rätt?

– Vems var mobilen? frågade han.

– Annas. Hon ångrade sig.

De gick bort till Zebran. En svart bil hade kört fram, Anna bars bort.

– Jag tror inte han sköt henne med flit, sa Linda. Jag tror att vapnet gick av ändå.

– Vi tar honom, sa hennes far. Då får vi veta.

Zebran hade rest sig. Hon frös så att hon skakade.

– Jag följer med henne, sa Linda. Jag vet att jag gjorde det mesta fel.

– Det blir lugnare när jag har dig i uniform och vet att du sitter tryggt i en polisbil som snurrar runt på gatorna i Ystad, sa hennes far.

– Min mobil ligger ute i sanden vid Sandhammaren.

– Vi skickar dit nån som ringer upp den. Sanden kanske börjar tala.

Svartman stod vid sin bil. Han öppnade bakdörren och svepte en filt om Zebran som kröp in och gömde sig i ett hörn.

– Jag stannar hos henne, sa Linda.

– Hur mår du?

– Jag vet inte. Det enda jag är säker på är att jag ska börja arbeta på måndag.

– Vänta en vecka, sa hennes far. Riktigt så bråttom är det inte.

Linda satte sig i bilen. De körde iväg. Ett flygplan strök tätt över deras huvuden, på väg in för landning. Linda såg ut över landskapet. Det var som om blicken sögs in i den brungrå leran, och där fanns sömnen som hon just nu behövde mer än något annat. Efter det skulle hon återvända en sista gång till det som varit en lång väntan på att börja arbeta. Men den väntetiden skulle bli kort. Snart kunde hon kasta sin osynliga uniform. Hon tänkte att hon borde fråga Svartman om han trodde att de skulle få fast Erik Westin och Torgeir Langaas. Men hon sa ingenting. Just nu ville hon ingenting veta.

Sedan, inte nu. Frost, höst och vinter; efteråt skulle hon tänka. Hon lutade huvudet mot Zebrans axel och slöt ögonen. Plötsligt såg hon Erik Westins ansikte framför sig. Det sista ögonblicket, när Anna sakta föll mot golvet. Nu förstod hon att det var en förtvivlan hon sett i hans ansikte, en oändlig ensamhet. En man som förlorat allt.

Hon såg ut över landskapet igen. Sakta sjönk det undan, Erik Westins ansikte, i den grå leran.

När bilen stannade på Mariagatan hade Zebran somnat. Linda väckte henne varsamt.

– Vi är framme nu, sa hon. Vi är framme och allting är över.

51

Måndagen den 10 september var en kall och blåsig dag över Skåne. Linda hade sovit dåligt, hon hade slumrat in först i gryningen. Hon vaknade av att hennes far kom in i hennes rum och satte sig på sängkanten. Så var det när jag var barn, tänkte hon. Min far brukade sitta på min sängkant, nästan aldrig min mor.

Han frågade hur hon sovit och hon svarade som sant var: illa, och när hon väl lyckats somna in så hade mörkret fyllts av mardrömmar.

Kvällen innan hade Lisa Holgersson ringt och sagt att Linda kunde vänta med att börja sitt arbete på allvar. En vecka, hade Lisa Holgersson sagt. Men Linda hade protesterat. Nu ville hon inte skjuta upp det längre, trots allt som hade hänt. De enades till slut om att Linda skulle ta en extra dag ledigt och komma upp till polishuset på tisdagsmorgonen.

Han reste sig från sängkanten.

– Jag går nu, sa han. Vad gör du idag?

– Jag träffar Zebran. Hon behöver nån att tala med. Det gör jag också.

Linda tillbringade dagen i Zebrans sällskap. Telefonen ringde oupphörligt. Ivriga journalister ville ställa frågor. Till slut flydde de till Mariagatan. Pojken tillbringade sin dag hos Aina Rosberg. Gång på gång gick de igenom vad som hade hänt. Inte minst vad som hade hänt med Anna. Kunde de förstå? Kunde någon förstå?

– Hon längtade efter sin far hela sitt liv, sa Linda. När han till sist kom vägrade hon tro annat än att han hade rätt, vad han än sa eller gjorde.

Zebran satt ofta tyst under denna måndag. Linda visste vad hon tänkte. Hur nära det varit att hon hade blivit dödad och att skulden var Annas, inte bara hennes fars.

Tidigt på eftermiddagen ringde Lindas far och berättade att Henrietta hade brutit samman och förts till sjukhus. Linda mindes Annas suckar som Henrietta infogat i ett musikstycke. Det är vad hon har kvar, tänkte hon. Sin döda dotters suckar på ett band.

– Det låg ett brev på hennes bord, fortsatte Lindas far. Hon försöker förklara sig. Henriettas skäl till att inte berätta att Erik Westin återkommit hade bottnat i att hon var rädd. Han hade hotat henne och sagt att om hon inte höll tyst skulle Anna dö och sedan hon själv. Det finns ingen anledning att tro att hon inte talar sanning. Men nog borde hon trots allt ha försökt hitta en utväg att tala om för någon vad som höll på att hända.

– Skrev hon något om mitt sista besök? frågade Linda.

– Torgeir Langaas fanns därute. Hon öppnade fönstret för att han skulle höra att hon inte avslöjade nånting.

– Annas far skrämde alltså människor genom Torgeir Langaas.

– Han visste mycket om människor, det får vi aldrig glömma.

– Har ni några spår efter dom?

– Vi borde få tag på dom eftersom dom är efterlysta med allra högsta prioritet över hela världen. Men kanske hittar dom nya gömställen, nya följeslagare.

– Vem vill följa människor som menar att allt detta dödande är till för att hylla Gud?

– Tala med Stefan Lindman om det. Du vet att han har varit svårt sjuk? Han berättade för mig att han efter sin sjukdom slutade att tro på Gud och kom fram till att det som sker med människan bestäms av andra krafter. Kanske var det så? Att dom följde Erik Westin och inte Gud?

– Ni måste gripa dom.

– Vi kan inte bortse från möjligheten att dom begått självmord. Men så länge vi inte har hittat några kroppar måste vi utgå från att dom lever. Dom kan ha flera gömställen, på samma sätt som i Rannesholmsskogen. Ingen vet hur många gömställen Torgeir Langaas hade förberett, och ingen kommer att kunna svara på det förrän vi hittar dom.

– Torgeir Langaas är borta och Erik Westin är också borta. Men mest borta av alla är Anna.

När samtalet var slut talade Linda och Zebran om att Erik Westin kanske redan var igång med att bygga upp en ny sekt. Att det fanns många som skulle vara beredda att följa honom visste de redan. En var den prästman, Ulrik Larsen, som hotat och överfallit Linda i Köpenhamn. Han var en av Erik Westins följeslagare som väntade på att kallas ut till ett uppdrag. Linda tänkte på det hennes far hade sagt. De kunde inte vara säkra så länge Erik Westin inte hade blivit gripen. En dag kommer kanske en ny lastbil fylld med dynamit att styras rakt mot en domkyrka, på samma sätt som i Lund. Det skulle ta lång tid att bygga upp domkyrkan som förstörts.

Efteråt, när Linda hade följt Zebran hem efter att ha försäkrat sig om att hon klarade av att vara ensam, hade Linda tagit en promenad och satt sig på piren vid hamncaféet. Det var kallt och blåsigt men hon kurade ihop sig där det var lä. Hon visste inte om det hon kände för Anna var saknad eller något annat. Vi blev aldrig vänner på riktigt, tänkte hon. Vi kom aldrig så långt. Vår verkliga vänskap tillhörde för alltid vår ungdom.

På kvällen kom hennes far hem och berättade att de hade funnit Torgeir Langaas. Han hade kört rakt in i ett träd. Allt pekade mot att det var självmord. Men Erik Westin var fortfarande spårlöst försvunnen. Linda undrade om hon någonsin skulle få veta om det var Erik Westin hon sett i solljuset utanför Lestarps kyrka. Och var det han som varit inne i hennes bil? Frågor som fortfarande saknade svar.

Det fanns ytterligare en fråga, men den hade hon lyckats besvara själv. Orden i Annas dagbok, *minorna, farorna.* Det var så enkelt, tänkte Linda, min far, min far. Ingenting annat.

Linda och hennes far satt länge och talade med varandra. Polisen hade långsamt börjat rekonstruera Erik Westins liv och funnit en återkoppling till den pastor Jim Jones och hans sekt som sökt döden i Guyanas djungel. Erik Westin var en komplicerad person som aldrig helt skulle gå att uttolka. Men det var oändligt viktigt att inse att han minst av allt var en galning. Hans bild av sig själv, inte minst synlig på de "heliga fotografier" som hans lärjungar bar med sig, var att han var en ödmjuk människa. Det fanns en logik i hans sätt att tänka, även om den var förvriden och sjuk. Han var inte galen men han var en fanatiker, beredd att göra vad som krävdes för att gynna det han trodde på. Han var beredd att offra människor när han ansåg att det var nödvändigt. Han lät döda dem som hotade att omintetgöra hans stora plan och dem som han ansåg hade begått brott som måste sonas med döden. Han sökte hela tiden svaren i Bibeln. Inga gärningar fick ske utan att han kunde hitta hänvisningar till den.

Erik Westin var en desperat människa som bara tyckte sig se ondska och förfall runt omkring sig. På det sättet kunde man kanske förstå honom men naturligtvis aldrig försvara det han gjorde. För att det inte skulle upprepas, för att man i framtiden lättare skulle kunna identifiera de människor som var beredda att spränga sig själva i luften som ett led i något som de påstod vara en kristen strävan, fick man inte göra misstaget att avfärda Erik Westin som en dåre. Det var han inte, sa Lindas far.

Mer fanns egentligen inte att säga. Alla de som skulle ha utfört de välplanerade sprängningarna väntade nu på att dömas och senare utvisas, polis över hela världen sökte efter Erik Westin, och hösten skulle komma med frostnätter och kalla vindar från nordost.

De skulle just gå till sängs när telefonen ringde. Han lyssnade under tystnad, ställde några korta frågor. När samtalet var slut ville Linda inte fråga vad som hänt. Hon såg en glimt av tårar i hans ögon och han berättade att Sten Widén just hade avlidit. Det var en av hans kvinnor som hade ringt, kanske den sista som han levt tillsammans med. Hon hade lovat kontakta Kurt Wallander och säga att allt var över och "att det gått bra".

– Vad menar hon med det?

– Vi brukade prata så när vi var unga, Sten och jag. Om döden som något man skulle hantera som en part i en duell. Även om utgången var given kunde man trötta ut döden så att den bara hade krafter nog att utdela ett sista hugg. Det var så vi bestämde att döden skulle bli för oss båda, nåt man skulle klara av så "att det gick bra".

Hon märkte att han var vemodig.

– Vill du prata?

– Nej, svarade han. Sorgen efter Sten hanterar jag själv.

De satt tysta en kort stund. Utan ett ord gick han till sängs. Inte heller natten mot tisdagen sov Linda många timmar. Hon tänkte på alla de människor som hade varit beredda att i Guds namn spränga sig själva och de kyrkor de hatade i luften. Av det som hennes far och Stefan Lindman berättat och det hon läst i tidningarna var dessa människor minst av allt några monster. Deras framtoning var ödmjuk. De hänvisade hela tiden till sitt goda uppsåt, att en gång för alla öppna vägen till det sanna Gudsriket på jorden.

En dag orkade hon vänta. Men inte mer. Alltså gick hon upp till polishuset på förmiddagen den 11 september, en blåsig och kall dag, efter en natt som lämnat spår av den första frosten. Hon provade ut sin uniform och kvitterade ut alla andra persedlar. Därefter samtalade hon med Martinsson en timme och fick sitt första tjänstgöringsschema. Resten av dagen fick hon ledigt. Men hon ville inte sitta ensam hemma på Mariagatan utan stannade kvar på polishuset.

Vid tretiden på eftermiddagen satt hon och drack kaffe och pratade med Nyberg som självmant slagit sig ner vid hennes bord och visade sig från sin mest vänliga sida. Martinsson kom in, och strax efter hennes far. Martinsson satte på teven.

– Nånting har hänt i USA, sa han.

– Hänt vad då? frågade Linda.

– Jag vet inte, sa Martinsson. Du får vänta och se.

Bilden på klockan. Extrautsändning från Rapport. Fler och fler kom in i rummet. När utsändningen började var där nästan fullt.

Epilog

Flickan på taket

Larmet kom till polishuset strax efter klockan sju på fredagskvällen den 23 november 2001. Linda, som den kvällen åkte med den polisman som hette Ekman, tog emot anropet. De hade just avstyrt ett familjebråk i Svarte och var på väg tillbaka mot Ystad. En ung flicka hade klättrat upp på taket till ett hyreshus vid västra infarten till staden och hotade att hoppa. Dessutom var hon beväpnad med ett laddat hagelgevär. Operationsledningen ville ha fler bilar till platsen så snart som möjligt. Ekman slog på blåljusen och ökade farten.

När de kom fram till platsen hade redan många nyfikna samlats. Strålkastare belyste flickan som satt uppe på taket med ett gevär i händerna. Ekman och Linda fick en lägesrapport av Sundin som hade ansvaret för att få ner henne. En stegvagn från Räddningstjänsten fanns också på plats. Men flickan hade hotat att hoppa om stegen kördes upp mot taket.

Läget var överskådligt. Flickan var sexton år och hette Maria Larsson. Hon hade tidigare i omgångar vårdats på sjukhus för psykiska problem. Hon levde tillsammans med sin mor som var missbrukare. Just denna kväll hade något gått alldeles fel. Maria hade ringt på hos en granne och när dörren öppnats rusat in och tagit ett hagelgevär och några patroner som hon visste fanns i lägenheten. Lägenhetsinnehavaren kunde räkna med allvarliga problem eftersom han uppenbarligen förvarat både vapnet och ammunitionen på oförsvarligt sätt.

Men nu gällde det Maria. Hon hade först hotat att hoppa, sen att skjuta sig, sen att hoppa igen och att skjuta alla som närmade sig. Mamman var för berusad för att kunna vara till någon nytta. Där fanns också risken att hon skulle börja skrika åt dottern och uppmana henne att göra allvar av sina avsikter.

Flera poliser hade försökt tala med flickan genom en lucka som fanns tjugo meter från den plats vid stuprännan där hon satt. Just nu försökte en gammal präst tala med henne, men när hon riktade vapnet mot hans huvud dök han hastigt ner. En febril verksamhet pågick för att få tag på någon nära vän till Maria som kunde tala henne till rätta. Ingen tvekade om att hon var tillräckligt förtvivlad för att kunna göra allvar av sina hot.

Linda fick låna en kikare och riktade in den mot flickan. Redan när hon tagit emot larmet hade hon tänkt på den gång hon själv hade balanserat på broräcket. När hon såg Maria som satt och skakade däruppe på taket, hennes krampaktiga tag om geväret, tårarna som frusit i hennes ansikte, var det som om hon såg sig själv. Bakom sig kunde hon höra hur Sundin, Ekman och prästen stod och diskuterade. Alla var villrådiga. Linda tog ner kikaren och vände sig mot dem.

– Låt mig tala med henne, sa hon.

Sundin skakade tveksamt på huvudet.

– Jag har varit i samma situation själv en gång. Dessutom kanske hon lyssnar på mig som inte är så väldigt mycket äldre än hon.

– Jag kan inte låta dig ta risken. Du är inte mogen än att bedöma vad du bör och inte bör säga. Dessutom är vapnet laddat. Hon verkar alltmer desperat. Förr eller senare skjuter hon.

– Låt henne försöka.

Det var den gamle prästen som talade. Han lät mycket bestämd.

– Jag håller med, sa Ekman.

Sundin vacklade.

– Ska du inte i alla fall först ringa hem till din pappa och tala med honom?

Linda blev utom sig av ursinne.

– Han har inte med det här att göra. Det är min sak, inte hans. Bara min. Och Maria Larssons.

Sundin gav med sig. Men innan hon fick klättra upp på vinden och sticka ut huvudet genom takluckan utrustade han henne med skottsäker väst och hjälm. Västen behöll hon på, men hjälmen la hon bort innan hon stack upp huvudet. Flickan på taket hade hört hur det klingade till bland tegelpannorna. När Linda såg mot Marias håll var geväret riktat mot henne. Hon var nära att dyka tillbaka ner genom luckan.

– Kom inte hit, skrek flickan. Jag skjuter och hoppar.

– Det är lugnt, ropade Linda tillbaka. Jag stannar här, jag rör mig inte ur fläcken. Men låter du mig prata en stund?

– Vad skulle du ha att säga mig?

– Varför gör du det här?

– Jag vill dö.

– Det ville jag också en gång. Det är det jag vill säga.

Flickan svarade inte. Linda väntade. Sen berättade hon om hur hon själv hade stått och balanserat på broräcket, vad som hade varit orsaken och vem som till sist hade lyckats få henne att klättra ner.

Maria lyssnade, men hennes första reaktion var ilska.

– Vad har det med mig att göra? Min historia kommer att sluta därnere på gatan. Gå härifrån. Jag vill vara ifred.

Linda undrade förvirrat vad hon skulle göra. Hon hade trott att hennes egen historia skulle vara nog. Nu insåg hon att det var en naiv felbedömning. Jag har sett Anna dö, tänkte hon. Men än viktigare är att jag också har sett Zebrans glädje över att fortfarande vara i livet.

Hon bestämde sig för att fortsätta tala.

– Jag vill ge dig nånting att leva för, sa hon.

– Det finns ingenting.

– Ge mig vapnet och kom hit. För min skull.

– Du känner inte mig.

– Nej. Men jag har själv stått på ett broräcke. Jag drömmer mardrömmar, ofta, om att jag kastar mig ut från bron och dör.

– När man är död drömmer man ingenting. Jag vill inte leva.

Samtalet gick fram och tillbaka. Efter en stund, hur lång kunde Linda aldrig svara på eftersom tiden hade stannat när hon stack ut huvudet genom takluckan, märkte hon att flickan på allvar började tala med henne. Rösten blev lugnare, mindre gäll. Det var första steget, nu höll hon på att knyta en osynlig livlina runt Marias kropp. Men ingenting avgjordes förrän i det ögonblick Linda hade gjort slut på alla sina ord och började gråta. Då gav Maria upp.

– Jag vill att dom släcker strålkastarna. Jag vill inte träffa min mamma. Jag vill bara träffa dig. Och jag vill inte komma ner riktigt än.

Linda tvekade. Var det en fälla? Hade flickan bestämt sig för att hoppa när strålkastarna hade släckts?

– Varför kommer du inte med mig nu?

– Jag vill ha tio minuter för mig själv.

– Varför?

– För att känna efter hur det känns att ha bestämt sig för att leva.

Linda klättrade ner. Strålkastarna släcktes, Sundin tog tid på sin klocka. Plötsligt var det som om alla händelser från de dramatiska dagarna i början av september kom emot henne ur mörkret med våldsam kraft. Hon hade varit tacksam över att arbetet och den nya lägenheten hade engagerat henne så mycket att hon aldrig fick möjlighet att sjunka in i de skakande minnesbilderna. Viktigare ändå hade varit samvaron med Stefan Lindman. De hade börjat träffas på fritiden, och någon gång i mitten av oktober hade Linda förstått att hon inte var ensam om att ha blivit förälskad. Nu när hon stod och försökte urskilja flickan på taket som bestämt sig för att leva, var det som om ögonblicket var inne för att hon skulle kunna göra sitt personliga avslut på det som hänt.

Linda stampade med fötterna för att hålla värmen och såg upp mot taket. Hade Maria ångrat sig? Sundin mumlade att det var en minut kvar. Och så var tiden ute. Stegvagnen kördes fram till husfasaden. Två brandmän hjälpte flickan ner, en tredje gick upp och hämtade vapnet. Linda hade talat om för Sundin och de andra vad hon hade lovat, och hon insisterade på att löftet skulle hållas. Därför var det bara hon som stod kvar vid stegen när Maria kom ner. Linda kramade om henne, och plötsligt brast båda ut i häftig gråt. Linda hade en märklig känsla av att hon stod och kramade om sig själv. Vilket hon kanske också gjorde.

Det fanns en ambulans där. Hon följde Maria dit och såg den fara därifrån. Det knastrade under hjulen. Frosten hade kommit, det var redan minusgrader. Poliserna, den gamle prästen, brandmännen kom alla fram och tog henne i hand.

Linda och Ekman stannade kvar tills brandbilarna, poliserna, avspärrningsbanden och de nyfikna hade försvunnit. Då kom ett anrop om en misstänkt rattfylla på Österleden. Ekman startade motorn. De for därifrån. Linda svor tyst för sig själv. Helst av allt hade hon velat fara upp till polishuset för att dricka kaffe.

Men det fick komma sen. Det som så mycket annat. Hon lutade sig mot Ekman för att se på mätaren som visade utetemperaturen.

Minus 3. Hösten i Skåne hade redan börjat dra mot vinter.

Efterord

Det finns en person som på ett avgörande sätt bidragit till den här bokens tillkomst. På hennes egen begäran nämner jag inte hennes namn. Jag säger bara att hon är en ung poliskvinna som arbetar någonstans i Mellansverige. För hennes tålamod och kloka funderingar tackar jag.

Det här är en roman. Det innebär att jag tagit mig friheter. Som till exempel att utrusta kommunikationscentralen vid Ystads polishus med bandspelare som registrerar alla inkommande samtal. Snart lär de också få en sådan bandspelare i verkligheten.

Henning Mankell
Maj 2002

Innehåll